*Collection Soleil*

LES BEAUX QUARTIERS

LES BEAUX QUARTIERS

# ARAGON

# LES BEAUX QUARTIERS

GALLIMARD

PREMIÈRE PARTIE

*Sérianne*

# I

Dans une petite ville française, une rivière se meurt de chaud au-dessus d'un boulevard, où, vers le soir, des hommes jouent aux boules, et le cochonnet valse aux coups habiles d'un conscrit portant à sa casquette le diplôme illustré, plié en triangle, que vendaient à la porte de la mairie des forains bruns et autoritaires.

Dans une petite ville française où règne un souverain ventru, qui fait collection de plaques de foyer, noires et venues de tous les siècles, avec sa femme et ses trois filles, des anges de beauté, dit-on, mascottes de la fabrique de chocolat paternelle, dont les ouvriers ne manquent jamais, lors de la sortie d'une nouvelle tablette-régal ou d'un goûter-au-lait d'une forme moderne, de venir offrir à ces demoiselles les fleurs vigoureuses de la montagne, histoire de les associer à l'espoir qu'ils fondent en la destinée d'un produit sorti de leurs mains frustes, pour lequel déjà les murs de la capitale se couvrent de petites écolières aux bas de laine bien tirés sous le sarrau très court... Dans une petite ville française, le savon bleu de la lessive bouillonne au fond d'une cour où pleure une jeune femme et rit un homme entre deux âges, à la moustache forte comme son haleine, aliacée et pleine de la politique radicale des hauts-quartiers.

Un petit ruisseau serpente entre les pavés ronds comme des galets qui descendent la rue étroite où crie au vent d'été l'enseigne ancienne d'un maréchal-ferrant. Il est parti pour le

Mexique, le maréchal-ferrant, parce qu'il se sentait mal à son aise sur le coteau de la cité, plein de demeures désertées, souvenirs des grandeurs de jadis, quand les rois de France, une fois dans leur règne, s'arrêtaient pour tout un jour avec les seigneurs et les officiers de la garde dans la ville vieille où le soleil trouve difficilement à se glisser entre les toits jusqu'au sol bosselé des rues.

Mais vers la gare, dans la plaine, s'échelonnent les garages où viennent s'arrêter les voitures des voyageurs de commerce, et des restaurants pleins d'hommes poussiéreux, qui regardent, avalés à la hâte une soupe grasse et des ragoûts nostalgiques, le débarquement d'un train, jetant à l'avenue disproportionnée une demi-douzaine de voyageurs harassés, dont le marchand de couronnes mortuaires, retour du chef-lieu pour ses commandes d'immortelles.

Quelle quantité de broderies derrière les vitres du couchant! Dans dix maisons peut-être, où les jeunes filles sont artistes, se copie la grande nappe de Cluny, avec ses quarante-huit carrés de filets, tous différents, et que ça a pris plus d'un an à *La Mode Illustrée* de reproduire, même qu'un numéro de juin s'étant égaré, il a fallu le faire revenir par la poste, et toute la ville attendait, entendons-nous, la ville des gens bien.

Car il y a des cabarets, d'où l'on sort à coups de pied les hommes ivres, et par-derrière la petite église, dans le haut de la ville, une maison qu'on appelle le « Panier Fleuri ». Et là, non plus qu'auprès de la gare où les employés du chemin de fer prennent leur casse-croûte, non plus que dans le faubourg qui sent à plein nez le chocolat, avec ses rues aux maisons toutes pareilles, étroites, à un étage, où roule une marmaille loqueteuse et sèche un linge pisseux et pauvre, rien ne fait écho à la noble entreprise des jeunes filles de la société qui se préparent pour leurs noces un dessus de lit imité de la nappe royale des Carolingiens.

Or ce jour même, à l'heure où le joueur qui croque présentement la boule cloutée de son adversaire pour prendre place au pied d'un platane à côté du cochonnet de bois clair, présen-

tait son anatomie à un major bègue, flanqué d'un général
de brigade appréciatif qui s'y connaît en chevaux, la millio-
nième boîte de croquettes « La Savoyarde », ornée comme les
précédentes d'une cloche gaufrée et d'une paysanne souriante,
était sortie de la manutention de la fabrique, avec, à l'intérieur,
le petit bulletin numéroté à la main qui en certifie l'origine,
et permet s'il s'est trouvé dans sa confection quelque défaut qui
défrisera le consommateur de savoir par quelles mains ont
passé et le paquetage et chacune des délicieuses croquettes
qui l'emplissent. Si bien que, sollicité d'écrire et de se plaindre,
de temps en temps, à Carcassonne ou à Issoudun, voire aux
colonies, jusqu'au bagne, imaginez-vous, un client de mauvais
poil met sous enveloppe avec des récriminations amères la
fiche identificatrice qui permet de faire retomber sur les
épaules de l'ouvrier négligent une inattention déjà ancienne
pour laquelle une juste retenue sera opérée sur un salaire
comme ça passablement insuffisant.

Un million de boîtes de croquettes « La Savoyarde »! Ce
qui en assure le succès, c'en est le bon marché surprenant :
vingt croquettes pour vingt sous, ce qui veut dire que sur ce
seul article, la fabrique a fait un chiffre d'affaires d'un million
brut, en moins d'un an. Ces demoiselles sont décidément des
marraines à la main heureuse, pour le chocolat tout au moins;
car l'une d'elles a tenu sur les fonts un enfant qui n'a pas eu la
chance des croquettes, il est mort à trois mois du croup, c'est
si sale chez ces gens-là! Des Italiens qui travaillent à demi-
prix, et qui s'entassent n'importe comme dans des cabanes,
parce que tout ce qui les intéresse, c'est de rapporter de
l'argent dans leur pays, au Piémont, où ils n'arrivent pas à
vivre.

Les fils des gros marchands qui se rencontrent avec messieurs leurs pères au « Panier Fleuri » regardent avec insolence par les fenêtres les épaules encore maigres des demoiselles qui font du filet. Ils n'aiment pas les Italiens qui viennent prendre le pain des ouvriers français et quand ils en
croisent un, ils crachent à terre et parlent de macaroni.

L'anis tiédit dans les verres de la grand'place, où la politique radicale se poursuit entre des hommes moustachus dont les femmes ne pleurent pas toutes à faire la lessive. Car toutes n'ont pas un jeune amant qui joue aux boules, et qu'on vient de reconnaître *bon pour le service*, le contraire aurait été bien étonnant! Toujours le premier dans les concours de gymnastique...

Il n'y a rien que de très habituel, de très terre-à-terre dans cette ville où ne font plus halte les rois. Un soir d'été, un beau soir d'été, voilà tout. Et encore, il pourrait régner une température plus étouffante. Le vent tiède qui brinquebale l'enseigne du maréchal-ferrant parti pour le Mexique est presque une fraîcheur après le torride après-midi dans le faubourg écœurant de chocolat. Une odeur douce et pénétrante comme la gangrène sur les champs de bataille.

Sérianne-le-Vieux, chef-lieu de canton.

## II

Le marchand de couronnes mortuaires tient sur la place du Marché, à côté de la succursale des Banques de Province, un magasin mi-consacré à l'ornement des tombes, et mi à celui des têtes vivantes : il fait aussi le chapelier. Ni l'un ni l'autre de ces deux commerces ne saurait à lui seul nourrir toute la famille, cinq bouches, si on compte la bonne, avec le père gâteux, Madame, et Gaston qui a douze ans : le monde est soigneux de ses coiffures par ici, une casquette dure dix ans, les chapeaux mous on en porte si peu, et un melon toute une vie. Ce n'est guère qu'aux jours de marché les paysans des environs qui activent les affaires. Le mardi et le samedi. Pour les couronnes, il n'y a pas de jour, c'est au hasard des décès : ce second trafic vient mettre du beurre dans les épinards. Pas tous les mois évidemment qu'on a la chance d'un

de ces enterrements comme celui de la vieille dame Cotin, de la
rue Longue, pour laquelle un évêque s'était dérangé, pensez
donc, mais enfin, bon an mal an, avec le coup de collier du
début de novembre, cela faisait un petit commerce bien
régulier, somme toute, malgré l'aléa, et la rareté des épidémies
dans la ville haute. Ce n'était pas ainsi dans les bas quartiers,
où on mourait comme des mouches, mais ces gens-là n'allaient
pas chercher leurs couronnes place du Marché, il y avait un
autre marchand, un fleuriste, derrière la gare. Pour ce qu'ils
en achetaient d'ailleurs. Des pouilleux. Une couronne, et puis
ça va bien, si c'est tout, sauf pourtant quand c'était un ouvrier
de la fabrique, parce qu'alors le patron envoyait une gerbe
sur laquelle était écrit en arabesques d'argent : *À Y... la Fabrique de Chocolat.* La clientèle de la ville haute, plus sélecte,
demandait des couronnes de fil de fer, de la perle, et même de
la porcelaine; sur la porcelaine on gagne bien, mais c'est une
fois pour toutes. C'est cher, mais c'est bon, ça fait de l'usage.
Comme les melons. Ah j'allais oublier : encore une ressource
du magasin, celle-là une fois par an seulement, au printemps,
les brassards de première communion. Mais sur cet article-là,
il y avait de la concurrence. Plusieurs merceries, et les *Nouvelles Galeries,* de l'autre côté de la place. Une fois par an, ce
n'est peut-être pas dire juste : faut pas oublier la confirmation.
En général, de la communion à la confirmation, le brassard
ressert. Ou bien chez des gens désordre. L'été, ce qui marchait,
c'étaient les chapeaux de pêche, en paille non bordée : ça ne
rapportait guère, bien qu'il n'y eût pas de prix imposé.

Les jours de marché, on ouvrait à six heures. À sept, le
reste du temps, ça suffisait. C'est-à-dire qu'à sept ou six, la
bonne, Angélique, lançait un seau d'eau sur le trottoir, décro-
chait les volets, il y avait douze volets, étroits et hauts,
d'un bleu qui avait dû être vert, et les posait dans l'arrière-
boutique, où dormait le père de Madame, le gâteux. Alors,
M. Eugène descendait. L'appartement du premier donnait
par un petit escalier de fer, en vis, à côté de la couche du vieux,
au milieu des cartons du stock, ceux des casquettes comme ceux

des rubans : *À notre mère chérie, À la compagne de mes jours, Regrets éternels*, en lettres d'or sur de beaux violets, des bleus éclatants, des garance. Trois pièces et la cuisine : sur le devant, la chambre de Madame et Monsieur, et la salle à manger, et sur le derrière, la chambre de Gaston et la cuisine, avec une petite entrée au milieu débouchant d'un côté sur l'escalier du magasin, de l'autre sur le palier de la maison, où on accédait par la cour. Une cour sombre, toute baroque, encombrée de grandes planches parce qu'il y avait un menuisier en bas, porte à porte.

M. Eugène descendait donc. Il vérifiait qu'Angélique avait fait disparaître de la boutique la paillasse sur laquelle elle dormait. Allons bon, pour cette fois, rien ne traînait. Le pire, c'est le peigne, toujours sur le comptoir, et parfois un jupon sale qu'Angélique n'avait pas eu le temps d'engouffrer dans son placard, un petit placard ménagé sous l'escalier, où on mettait aussi les affaires du vieux. Et la grande glace, elle avait l'air propre au moins? M. Eugène, puisque tout était en ordre, manifestait son contentement par une petite tape sur le gras de la nuque d'Angélique, accroupie à frotter le plancher.

M. Eugène marchait sur ses quarante-sept ans. Un homme moyen mais solide, rageur, avec une moustache noire, cirée, le bout soigneusement roulé en une petite frisure. Il s'habillait d'alpaga gris. Fils du marchand de couronnes mortuaires qui tenait le magasin avant lui, il avait eu l'idée d'adjoindre un rayon de chapeaux à son commerce, encore du vivant de ses père et mère. Mais ceux-ci s'opposaient à ce qu'ils considéraient comme une spéculation risquée. Au lit de mort paternel, M. Eugène décida sa mère à lui laisser les mains libres dans l'affaire. En échange, il s'engageait à se marier et à délaisser le « Panier Fleuri » où, pendant les dernières années du père, tout l'argent d'Eugène s'engloutissait, et les petites économies clandestines de la mère qu'il lui arrachait par tous les moyens, jusqu'à forcer son tiroir. Avec son idée de chapeaux, il avait épousé la fille d'un chapelier de la basse ville, dont le fonds était à reprendre, vu que le chapelier était tombé malade, à demi paralysé, baveux et radoteur, sa seconde femme disparue avec la caisse pour suivre un lutteur des foires, et l'enfant du premier lit ne savait que faire ni de son cœur ni de ses couvre-chefs en panne : une fille brune de peau, avec une propension à grossir, cette Pauline. Elle faisait assez dame. On avait logé le gâteux dans l'arrière-boutique, le jeune couple habitait la pièce de derrière au premier. Pendant quatre ans, M. Eugène s'était retenu d'avoir un enfant à cause de la chambre : il ne voulait pas d'un mioche pour l'empêcher de dormir. Quand sa mère fut morte d'une bronchite capillaire, il ne se priva plus, et Gaston naquit dans les délais légaux, à neuf mois jour pour jour de l'enterrement.

La nuque d'Angélique était plus ronde que celle de Victorine. Victorine était la bonne que Madame avait mise à la porte quand elle s'était aperçue que Monsieur couchait avec. Cela avait fait des larmes dans le petit entresol, des histoires dans le voisinage; Victorine ne s'était pas laissé faire comme ça, et le vieux gâteux en bas réclamait tous les matins Victorine avec une voix d'enfant abandonné, parce que c'était elle qui le torchait de ce qu'il avait fait sous lui la nuit, et elle avait le tour de main. Gaston, alors âgé de cinq ans et demi, chipait les perles des couronnes pour jouer dans la cour, sous les planches, avec d'autres gamins.

Pendant plus de trois ans, Madame avait fait elle-même le ménage, une rude économie, et comme ça pas de risques. Elle s'était esquintée à se lever tôt, se tremper les pieds à nettoyer les boutiques, s'abîmer les mains à laver, à faire la vaisselle, elle avait attrapé des rhumatismes. De nouvel enfant, il n'était pas question : Gaston aurait besoin, après eux, et des couronnes et des casquettes. M. Eugène se retenait. Madame, à trente-cinq ans, malgré tout l'exercice, bouffissait, et le matin elle avait de la peine à tenir sur ses pauvres pieds enflés. Gaston allait à l'école et taillait ses crayons dans la pâtée du vieux. Quand Madame n'était pas au magasin, elle tricotait en haut, dans la salle à manger.

Voilà qu'au bout de quatre ans ou presque de cette vie-là, un beau jour, un des conseillers municipaux de la ville, un homme

considéré, et pieux avec ça, est trouvé mort au « Panier
Fleuri », dans des circonstances qui rapprochaient les têtes à
l'heure de l'apéritif, dans les cafés, et tous ceux qui étaient à
la maison publique, lors de l'affaire, sont convoqués en justice,
pour témoigner. Ce n'était pas d'apoplexie que le conseiller
avait passé, mais d'un coup de couteau, et une des filles
fut convaincue d'assassinat : Madame, du même coup, apprit
que son mari était redevenu un familier de l'établissement,
comme dans ses jeunes années.

Alors, à quoi bon s'échiner? C'est ainsi qu'Angélique avait
été engagée. Une dépense, évidemment, mais ça ne se compare
pas avec le « Panier Fleuri »! Désormais, Madame se leva à
neuf heures comme une princesse, et même elle exigea que la
bonne lui montât son déjeuner au lit. Pour M. Eugène, eh bien,
mieux valait encore qu'il fît ça à la maison! Donc il descendait
le matin, dès l'ouverture de la boutique, et il surveillait
Angélique, parce que, n'est-ce pas, la rigolade, c'est une
chose, mais le travail en est une autre. Très blanche, avec des
cheveux noirs lisses, Angélique contrastait à côté de
Mme Eugène.

Dans l'arrière-boutique, le gâteux gémissait doucement
pour qu'on le torche. Il ne se calmait pas quand M. Eugène
entraînait Angélique dans le coin, à l'abri des couronnes, pour
profiter du temps avant que le gosse descendît. Angélique,
comme Victorine, avait le tour de main.

### III

Tous les ouvriers de la fabrique de chocolat n'habitent pas
dans le quartier qui l'entoure : beaucoup s'entassent dans des
cahutes, hors de la ville, le long d'une route qui s'en va dans
la plaine, certains même très loin, au-delà des champs d'amandiers, et ils prennent pour venir un tramway cahotant dont le

trolley sillonne le ciel de poussière, et parfois avec une grande claque la perche saute et tout s'arrête; le conducteur descend, et longuement, tirant la ficelle, essaye, avec des étincelles, de remettre la roulette sur le fil rebondissant.

Puis on traverse des propriétés, aux murs bas, avec leurs jardins où des dames font la sieste, en matinée de toile imprimée, des journaux sur le visage, à cause des mouches. Par-derrière, vers les collines, grimpent des vignes et des champs de maïs. Dans le soleil, entre les oliviers rabougris, un cheval maigre tourne sans fin la roue d'une noria. Et puis d'autres propriétés. Une nouvelle noria, des vignes, et enfin la maison des Loménie de Méjouls, « Les Mirettes ».

M. de Loménie de Méjouls est un mécréant. Soixante ans bientôt, toute sa barbe encore noire, et pas tous ses cheveux déjà blancs, le nez gros, des taches brunes dans les plis du visage, l'œil généralement rouge, un mètre quatre-vingt-dix de haut. Il porte un panama sans âge qui a perdu son ruban, dont la trace est restée claire malgré quinze étés peut-être et des vêtements de toile grise, le premier bouton de la chemise manquant, sans col, M. de Loménie de Méjouls est un mécréant.

Voilà quarante ans qu'avec les garçons du village voisin, aux premières années de la République, il a chassé à coups de pierres la procession qui parcourait les vignes avec l'image de Notre-Dame, laquelle passe pour préserver du phylloxéra. Il s'est soûlé avec eux toute son existence, il a couché avec leurs femmes, et ils lui ont tiré dessus avec le fusil, et puis on s'est réconcilié, parce que qu'est-ce que c'est que ça les femmes et on s'est soûlé au café Blanc, et il y a dans le village trois ou quatre garçons qui ressemblent au vieux, avec sa trogne, parce que les Loménie de Méjouls ne font d'enfants que des mâles, c'est bien connu. Ce qui ne l'empêche pas d'avoir une fille de Mme de Loménie.

Il y a trente ans qu'il l'a épousée, Philbertine de Canope, et contre toutes les prévisions, il lui a mis quatre enfants, trois fils et Suzanne. Les médecins disaient, avant le mariage, que Philbertine ne pouvait pas être mère : on les croyait générale-

ment parce que la fiancée était toute contrefaite, bossue, et
ne s'élevant que d'un mètre quarante au-dessus du niveau de la
mer. Cela faisait, avec ce géant aux grosses pattes, suant la
santé et le tabac, un couple monstrueux et incroyable. Mais
Loménie n'avait pas un sou vaillant, Philbertine avec sa dot lui
permettait d'acheter la propriété dont il avait l'envie, et d'y
vivre à cultiver sa vigne la vie d'artiste à laquelle il tenait.
Car il était un artiste : il peignait des canards, sur des toiles
de petit format.

La famille de Canope avait pour habitude de donner à ses
aînées le nom de Philbertine, en l'honneur de sainte Philbertine, une Canope du XVIᵉ siècle, que les Maures avaient violée,
et qui en avait été du coup tout droit au ciel. Agénor de
Canope s'était opposé avec violence au mariage de Philbertine
avec un homme qui n'avait pas de religion, bien qu'on lui
dît que c'était un parti inespéré, un homme comme on
ne pouvait pas rêver qu'il s'en trouvât un autre qui ait le
courage de s'entortiller de la jeune horreur. Loménie avait
poussé l'audace jusqu'à enlever le laideron, et à l'engrosser.
Il n'y avait plus qu'à céder, et la descendante de la sainte était
devenue la compagne de cet hercule libre-penseur. Comme on
s'étonnait qu'il fût parvenu à la mettre enceinte, il disait que
c'est tout simple quand on n'est pas feignant, il n'y a qu'à bien
viser. Il n'avait pas son pareil pour abattre les cailles avec des
pierres.

Donc, l'enfant était bien venu à terme, et trois par la suite.
De cette racine tordue, de vrais Loménie sortaient, des gaillards semblables à leur père, avec des bizarreries purement
mentales, qui rappelaient la souche de la sainte, dont ils
étaient issus. Seule Suzanne, la cadette, qui s'appelait aussi
Philbertine pour l'état civil, mais qui avait changé de nom,
parce que tout de même, tenait des Canope une certaine
gracilité, sans cependant avoir la dégaine maternelle : une
petite brune tout à fait normale, seulement épouvantablement
cancanière, et puis tout à coup, quand elle était fatiguée, elle
avait une épaule plus haute que l'autre, un vague air de

famille avec une mandragore, qui rappelait sa mère. Mais enfin, on pouvait la considérer comme mariable : elle n'avait de sa mère ni la moustache, ni ce petit écoulement de salive à droite, qui rendait Mme de Loménie excessivement désagréable à regarder.

La maison se complétait d'une vieille cousine de Mme de Loménie, tante Éva, qui avait élevé les enfants, une mince et sèche, avec des narines battantes, et des cheveux teints châtain, parce que c'est la seule couleur naturelle qu'on puisse redonner aux cheveux, relevés sur le dessus de la tête et formant là un chignon de bouclettes. De mémoire d'homme, on n'avait pas vu Mlle Éva sans gants de fil. Sauf peut-être le vieux Loménie qui l'avait baisée vers 1890. Les fils, dès qu'ils avaient eu l'âge d'homme, s'étaient arrangés pour filer. Ils faisaient de brèves apparitions aux Mirettes, généralement au temps des vendanges.

Suzanne jouait du piano et était fort habile à toutes sortes d'ouvrages de dame. C'était elle qui avait lancé en ville la mode du filet, et le modèle de Cluny dont, pour sa part, elle avait déjà exécuté près des trois quarts. Elle ne s'entendait pas avec son père qui n'avait pas de religion, mais elle admirait sa peinture. Le plus souvent, elle traînait en ville chez des amies, ou chez les mères de ses amies, parce qu'elle aimait la compagnie des dames. Elle passait pour très serviable sans qu'on eût pu dire pourquoi. À vingt-deux ans, tout son intérêt dans la vie allait à découvrir les adultères. Qu'il arrivât en ville un nouveau fonctionnaire, par exemple un receveur des postes célibataire, une aubaine! elle n'avait de cesse qu'elle ne sût avec qui il couchait. Elle chiffrait à l'avance. Mme Migeon? Mme Respellière? Mme Migeon était la maîtresse de l'agent voyer, et Mme Respellière du Dr Lamberdesc, alors... Ça ne s'arrangeait pas toujours tout de suite. Suzanne grillait de curiosité, et puis tout à coup, elle s'entichait d'un ménage, elle ne démarrait plus de chez une des dames de la ville, elle la trouvait si charmante, elle n'avait que des éloges pour elle, elle acceptait de tenir le piano à ses soirées. La malheureuse, sans soupçon, se réjouissait de cette amitié nouvelle et subite, elle avait toutes les chances à la même minute : un nouvel amant, une amie nouvelle. Enfin Suzanne acquérait la certitude cherchée, sa nouvelle amie était bien la maîtresse du jeune homme avec lequel elle l'avait aperçue un soir, sur le boulevard. Elle était outrée, elle s'éloignait, on ne la voyait plus chez la femme adultère. Elle disait à ces dames Barrel, du chocolat, qu'une jeune fille ne pouvait pas allez chez une personne aussi légère. Elle avait déjà causé deux divorces avec ce petit procédé et, à la suite des histoires que la notairesse avait eues avec son mari à cause d'elle, cette femme coupable avait attrapé des tics nerveux qui la secouaient entièrement au milieu de ses phrases.

Le dimanche, Suzanne de Loménie de Méjouls tenait l'orgue à l'église du village voisin des Mirettes, et on venait de la ville pour l'entendre. Mais la grande haine dans la vie de Suzanne, c'étaient les chocolatières.

Elle haïssait les chocolatières, comme on appelait les ouvrières de la fabrique de chocolat, parce que ses trois frères avaient eu des maîtresses parmi elles, et, bien entendu, elle l'avait su tout de suite, les suivant, ouvrant leurs lettres, s'arrangeant pour les faire se contredire. Elle avait mis tout en œuvre pour rompre ces liaisons déshonorantes, et si elle n'y était pas arrivée d'elle-même, la vie s'en était chargée pour les deux aînés qui avaient plaqué leurs amies pour quitter le patelin. Pour le troisième, l'affaire avait été plus grave.

François de Loménie s'était amouraché d'une Italienne, la fille d'un des Piémontais de la fabrique. Une belle fille, il faut le reconnaître, mais enfin fagotée, et pas soignée. Comment François pouvait-il? Certainement tout aussi bien que papa avec maman, avait-il répondu insolemment à sa sœur qui en avait fait une crise de nerfs.

Ce François était un très beau garçon avec une espèce de faiblesse dans le visage. Mais pour le reste, un taureau. Et le seul de la famille à n'avoir pas hérité du pif paternel. Il avait un joli nez fin, on se demande où il avait été le pêcher. C'était lui qui devait reprendre les Mirettes, il étudiait l'agriculture. On l'avait envoyé dans une école spéciale à Alger pendant deux ans, et il en était revenu. Il faisait des expériences sur la vigne, parce que le père ne croyait pas à Notre-Dame pour la protéger du mildiou plus que du phylloxéra. Donc, il s'était amouraché de Maria Pallatini, qui demeurait avec sa famille dans une cabane en planches, qu'on apercevait du tramway avec un tas de linge autour, et des mioches nus que c'était une honte. Des garçons, on leur voyait tout ce que le Bon Dieu leur a donné.

Pendant toute une saison, François fut perdu pour les Mirettes. Le père trouvait ça parfait. Bon sang ne peut mentir. Mlle Éva était tout simplement jalouse, et Philbertine disait des chapelets sur lesquels tombaient de longs filets brillants de bave. Suzanne, hors d'elle, n'allait plus en ville, elle rôdait dans les vignes. Si elle avait vu de loin son frère avec l'étrangère, ce qui était bien ce qu'elle cherchait, elle en pleurait pendant trois jours. Il fallait que ça cesse. Une fille d'ouvriers!

François apprit un jour par une lettre que Maria se rencontrait en ville avec un jeune homme avec lequel *elle se moquait de lui*. La lettre n'était pas signée. François la reçut comme un coup de poignard dans le cœur. Il surveilla Maria, elle s'en aperçut et en prit de la rage. Ils en vinrent aux coups, mais se réconcilièrent quelque part dans les collines, au printemps, où il y avait de petites tulipes rouges et des oiseaux siffleurs.

Là-dessus, les lettres anonymes se multiplièrent, se faisant précises, et la jalousie empoisonna tout à fait François, qui était emporté de nature, et il battit Maria, et elle supporta cela dix fois, vingt fois, parce qu'elle l'aimait, qu'il était beau, qu'il sentait bon et qu'il avait des cheveux frisés auxquels elle s'accrochait à deux mains pendant qu'il lui faisait l'amour. Mais quand il vint chez son père, pendant qu'il n'était pas là, et qu'il fouilla dans ses affaires, elle ne put pas supporter ça, et elle coucha avec un ouvrier de l'usine, qui ne lui

reprocha pas de n'être pas le premier, et avec lequel la
question ne se posait pas qu'elle l'aimât pour autre chose
que lui-même, par exemple pour les Mirettes, comme la dernière lettre l'avait mis dans la tête de ce fou de François.

François pleura trois mois, puis s'enfuit et s'engagea dans
la Légion Étrangère. On resta un an sans nouvelles de lui, et
au bout de l'année il envoya du Maroc une carte postale à son
père.

Suzanne à l'orgue, le dimanche, rendait grâce au Seigneur
de la mésalliance évitée.

## IV

Malgré l'humilité qu'elle témoignait à l'égard de son mari,
Augustine Barrel, née Schoelzer-Bachmann, femme du grand
chocolatier Barrel, était l'un des piliers de sa fortune. Les
Schoelzer-Bachmann sont une dynastie industrielle d'Alsace,
qui défie les guerres et les annexions, grâce au fil SB qu'ils
fabriquent et fabriqueront tant que le monde sera monde,
c'est-à-dire tant qu'il y aura des actionnaires, des dividendes,
des ouvriers. D'assez faible santé depuis sa jeunesse, Augustine, atteinte d'hémophilie, n'a jamais voulu apprendre à
coudre, parce qu'il lui suffirait d'une piqûre pour faire une
hémorragie. Chacune de ses trois filles a manqué lui coûter
la vie. Blonde, le nez mince, les cheveux depuis trente ans
coiffés en bandeaux avec un chignon bas, un velours au cou,
les mains sèches, Mme Barrel approche avec inquiétude de la
cinquantaine.

Elle est extrêmement religieuse, et elle n'a jamais trompé
Émile. Elle fait à  tout bout de champ des retraites, s'inflige
elle-même des pénitences, lit chaque soir à ses filles un chapitre de l'édifiante vie du Curé d'Ars, et porte un tas de
petites médailles sur sa peau au-dessous du caraco de flanelle,

fait à la maison, dont elle ne se départit ni hiver ni été. Cependant, il lui reste quelque chose de sa religion première, car, comme tous les Schoelzer-Bachmann, Augustine a été élevée dans l'Église Réformée, et elle ne s'est convertie au catholicisme que pour son mariage avec Barrel. Même que c'était cela qui avait fait romance dans ce mariage, parce que la famille d'Augustine se montrait opposée aux alliances romaines, et que la conversion de la jeune femme avait constitué un drame pour lequel bien des larmes coulèrent à Mulhouse et à Belfort. De son éducation protestante, Mme Barrel n'avait gardé qu'une secrète hostilité au culte de la Vierge. Mais pour le reste, on ne faisait pas plus idolâtre : le Christ, saint Sébastien, saint Antoine de Padoue... en un mot, même au Paradis, la femme de l'industriel préférait généralement les hommes.

Ses filles sont son orgueil : toutes trois ravissantes, un peu maigres, ça s'arrangera avec le mariage qui vous double les sangs, blondes comme leur mère, des cheveux rêveurs, elles ont l'air de descendre d'un vitrail. Elles sont habillées en conséquence. L'aînée a vingt-quatre ans, la plus jeune dix-huit. Ce ne sont pas les partis qui manquent, mais leur père n'est pas pressé.

Mme Barrel donne à l'univers le spectacle édifiant de la simplicité dans la richesse. Elle pourrait habiter Paris, elle préfère continuer une vie provinciale auprès de la fabrique, source de son bien-être. Pas trop près, d'ailleurs, de l'autre côté de la ville, là où la campagne atteint directement les maisons qui descendent de la colline, par les carrières. Les Barrel ont une grande maison avec un parc enclos de murs, mais enfin rien en comparaison de leur fortune. Pour tenir cela, deux domestiques et le jardinier. En plus d'un chauffeur pour l'auto. Leur seul luxe véritable, mais ça Émile y tenait. Une limousine, vaste, confortable, familiale.

Émile Barrel est un petit homme châtain, rougeaud et bien nourri. Les cheveux en brosse, il porte une moustache en accent circonflexe qui lui sort des narines trop ouvertes, sous un nez épaté. Il a une prédilection pour les pantalons rayés et les cravates à pois. La table est à vrai dire l'essentiel de sa vie, ce qui l'enflamme. Il apporte à ses affaires un certain lyrisme théorique. Ce n'est pas simplement pour l'argent qu'il se réjouit d'avoir vendu un million de « Savoyardes » dans l'année. Mais il inscrit, ou plutôt fait inscrire sur des graphiques les courbes de production de la fabrique, et au fur et à mesure il se représente comme la courbe pourrait se développer; s'il s'est trompé, si elle a de brusques crochets avec une descente, hideuse comme une dent longue, il en est véritablement navré pour des raisons... esthétiques. Bien qu'elle lui ait donné trois filles, il néglige un peu Mme Barrel. Il fait des voyages à Lyon. N'a-t-il pas là-bas des cousins soyeux qu'il faut soigner?

Depuis quelques années, Mme Barrel a des troubles assez singuliers. Elle se réveille la nuit tout à fait angoissée, et elle voit à côté de son lit des personnages divers, dont elle sent le souffle, qui se tiennent là sans rien faire cette fois encore, mais la prochaine ça pourrait changer. Les apparitions de Mme Barrel ne sont pas de celles qui surgissent dans les lieux saints, l'hôtel des Barrel n'en deviendra pas un Lourdes. Ce sont toujours des hommes, assez gros, pas très jeunes. Augustine n'a pas l'impression qu'ils soient vraiment nus, mais comme les boulangers : jusqu'à la ceinture. Ils sont assez velus parfois, pas toujours, elle voit leurs seins avec une grande netteté. C'est même surtout cela qui fait qu'elle se rend compte que ce ne sont pas des hommes jeunes. Ils ont le sein un peu avachi, des plis sur le ventre, et la peau très pâle. Ils la regardent bizarrement.

L'un d'eux, une fois, elle est sûre que c'était Garibaldi. Il faut dire que cela venait à un moment où les affaires étaient mauvaises, et où son mari avait dû licencier des ouvriers. Naturellement, il avait commencé par les Italiens. C'était probablement ce qui avait fâché Garibaldi, bien que dans son attitude il n'y eût rien de courroucé, et qu'il la regardât en se frottant le ventre avec lenteur, et en laissant

tomber sa lèvre inférieure avec une langueur alarmante.
Comme toujours, Augustine avait dit dix *Pater* et dix *Ave*,
et l'apparition s'était évanouie, ce qui prouvait bien son caractère infernal.

Elle a essayé d'entretenir Émile des apparitions. Il l'a
d'abord écoutée avec attention, croyant que c'était le chauffeur... puis il s'est moqué d'elle. Il ne lui reste donc qu'une
personne à qui en parler, et c'est son confesseur. Elle ne s'en
fait pas faute. M. l'abbé Petitjeannin, curé de Notre-Dame
des Olives, lui prête une attention soutenue, lui. Il ressemble
un peu à Garibaldi, autant qu'un prêtre peut ressembler à
Garibaldi, glabre.

Le curieux, c'est que Mme Barrel s'est mise à avoir un
intérêt historique pour Garibaldi. Elle a été à la bibliothèque
de la ville pour chercher des livres sur Garibaldi, des livres
où il y avait le portrait de Garibaldi. Le souffle de Garibaldi,
elle en a gardé l'impression très nette. Il est rythmé, assez
court, chaud. Un souffle de bête vraiment. Elle frissonne.
C'est ainsi que la pieuse Mme Barrel s'habitue doucement à
la présence des êtres infernaux, et même qu'elle arrive à en
souhaiter la présence, à la provoquer.

Si Émile Barrel ne croit pas au diable, il croit en Dieu,
et c'est déjà beaucoup. Non qu'il soit dévot, dévot, mais enfin
il va à l'église le dimanche, et s'il lui arrive de manquer la
messe, ce n'est jamais que pour ses affaires. Car il est ce qu'on
appelle un bon patron. Malgré l'humeur de Garibaldi. Les
rapports amicaux entre ses ouvriers et lui ne se bornent pas
à des échanges de fleurs : d'eux à ces demoiselles, dans les
grandes occasions, et de lui à eux pour leur enterrement. Il a
donné à M. l'abbé Petitjeannin un beau local, bien aéré, pour
y établir un patronage, et là, somme toute, la jeunesse
ouvrière a son club, tout comme des gentlemen anglais, a dit
le sous-préfet, M. Rateau, un homme bien pensant, encore
qu'il ne le montre pas, à cause de sa carrière. Pour en revenir
à Garibaldi, c'est justement ce qui l'a forcé à licencier des
Italiens qui a libéré ce local et lui a permis d'en disposer,

quand on a décidé de fabriquer moins de modèles de tablettes, mais de concentrer toutes les forces sur ceux qui ont du succès. Alors, naturellement, plus besoin d'une telle main-d'œuvre. M. Barrel se sentait, bien entendu, tout triste d'avoir à se séparer d'une partie de ses ouvriers, il avait bien examiné le pour et le contre. Mais, n'est-ce pas, il ne faut jamais rien faire de déraisonnable, et l'intérêt de l'usine était aussi celui des ouvriers : si on était allé à la faillite, que serait-il advenu d'eux? Ce n'aurait plus été une partie qui se serait trouvée à la rue. M. Barrel, avant de se décider, avait dix fois relu, réétudié la liste des licenciements. D'abord, naturellement, pas un Français. Il y avait pourtant des Italiens qui étaient de meilleurs ouvriers que les Français, depuis plus longtemps à l'usine, etc... Mais sur ce point, pas de question à transiger : au-dessus des intérêts, il y a les idées, la Patrie.

Dix fois, M. Barrel s'était fait rapporter, avec les listes, les dossiers de ses ouvriers où étaient marqués toutes leurs défaillances, absences, retards, maladies, leur condition de famille, les heures supplémentaires, le rendement de chacun, ses idées politiques, et tout ce qui s'en suit. M. Barrel redoutait énormément de faire tort à l'un quelconque d'entre eux, si humble fût-il. Il s'entourait dans le choix de ceux dont il allait se séparer, de toutes les précautions morales possibles. Non pas qu'il craignît les froncements de sourcils de Garibaldi, lui, mais il souffrait aussi à sa manière des reproches de sa conscience, surtout après ses voyages à Lyon, les quenelles de la mère Filloux.

Eh bien, ces dix fois-là n'avaient pas été assez encore; il avait soumis sa liste à l'abbé Petitjeannin, pour le cas où il y aurait eu un seul des licenciés qui aurait été repêchable, à cause de sa conduite, de sa piété. Mais le fait est que M. l'abbé n'avait trouvé personne qu'il connût dans la liste. Ce qui prouvait qu'elle était bien faite. Les fortes têtes, les socialistes avaient été d'abord inscrits par Émile, et ça en faisait quelques-uns. Tout de même, si on doit absolument se séparer de serviteurs, il va de soi qu'on garde ceux qui sont contents de leur place, et non pas ceux qui sont toujours à récriminer. Ceux-là peut-être qu'ailleurs ils seront plus heureux, et que la grâce les touchera.

On voit que d'un mal sort un bien : puisque c'était comme ça que le patronage avait eu un toit. Et là aussi se faisait le catéchisme de persévérance. M. Barrel se fendit d'une somme assez rondelette pour habiller la clique du patronage plus ou moins comme les gymnastes de Joinville : pantalon blanc, jersey blanc sans col ni manches, une petite veste marine à boutons dorés, la casquette à visière cirée, une ceinture à boucle avec cœur de Jésus. Il paya même l'oriflamme bleue et blanche avec Jeanne d'Arc, et fit venir à ses frais un instructeur militaire, une fois la semaine, de la Préfecture où il y avait une garnison. Comme ça, les jeunes ouvriers, en arrivant au régiment pouvaient très vite être nommés de première classe, passer caporaux, sous-officiers, pourquoi pas officiers? Enfin c'était le monde qui leur était ouvert, rappelez-vous Hoche et Kléber.

Mais, à quelque temps de là, il y eut encore à prendre des mesures pénibles. La maison Barrel n'est pas la seule en France, sans parler de la concurrence suisse, malgré les droits. Imbattables, pour ce qui est du paquetage, les Suisses. Je ne parle pas du chocolat. Enfin, le chocolat Barrel se vendait surtout dans les campagnes, dans les petites merceries de village, les foires. Son principal marché, c'était la Bretagne. Une vieille et solide organisation de la vente avait jusqu'ici permis à la maison de se rire des concurrents. Sans doute on ne prétendait pas faire la pige à Marquis ou à Pihan, aux marques enfin qu'il est de bon goût à Paris d'offrir pour le Jour de l'An. Non, mais le chocolat Barrel était sérieux, sain, nourrissant, un peu blanc à l'intérieur. Spécialité de goûter. Or, voilà que plusieurs marques s'étaient mises à inonder le pays de produits similaires aux produits Barrel. Peut-être de moins bonne qualité, mais les gens n'y connaissent rien. Les boîtes avaient l'air plus avantageuses, et puis, en Bretagne surtout, ce qui faisait du tort au chocolat Barrel, c'était un

nouveau chocolat qui s'appelait « La Croix », comme la lessive
avait d'abord ironisé M. l'abbé Petitjeannin, un homme assez
piquant; et l'astuce était qu'il y avait une croix en relief sur
la tablette de chocolat! On peut se moquer de ces choses-là,
mais, au bout de l'année, il fallait voir le chiffre d'affaires.
C'est ce qui présida à la naissance de « La Savoyarde ».
M. l'abbé Petitjeannin en avait proposé l'idée. Il faut dire
que la célèbre cloche du Sacré-Cœur qui porte ce nom est extrêmement populaire dans les campagnes. On en parle souvent
dans « Le Pèlerin ». Et puis, n'est-ce pas, il y avait quelque
chose de joli, de poétique à mettre une paysanne de Savoie
à côté de la cloche, sur la robe imprimée de la boîte. Le
point délicat était de décider si oui ou non la croquette porterait un dessin ou un relief rappelant son nom. La chose
méritait examen.

La croquette est une forme de chocolat extrêmement avan-
tageuse pour le fabricant. On n'a pas facilement dans l'œil
le poids et la surface d'une croquette, alors, avec une petite
différence de rien dans le rayon ou l'épaisseur, on gagne
incroyablement sur la quantité. Tandis que les tablettes, il n'y
a rien à faire : il y a des modèles standard, et allez lutter avec
le Meunier! Mais tout de suite, si on faisait de la fantaisie,
il fallait de nouvelles machines, toute une manutention, enfin
le prix de la croquette s'en ressentirait. Émile Barrel eut
une inspiration : il fit mettre dans les boîtes le petit bulletin
numéroté à la main qui prouvait que chaque croquette avait
été soumise à un contrôle, à une étude spéciale. Sur ce bulletin, où on demandait au consommateur d'écrire s'il était
mécontent, une phrase perfide sur les chocolats moulés ou
décorés d'une façon sans doute artistique établissait la différence qui existe entre ces chocolats de parade et la robuste,
la simple, la vigoureuse « Savoyarde », en qui tout était sacrifié
à la qualité nutritive.

Naturellement, tout cela était très joli, et assez bien calculé.
Mais il y a un point essentiel dans toute concurrence. Le prix
de la marchandise. « La Savoyarde » avait toutes les chances

de succès, à condition d'être la meilleur marché des croquettes. Pour cela, il fallait en diminuer le prix de revient.
Ne pas marchander sur le paquetage : voyez les Suisses. Un
seul moyen : baisser les salaires des ouvriers. Remarquez que
c'était leur intérêt, naturellement pas immédiat, mais est-ce
que c'était l'intérêt immédiat d'Émile Barrel quand il débour-
sait le prix des jolis vêtements de la clique? On ne peut pas
toujours avoir un point de vue immédiat. Il faut bien penser à
l'avenir. Donc les ouvriers devaient comprendre que leur véritable intérêt était la prospérité de leur usine. Ils seraient bien
avancés si le chocolat Barrel était distancé sur le marché, si
par exemple on perdait la Bretagne. Une baisse de 15 %
n'était tout de même pas à comparer avec un événement
pareil. Émile Barrel, qui vivait sur un pied très modeste, en
comparaison de ses moyens, donnerait pourtant l'exemple, on
rognerait aussi 15 % sur l'argent de la maison.

Là-dessus, il y avait eu grève à la chocolaterie. Un des
moments les plus pénibles de la vie de M. Barrel. En 1911.
L'exemple ne manquait pas alors. C'est contagieux, les grèves.
Comme toujours, il fallait voir là la main d'agitateurs venus
du dehors. Pourtant, Émile Barrel ne s'était pas attendu à ça
de ses ouvriers. Il les aimait comme des enfants. Il les recevait
lui-même dans son bureau quand quelque chose n'allait pas.
Il avait d'abord essayé de la persuasion. Puis de l'intimidation.
Il avait annoncé qu'il ne reprendrait pas à la fabrique les
dirigeants du syndicat. La grève continuait. C'était, il est vrai,
une grève partielle. Il y avait de bons sujets qui n'avaient pas
quitté le travail. Ceux-là, pour leur permettre de gagner
honnêtement leur vie, la vie de leurs femmes, de leurs enfants,
et aussi les Italiens nouvellement embauchés, qu'on avait fait
venir en hâte, n'avait-il pas fallu les protéger des grévistes
qui les battaient, leur jetaient des pierres? Appeler la troupe?
En être arrivé là! Évidemment, les soldats servaient surtout
à faire peur, mais est-ce qu'on sait jamais? M. Rateau, le
sous-préfet, était venu en personne, en uniforme. Un homme
d'une grande élévation spirituelle, avec des vues très larges,

et qui dit à cette occasion des choses profondément émou-
vantes touchant la folie humaine, qui marche contre son
propre intérêt. À déjeuner, chez les Barrel, il expliqua longuement la psychologie des grévistes. C'était un être éminemment
compréhensif que le sous-préfet Rateau. À l'entendre, si on
perdait de vue la ligne générale du discours, on aurait presque
excusé les ouvriers. Ah! voilà comment les choses se goupillent
dans leur tête... c'est donc comme cela. Mais il fallait savoir
rester ferme. Comprendre et pourtant sévir. Le sous-préfet
frappait légèrement avec la fourchette à poisson sur le porte-
couvert. Et l'humanité, avec toutes ses contradictions, ses
bizarreries, ses malheurs, marche pourtant de l'avant, pro-
gresse. Il nous faut envisager non pas tel détail, pour ainsi dire
départemental, mais l'ensemble du processus, son évolution,
sa globalité, je dis bien : sa globalité. Nous sommes des pilotes
(le sous-préfet se tournait vers son hôte), nous devons savoir
garder le gouvernail. Sa péroraison fut magnifique, le navire,
l'horizon, les nuages et la lumière.

Mme Barrel toussa un peu, d'émotion. Est-ce que M. le Sous-
Préfet croyait que les hommes seraient plus heureux avec le
progrès? Elle regardait en parlant l'abbé Petitjeannin. L'abbé
acquiesça. C'était un homme grand et maigre, avec de l'onction,
autour duquel la soutane flottait. Le bonheur était simplement
le sentiment du devoir accompli, mais d'une façon générale
le point de vue de l'Église n'était pas opposé à celui de
M. le Sous-Préfet. Il suffisait de s'entendre sur ce qu'on
appelait le *progrès*. S'il ne s'agissait que des autos, des avions!
Mais, bien sûr, M. Rateau était un homme trop fin pour ne pas
sous-entendre dans la notion de progrès la notion de progrès
moral. Sa Sainteté Pie X était alors entièrement d'accord avec
lui. Tout ce qui nous rapproche de Jésus-Christ...

En général, M. Rateau était plein d'estime pour le chocolatier Barrel. Non seulement à cause des scrupules de
conscience qu'il avait vis-à-vis de ses ouvriers, et qui lui
faisaient honneur, mais aussi pour tout ce qui auréolait cette
personnalité industrielle; mari d'une Schoelzer-Bachmann,

cousin des Barrel de Lyon, Émile Barrel faisait une sorte de pont de chocolat entre l'industrie de la soie et le fil d'Alsace. C'était un de ces hommes qu'on connaît peu à Paris, et pourtant dont le poids compte. Une force. Le sous-préfet, tout en sachant rendre les honneurs qui leur sont dus aux puissances de l'heure, si passagères qu'elles fussent, ne s'y trompait pas : les ministres s'en vont, mais les Barrel demeurent. La vie économique du pays, voilà où est la réalité.

Sans compter que Barrel, du même coup, entre Lyon et Mulhouse, était le lien de la haute industrie et de la grande banque protestantes avec l'aristocratie même de l'industrie catholique, les promoteurs de l'Internationale catholique du textile. Chez lui se rencontraient parfois, la paix faite, des calvinistes de Genève et le dominicain Barrel, frère du grand soyeux.

On avait eu pleinement raison de dompter la grève. On le voyait bien maintenant, même les ouvriers. Un million de « Savoyardes » en un an! Ce n'était pas en se croisant les bras, et à se disputer, qu'on serait arrivé à ce résultat-là.

Garibaldi depuis quelque temps visitait tous les soirs Augustine. Il devenait même familier.

## V

On raconte d'une femme dont le mari ou l'amant avait disparu pendant vingt ans, dans le Centre de l'Afrique, ou enfin dans quelque endroit perdu de ce genre, que quand il lui revint elle ne le reconnut pas, et la vie pourtant reprit entre eux, comme s'ils s'étaient quittés une quinzaine. C'est le soir, quand ils se couchèrent, soudain qu'elle le retrouva à la manière de plier ses habits sur la chaise. Vingt ans, le désert, les cannibales, les tigres, rien n'y avait fait.

Il y a ainsi chez l'homme quelque chose de plus profondément à lui que son visage, de petites habitudes, des manies. C'est de l'horreur de ces manies qu'est faite une vie conjugale, c'est de l'attendrissement sur ces manies que sont faites les amours durables.

M. de Loménie n'avait jamais remarqué que Philbertine pour rien au monde ne se serait couchée sans avoir mis un petit rameau de buis bénit sous l'oreiller. Cette inattention lui avait épargné bien des colères inutiles, car personne n'était têtu comme le petit monstre. M. de Loménie n'avait jamais vu de sa femme que ce qu'il avait besoin de voir pour lui faire des enfants. À lui, sa manie était fort incommode, mais elle était déjà si célèbre dans le pays que personne n'y prêtait plus attention. M. de Lémonie de Méjouls aimait à se déculotter en public. Comme ça. C'était une plaisanterie de gamin qui avait fait long feu. Quand on l'embêtait dans la conversation, et qu'il ne savait plus comment en sortir. Ou simplement quand il était de très bonne humeur. Il se levait, se retournait et d'un geste prompt de la main droite, il lâchait ses bretelles, tandis que la gauche relevait le pan de la chemise. Les fesses de M. de Lémonie étaient un spectacle de moins en moins réjouissant, mais là n'était pas la question. C'étaient des fesses velues, et le vieux satyre avait grand soin d'écarter les cuisses pour montrer du coup qu'il n'était pas châtré. Philbertine se signait. Mlle Éva disait : « Voyons, Gustave », et désignait Suzanne, qui regardait la pointe de ses pieds.

Suzanne, dans sa chambre, cachait dans la doublure des sièges, derrière le bois des fauteuils, et sous le tapis, dans l'embrasure des rideaux, des petits bouts de papier soigneusement pliés, comme s'ils avaient contenu des secrets dangereux pour elle : généralement du papier blanc ou des notes de blanchisseuse. Mais quand elle rentrait chez elle, elle se précipitait vers ses cachettes et vérifiait si en son absence on ne lui avait pas découvert ses papiers. Son cœur battait très fort dans ces moments-là.

La manie de M. l'abbé Petitjeannin était assez analogue,

mais moins ingénue. Il passait son temps à vérifier si on le volait. Il laissait pour cela aux endroits les plus divers, en vue, ou comme cachés négligemment sous des feuilles de papier, sous un gant, un journal, un franc, dix sous, enfin quelque monnaie. Son rêve était de surprendre Gertrude, sa femme de charge, en flagrant délit de larcin. Toute la journée après, il marmonnait à part lui : « Et les cinquante centimes? Où ai-je donc fourré les cinquante centimes? »

Émile Barrel, lui, faisait collection de plaques de foyer. Cela peut passer pour un goût. À vrai dire, ce n'était aucunement un goût, mais une espèce de folie. Il avait fait construire un hangar étroit, juste large assez pour qu'on puisse entasser une plaque de grand foyer sur les plaques précédentes, qui formaient une longue file de fonte noire, s'étendant déjà sur plus de cinquante mètres. Et comme des cartes en paquet, les plaques pouvaient indéfiniment attendre qu'on les regardât. À la rigueur, étant donné le poids, pouvait-on en feuilleter les trois, quatre dernières. Le reste était à jamais entassé là. M. Barrel, chaque jour, allait voir sa collection, c'est-à-dire qu'il ouvrait la porte du hangar, regardait avec satisfaction sa propriété et passait sur la tranche supérieure des plaques atteignables, sa canne comme l'archet d'un instrument de musique. Après quoi, il s'en allait chantonnant. Il affirmait qu'il y avait là-dedans des pièces inestimables, tant du point de vue de l'art que de celui de la rareté. Il fallait bien le croire.

En réalité ces petites manigances, d'aspect bien différent, se ramenaient à des préoccupations communes. Le chocolatier trouvait dans sa collection inutile une jouissance intellectuelle de dominateur : c'était à lui, tout ça, personne ne pouvait le voir, il en savait seul le prix. Ce qu'il y avait d'avare en lui s'était concentré là-dessus. Le même goût de la supériorité hantait l'abbé Petitjeannin : ce confesseur avait besoin de se persuader qu'autour de lui, tous étaient des voleurs, des vauriens, qu'il n'y avait que lui au monde d'honnête. Même goût de la supériorité, à se supposer des secrets chez Suzanne de Loménie. Son père, lui, on voit bien d'où lui venait l'amour de l'exhibitionnisme : c'était comme un reste du droit de jambage qu'avaient exercé ses ancêtres. Le hobereau l'emportait sur l'homme du monde aux Mirettes. Quant à Mme de Loménie, avec un brin de buis, elle se payait la satisfaction intime de se prendre pour une sorcière. Cela excusait son physique.

Mais ce sont là de bien petites manifestations des personnalités marquantes de Sérianne-le-Vieux. Elles ne vaudraient pas la peine qu'on les rapportât, si elles n'étaient les reflets des traits profonds de toute une société, qui marquaient la vie de cette société, là même où on ne s'attendait pas à les retrouver. Par exemple, comme on traitait en général les Italiens dans la ville : achetaient-ils des fruits, le fruitier leur glissait toujours une figue pourrie, des raisins gâtés, par en-dessous. Jusqu'au Dr Lamberdesc qui lambinait quand on l'appelait d'urgence chez ces gens-là. Laissons-leur un peu le temps de mourir.

## VI

Le Dr Lamberdesc était l'amant de Mme Respellière.

Les Respellière habitaient sur la Grand'Place. Du côté du Café des Arts, mais plus au fond de la place. Enfin, cela dépend de ce qu'on appelle du côté : parce que la place n'avait pas une forme régulière, et c'était dans le renfoncement entre le côté du boucher et celui du café, que se trouvait la maison du percepteur.

Une place méridionale avec des platanes tout autour, qu'on ne taillait pas, et qui formaient de l'ombrage jusqu'à toucher les maisons. Au centre la fontaine, qui date, paraît-il, des Romains.

Le percepteur Respellière, ancien sous-officier de la colo-

niale, portait une moustache de chat. Un brun, grand et fort,
que n'avait pas abattu un paludisme tassé, attrapé en Indochine. Mais Mme Respellière en avait eu assez des colonies et,
le paludisme aidant, elle avait fait si bien qu'elle en avait
ramené un Respellière de quarante ans, sorti de l'armée, et à
qui on donna une perception, à cause, affirmait-il, des relations
de son frère, cafetier en Dordogne. Il s'était un peu déplumé,
pas mal jauni, mais il était assez gras, des saloperies dans le
fond du teint, et avec ça soiffeur comme pas un. Il habitait
autant le Café des Arts que sa maison. Quand il ne jouait
pas à la manille, c'était au billard ou aux dames. Le Café
des Arts devait son nom à des peintures qui représentaient
Venise, Versailles, Alger et le retour des Terre-Neuvas. Le
Café formait le rez-de-chaussée de l'hôtel Brot.

Thérèse Respellière avait douze ans de moins que son mari.
C'est-à-dire qu'elle était rentrée en France à vingt-huit ans, il
y avait de cela cinq ans, après huit ans de Cochinchine. Une
petite brune, bien tournée, d'une vivacité surprenante, avec
le teint clair, malgré Saïgon. Le petit pied busqué et la jambe
ronde des Provençales. Ses cheveux étaient si bouclés que,
quand elle les défaisait, ça ne faisait presque pas de différence.
Où Respellière l'avait-il trouvée, et qu'était-elle alors? C'est
sur quoi elle restait fort discrète. Mais elle aimait beaucoup
la danse, et dans ses récits de la vie en Cochinchine elle
nommait négligemment plusieurs officiers dont le nom était
alors célèbre, soit pour eux-mêmes, soit pour leur famille.
Il semblait qu'elle les eût fort bien connus. Toujours est-il
qu'aux colonies elle avait pris le goût de la lecture et, sur le
fond de Sérianne-le-Vieux, elle pouvait passer pour assez
cultivée, bien qu'elle ignorât qui était Voltaire, et que Loti,
Farrère et Olivier Diraison-Sailor fussent ses auteurs préférés.
Elle avait une petite voix et chantait quand on l'accompagnait,
car elle ne pouvait jouer qu'avec un doigt du piano qui ornait
son salon, *Sur la mer calmée,* ou bien *Ô Lola, blanche fleur
à peine éclose,* et l'air favori de Respellière, *Ô Paris, gai séjour
— des plaisirs et des ivresses!*

À Sérianne, il y avait dans les relations mondaines un certain esprit démocratique, comme disait la vieille Mme Cotin, morte l'année précédente. C'est-à-dire que tous les fonctionnaires étaient considérés comme des gens bien, et qu'on recevait même certains commerçants. Par conséquent, Thérèse Respellière allait en visite chez les Barrel, chez les Migeon, chez les Loménie, et bien d'autres. Pourtant il y avait une nuance dans les rapports. Elle n'était pas adoptée, elle n'allait qu'au jour de ces dames. Elle ne serait pas venue à l'improviste, ou l'on aurait trouvé ça drôle : Respellière était un peu débraillé, et Thérèse, au fond, on ne savait pas d'où elle sortait, Thérèse.

Elle n'aimait pas le café où son mari se rencontrait avec le receveur de l'enregistrement, le boucher, Eugène Mestrance le chapelier (par une espèce de correction on ne disait jamais le marchand de couronnes), et quelques autres. Elle préférait rester chez elle, non point qu'elle fût femme d'intérieur, mais elle flânait là, en déshabillé, lisant un roman, tapotant sur le piano ; le ménage était vite fait, dès le matin, elle avait une fille qui venait pour le gros ouvrage, et la maison n'était pas grande, trois pièces en bas, deux au premier. Au second habitaient les propriétaires, un vieux ménage, les Coquelombe, des rentiers. Et puis Thérèse n'était pas très regardante sur la poussière.

Avec cela qu'ayant la réputation d'être une des plus jolies femmes de la ville il n'était pas rare qu'elle reçût des visites. Tous les jeunes gens, et même les messieurs âgés qui aimaient bavarder avec une femme, de temps en temps, poussaient une pointe jusqu'à chez elle, et s'enquéraient hypocritement de la présence de Respellière. Comme si Respellière pouvait être ailleurs qu'au Café des Arts, à trente mètres de là. Mais Thérèse invitait le visiteur à lui tenir compagnie, et on bavardait. Thérèse était très experte dans ses rapports avec les hommes, elle savait les tenir à distance et en même temps leur laisser des espoirs, surtout aux vieux. Il y avait dix hommes amoureux d'elle, et cependant on ne bavardait

pas sur son compte. Du Café des Arts, on entendait sa voix
qui chantait *Madame Butterfly*, et Respellière en calculant
un retro au billard disait : « Allons, il y a du monde chez
Mme Respellière. » Thérèse était peut-être une vertu.

C'est alors que survint le Dr Lamberdesc.

Comment le Dr Lamberdesc devint l'amant de Mme Respellière, Suzanne de Loménie eut beau mettre de côté et ses
préventions sociales et sa haine de Puccini, elle eut beau
accompagner pendant un mois Thérèse non seulement dans
*Madame Butterfly*, mais encore dans la *Tosca*, elle ne parvint
pas à le découvrir. Le fait restait là : le Dr Lamberdesc
était l'amant de Mme Respellière.

Jacques Lamberdesc était le fils d'un petit boutiquier de
Bordeaux qui avait volé sur le poids des bonbons pendant
toute sa vie pour envoyer son unique rejeton au lycée, puis
à Paris étudier la médecine. Mme Lamberdesc mère, jadis
très belle, mais déformée par une grossesse difficile, était
devenue un objet d'horreur pour son mari qui avait reporté
toutes ses extravagances de cœur sur ce fils, héritier de la
beauté maternelle. De fait, dans le genre brun, tout rasé, avec
yeux de velours, épaules larges, et pas soupçon de hanches,
on ne peut rêver rien de plus joli cœur que Jacques Lamberdesc, il ne lui manquait que les rouflaquettes. Il avait
fait fureur au Quartier latin, jusqu'à ce que sa mère étant
morte d'une crise cardiaque en lavant le plancher, et son
père décédé d'une bonne fluxion de poitrine, le jeune homme
se fût trouvé privé des rentes que représentait pour lui le
travail parental, et maître d'un patrimoine assez maigre, avec
lequel il fallait renoncer à faire figure dans la capitale.

Après avoir pesté contre des parents qui l'avaient élevé
pour les plus hautes destinées et qui ne lui laissaient que de
quoi s'installer à la campagne, Jacques, à trente ans, docteur,
et libéré de ses obligations militaires, était venu échouer à
Sérianne-le-Vieux où il avait repris la succession du
Dr Brioude, lequel, se sentant sur sa fin, s'était dépêché de
faire pour sa fille, Claude, quelques sous d'une clientèle

elle-même assez inexistante. Sur quoi Jacques s'était installé, le Dr Brioude avait eu une embolie, et Claude avait perdu à la Bourse les économies de l'épicier bordelais, sans avoir même le temps de se reconnaître. C'était une très jolie fille, vingt-deux ans. Elle était venue très naturellement trouver le successeur de son père pour lui raconter ses malheurs, et lui, avec le même naturel, lui avait fait un enfant. Quand elle comprit qu'il ne l'épouserait pas, et déjà ça se voyait, elle s'empoisonna avec du véronal. Le hasard fit que ce fut Thérèse Respellière qui vint chercher le médecin pour elle. Le Dr Lamberdesc avait déjà rencontré Mme Respellière, mais en la voyant chez lui, il ne put s'empêcher de lui faire la cour. C'était au printemps, et Thérèse était extrêmement émue des confidences qu'elle avait reçues l'avant-veille seulement de Claude Brioude. « Vous êtes un monstre! » dit-elle à Jacques comme il refermait ses bras autour d'elle. Jamais peut-être Thérèse n'eut tant de plaisir de sa vie que ce jour-là, tandis qu'agonisait la petite Claude. Jacques avait déjà une assez grande pratique des femmes, et il sut si bien faire durer ce plaisir, le varier et le répéter, qu'ils arrivèrent près de la malade alors qu'il était trop tard pour la sauver. Cependant cela dura deux jours encore, deux jours pendant lesquels Mme Respellière ne quitta pas le chevet de la moribonde. Ce dévouement pour une étrangère fit parler toute la ville, et Thérèse devint pour toutes les vieilles femmes, et les messieurs attendris qu'elle avait évincés, ce brave petit cœur de Mme Respellière. Le troisième jour, Claude expirait, privée des secours de la religion, et on refusa de l'enterrer en terre chrétienne. Le Dr Lambesdesc, ma chère, avait des yeux! Il y a tout de même de braves gens.

Surtout, que, somme toute, le Dr Lamberdesc avait été plutôt floué par le vieux Brioude. Ça ne l'avait pas empêché de soigner vraiment d'une façon parfaite cette Claude Brioude, qui s'était donné la mort comme une païenne. Pourquoi avait-elle fait cela? On disait qu'elle n'avait pu survivre à son père, mais je t'en fiche. On sut par le notaire qu'elle avait mangé

son magot en un rien de temps. Croyez-vous, une fille de
cet âge!

La clientèle du Dr Brioude, effectivement, n'était pas une
de ces affaires... Il y avait deux médecins à Sérianne, celui
de gauche et celui de droite. Le Dr Brioude était le médecin
bien pensant. Comme tel, il avait la clientèle de personnes
âgées, dont le nombre chaque année allait se restreignant.
À part cela, tout le monde courait chez l'autre médecin,
un libre penseur, mais un homme d'art, qui, de plus, était le
maire de la ville, un radical. Partant il soignait, outre les
fonctionnaires, tout le commerce de la ville. Et qui plus est,
pour athée que fût le Dr Barbentane, comme Mme Barbentane
était la piété même, et l'une des meilleures ouailles de la
paroisse, à tel point que malgré son mari elle destinait l'un
de ses fils au séminaire, une grande partie de la population
croyante tenait pour demi-péché de confier ses rhumatismes,
ses rétrécissements urétraux et ses diarrhées opiniâtres au
Dr Barbentane, qui était maçon, et dont on racontait mille
horreurs comme de tous les membres de la loge locale, où,
avec le maire, le coiffeur de la rue Longue, Reboul le marchand de meubles, M. Migeon et quelques autres mangeaient,
disait-on, le Vendredi saint, un cochon de lait rôti garni
d'hosties frites en guise de pommes de terre.

Par exemple, les Barrel étaient clients de Barbentane. Il
est vrai que par une espèce d'esprit de justice, Émile Barrel
avait donné la clientèle de sa fabrique au Dr Brioude, et la
conserva au jeune Lamberdesc. Pas seulement pour compenser,
mais, n'est-ce pas, les sarcasmes du maire étaient perdus dans
la famille Barrel, tandis qu'avec les ouvriers, déjà suffisamment sujets aux entreprises du Malin, ce n'était pas la peine
de mettre les malades en relation avec ce vieux sceptique,
qui aurait défait tout le travail de l'abbé Petitjeannin. Personne, d'ailleurs, n'avait songé à se demander si le Dr Lamberdesc était dévot ou non : il avait racheté la clientèle
Brioude, c'était assez.

Le plus clair du travail de Jacques Lamberdesc était de

soigner les ouvriers, et il en enrageait, je vous prie de croire. En réalité, il enquiquinait la Sainte Croix, la Vierge Mère et le Saint Frusquin, mais, puisque après tout son pain en dépendait, il n'en laissait rien paraître et il faisait le dimanche une rapide apparition à l'église, entre deux visites; et naturellement qu'il n'oubliait jamais dans sa clientèle ouvrière d'appeler l'abbé quand il en était besoin. Il faut une religion au peuple. Pour ce qu'ils payaient, ces cochons d'ouvriers! Au fond il n'était pas fâché de n'être pas seul à se déranger. Tout ça ne lui permettait pas de rouler sur l'or. Il avait eu de la difficulté même à se payer une petite Peugeot de rien du tout.

La liaison du docteur et de la perceptrice s'était faite par hasard, mais il y avait bien des raisons pour qu'elle durât. Du côté de Thérèse, il y avait l'ennui, le regret des colonies après tout, où elle avait couché tant et plus, plus ou moins au su de Respellière, avec les officiers de son mari; et enfin Jacques, c'était un peu de ce Paris dont rêvait Thérèse, de ce Paris où tout de même les hommes sont plus raffinés en amour, ont des caleçons qui ne ressemblent pas à ceux de l'ancien adjudant, et connaissent des histoires drôles qui font passer le temps entre les baisers. Thérèse, bien entendu, était éprise du docteur, et pourquoi ne l'aurait-elle pas été?

De son côté à lui, ce n'était pas la passion aveugle, il s'en faut. Mais après tout, Thérèse était une chance inespérée dans un trou comme Sérianne. Ni une de ces oies blanches, comme Claude, avec qui la question du maire et de l'autel se pose dans les huit jours, ni une de ces pouffiasses de province, auxquelles il ne pouvait se résoudre, et dont après tout ici la crème était au « Panier Fleuri ». Au fait, par une espèce de courtoisie confraternelle, le Dr Barbentane lui avait laissé la clientèle du « Panier Fleuri ». Trop aimable. À vrai dire les filles payaient mieux que les ouvriers. Mais pour en revenir à Thérèse, elle était après tout une femme qui a vu du pays, pas désagréable au lit. Jacques, évidemment, ne se faisait aucune illusion sur le niveau intellectuel de son amie. Bon, l'intellect y est pour bien peu, et puis, quoi! il faut toujours en rabattre sur quelque chose avec les femmes. Mieux vaut là-dessus que sur... je m'entends. Il l'éleva un peu, lui apprit que *Mlle Dax, jeune fille* n'était pas le fin du fin de la littérature, il lui fit lire ce qu'il fallait, des livres comme *Le Passé vivant* d'Henri de Régnier, *Le Roi Pausole*, du Louis Bertrand (cet auteur en imposait énormément à Jacques Lamberdesc). En fait de musique il eut moins de succès. Il aurait voulu qu'elle chantât de la musique russe, mais même l'air de *Sadko... les diamants chez nous sont innombrables...* était trop compliqué pour elle, alors quand il lui apporta du Duparc et du Chausson, vous pensez! On continua donc à entendre du Café des Arts *Madame Butterfly* et ses touchants espoirs.

— Nom de Dieu! Celui-là est volé! hurlait le boucher, comme un contre inattendu amenait la carambole. Ce Respellière a une veine de cocu!

## VII

Bon pour le service armé!

Et quand Adrien Arnaud avait fait demi-tour pour s'éloigner de la table derrière laquelle se tenaient les officiers, le major lui avait frappé le pectoral d'un petit coup appréciatif :

— Un b-beau so-soldat!

Il avait fait tout ce qu'il avait fallu pour mériter cette appréciation. Ni trop grand, ni petit, développé comme un athlète, mais sans rien d'exagéré dans les muscles, parce qu'il avait toujours eu le soin d'entraîner aussi bien son bras gauche que le droit, de faire de la gymnastique abdominale, de soigner ses jambes, et *cœtera*. C'était un jeune homme avec les joues roses, et le cheveu frisé, et de petits yeux noirs très rapprochés d'un nez mince, un peu tombant. Il avait des dents éclatantes, une ombre de moustache comme au pinceau, et roulait légèrement des hanches en marchant.

Fils unique du propriétaire des *Nouvelles Galeries,* le grand magasin de la place du Marché, il portait bien la confection, des costumes clairs, très dernière mode, d'après les catalogues. Il serait riche un jour et, en attendant, son père, une des sommités de la ville, se souciait très peu de lui pourvu qu'il fût présent chaque dimanche à la grand'messe, et qu'il ne lui demandât pas de l'argent. M. Arnaud père passait sa vie à vérifier les comptes de ses vendeurs. Son fils ressemblait à la défunte Mme Arnaud. Les sports et la gymnastique l'avaient rendu en tout différent de cet homme blême et voûté, penché sur les additions, qui était son père. M. Arnaud, conseiller municipal, faisait partie de la minorité conservatrice; il était à couteaux tirés avec le maire.

Élevé au collège de la sous-préfecture, Adrien en avait rapporté une grande habitude de la barre fixe et une ignorance crasse, qu'il se faisait pardonner par ses succès à la course, au saut à la perche, à la corde lisse. Non pas qu'il fût dévot, mais par goût, il s'était proposé à l'abbé Petitjeannin comme moniteur pour le patronage. Il aimait naturellement à commander et à briller, et avec les ouvriers pas de risque qu'on lui posât des colles sur la géographie ou l'histoire ancienne. Il y avait des garçons de son âge et des plus jeunes qui étaient moins habiles que lui, même s'ils étaient plus forts, parce qu'ils n'avaient pas reçu d'entraînement rationnel. Il avait fait de la salle d'armes pendant des années, et il avait des fleurets et des épées. Il imagina de créer pour les jeunes ouvriers de la chocolaterie un cours d'escrime. Cela avait quelque chose d'absurde, mais, tous les dimanches après la messe, il allait retrouver ses élèves, qu'il éblouissait avec ses contre de quarte, et auxquels il frappait sur les doigts avec le plat de l'épée quand il les trouvait vraiment trop gourdes.

Il détestait les ouvriers, mais il avait pour ses élèves les sentiments d'un chef. Au moment de la grève, il les harangua pour leur montrer les bontés sans nombre de leur patron, ce digne M. Barrel. Adrien considérait M. Barrel comme l'incar-

nation vivante de la haute société. Il ne lui échappait pas
que, quel que puisse être un jour l'héritage paternel, lui,
Adrien Arnaud, n'appartiendrait jamais au véritable grand
monde : il se souvenait, à l'école, de deux ou trois camarades,
des fils de châtelains, qui allaient l'hiver à Nice. Il voyait bien
la différence. Et M. Barrel avait des filles.

Adrien Arnaud n'était pas peu infatué de sa personne physique. Toutes les femmes d'ailleurs le confirmaient dans la
bonne opinion qu'il se faisait de sa beauté. Il avait décidé
qu'il ferait un jour un beau mariage, et dans sa tête il était
arrêté qu'il épouserait une des héritières de la chocolaterie.
Mais il se savait trop jeune encore pour ce destin, et rien ne le
pressait. Il avait donc toujours évité de connaître ces demoiselles Barrel, parce qu'il entendait que son mariage fût la
conséquence d'un rapide, d'un fulgurant roman d'amour, au
moment par lui choisi. Pour celle des Barrel qu'il rendrait
folle de lui, il n'en avait pas encore décidé.

En attendant, tout ce qu'il faisait était comme déterminé
par ce rôle de gendre du chocolatier que lui réservait l'avenir.
La grève avait produit sur lui une impression profonde. Il
avait senti sa fortune menacée. De pareils faits pouvaient
à tout instant se reproduire, à tout instant l'insubordination
ouvrière pouvait mettre en péril les affaires de la chocolaterie.
Il y avait là un vice de la structure sociale, un défaut de la
législation auquel il aurait fallu remédier.

Adrien Arnaud n'avait alors pas loin de vingt ans. Il avait,
avec un ancien professeur à Avignon qui s'était fixé à Sérianne
avec sa femme et ses trois fils, M. Delobelle, créé la section
locale du Club Alpin. M. Delobelle était du Club Alpin de
fondation. Comme professeur, il avait trouvé dans les excur-
sions organisées des jeudis et dimanches un divertissement
sain, comme jeune homme que les femmes effrayent, puis
comme mari que son ménage assomme avec trois mioches
piailleurs, sales, dans un logement mesquin. Ses fils grands,
M. Delobelle voyait maintenant dans les promenades du Club
un moyen de les surveiller jusque dans leurs loisirs. Et il les

conduisait avec d'autres jeunes gens de Sérianne, dans les
montagnes voisines, à l'ermitage du Loup, enfin à tous les
buts de promenade où, agitant son petit bouc gris « à la
Poincaré », il pouvait exercer encore son éloquence profes-
sorale, émaillée de grec et de latin, qui émerveillait Adrien
Arnaud lui-même.

C'est à M. Delobelle, qui personnifiait pour lui la science,
qu'Adrien avait demandé mille détails sur le droit patronal
et le droit ouvrier. À vrai dire, M. Delobelle n'était pas très
ferré en ces matières, et il se faisait sur les attributions des
syndicats des idées très superficielles. Pourtant, à travers ses
propos, Adrien mesura l'abîme vers lequel court la société
républicaine. C'était à peine croyable : depuis cent ans, les
industriels s'étaient laissé, morceau par morceau, arracher
toutes leurs prérogatives. M. Delobelle levait un doigt sagace :
*Jam proximus ardet Ucalegon.* Ne parlait-on pas déjà de
l'impôt sur le revenu? Et comment allait-on l'établir cet
impôt? En mépris du secret de la vie privée des gens! On
allait entrer chez chacun, inventorier ce qu'il avait dans ses
tiroirs, à la banque! Des mesures pour le moins vexatoires.
Et pendant ce temps-là les ouvriers, dégrevés de l'impôt *à
la base,* réclamaient toujours de plus hauts salaires, n'hésitaient
pas à mettre ceux qui les faisaient vivre au pied du mur...

M. Delobelle, debout sur ses courtes pattes roulées dans
des bandes molletières, racontait des histoires de grèves tout
à fait extraordinaires. Parce qu'à Sérianne, ce n'était encore
pas sérieux. Mais à Paris! dans les grands centres! Sans parler
du sabotage. Le plus incroyable était qu'on autorisât des
grèves de solidarité. Un danger avec lequel il fallait compter.
Bon, vos ouvriers se mettent en grève, mais enfin on peut en
faire venir d'autres. Mais si toutes les usines de la région se
mettent de la partie? Et pas seulement les usines. Il y a même
des cas où des gens d'un tout autre métier se solidarisent avec
les grévistes. On a pris l'habitude de considérer la grève
générale un peu comme la tarasque, mais un jour viendra où
les syndicats seront assez forts pour la réaliser. Allez, ce sera

du joli. L'eau, le gaz, l'électricité, le pain, tout manquera.
Les trains, les tramways ne marcheront plus. Vous voyez d'ici
ce que ça donnera.

— Alors, disait Adrien, si quelque part un enfant est malade
et qu'il faut un médecin? Et dans les maisons de santé, les
hôpitaux, pas de lumière pour les opérations d'urgence? Pas
d'eau pour laver les mains des chirurgiens?

— Tu l'as dit, bouffi, triomphait M. Delobelle. Ah lala, il en
mourra des innocents dans ces jours-là!

Mais plus encore que ces considérations, ce qui frappait
Adrien c'était l'absence de tout sentiment patriotique chez les
ouvriers. Même les Italiens qui auraient dû avoir de la reconnaissance pour la France qui les nourrissait, ce que leur
propre pays n'avait pas su faire. Or, il était évident que dans
la grève des chocolatiers, par exemple, il y avait la main de
l'Allemagne. À qui avait-elle profité, la grève? Pas aux
ouvriers! Aux concurrents du chocolat Barrel, et en première
ligne aux Suisses. Vous comprenez que Kohler, Blocker, Lindt,
c'est Suisse si on veut : au bout du compte, il ne faut pas
trop gratter pour retrouver l'alboche. Ce sont les capitaux
allemands qui font marcher tout ça. Les grévistes étaient de
mauvais Français.

Il avait donc eu sa petite idée, Adrien, et il s'en était
ouvert à M. Delobelle et à l'abbé Petitjeannin. Et l'abbé
l'avait engagé à en parler à M. Barrel. Le chocolatier l'avait
reçu chez lui, parce qu'Adrien ne voulait pas être vu à la
fabrique, entrant dans le cabinet directorial. Le projet du
jeune Arnaud avait tout à fait séduit l'industriel. Comme,
en cas de grève, la difficulté était de trouver des ouvriers
connaissant le maniement des machines, Adrien proposait
de rassembler un gros peloton de jeunes gens appartenant aux
meilleures familles des environs, ses camarades somme toute,
et de leur faire apprendre l'a b c du métier, de les promener
dans l'usine, etc... On s'arrangerait de même avec la compagnie
des tramways, l'électricité, le gaz, de façon à ce que le cas
échéant on ait un personnel tout prêt pour parer aux aléas

d'une nouvelle grève. On pouvait lier ce travail à celui de la préparation militaire, au patronage, si M. Barrel n'avait rien contre... Non, non. Parce qu'il fallait tout de même apprendre à se défendre aux jeunes volontaires. On leur enseignerait la savate, et même quelques trucs de jiu-jitsu, la boxe. Un peu de tir ne ferait pas de mal.

M. Barrel parla longuement à déjeuner du jeune homme dont il avait eu la visite. Un garçon intelligent, énergique, qui comprenait les conditions futures de la production... « Nous ne pouvons tout de même pas être réduits à appeler la force armée contre nos ouvriers. Il y a là quelque chose d'extrême à quoi je répugne. Et puis pour ce que ça a donné en 1910 avec la grève des cheminots! » Il vanta tellement la prestance d'Adrien Arnaud que Mme Barrel, croyant l'y rencontrer, alla l'après-midi même faire toutes sortes d'emplettes aux *Nouvelles Galeries.*

Mais Adrien ne faisait que de bien rares apparitions aux magasins familiaux. Cependant il chapitra et embaucha cinq employés des *Galeries* dans son nouveau groupe, *Pro Patria,* le titre était de M. Delobelle. Les trois fils Delobelle y figurèrent. Avec les promenades du Club Alpin, ils n'étaient pas encore assez occupés, et l'aîné, Étienne, avait déjà ses dix-sept ans, son père avait surpris des petits dessins qu'il faisait en cachette, et qui en disaient long sur les conversations qu'Etienne pouvait avoir. Peu à peu, Adrien qui était très populaire parmi les garçons de son âge, à cause de ses records à la perche en particulier, engagea une cinquantaine de jeunes gens. Ils se firent faire un insigne tricolore qui se portait à la boutonnière, et que M. Barrel rapporta pour eux de Lyon. Pendant les vacances, cette année-là, le neveu de Mme Barrel, Jacques Schoelzer qui venait d'être reçu à Pipo, se joignit au groupe, auquel cela donna le double lustre de Polytechnique et du fil d'Alsace. Et Adrien s'enorgueillit de ces relations amicales avec cet héritier de tout le fil blanc qu'on vendait dans les merceries, et qu'il considérait déjà un peu comme son propre cousin. Il lui apprit à jouer aux boules, où, ma foi, il parvint à tenir tête même à Edmond Barbentane.

À vrai dire, M. Delobelle se faisait des illusions sur l'efficacité de *Pro Patria*, sur la chasteté de ses fils. Le nouveau groupe réunissait un tas de garçons entre treize et vingt ans qui étaient assez avertis, et qui, à commencer par Adrien lui-même, ne dédaignaient ni les filles ni les femmes mariées. Adrien couchait avec la femme d'un des plus farouches francs-maçons de la ville, le marchand de meubles Reboul, une espèce de colosse noir, à moustaches, avec une envie poilue sur la joue gauche, un homme puissant, parce qu'il était le grand électeur du Parti radical, et qu'il se vantait de faire et défaire les maires à volonté. Il y avait aussi dans *Pro Patria* tous les amants de cœur de ces dames du « Panier Fleuri », car ces dames étaient très regardantes, socialement, pour leurs amants de cœur, et elles les prenaient dans la jeunesse dorée de la ville. Naturellement sans tenir compte des amants qu'elles pouvaient avoir à Paris, à Marseille ou à Toulouse, qui les avaient fait placer au « Panier Fleuri », et qui étaient d'une autre sorte.

Tous les soirs, la jeunesse dorée se réunissait sur le boulevard de la ville, au-dessus de la rivière. On y jouait aux boules. Les trois meilleurs joueurs de la ville étaient M. Migeon, Adrien et le fils aîné du maire, Edmond Barbentane. Comme M. Migeon, un petit châtain sec, toujours à tirer sur sa bouffarde, frisait les quarante-cinq ans, ce n'était pas tous les jours qu'il venait se mesurer avec les morveux, comme il disait. Il partageait son temps entre les boules et le Café des Arts, pour la plus grande satisfaction de sa femme et de l'agent voyer, homme de physique avantageux. Mais la partie de boules d'Adrien et d'Edmond avait un lustre de tournoi, la rivalité de leurs pères y ajoutant un arrière-goût politique; et au Café des Arts, souvent Mestrance ou le boucher, disait vers le coup de six heures : « On va voir la partie de cet Adrien? » Respellière haussait les épaules : « Feignants! regardez plutôt comme je le fais, celui-là! » Et il vous réalisait un de ces massés, mais alors! qui ne font pas époque dans l'histoire du billard, disait Mestrance, parce que tu nous les sers tous les soirs.

## VIII

Depuis trois ans, ce n'était que l'été qu'Adrien Arnaud retrouvait en l'aîné des fils Barbentane un partenaire digne de lui. Edmond étudiait la médecine à Paris, pour succéder un jour à son père. D'un an plus âgé qu'Adrien, il bénéficiait d'un sursis en raison de ses études.

Le Dr Barbentane, maire de Sérianne-le-Vieux, avait des ambitions que sa position locale justifiait, somme toute. Il visait la députation, le Palais-Bourbon. De toutes façons, il ne pouvait y compter avant une ou deux législatures, le député de l'arrondissement étant trop bien assis, à moins de change-ment de la loi électorale, si les Quinze Mille votaient la R.P. Il comptait que d'ici là Edmond aurait fini ses études, lui ne le pousserait pas aux hôpitaux, l'internat suffisant, et alors son aîné reprendrait la clientèle paternelle, tandis que lui viendrait habiter Paris, sans Mme Barbentane, trop heureuse de rester seule avec sa piété, ses mômeries.

À Sérianne, le ménage vivait aussi désuni qu'il était possible sans scandale : la maison de la rue Longue qui était celle où le docteur avait sa consultation n'était que fort rarement habitée par la famille, bien que le docteur y couchât géné-ralement, parce que c'était plus commode à cause des affaires de la mairie, pour les cas d'urgence de nuit, et ainsi de suite. Non pas que la « maison de campagne » des Barbentane fût bien éloignée de la ville, il ne fallait pas dix minutes de marche par la route pour l'atteindre, et il y avait un raccourci qui diminuait cela de moitié... mais enfin. À la maison de campa-gne, Mme Barbentane vivait pour ainsi dire toute l'année

avec son second, Armand, qui était, lui, *son* fils, le moins fort
des deux, l'aîné ayant été une bonne fois abandonné au père,
à l'irréligion, au radicalisme, à la médecine et à l'enfer.

Quand le Dr Barbentane était simplement Philippe Barbentane, étudiant en médecine à Montpellier, il avait rencontré
Mlle Esther Rinaldi sans se demander quelles étaient ses
convictions religieuses. Et sans doute qu'alors la question pour
Esther n'était pas si palpitante, puisqu'elle n'avait pu ignorer
les plaisanteries de carabin que Philippe ne manquait jamais
de faire sur tout ce qui touchait aux choses sacrées. Enfin
cela avait été un mariage d'amour, dans lequel avait bien un
peu compté l'importance de la famille Rinaldi, des Corses
importés à Sérianne-le-Vieux, qui avaient de la terre, et de
nombreux amis constituant un clan bonapartiste encore vivace
vers 1890. L'oncle d'Esther, médecin, souhaitait se retirer des
affaires et n'avait pas d'héritier. Mais aussi Esther était une
brune rêveuse, avec des yeux clairs, un peu enfoncés et grands.
Enfin tout cela s'arrangeait pour le mieux. Edmond naquit
fin 91, Armand début 96. De famille, le Dr Barbentane avait
un pied dans le parti radical. Au moment de l'Affaire, il fut
dreyfusard. Il était lié de loin aux Clemenceau, tout s'explique.
De là naquit son importance à Sérianne-le-Vieux. Tout le
commerce le soutint, mais l'ancien clan bonapartiste, qui
n'était plus guère qu'un clan clérical modéré, ne le lâcha
pas non plus par fidélité aux Rinaldi. Un Rinaldi avait
accompagné l'Empereur dans l'île d'Elbe.

Esther était une femme emportée, maigre et ravagée par sa
propre nature; à quarante ans elle portait bien plus que son
âge. Ses yeux s'étaient encore cavés avec le temps, et cela leur
faisait un cerne perpétuel, où l'on s'étonnait de les trouver
d'un bleu gris pâle. Elle s'habillait de taffetas noir. À vrai
dire, elle n'avait pas trouvé dans le mariage les joies violentes
qu'elle s'y était promises. La politique et l'ambition lui avaient
arraché son homme de fort bonne heure. Philippe l'avait
déçue. Son fils aîné, bien que tout à fait Rinaldi physiquement,
moralement ressemblait à Philippe, il était sous la coupe de son

père. Celui-ci n'avait pas craint de faire figurer l'enfant avec lui, vers 1900, à un de ces enterrements rouges chers à la population radicale et impie de Sérianne, où le docteur était toujours en bonne place. Ces enterrements civils! C'était une honte, une honte et une saloperie. Quand on songe par exemple que le vieil instituteur qui était mort en 1902 avait été enterré ainsi, et avec discours de Barbentane encore! dans un cercueil drapé d'étamine rouge, tandis que derrière le corbillard marchait cette « personne » qui avait été le scandale de la ville pendant vingt ans, parce qu'on savait bien qu'elle n'était pas mariée avec l'instituteur, une femme de cinquante ans passés et qui était habillée en rouge pour l'enterrement. Des sans-culottes, vraiment, des sans-culottes!

Esther craignait par-dessus tout que les extravagances de son mari, son voltairianisme, n'amenassent une rupture entre le ménage et sa famille à elle. Il y avait encore son père et sa mère, qui vivaient, soignés par une vieille bonne, dans une maison de la ville, et qui étaient très riches, avec des vignobles dans toute la région. Il y avait des cousins, sur l'héritage desquels on comptait sans compter; il y avait tout le monde des relations des Rinaldi. Tout naturellement le désir de retenir tous ces gens-là, de leur plaire, entraîna Esther à exagérer ses désaccords avec son mari. D'abord à l'extérieur avec une piété affichée. Bientôt dans le ménage même, par une sorte d'entêtement à se piquer au jeu. Comme les relations maritales de Philippe et d'Esther s'étaient considérablement refroidies, les revendications d'Esther prirent très simplement le tour religieux, et en même temps la piété offrit à cette amoureuse méconnue des compensations qui l'engagèrent plus avant dans cette voie. Esther se mortifiait, restait des heures à genoux sur les dalles de l'église, elle s'infligeait toutes sortes de pénitences. Elle eut des extases. Elle ne mangeait plus. Elle tourna de l'œil un jour en visite chez une Rinaldi de la plaine. Philippe se fâcha.

Elle n'en fut que mieux ancrée dans ses pratiques. Il se prétendait libre-penseur, Barbentane! Eh bien, il n'avait qu'à

le prouver! Il haussa les épaules, refusa d'envoyer son fils
Edmond au catéchisme, et commença de mener sa vie à l'écart
de sa femme. Il ne s'en trouvait pas plus mal pour ça. Quand
ça le tracassait, il allait à Marseille, où tout est fort bien
arrangé. Parce qu'à Sérianne, dont il était devenu maire,
ça n'était pas commode de visiter le «Panier Fleuri», où il
y avait déjà eu un scandale avec un conseiller municipal
conservateur, un adversaire. Même que, lorsque le Dr Brioude,
son concurrent, vendit sa clientèle au jeune Lamberdesc, on
avait parlé à la mairie d'imposer au « Panier Fleuri » le
contrôle médical du maire, un homme plus âgé, c'est plus
correct, et puis un médecin éprouvé, affaire de salubrité
publique... Qu'est-ce qu'on savait de ce blanc-bec frais sorti
de l'école? Et après, si toute la jeunesse était malade dans le
chef-lieu de canton! Mais Barbentane avait fait sentir avec
beaucoup de tact que c'était là mal poser la question. Il lui
était vraiment très désagréable, dans sa situation de famille,
un peu particulière, de devoir professionnellement fréquenter
le « Panier Fleuri ». Cela ferait inutilement jaser. Enfin, on
n'allait pas faire cet affront au nouveau médecin. Il avait
payé sa clientèle, d'abord. Comme *collègue*, Barbentane insistait sur les deux *l* du mot, il s'y opposait catégoriquement.
Avec cela qu'il avait déjà la charge de la clinique municipale
qu'on appelait pompeusement l'Hôpital. Ce n'étaient pas tant
les trente lits, souvent vides, mais il y avait la consultation.

Si elle avait dû abandonner Edmond au docteur, Mme Barbentane s'était promis de garder son second fils, Armand, dans
la voie de la religion, et elle se tint parole. Elle en était
jalouse au point qu'elle le détacha de ses grands-parents.
Armand, c'était son fils à elle. Lors de sa broncho-pneumonie,
vers les deux ans, elle seule l'avait sauvé de la mort. Elle
l'avait donc enfanté deux fois, et la seconde fois sans le secours
de l'homme. Elle n'avait suivi aucun des conseils de son mari,
mettait des médailles bénies au cou de l'enfant qu'on considérait comme perdu, et c'était cela qui l'avait sauvé. Cela
et ses prières, et le vœu fait de consacrer Armand au Seigneur.

Il serait prêtre, c'était une affaire entendue entre le Ciel et
Mme Barbentane, personne n'avait rien à y voir.

La piété de Mme Barbentane ne nuisait aucunement au
maire dans l'esprit des gens avancés. On le plaignait généralement. Bien plus, en plein combisme, quand tout le parti noir
hurlait qu'on l'écorchait, le ménage Barbentane était un exemple auquel on en appelait pour montrer à quel point on
pouvait être libre-penseur et tolérant. Dans des causeries
intimes avec ses camarades de la Loge, Barbentane laissait
échapper quelques confidences et, ma foi, on était tout près
de le considérer comme une façon de saint laïc. Le pénible
surtout, c'était que le petit Armand, qui commençait déjà
à avoir sa tête à lui, se rangeât tout à fait du parti de sa mère,
et qu'est-ce que vous voulez, Barbentane, médecin, et avec ça
ses devoirs municipaux, il ne pouvait pas passer le temps nécessaire à cette chose difficile, la conquête d'un enfant. Tandis
que Madame, ah, bien sûr! elle n'avait rien d'autre à fiche.

Dans l'autre camp, c'était Mme Barbentane qu'on plaignait,
dont les vertus étaient exaltées. De telle sorte qu'en dernière
analyse le ménage du maire était généralement un objet
d'édification pour le public; et comme aux élections toute
une partie de la bourgeoisie conservatrice votait Rinaldi, sans
autre considération, la position électorale du docteur se trouvait l'une des plus solides du département.

Quand il passait dans la campagne, on le saluait très bas,
même à des cinquante, soixante kilomètres de Sérianne. Sa
Wisner grise se reconnaissait de loin, elle était populaire :
un vieux modèle, mais solide.

## IX

De si loin qu'Armand se souvienne, il y a dans la maison
de grands silences, puis des portes qui claquent, des pas

précipités, et maman qui sanglote la tête dans les coussins, tandis que filtre, par les jalousies une douce lumière d'or qui vient mourir aux pieds d'ivoire du crucifix. Au jardin, vers le soir, on n'entend plus guère que le bruit paisible des cigales, et le passage tanguant des tramways. L'affairement paternel du docteur, ses rapides traversées de la maison, l'haleine humide de ses baisers et le contact de sa barbe, tout cela fait partie des désagréments de la vie au même titre que la nécessité d'enlever l'encre des doigts. Il a toujours été entendu qu'Edmond, lui, n'était pas un compagnon pour son jeune frère. Près de cinq ans de différence. Il l'appelle *crapaud*, il ne rate pas une occasion de l'humilier, parce qu'il n'est pas fort. Edmond a des amis, mais Armand est un sauvage. Il a peur des petits paysans, il ne va pas courir avec eux dans les vignes. Il reste solitaire dans la maison paternelle, ou dans le jardin bien fermé de haies et de pierres sèches, près de la noria qui ne sert plus, ou sous les mûriers à nourrir les vers à soie qu'il élève. Il se raconte sans fin des histoires.

L'enfant a grandi sans même s'en apercevoir, faute de point de comparaison. Quand on l'a mis à l'école communale, sur la volonté de son père, la maison, c'était l'automne, a été secouée par un grand vent comme si elle allait se disjoindre et tomber en pièces. M. l'abbé Petitjeannin, dans sa soutane flottante, était presque tout le temps là, près de maman étendue sur une chaise-longue, et qui se baignait les tempes avec du vinaigre. Le docteur — jamais Armand dans ses pensées n'appelait autrement son père — le docteur faisait des apparitions brutales, hurlait odieusement et sifflotait en marchant. Cette habitude qu'il avait de siffloter! Les pas de son père agaçaient Armand exactement comme Mme Barbentane. Il s'était créé entre sa mère et lui une complicité de tous les instants. Armand guettait à travers les jalousies, et quand il voyait arriver l'auto du docteur, il courait chez sa mère la prévenir au milieu de ses dévotions. « Il vient! » Elle se retournait avec un pauvre petit sourire de martyre : « Tu es sûr, mon chéri, que c'est LUI? »

À l'école, Armand a haï ses condisciples. Il avait le travail
facile, mais sous la table, en détestation de la laïque, il disait
son chapelet. Un petit chapelet d'améthystes que sa mère
avait rapporté de Fourvières, et qui était pour lui d'un prix
inestimable. Dans le fond du jardin, il s'était fait un sanctuaire
secret avec des galets rapportés dans un sac de Palavas-les-
Flots où les grands-parents Rinaldi les avaient conduits,
Edmond et lui, une année, pour une semaine.

Parfois, à dîner, il y avait des scènes violentes. On renvoyait
les gosses consternés. La bonne, Marthe, que Mme Barbentane
avait amenée avec elle de sa famille, les entraînait tous deux
par derrière la cuisine, où elle épluchait les légumes, écrasait
des fruits, tandis que le gros chien Riquet, qui était un
affreux mélange de saint-bernard et d'épagneul, se roulait à
terre, en chassant avec ses pattes les moustiques. Maman
était belle, et douce, et malheureuse, et le plus clair, Edmond,
cette canaille, prenait toujours le parti du docteur. Ceci
plus que tout avait rendu impossible l'intimité des deux
frères.

Ils avaient chacun leur chambre, et celle d'Armand, toute
petite, avec des tableaux d'une cousine Rinaldi qui représentaient le lac de Genève, ouvrait sur celle de Mme Barbentane.
Parfois dans la nuit chaude, l'enfant entendait pleurer sa
mère, et il venait pieds nus, en chemise, se jeter dans ses
bras. Il la trouvait près de la fenêtre, ou à genoux à côté du
lit, prosternée, dans son peignoir rose, le rose était sa couleur,
qui lui demandait d'une voix entrecoupée les sels anglais.
Il allait les prendre, dans l'armoire, derrière une pile de
linge, et le battant grinçait, affolant le cœur d'Armand.

Il essuyait gentiment les grands yeux baignés avec ses petites
mains malhabiles. Il repoussait les mèches qui tombaient dans
les yeux de maman. Ces yeux comme de l'eau dans l'ombre qui
ressemblaient à ceux de l'enfant. Elle le serrait contre elle
avec une expression de désespoir dont il était toujours, malgré
tout, surpris. L'enfant, grave, appuyait son visage à l'oreille
maternelle : « Qu'est-ce qu'il t'a fait encore, dis, maman? »

Alors les doléances partaient comme un flot. Une humiliation de plus. Les propos du docteur devant M. l'abbé ou tout autre. Aucun respect pour l'âme de sa femme, pour sa pudeur. Les choses les plus sacrées, la religion même... Ah, cet être sans cœur, sans foi, sans idéal! Les sanglots interrompaient tout cela. « Maman, maman, ma petite maman! — Pauvre petit, qu'est-ce que tu feras quand je ne serai plus là! — Pourquoi que tu ne serais plus là, maman? » Les larmes reprennent de plus belle : « Malheureux enfant, je t'aime et je me maudis de t'avoir donné le jour! Mourir, si seulement on en avait la force! » Armand se taisait comme s'il n'eût rien compris à ces menaces déguisées, mais il devenait tout froid, terrifié, avec le seul espoir que sa mère ne s'aperçût pas qu'il la devinait, parce que, pensait-il, si elle se savait un témoin de ses pensées secrètes, cela la pousserait peut-être à les exécuter. Il avait sommeil. Un air plus frais venait de la fenêtre. Il regagnait sa chambre avec la terreur du petit jour. Au matin, le réveil épouvantable le jetait à l'école avec des yeux qu'on remarquait.

Plus encore que la piété maternelle, c'est le besoin d'un confident dans ces scènes-là qui fit d'Armand un catéchiste éperdu. Avec quelle ferveur il apprit tout ce qu'on lui enseigna de la science de Dieu. C'est vers Dieu, quand sa mère se traînait dans la nuit dans des convulsions, sur la descente de lit à grandes fleurs passées, que l'enfant élevait ce regard éloquent, c'est à Dieu qu'il adressait ses muets discours. C'est à Dieu désormais qu'il racontait ses histoires. Son plus cher trésor, c'étaient les bons points du catéchisme, bleus et roses, imprimés d'or. Il les cachait sous les pierres de son autel, dans le jardin. Il rêvait qu'il était un prêtre. Il partait, dans le potager, évangéliser les fourmis. Il leur parlait un langage lyrique où il se perdait lui-même, arrêté soudain à en regarder une, bien brave, qui portait sur son dos un bout de bois tellement plus gros qu'elle! Comme si Armand eût trimbalé son armoire à glace... Fourmis, fourmis, comment ne vous émerveilleriez-vous pas de la gloire de Dieu dont vous êtes un vivant témoignage? Fourmis, vous vous promettez, mais votre attente est vaine, elle est frivole, et le mensonge est à l'ombre de vos pas, fourmis! Malheur à vous qui prenez appui sur le gracile roseau, malheur à celui qui... je veux dire à celle, les fourmis sont du féminin, à celle qui dans son audace sacrilège s'en remet aux pompes de l'impiété, aux lumières du siècle, à la nuit profane! Dieu soutient les fourmis qu'il aime, lui seul ne trompe point la brebis, c'est-à-dire les fourmis fidèles, et sa parole ne déçoit point mon attente... Grand Dieu, c'est trop, c'est trop me promettre, je suis ébloui, je suis comblé! Fourmis, remerciez votre Sauveur et sa Mère Bienheureuse pour toutes les bontés qu'ils font pleuvoir sur vos demeures de péché... Oh, celle-là, qu'est-ce qu'elle fait avec cette herbe? L'avarice, malheureuse, t'incite à acquérir plus de biens que de raison... Tu ne songes pas à l'orphelin que tu dépouilles, le démon tentateur...

L'église devint l'annexe du jardin. C'était une église romane qu'on avait rafistolée comme on avait pu. Il y avait de belles statues de plâtre, et même une Jeanne d'Arc à laquelle on apportait des fleurs. La grotte de Lourdes fut longtemps ce qu'Armand imagina de plus beau sur la terre, avec sa Vierge au manteau bleu. Il s'échappait se prosterner sur les prie-Dieu de paille, en se penchant si fort, qu'il s'arrêtait la respiration. Il se faisait, à dire des *Ave Maria*, les ongles enfoncés dans la chair, de véritables plaies derrière les oreilles, parce que là, ça ne se voit pas. Il se mordait les gencives jusqu'au sang. Il offrait ses souffrances à Jésus, et il imaginait sans cesse des mortifications nouvelles. Ses prières du soir et du matin s'enrichissaient de litanies à devenir kilométriques. Il se privait de dessert. Enfin, de son propre avis, il était en passe de devenir bienheureux, si pas tout à fait saint.

Quand il eut douze ans, l'an d'après sa communion, son père l'envoya au chef-lieu, à cette même école où étudiait Adrien Arnaud. C'était une école laïque, mais où l'on disait ses prières, tenue par des professeurs qui avaient de la religion. Edmond, lui, était au lycée de Lyon; par concession pour

sa femme, Barbentane avait transigé et mis le petit dans
cette boîte qui n'était pas aussi scandaleuse, pour un homme
dans sa position, que les Maristes de La Seyne où la pieuse
mère prétendait envoyer son rejeton. Ainsi, Armand atteignit
la puberté sans être tout à fait séparé de sa mère, de son
pays. Il venait à Sérianne tous les samedis soirs, et rentrait
en pension le lundi, debout dès six heures du matin. Le train
local le déversait à la préfecture. Une nouvelle semaine commençait avec l'horreur du mercredi, jour de la leçon de
géométrie, à quoi il ne pouvait rien, mais alors là, rien comprendre. À l'internat, il restait aussi solitaire que dans le
petit jardin de Sérianne. Ses camarades sournois attrapaient
des cafards, et les noyaient dans l'encrier. Ils parlaient un
langage impossible, obscène, des voyous. Le chapelet d'améthystes s'égrenait dans la poche du gamin comme une défense
contre le Malin.

## X

Il y a pourtant des éclaircies dans l'enfance d'Armand,
comme soudain dans une forêt. Des vacances. Quand il était
très jeune encore, et que sa mère avait imaginé, rien n'avait
pu l'en faire démordre, qu'elle avait besoin de prendre les
eaux de Gréoux. Le docteur déclarait qu'elle était folle, qu'est-
ce qu'elle avait, de l'arthritisme ou des dermatoses, non?
Mais de guerre lasse, il les avait laissés partir, elle et le
crapaud. Trois semaines pendant lesquelles Mme Barbentane
n'avait pas eu une seule crise de nerfs : Gréoux était bien un
peu chaud, et monotone, mais à l'hôtel, Armand se lia avec
un petit garçon tout à fait extraordinaire qui lui avait fait lire
Gustave Aymard, et ils étaient devenus des Pawnies, ou des
Araucans, et savaient par cœur le serment des chefs Incas,
et ils disparaissaient dans la montagne à la recherche d'une

belle jeune fille disparue, et ils se disputaient à qui d'eux
ferait Curumilla, et si la jeune fille serait brune ou blonde, car
leurs goûts étaient divergents, et finalement tombaient d'accord
qu'elle aurait des cheveux rouges, comme cela il n'y avait pas
de mécontent.

Une autre année... mais il était déjà grand, leur père les
avait emmenés, les deux frères, dans la haute montagne, et
pour la première fois il avait vu de près des glaciers. Une fois
seulement, d'une des hauteurs qui entouraient Sérianne, on
lui avait montré au loin, au printemps, quelque chose de
clair et de peu discernable qui était, paraît-il, le Mont-Blanc.
Avec les névés, les moraines, les éboulis, les cascades, tout
un monde qui s'ouvrait, Armand, étourdi de l'alternative folle
du soleil et de l'ombre, ne s'était jamais senti si gai, si actif.
Il grimpait, redescendait, cherchait des edelweiss. Le Dauphiné
était son domaine, et cette révélation avait été comme un
armistice entre son père, son frère et lui.

Il y eut quinze jours de camaraderie entre eux. Armand ne se
vexait plus d'être appelé crapaud, c'était devenu un mot
tendre. Ils partaient pour des journées entières. Une nuit, ils
campèrent dans une cabane abandonnée, l'aube fut une fête
incroyable, et Armand admira son père, allumant un feu pour
le petit déjeuner. C'était plus beau que l'Arizona pour sûr.
Le docteur aurait pu faire un trappeur, après tout, avec sa
barbe châtaine, bien qu'il perdît un peu les cheveux, et qu'il
commençât de prendre du ventre. Ils eurent des moments de
bonne rigolade, leur père redevenait enfant, courait avec
eux, leur apprenait à éviter les pierres dans les descentes, à se
servir de la corde et du piolet; à l'hôtel où on redescendait, il
se payait doucement la tête des villégiateurs qui organisaient
des petites sauteries, le soir, dans un chalet de bois. Edmond
même avait taillé un beau bâton pour son frère, et l'avait
décoré, découpant l'écorce en hélice, avec les initiales A.B.
Dans les derniers jours qu'ils passaient ainsi, sur un champ
de neige, Armand attrapa un violent coup de soleil. Il dut
s'aliter.

C'est agité de fièvre, comme il se retournait tout seul dans la chambre, tandis que son père et son frère étaient partis faire le Galibier, qu'Armand soudain s'aperçut avec horreur, qu'écrasé le soir d'une douce fatigue, il avait plusieurs jours de suite omis de dire sa prière. Mon Dieu, me pardonnerez-vous? Je serai damné. Qu'est-ce que c'est que ce relâchement insensé? Et comment ne pas établir de relation entre ce terrible péché et la gaîté profane des derniers jours? Il avait oublié, totalement oublié, le monstre qu'était le docteur. Il avait oublié, misérable, les larmes de sa mère. Il avait pactisé avec l'Antéchrist, car le docteur était nommément l'Antéchrist, et voilà où cela le menait : tout droit à l'apostasie, à l'enfer.

Le changement d'humeur du petit n'échappa point à son père. Drôle de gosse, fantasque. Ce coup de soleil l'avait tout assombri. Mais le docteur ne se posait guère de problèmes, et puis ils allaient rentrer à Sérianne. Il était déjà repris lui-même par l'ombre du retour.

Un jour, dans la maison de la rue Longue, Armand avait découvert en furetant tout un paquet de journaux locaux que conservait son père, parce qu'il y avait dedans des articles, des adresses, des discours écrits par lui, et qu'il avait cochés au crayon bleu ou rouge. Le docteur caressait toujours le projet de réunir en livre un jour ces morceaux de style, qui pour n'être point d'une importance mondiale, n'en avaient pas moins des qualités formelles, trahissant le soin apporté par leur auteur. Armand avait lu. Seigneur, quel abîme de perversité. Vous avez permis qu'il s'ouvre devant mes yeux innocents! Ah vraiment, le docteur était l'Antéchrist ou Simon Mage au moins... Quelle impiété, quel monstrueux orgueil, sans exemple depuis Luther et Calvin! Et encore : ils croyaient en Dieu, eux, au moins. Non, c'était du côté de Voltaire et de Marat, qu'il fallait rechercher les précédents de l'infamie... Être né de cela! Dieu compterait-il au fils les crimes du père, lui qui avait institué le péché originel? Vrai, rien n'était sacré pour le docteur. Ni la douce vocation des religieuses,

ni le sacrement de l'Eucharistie... rien. Armand lisait avec
avidité, des larmes aux yeux. Ensuite, il se reprocha très
vivement cette curiosité. Lire de telles choses, c'était déjà
pécher. Ce qui ne l'empêcha pas de laisser une marque là
où il en était resté de la lecture, et de la reprendre en
cachette dès qu'il le put. Il était invinciblement attiré par la
noirceur paternelle. Le soir, dans son lit, il disait cent *pater*
et cent *ave* en pénitence, ou bien il s'infligeait de prendre son
café sans sucre. Il alla même jusqu'à chiper à sa mère de
l'huile de ricin et à en boire à la dérobade pour se punir.
Comme il avait mangé à l'habitude, ce qu'il fut malade!

La part que son père avait prise à l'expulsion des congré-
gations fut pour lui la révélation la plus dure. Chaque cadeau
que lui faisait le docteur, pour sa fête, le jour de l'an, lui
donnait d'épouvantables remords. Il avait aussi d'insolubles
scrupules à propos du quatrième Commandement :

*Tes père et mère honoreras*
*Afin de vivre longuement*

Oh, pour ce qui était de la longévité, il en faisait joyeusement le sacrifice! Mais cela suffisait-il pour sa rédemption?
Car il était bien sûr qu'il n'honorait point son père, et
comment aurait-il pu en être autrement? (Pour ses grands-
parents, perclus, régentés par une vieille bonne, les Comman-
dements n'en parlaient pas). Aussi se confessait-il une fois
la semaine. M. l'abbé Petitjeannin le réprimanda vivement
d'avoir lu les articles du docteur. Il les compara longuement
à la nudité de Noé ivre, sur laquelle le bon fils rejetait son
manteau. Quelques jours après, il y eut une scène très violente entre Mme Barbentane et le docteur parce que celui-ci
laissait traîner ses journaux rue Longue. Armand saisit la
fin de cette scène par hasard, et sa mère se tut tout à coup
en le voyant entrer. Le docteur était apoplectique, et mau-
gréait contre les curés, lissant sa barbe.

Était-il possible que M. l'abbé Petitjeannin eût trahi le

secret du Tribunal de la Pénitence? Armand se refusait à y
croire, mais il avait des doutes, il essaya de soutirer la vérité
à sa mère sans y parvenir. Quelle honteuse pensée tout de
même! Ne valait-il pas mieux croire à un miracle de la Provi-
dence, à une inspiration d'en haut qui était venue à sa mère
juste à ce moment, en récompense de la contrition véritable
du pécheur? Il est vrai que le pécheur n'était pas très sûr
que sa contrition fût assez profonde pour avoir attiré l'attention du Tout-Puissant. Avec ça que de considérer le docteur
comme un Noé ivre n'était pas une solution pour ce qui est
du quatrième Commandement.

Le jardin et l'église commençaient d'être bien étroits pour
les rêves d'Armand. Il s'échappait sous le prétexte d'aller
voir son père rue Longue, il y avait toujours quelque chose à
lui porter et il en profitait pour s'égarer dans la ville haute.
Il craignait toujours qu'on l'envoyât chez ses grands-parents,
presque gâteux, et insensibles. Il faut dire que la ville haute
était pour lui une espèce de région de rêve. Autant il détestait la ville basse, le faubourg, avec l'usine, le relent de
chocolat, les laideurs de la vie moderne et sordide, autant la
haute partie de la ville avec ses maisons anciennes, dont
beaucoup étaient abandonnées, les souvenirs les ducs de Provence, des passages royaux, les écussons aux portes, et ces
délabrements par où soudain filaient le vent et le soleil,
autant tout cela l'enchantait, le détournait de ce monde qu'il
aimait fuir, des criailleries du foyer, de l'impiété paternelle,
et d'idées nouvelles qui lui venaient, et qui lui causaient un
trouble, dont il s'accusait.

Il y avait une grande maison tout en haut de la colline, là où
déjà les rues se décomposaient, les toitures tombaient, l'herbe
envahissait les pièces des anciennes demeures nobles. La grande
porte de bois vermoulu tenait encore, tout ouvrée de guir-
landes qu'avaient rongées les vents, dans le porche de pierre
rose. Mais, à côté d'elle, il y avait un trou dans le mur, et
vous pouviez entrer là-dedans sans rien demander à personne.
C'était probablement très facile de savoir qui avait jadis

habité cet hôtel majestueux, dont il ne restait plus que les contours et une espèce de grande pièce souterraine du côté rue, qui affleurait au coteau par-derrière en plein soleil, au bout d'une ruelle encombrée d'ordures et de linge séchant. Mais Armand ne voulait pas attirer l'attention sur ce palais clandestin qu'il s'était découvert, et il imaginait sa retraite pleine et bruyante aux jours anciens, suivant sa tête et ses lectures. La salle souterraine était la salle des gardes. De grands garçons robustes, habillés comme sur les tableaux, avec une jambe rouge et une verte, et toujours à chanter et à rire, et des lévriers près de la porte qu'on avait amenés d'Afrique, lors de la récente campagne contre les infidèles des pays barbaresques. Une chanson venait d'en haut dont on ne pouvait que deviner les paroles... la voix d'une jeune femme qui chantait en provençal une histoire des Iles d'Or, et d'un troubadour qui y rêvait, seulement rêvait d'une belle :

> *Et tou lou jour*
> *Ploura d'amour*
> *Margarita do Prouvenco...*

Il restait là, silencieux, Armand, des heures à écouter la chanson et à s'imaginer non point tant la chanteuse, qui s'accompagnait sur la harpe, mais cette Marguerite de Provence dont elle parlait, qui se consumait d'amour pour un poète qu'elle n'avait jamais vu, dont la voix seule un soir était parvenue jusqu'à elle, comme des chevaux piaffaient dans la cour, et que le roi de France était annoncé par des trompettes au loin des fermes, dans la campagne. Pourquoi Raimbaud d'Orange n'avait-il jamais cherché à la voir, lui qui perdait sa jeunesse dans les îles pleines de perruches, de fruits d'or et d'esclaves noirs?

Quand il sortait de son antre, Armand, les yeux vagues de la cour comtale, en redescendant par les rues étroites, s'arrêtait à un spectacle assez archaïque à son cœur. C'était où le forgeron Avril exerçait encore, dans une échoppe séculaire, le

métier primitif qu'il avait hérité de générations de maréchaux-
ferrants. Avril n'avait pas trente ans, c'était un immense
gaillard blond et musclé, avec une longue moustache tombante,
et le nez court. Chez lui, on avait toujours été trop pauvre
pour moderniser la technique. Il ferrait les chevaux comme
au XVIe siècle. Le marteau sonnait sur l'enclume. Les étincelles jaillissaient du fer. La forge, éventée à la main, par un
petit garçon qui était le neveu d'Avril complétait un décor
où rien n'était en désharmonie avec l'histoire de Marguerite
de Provence qui fut mariée à Louis IX, et ne pécha que par
la pensée. Peu à peu, pour Armand, Avril devint un personnage du monde imaginaire. Il lui parlait chaque jour, et comme
Avril travaillait en répondant, et qu'il avait un langage à lui,
fait de toutes sortes de choses ignorées d'Armand, Armand
pouvait continuer à voix haute sa fable, avec tout juste assez
de ruse pour qu'Avril ne s'en étonnât pas trop.

— Avril, lui disait-il, est-ce que tu connais les Iles d'Or?

Avril faisait marcher la soufflerie de sa forge :

— Non, à vrai dire. Je n'ai point été jusque-là. J'ai seulement vu Nice et Cannes, quand j'étais militaire...

Évidemment, Avril avait accompagné Raimbaud d'Orange
jusqu'à la nef qui l'avait emporté sur la mer.

— Personne, Avril, ne t'a jamais parlé des Iles d'Or?

Le cheval attendait, l'œil stupide. Avril passa le grand
soufflet à Armand :

— Soufflez-y sur les couilles qu'il se tienne tranquille...
Petit, tiens-y la jambe...

Le marteau se leva, le sabot grésilla. Armand, fier d'aider,
envoyait l'air frais entre les cuisses du cheval; Avril leva
la tête, et dit avec une voix qui revenait de loin, du travail,
de l'effort accompli, de la sueur, sa voix chantante de Provençal :

— En fait d'Iles d'Or, il y a le Mexique... Un jour, je partirai
là-bas... J'y ai des cousins... Et dans la montagne, il y en a
qui ont déjà fait leur baluchon et qui sont revenus million-
naires... Ils achètent des villas, là-haut, sur le Verdon.

Le Mexique. C'était revenir de Raimbaud d'Orange à Gustave Aymard. Mais le Mexique d'Avril n'était pas celui de Curumilla. Un Mexique de petit commerce, de bazars, avec de l'alcool et des femmes. Avril l'imaginait avec ce qu'il avait vu de Nice, et des récits de marins qui en avaient rapporté des calebasses décorées.

— Ils disent, monsieur Armand, que, là-bas, c'est la nuit qu'on vit, et pas comme chez nous. La nuit tout entière. Et des danses, et on a des pièces d'or cousues à sa veste, et des quartiers de bordels, des vraies villes que c'est pour rien...

Les rêves d'Armand et d'Avril s'en allaient un peu l'un de l'autre à la dérive. Il y avait tout de même entre eux l'appel de ce quelque chose qui ne fût plus la médiocrité de tous les jours. Armand savait que c'était du Mexique qu'était partie la fortune des Rinaldi, au temps du Second Empire. Il était parfois question à la maison de Charles Rinaldi, de Castellane, qu'on appelait l'Empereur des Bazars. C'était lui qui avait donné au Dr Barbentane la grande horloge qui était dans l'entrée de la rue Longue, et qui sonnait le carillon de Westminster. Il était bien vrai que les Mexicains, comme on nommait les aventureux, partis là-bas, appelés par quelque parent ou ami, pour se joindre à un trafic, qui, à ce qu'en disait le docteur, était souvent bien près de l'usure ou pis de la traite des blanches, revenaient, fortune faite, tous vers le même point du monde, un petit creux des premières Alpes, où il y a plus de fleurs que n'importe où au monde, et où leurs maisons de plaisance avaient peu à peu créé une sorte de paradis, auprès de Barcelonnette. C'était là aussi qu'il y avait les papillons les plus rares du monde, et la lavande qui fait la base de tous les parfums dans les fabriques d'Allemagne. Ainsi les rêves médiévaux d'Armand côtoyaient toutes sortes de réalités modernes et magiques.

Avril, battant le fer, disait :

— ... C'est là qu'il est facile à vivre, et doux, et pas bilant. Je ne parle pas des moukhères, parce que ça ne vous intéresse

pas encore. Mais il y en a des brunes, des Espagnoles pour tout
dire, et les négresses. Ah, ça! les négresses, ça me connaît.
Pendant mon service, parce qu'ici... Quand on a goûté des
négresses, les blanches, monsieur Armand, ce n'est plus ça,
c'est fade, c'est du tous les jours... Je ne dis pas ça pour vous...
Je parle tout seul, bien entendu... Je rêve... Soufflez-y bien
sur les couilles, sans vous commander... Les négresses... Qu'est-
ce qui m'a foutu un canasson pareil? Ça serait bien capable
de vous ruer par la gueule... Elles ont la peau foncée, les
négresses... Voilà ce qu'il faut dire...

Peut-être était-il plus pur et plus sain de rêver des Iles
d'Or et des soupirs de Raimbaud d'Orange. Marguerite de
Provence, reine de France, avait accompagné son seigneur
et maître en Égypte. Dans une longue robe blanche, avec un
casque d'argent fleurdelysé, Louis le Neuvième, à cheval,
accompagné de plusieurs princes de l'Église, avait été par
les sables interroger le grand Sphinx. Et pendant ce temps,
que faisait-elle, Marguerite, dans Alexandrie, où ne vint pas
la retrouver le beau troubadour?

Il y eut des discussions au Conseil municipal dont l'écho
bouleversa le cœur d'Armand. On parlait bonnement de raser
les vieilles demeures, et d'édifier en haut de la ville une
promenade plantée d'arbres. C'était le projet radical, il trouvait contre lui l'hostilité vive de la droite qui aurait voulu
qu'on restaurât le vieux Sérianne, pour en faire un lieu de
tourisme, à la Viollet-le-Duc. Le syndicat des chocolatiers
avait avancé une contre-proposition, qu'on loge là-haut une
partie des ouvriers entassés dans le faubourg : mais bien
entendu qui ferait les frais? Pas Barrel, alors la municipalité?
Cela n'avait été qu'une fausse alerte. Le docteur l'avait dit
un jour à table, cette histoire-là c'était bon pour mettre
Sérianne à feu et à sang : le vieux quartier resterait comme
il était, un endroit romantique, des ruines à la Chateaubriand.
Armand respira, on ne toucherait pas à son domaine...

Là-dessus, un beau jour, il trouva la forge fermée, la ruelle
déserte. Des voisins qu'il interrogea lui apprirent qu'Avril

avait enfin réalisé son désir. Il était parti dans l'aube du printemps, après avoir soldé à un collègue son vieux fonds de clous et de fers. Il s'était acheté un grand chapeau de paille chez Mestrance, puis il était descendu vers la gare en chantant, c'était tout ce qu'on savait.

Un peu du cœur d'Armand avait quitté Sérianne.

## XI

Il avait seize ans l'année qu'il passa le bachot latin-grec. Comme on redoutait l'échec, on l'avait retiré du collège pour lui faire prendre des répétitions à Sérianne même avec M. Delobelle, un homme sérieux et sévère. Cette année-là, une violente recrudescence de piété avait plutôt gêné la préparation de l'examen, qu'il passa de justesse.

C'était drôle, parce qu'enfin, depuis l'époque de sa confirmation, au fond, malgré de vieilles habitudes de macération, de discipline, de prières, qui avaient bien changé de nature avec le temps, encore que pour la famille, officiellement, il fût entendu qu'il était de naturel extrêmement religieux, Dieu avait tenu de moins en moins de place dans son cœur. Il passait encore beaucoup de temps à l'église, mais c'était qu'alors personne ne lui demandait compte de ses pensées. Il détestait les jeux de ses camarades. Ce n'était pas lui qui eût été champion de boules comme Edmond. Une fois pour toutes, il laissait rendre compte de son étrangeté dans ce domaine par la vocation ecclésiastique qu'il avait proclamée très fort quand il était haut comme trois pommes. Que d'explications en moins !

Même le docteur qui avait tempêté jadis comme un diable quand Mme Barbentane disait à des visiteurs : « Armand, lui, sera prêtre... », avait fini par se faire à cette idée. Au fait, il n'aimait guère ce petit bout d'homme renfermé et pas sportif pour un sou. Tout son amour allait à Edmond, fort, solide, adroit. Le gosse, lui, était maigre, comme brûlant. Dissimulé. Le visage asymétrique. Il ne regardait pas en face. Et ça valait mieux. Parce que, quand par hasard on surprenait ses yeux clairs, ce n'était pas lui qui était gêné.

Cette partialité paternelle faisait, par exemple, qu'alors qu'Edmond avait de bonne heure appris à conduire et que souvent le docteur lui laissait sa voiture pour une randonnée, jamais Barbentane n'avait voulu confier le volant de sa Wisner au petit, même pour s'exercer. Celui-ci d'ailleurs n'entendait rien à la mécanique.

Armand lui-même était parfois surpris de ce retour de flamme. Il se prit à penser que sa piété allait bien à sa paresse et qu'elle le détournait d'une façon confortable d'études qui devenaient chaque jour pour lui plus insipides. Néanmoins, il repoussa toujours cette idée qui portait d'une façon évidente la marque fourchue du démon. C'est alors qu'il s'inventa l'excuse du solfège. Un prêtre doit savoir chanter. Sa mère obtint donc qu'il prît des leçons de solfège. Cela n'arrangea rien.

La prêtrise d'ailleurs lui apparaissait comme quelque chose d'assez lointain comme le service militaire. Bien que tout Sérianne connût sa vocation, et en parlât, il allait de soi que la position de son père exigeait qu'Armand attendît l'âge de l'indépendance, quand il pourrait suivre l'inclination de son cœur, sans gêner le docteur, sans qu'on pût tenir celui-ci pour responsable, de si mauvaise foi qu'on fût à la Loge. Cela était d'accord commun. C'est pourquoi M. l'abbé Petitjeannin lui-même feignait de freiner un penchant qui allait si à l'encontre de l'obéissance filiale. C'est pourquoi le jeune garçon n'avait jamais été enseigné à servir la messe, malgré le désir ardent qu'il en avait eu.

Cette recrudescence mystique, qui marqua pour Armand surtout le début de l'année 1912, coïncidait, et avec un penchant aggravé à la flânerie, et avec des rêvasseries dont il sortait dans un sentiment de honte et de culpabilité. À Margue-

rite de Provence s'étaient substituées bien des hantises moins
lointaines, et traînant par les hauts quartiers, il s'était pris
à ne plus éviter la rue où se trouvait le « Panier Fleuri »,
pressant le pas soudain s'il apercevait quelqu'un qu'il connaissait et qui prenait le chemin de la maison maudite. Vers le
soir, il en venait parfois de la musique et des chansons. Il avait
vu, passant vers la tombée du jour, une persienne s'entrouvrir
sur un bras nu. Plus tard il s'imagina même avoir du coup
aperçu un sein... Il disait : *un sein de femme*, avec la bouche
sèche.

En même temps, une espèce de réserve lui était née par
rapport à sa mère. S'il l'entendait pleurer la nuit, il faisait
semblant de dormir. Il avait peur de la surprendre dans un
désordre qui l'avait, une ou deux fois, fait battre en retraite.
À vrai dire, l'habitude aussi jouait, et il n'était plus touché
comme aux jours d'autrefois de la vie martyrisée de sa mère.
Faut-il ajouter qu'Esther Barbentane avait vieilli, et que sans
en rien savoir son fils lui-même en tenait compte? Elle avait
perdu de son charme, sans renoncer à ces scènes qui avaient
été touchantes, et qui, de ce fait, tendaient simplement à
devenir grotesques. Elle se desséchait avant l'âge, et comme
la nature en elle ne s'était point encore apaisée, il y avait
perpétuellement à craindre quelque drame. Armand en avait
la confuse inquiétude, et comme jadis, quand il se détournait
de peur de devoir comprendre ses paroles, aujourd'hui il
s'écartait d'elle, sans esprit de retour. Isolée de son fils même,
elle devint dévote avec emportement.

Le penchant d'Armand pour les réalités surnaturelles avait
revêtu un caractère bien différent de cette exaltation maternelle ou de l'ardeur qu'il apportait naguère à se labourer la
chair de ses ongles. C'était plutôt une flamme intellectuelle,
dirais-je une manie raisonnante? Tout le temps qu'il pouvait
voler au collège ou à sa famille, il le passait, emportant des
livres qu'il n'ouvrait point, à marcher dans la campagne, le
long du fleuve, et jetant des cailloux. Il avait pris une passion
de saint Augustin et de saint Paul, mais pourtant il n'en

poussa pas très avant l'étude. Sa tête marchait plus vite que
ses pieds. Ce qui dominait ces méditations juvéniles, c'était
toujours la recherche de la sainteté. Il y avait bien un peu
du démon dans cette recherche : manque d'humilité, pensait-il, et pourtant n'est-il pas légitime de s'interroger sur les
voies qui mènent au Christ? Il était parfois épouvanté de
son immodestie. Il se jugeait sévèrement. Il ne pouvait se
dissimuler, par exemple, que dans sa vocation ecclésiastique,
il entrait cinquante, soyons francs, soixante pour cent du
désir de prêcher, de diriger les âmes, de faire en un mot
les gestes du prêtre, plutôt que d'être profondément un prêtre.
Il s'avouait par exemple qu'il n'avait pas le goût de la vie
monastique. Dans le rôle du prêtre, il voyait indubitablement
un moyen de se produire. Mystère des voies du Seigneur, c'était
pourtant à Sa gloire qu'il songeait, songeant à la sienne.

Un saint, il serait un saint, il le disait avec une véhémence
qui touchait au profane. Ce qu'il y avait de Barbentane en
lui, et qui, chez son père ou son frère, se traduisait par une
sorte d'arrivisme, en lui prenait cette forme inattendue du
désir de sainteté. Dans le siècle les natures violentes qui ne
reculent devant rien pour se procurer l'objet de leurs passions
disent qu'elles iraient jusqu'au crime, si cela était nécessaire.
Armand pensa un jour qu'il irait jusqu'au crime pour atteindre
à la sainteté, et rien ne peut mieux donner la couleur de ses
rêveries. Il transportait, se parlant à mi-voix, par les champs,
les collines, le langage de l'amour temporel, des vices même,
des erreurs des hommes, sur le plan de l'Amour divin. Les
imaginations les plus dangereuses, ennoblies, illuminées par
l'objet surnaturel qu'il leur donnait, trouvaient ainsi leur
justification à ses yeux.

C'est ainsi qu'il ne craignait point de restituer aux métaphores les plus usées du langage sacré une vie nouvelle et
singulière, en les prenant pour des réalités. Pendant une
semaine, il marcha dans la campagne avec cette expression
par quoi les Souverains Pontifes ont cent fois désigné la
chrétienté : la vigne céleste, et la chrétienté n'était point tant

pour lui devenue une vigne, que les vignes qu'il voyait la
chrétienté. Il ne pouvait se résoudre à savoir ce qu'étaient
alors les vendanges : ou l'élévation des âmes vers Dieu, ou non
pas plutôt le péché même qui détache le raisin du vignoble,
ou l'hérésie encore qui l'en sépare par grappes, et il fallait
enfin se décider à interpréter mystiquement l'ivresse des ven-
dangeurs et leurs égarements.

Il trouva dans une épître aux Éphésiens le but qu'il avait à
poursuivre, la définition même de la Sainteté : il s'agissait de
faire croître en soi l'homme parfait jusqu'à la mesure de la
plénitude du Christ. Mais le diable était de définir encore en
soi l'embryon de cet homme parfait. La phrase de saint
Paul ne laissait pas de doute sur l'existence de cet embryon,
il est apparemment la grâce. Armand n'avait pas plutôt conçu
l'idée de cet embryon, qu'elle devint pour lui un embryon
véritable, c'est-à-dire un germe matériel, une préfiguration de l'Homme avec tout ce qui le caractérise et le
distingue du Monstre, le parfait équilibre de ses organes
et de ses facultés. Cela comportait des conséquences graves :
une exaltation de l'Homme, qui faisait du saint quelque
chose qui ressemblait bien plus à Napoléon qu'à Jean
l'évangéliste.

Le hasard voulut qu'une phrase de Thomas d'Aquin vînt à
tomber sous ses yeux : « La personnalité contribue à la dignité
de quelqu'un dans la mesure où il est de sa dignité et de sa
perfection d'exister par lui-même, car c'est cela que l'on
entend par personne... » et comme il ne lut pas plus avant,
là où saint Thomas se contredit précipitamment, et comme
il ne doutait pas un instant qu'il fût de sa dignité, à lui
Armand Barbentane, et de sa perfection donc d'exister par
lui-même, il arriva cette chose étrange que Thomas d'Aquin
le poussa dans la voie du culte de la personnalité. Être saint,
pensait-il tout naturellement, c'est devenir soi. Un camarade
de collège, là-dessus, lui prêta *Le Jardin de Bérénice* dans
l'édition illustrée à 1,50 F, et la mystique d'Armand devint
follement barrésienne. Barrès justifiait en lui la montée d'une

sensualité qui ne se connaissait guère, et catholique par son départ, sa pensée courait à l'apostasie.

Il avait dû renoncer à entretenir l'abbé Petitjeannin des voies qu'il suivait vers la Sainteté, le digne homme l'interrompait toujours pour lui poser des questions sur sa lubricité. Comment aurait-il pu discuter avec lui de la juste place que prend la lubricité dans l'épanouissement de l'Homme Parfait, comme le fait de l'apothéose de ses organes lubriques? Or, il y avait là bien de l'anticipation dans la tête d'Armand qui n'avait point encore atteint à cette apothéose, non plus il est vrai qu'à la sainteté. Le jeune homme se confessait donc de moins en moins, et seulement s'il voulait s'approcher de la Sainte Table, ce dont d'ailleurs il se privait par mortification. Pourtant, quand il en fut arrivé à penser que la nature double du Christ ne pouvant s'expliquer que par la conjonction de deux hypostases, l'une humaine enfantée par la Vierge-Mère, et l'autre divine et qui ne doit rien à Marie, ce qui veut dire qu'il se rangeait parmi les sectateurs de Nestorius, évêque de Constantinople au Ve siècle, qui enseignait que Marie était Theodocos en non Theotocos, et par là ruinait à la base tout culte marial, quand il en fut arrivé à cette hérésie profonde, et qu'il s'en aperçut, et qu'il vint dire à l'abbé Petitjeannin : « Mon père, je m'accuse parce que j'ai péché... », l'abbé s'épouvanta de l'énormité schismatique. En même temps, il ne la prit pas très profondément au sérieux et infligea au jeune homme une pénitence un peu longue, et la pésence aux vêpres de façon régulière.

Rien n'y fit, en son âme et conscience Armand demeurait nestorien !

Alors, son confesseur levant son grand nez maigre dans l'ombre, en accusa l'isolement où vivait le jeune homme. Et comme il usait sa faconde à lui démontrer la maternité spirituelle de la Vierge, il eut une inspiration : « Mon cher fils, lui dit-il, votre orgueil vous perd en ce qu'il vous tient à l'écart des réalités de ce monde. Vous devriez avoir des liens spirituels avec les hommes de votre âge. Il faut chercher dans

le siècle des épreuves que votre superbe refuse sans raison. »
Et il lui conseilla d'entrer dans le groupe *Pro Patria* qui
avait plus d'un an d'existence, où il trouverait à la fois un
déversoir à une énergie dangereuse et l'expérience de ses
semblables, qui le détournerait sans doute de tant chicaner
avec l'Église et avec Dieu.

## XII

Pierre était celui des fils Delobelle qui était de l'âge
d'Armand, et le plus clair résultat de la suggestion de l'abbé
Petitjeannin fut de lier Armand et Pierre, qui tous deux
se sentaient assez déplacés dans *Pro Patria*. Pierre y était
entré à cause de ses frères, et pas plus qu'Armand il n'avait
de sympathie pour Adrien Arnaud, auquel il était difficilement
pardonnable d'être le compagnon de jeux d'Edmond. Pierre
était petit, et assez gros, extrêmement mélancolique, et surtout intéressé dans la vie par la littérature : il avait l'air d'un
jeune cochon rêveur, d'un blond doré, bien nourri, le museau
long, les yeux noirs et les bras courts plantés trop en arrière,
à cause d'un développement des pectoraux exagéré par une
gymnastique mal raisonnée. Il n'y avait personne autour de lui
à qui décemment parler d'Albert Samain, sa marotte, depuis
qu'un ouvrage de ce grand poète lui était tombé par hasard
entre les mains, dans le train de Marseille, où une dame qui
devait être la Destinée l'avait oublié en descendant quelque
part près de Veynes. La Destinée s'appelait Mme Cudeberge,
si on devait en croire l'inscription manuscrite sur la page
du faux-titre.

Les deux jeunes gens ne partageaient guère les passions de
leurs camarades. Les deux Delobelle aînés, Étienne et Maurice,
jouaient aux boules à perdre haleine, avec Adrien et Edmond.
Ils couraient les filles avec eux, et ils avaient une fois entraîné

Pierre au « Panier Fleuri ». Celui-ci en parlait avec une
mélange d'horreur et de fierté. Il restait assez profondément
religieux, et chez lui la religion avait un caractère gothique
très favorable à la passion idéale pour des demoiselles d'un
tout autre type que la grosse Irma ou la Rose pour qui on
s'était battu un soir du côté de la gare.

Les exercices physiques du dimanche matin, les parades du
patronage, tout cela les réunit dans un même sentiment de
désapprobation. Mais comment sortir de là maintenant qu'on
y était? M. Delobelle père ne l'eût pas permis à Pierre, et
Armand, au contraire, une scène qu'il avait eue avec le docteur
lui faisait une obligation de rester au groupe *Pro Patria*.
Le maire de Sérianne avait failli avoir une crise d'apoplexie
en apprenant que son cadet y était entré. Parce que, enfin,
ce truc-là, ce n'était plus seulement des mômeries, mais déjà
une formation politique des curés, des patriotards, de toute
la clique, enfin de la réaction. Alors son fils maintenant devenait un ennemi déclaré... Petite buse, va. Armand, les dents
serrées, écoutait la semonce. Il répéta des mots entendus, sans
trop y croire : la France, la Patrie, apprendre à se défendre...
« Contre qui, éclata son père, contre les Francs-maçons bien
entendu, c'est-à-dire contre ton père? Elle est belle ta
religion. On ne vous apprend pas le respect de la famille, à
l'église? »

*Tes père et mère honoreras...* là était bien la question. Mais
en fait ce qui plaisait à son père déplaisait à sa mère, alors
Armand ne voyait plus dans *Pro Patria* que l'occasion de
rencontrer Pierre, son seul ami, et la poésie aidant, l'affaire
se colorait d'un jour particulier. En vue des grèves éventuelles,
on jouait à tous les métiers. Armand apprit à conduire un
tramway. On le mit sur une des motrices jaunes qui traver-
saient la campagne à côté du wattman, qui d'abord conduisait
devant lui. Puis il prit sa place. Ça n'était pas très difficile,
ce système-là. Le wattman, un rougeaud mal rasé, avec le
poil de toutes les couleurs, lui enseignait le mouvement
sans faire copain. Naturellement il savait pourquoi on lui

faisait donner des leçons à ce jeune godelureau, qui était le fils du maire, paraît-il. Il lui aurait volontiers foutu la fessée. Armand sentait ça, gêné. Non pas qu'il mesurât l'ampleur de la veste de son voisin, tandis que le tram bondissait comme un veau sur les rails bosselés, perdant sa perche à tous les tournants, et en général secouant ses pruneaux de passagers sans aucun respect de la dignité humaine. Mais le jeune homme avait comme une espèce d'idée de l'injustice sociale, à cause du Christ, des Vendeurs du Temple, du charpentier Joseph, et il n'était pas très sûr du rôle qu'il jouait. Comment faire comprendre ça à son menaçant instructeur?

Un apéritif, ça ne se refuse pas. L'autre le regarda, et pensa que c'était toujours ça de pris sur l'ennemi et c'est ainsi qu'ils se trouvèrent attablés au café Blanc, dans le village derrière la propriété des Loménie, avec un Chambéry-Suze et un Amer. La serveuse était un peu grasse, mais jeune, le corsage transparent : on lui voyait toutes sortes de rubans en dessous, qui se prenaient dans les seins et l'épaule. Au dehors, un platane faisait frais au-dessus des mouches.

Le wattman sirotait son verre. On avait une pause d'un quart d'heure avant le départ. On parlait de la chaleur, de la fête de Sérianne fin juillet, tout ça avec des pensées en dessous comme le regard qui remontait du verre sur Armand. Il y avait un monde entre ces deux compagnons. Celui-là, il n'aurait rien de rien pigé non seulement à Albert Samain, mais à l'hérésie nestorienne. Il n'était pas troublé par la divine maternité de la Vierge. Il se moquait comme de colin-tampon de l'autorité du concile d'Éphèse, et de l'abus de pouvoir qu'y avait commis le représentant de l'Évêque de Rome contre l'Évêque de Constantinople. Un homme grossier, somme toute. Aussi ça ne doit pas beaucoup vous développer les méninges de conduire comme ça tous les jours cette espèce de boîte à sardines cahotante. Un incroyant, sans doute...

Il ne devait pas avoir loin de quarante ans. Il était déjà rompu à la dissimulation nécessaire à ceux qui ne veulent pas

perdre leur place. Il y avait quinze ans qu'il faisait ce métier-là.
Ah! ce n'était pas un boulot d'avenir. Une gratification qu'il
avait eue, une fois. Il gagnait bien, oui, par rapport à un
cantonnier. Maintenant, par rapport à un banquier... six francs
par jour ne sont pas le Pérou. Surtout avec trois gosses sans
compter la mère. Six divisé par cinq, ça ne fait pas un compte
rond, rond, enfin faut croire qu'on peut vivre avec vingt-
quatre sous par jour et par tête. Les enfants? Des filles.
Ah, ça oui, les filles, il y a de la ressource, si ça ne leur
plaît pas, le turbin, elles peuvent toujours se faire enfiler.
Je ne dis pas ça pour vous choquer, mais vous savez qu'à
Toulon, j'en ai vu, elles gagnaient un timbre-poste de quinze
centimes en un rien de temps, à ce système-là... Alors, vous
comprenez, quand il y a la flotte.

Armand avait l'air de prendre tout ça naturellement, mais
il voyait bien à l'œil rusé de l'autre, qu'il se payait doucement
sa gueule. Tout de même, Jésus quand il parlait avec les
pêcheurs, il n'avait pas de ces difficultés-là. Du moins on n'en
souffle pas mot dans l'Évangile.

Comme ils regagnaient le tram, le wattman pissa contre
une palissade, puis, soudain, en se reboutonnant, il demanda :
« Alors, jeune homme, le métier vous plaît? » Armand balbutia. « Parce qu'enfin faut pourtant qu'on aime ça pour vouloir apprendre, quand on est le fils à M. le Maire. C'est pourtant pas que vous voudriez en vivre, des fois? »

Il se payait sa tête, le copain. Il savait parfaitement ce que
faisait Armand sur son tramway. L'insigne de *Pro Patria*
à sa boutonnière parlait assez clairement : on le connaissait
dans le pays. À la compagnie d'électricité on avait une fois
battu Étienne Delobelle. Pierre le lui avait raconté en détails.
« S'il y a jamais une guerre, dit-il, vous partirez tous, et il
faudra bien que les jeunes puissent vous remplacer. — Ah!
c'est pour ça? »

L'œil s'était fait encore plus ironique. La poussière les
faisait tousser sur la plateforme du tram. On traversait les
cabanes des Italiens, les plus pauvres, et le bruit de ferraille

qu'on faisait à passer réveillait la marmaille sans langes derrière les palissades de fortune.

« C'est pour s'il y avait une guerre? Je me disais aussi. Tiens, tiens. J'avais pas du tout pensé à ça, la guerre. C'est vrai que nous, on aime autant penser à autre chose. — Il faut tout prévoir. — Vous croyez? Et avec qui, la guerre? (Il montra les cabanes de la tête.) Les Italiens? — Les Allemands, affirma sérieusement Armand. On dit qu'ils se préparent. — Qui ça? Monsieur votre père? — Les gens, enfin les journaux. Mon père et moi, c'est très différent. Nous n'avons pas les mêmes idées. — Ah! je vois... »

Il se moquait vraiment d'Armand. Ce n'était pas un homme du pays. Il n'avait pas l'accent. Un parler un peu gras comme les Tourangeaux. Comment était-il venu échouer ici, de travail en travail, de misère en misère? Armand aurait voulu lui montrer qu'il n'était pas un ennemi.

« Ce serait un épouvantable malheur, dit-il. — Quoi? — La guerre. — Ah! oui... pas pour tout le monde. »

C'était clair qu'il rigolait. Quand il parla de cette conversation avec Pierre Delobelle, celui-ci lui dit que ça lui apprendrait à faire le démocrate. Rien à gagner avec ces gens-là. Bouchés pour tout ce qui est l'art et la poésie. Il avait récemment découvert Léon Dierx. Allez parler de Léon Dierx à un wattman! Ils eurent une discussion, tous deux Armand, à propos du *Cantique des Cantiques*. Armand le préférait à tous les Samain du monde, et il citait un mot de Lacordaire à ce sujet : « *Il en est du* Cantique des Cantiques *comme du crucifix : tous les deux sont nus impunément, parce qu'ils sont divins.* »

« Va faire entendre ça à ton wattman, il te rira au nez, ou il croira que tu dis des cochonneries! — Peut-être bien... »

Mais Armand ne pouvait oublier le regard de cet homme, quelque chose de sympathique en lui, malgré tout. Évidemment si on regarde bien les gens, tout le monde est sympathique, n'est-ce pas? Confusément aussi il se rappelait les vingt-quatre sous par jour de chaque gosse, et il ne pouvait s'empêcher de penser que c'était contre ces vingt-quatre sous que l'abbé Petitjeannin l'avait envoyé travaillé à *Pro Patria*.

Il crut devoir s'en ouvrir à son confesseur, comme de ce doute croissant qu'on fît vraiment œuvre de patriote quand on se préparait à lutter contre des Français qui gagnent six francs par jour, le jour où ceux-ci demanderaient six francs cinquante à leurs maîtres.

« Mon enfant, dit l'abbé Petitjeannin, je vous aimais mieux encore vous égarant sur les traces de Nestorius. Les conséquences en étaient moins immédiates, et après tout, du moment que l'on croit au Tout-Puissant, on fait son salut dans toutes les Églises, ou du moins on y risque au plus un séjour prolongé au Purgatoire. Tandis que vous voilà qui courez à l'anarchie socialiste, c'est-à-dire à la damnation éternelle. Vous n'êtes pas assez assidu aux leçons d'escrime, vous tirez très faiblement au pistolet. Vous auriez besoin de dompter la bête, en la fatiguant bien... — Mon père, la fatigue n'y changerait rien. Et je ne sais si je me trompe, mais je m'étonne que vous m'encouragiez au maniement des armes... — Mon fils, ne vous faut-il pas apprendre à défendre votre Patrie? Ses ennemis sont incontestablement les ennemis de Dieu. Je sais qu'il est des chrétiens égarés par le faux esprit d'une paix systématique, qui n'a rien à voir avec la vraie doctrine de notre divin Maître, qui prétendent qu'il est de notre religion de refuser le devoir des armes. C'est là un dangereux travestissement de l'Évangile, et qui n'est aucunement d'accord avec l'enseignement des Pères. Saint Augustin, dans une épître à Boniface, dit en propres termes : « Que trouve-t-on à blâmer dans la guerre? Est-ce le fait qu'on y tue des hommes qui tous doivent mourir un jour, afin que les vainqueurs soient maîtres de vivre en paix? Faire ce reproche à la guerre est le fait d'hommes pusillanimes, non d'hommes religieux. Ce qu'on blâme à juste titre, dans la guerre, c'est le désir de nuire, la cruauté de la vengeance, une âme inapaisée et implacable, la fureur des représailles, la passion de la domination, *libido dominandi*, et autres sentiments semblables. » Texte admirable, et qui doit, mon enfant, lever tous vos scrupules catholiques. La guerre, dans certains cas, est un moyen non seulement permis, mais recommandé au chrétien. Vous devez vous y préparer, pour l'heure où le Seigneur retirera sa Droite de sur les Nations... — Mon père, murmura Armand, et les six francs par jour? — Quels six francs? L'homme est sur cette terre comme Job, aujourd'hui au comble des richesses et demain sur le fumier. Si votre wattman est un chrétien, il dira dans ses prières : Mon Dieu, vous m'aviez donné six francs par jour, vous me les avez repris : soyez béni, mon Dieu, pour ce que vous me les avez repris! Et vous, mon fils, ne doutez pas de la miséricorde divine. Dites avec moi votre acte de contrition... »

Armand commençait à trouver la Poésie supérieure à la Religion : elle n'a pas ces ignorances involontaires. Elle est le culte de la Beauté, elle explique ce que l'abbé Petitjeannin se refuse à envisager; elle légitime ces élans que l'on se sent vers les grandes Idées, les femmes; elle se confond avec ce sentiment terrible et magnifique, l'Amour, dont les Livres Saints mêmes ont dû emprunter le nom pour entraîner les cœurs. Tout cela peut-être était blasphématoire : mais, quoi? Pas plus que l'hérésie nestorienne à quoi M. l'abbé Petitjeannin l'avait imprudemment renvoyé! Rêver d'ailleurs aux deux hypostases du Christ-homme et du Christ-Dieu, cela n'allait pas sans des incursions dans le domaine interdit de la génération, et les expériences de Pierre Delobelle au « Panier Fleuri » jetaient un jour singulier sur les rapports de la Vierge et de l'ange Gabriel, sur la colombe du Saint-Esprit, sur la Vierge elle-même.

Le jour que Pierre Delobelle s'entendit demander par Armand s'il croyait que le Fils de l'Homme avait pu permettre que sa Mère enfantât sans plaisir préalable, comme il avait autorisé qu'elle ne souffrît point de la parturition, il y eut éclat entre eux. Pierre était rouge, honteux de ce qu'il avait entendu, et en même temps était pris de petits rires nerveux. Armand fut indigné : ce n'était pas là une obscénité, mais en termes précis la Vierge avait-elle joui, oui ou non? Si oui,

cela nous ferait considérer le plaisir sexuel d'une façon bien
différente. Si non, que penser de la bonté du Fils? C'est alors
que Pierre avoua qu'il était devenu l'amant d'Angélique, la
bonne des Mestrance. Il l'avait caché pendant quinze jours.
Armand en fut saisi. Cette dissimulation le laissait vraiment
seul en ce monde. Sans Dieu, et sans ami.

## XIII

Quand Armand s'aperçut qu'il avait perdu la foi, il se
souvint de son père, de sa mère, de sa vocation ecclésiastique,
de l'opinion publique à Sérianne, et tout cela lui parut si
compliqué qu'il résolut de remettre à plus tard la publicité de
ses sentiments, histoire de s'orienter tout d'abord.

C'est qu'il l'avait perdue, la foi, dans les grandes largeurs.
Ah il s'agissait bien maintenant de l'humanité du Christ!
C'était Dieu, dont il ne doutait même plus : il haussait les
épaules à l'idée de Dieu... Il ricanait en pensant au Péché Originel. Il était secoué d'hilarité quand il jetait les yeux sur le
Tabernacle. La Transsubstantiation, l'autorité du Pape, la
Grâce, la Sainte-Trinité, tous les mystères étaient devenus,
sans qu'il pût bien dire quand, le sujet de persiflages *in petto,*
la matière de rigolades intimes auxquelles il faut avouer qu'il
se complaisait longuement.

Dans ces conditions, n'eût-il pas dû se rapprocher de son
père? Eh bien! jamais les scènes avec le docteur n'avaient été
plus fréquentes ni plus violentes. Celui-ci ne lui donnait pas
d'argent, se permettait de lui faire des observations sur son travail, ses notes n'étaient pas fameuses, avait refusé de l'abonner
à *Vers et Prose,* une revue dont des exemplaires dépareillés les
avaient enflammés, avec Pierre. Armand ne voulait pas non
plus trahir sa mère, une victime. Alors il continuait à faire les
gestes extérieurs de la piété, avec de brusques accès de dégoût

et d'humeur sombre, qui lui faisaient fuir et les siens, et
Pierre, et *Pro Patria*. Il prétendait alors préparer son bacca-
lauréat.

Tout de même, ce qui le dérangeait le plus, c'était son avenir.
Il s'était, de toujours, fait à l'idée de la prêtrise. Il s'était vu
une fois pour toutes, grand, dans une soutane, dans un pays
surtout qui ne serait pas Sérianne, vivant comme vivent les
prêtres, c'est-à-dire à ne rien faire. S'il n'entrait pas en religion,
il faudrait choisir un métier, travailler. Et puis il y a le costume, l'autorité qu'on a très jeune, les doigts levés pour bénir
des hommes et des femmes respectables, et ces idiots qui baissent la tête. Il ne prêcherait donc jamais en chaire : « Mes chers
frères, mes chères sœurs, je veux aujourd'hui vous parler du
Démon. On vous trompe, mes chers frères, quand on vous le
présente sous un aspect hideux et repoussant, le pied fourchu,
la tête encornée. Le Démon est ce qu'il y a de plus séduisant
en ce bas monde, il est le sourire, le charme, l'abandon. Vous
le retrouvez sous l'aspect de l'innocence dans l'enfant blond
et rose, dans les bras voluptueux de vos compagnes, dans la
grâce d'une passante, les idées généreuses, et jusque dans le
sermon que je prononce pour vous... » Sans doute, aurait-il été
possible de faire une carrière cynique et romanesque de menteur, avec l'aspect d'un prêtre et l'âme d'un libertin. Gagner
les plus hautes dignités de l'Église pour en abuser, et jeter par
le monde le poison subtil de l'incroyance et du doute. Si on
pouvait être pape. Ces Encycliques, vous m'en diriez des nouvelles! Mais voilà : ça ne se faisait pas d'être Souverain
Pontife quand on était Français. Alors mieux valait y renoncer,
pour courber la tête, obéir... Et puis mentir tout le temps.
Pendant deux ans, trois ans, passe encore.

Dans de vieux numéros de *Je Sais Tout* qu'il trouva chez les
Rinaldi de la plaine, Armand eut une révélation, lisant les
*Mémoires de Sarah Bernhardt*. Voilà ce qu'il voulait être!
Acteur. Plus il y songeait, et plus ça lui paraissait lumineux.
Il avait toujours voulu être acteur. Dans la prêtrise, c'était le
théâtre qui l'avait séduit, le costume, les cérémonies, l'admi-

ration du public. Pour son imagination friande encore de blasphèmes, les feux de la rampe remplaçaient doucement la lampe de l'Adoration Perpétuelle. Les acteurs comme les prêtres sont rasés : son père lui avait inspiré l'horreur de la barbe. Et tout ça marchait de pair avec son enthousiasme croissant pour l'Art, la Poésie. Il serait jeune premier, il irait en tournées par le monde. À New York, des héritières de trusts jetteraient leurs perles sur la scène quand il y paraîtrait. À Vienne, des princesses risqueraient leur rang, l'espoir d'un trône pour une minute dans sa loge, tandis qu'on le coifferait pour *On ne badine pas avec l'Amour,* son triomphe. Quel Perdican il ferait! Des hommes d'État viendraient lui deman-der conseil pour séduire les foules, des maris sanglotants vien-draient suppliants lui demander de faire quelque chose pour libérer l'esprit dément de leurs femmes. Ah, il serait ce Démon, pour cette fois, le vrai, le charmeur, la perdition qui tourne dans les valses, la griserie de l'orchestre, le Grand Amoureux, Don Juan!

Pour l'instant il faisait l'apprentissage de sa nouvelle voca-tion, dans un rôle effacé sans doute, mais en pleine vie : un jeune homme pieux dans une petite ville de province, au milieu des intrigues de la vie politique, qui allaient se multi-plier à l'occasion des élections au Conseil général. Il continuait donc d'aller à l'église; de suivre les exercices de *Pro Patria;* de se confesser à l'abbé Petitjeannin; de communier le dimanche. Sa ferveur ralentie un instant avait repris toute sa force apparente, car il fallait jouer pour de bon. Même l'exal-tant n'était plus le parfum du sacrilège, qu'Armand retrouvait par-ci par-là. L'important désormais était la duperie réussie, c'est-à-dire l'art du comédien, que le jeune homme vérifiait à la sympathie de son confesseur, à une pression de main heureuse de sa mère, fière de la dévotion de son cadet, aux reproches qu'il recevait de son meilleur ami, Pierre Delo-belle qui ne comprenait rien à ces revirements, dans le secret desquels il n'était pas admis.

Son père voulait qu'il se laissât pousser la moustache. Armand s'y refusait, s'appuyant sur sa mère, au nom de sa vocation ecclésiastique. Lui seul savait qu'il n'avait en vue que les planches, et la coïncidence sur ce point du cérémonial d'église et des commodités du maquillage n'allaient point pour lui sans une certaine ivresse. Tous les jours, il était un héros différent, mais son personnage préféré restait le Docteur Faust. Il faudrait mettre en scène Goethe lui-même, c'était faisable. Il le relut, et fut frappé de la similitude de situation entre Faust et lui, des analogies de sensibilité. Manquait encore Marguerite.

Pierre Delobelle le prenait pour confident de ses amours avec Angélique. Lui, écoutait, avec l'aspect désapprobateur d'un dévot qui ne peut s'opposer à l'inévitable, mais qui n'oubliera dans ses prières ni le pécheur ni la pécheresse. Et, de temps à autre, ça foutait Pierre dans de ces colères! Il n'en revenait pas moins à Armand le lendemain plein de mille détails puérils et merveilleux. On n'imagine rien de plus traversé que ces amours de Pierre et d'Angélique, depuis les Montaigu et les Capulet. Sérianne, calme et casanière bourgade, recélait sous ses cendres des feux que Vérone n'a point connus. N'oubliez pas que les Delobelle étaient du Parti national contre les Mestrance, des Rouges. Il est vrai qu'Angélique n'était pas la fille du franc-maçon marchand de couronnes mortuaires, mais bien pis : elle était sa maîtresse, à la fois, et son esclave. Elle n'avait pas un moment à elle, à laver dès sept heures du matin, à ne pas quitter la boutique, sauf pour faire la cuisine, l'appartement de Madame à garder et torcher le vieux. Le soir, elle était morte de fatigue et il y avait encore M. Eugène. Et puis le gosse, Gaston, un vicieux cet enfant-là! toujours à l'épier. Elle n'avait son dimanche qu'une semaine sur deux.

Sans compter que du côté de Pierre, qu'est-ce qu'il lui aurait passé le père Delobelle, s'il avait appris quelque chose! Surtout s'il s'était douté de l'importance de l'histoire. Parce que ce n'était pas une amourette comme il y en a tant. Mais c'était pour de vrai, pour de bon, *cette fois*. Un amour comme dans les livres, comme dans les poèmes. Au fait, Pierre avait une admiration nouvelle : Paul Fort, prince des Poètes. Armand n'était pas tout à fait persuadé par les ballades que lui lisait son ami, pourquoi ne pas aller à la ligne au bout des vers? Il y avait évidemment de jolis petits machins, comme ce truc sur Philomèle... Est-ce qu'Angélique te mord quand elle t'embrasse? Non... pourquoi? Alors elle ne t'aime pas ce qui s'appelle aimer. Je sais ce que je dis : quand on aime quelqu'un, on ne peut pas se retenir de le mordre.

Ça avait rendu Pierre tout rêveur.

À vrai dire, si la transcription de Roméo et Juliette dans le cadre des amours de Pierre et d'Angélique n'allait pas sans ridicule, parce que les épées, l'échelle de soie et le poison manquaient au décor, l'affaire n'en était pas moins très sérieuse du côté d'Angélique. Elle avait vingt-quatre ans, elle faisait depuis trois ans le ménage des Mestrance. C'était une brune saine, un peu forte, à la peau très blanche, les yeux pas grands et le nez petit, habituée à nettoyer par terre, et déjà les épaules pliées par l'ouvrage et la soumission. Battue par ses parents, par ses frères, vignerons quelque part dans l'Hérault, elle avait dû se placer quand le phylloxéra avait fait des siennes. Son premier patron, un mercier, lui avait fait un gosse, elle avait à peine seize ans. Elle avait travaillé quatre ans à le nourrir, il était mort de la scarlatine chez les paysans où elle l'avait placé. Elle avait roulé de patrons en patrons, docile, travailleuse, quittant une ville pour l'autre, quand elle ne trouvait plus de travail. C'est par un ouvroir qu'elle avait été envoyée à Sérianne, où Mme Mestrance l'avait choisie elle-même : elle connaissait les goûts de son mari, pas vrai?

Mestrance était une sale bête. Ça, pour faire turbiner son monde, il s'y entendait, ce moustachu-là. Et jamais une parole gentille, une attention. Il prenait son plaisir avec la bonne, ça suffit, non! Il la pinçait dans les coins cruellement, quand il cherchait des rubans dans les boîtes pour les clients. Et il n'aurait pas fallu crier. Un vicieux. Si je vous racontais...

Voilà que là-dessus, quand il n'y avait plus de chance que

la vie changeât, l'amour était tombé là-dedans : ce petit gosse sentimental, ce Pierrot avec son beau museau pas joli, ses seize ans, et distingué, le fils d'un professeur, la tête toute farcie de poésies, qu'on ne comprenait pas toujours, mais où c'était plein de baisers, d'étoiles, de fleurs, de serments pour la vie. Un gamin, propre, avec un corps si jeune, et fort, et sentimental et qui l'appelait *ma femme, ma femme,* comme s'ils avaient passé devant le maire et le curé. Et il disait qu'il l'aimait et ce mot n'était pas du tout usé, ni pour lui ni pour elle : lui parce que c'était la première fois qu'il mentait, et encore pas sûr qu'il mentait, et elle... On n'avait même jamais fait semblant avec elle. Mets-toi là, Angélique, ma grosse... Le petit, il fermait les yeux en disant : Je t'aime. Angélique y pensait tout le temps, en nettoyant les deux boutiques, en vidant les ordures du vieux, dans les bras de M. Eugène. Ah! maintenant, qu'est-ce que tout cela faisait? Elle était heureuse, heureuse, malgré les difficultés, les minutes volées pour se voir, le danger des billets passés en cachette, de longs jours parfois sans pouvoir s'embrasser; et aussi comme elle était bête pour ce qui est d'écrire, elle savait à peine, et elle faisait des fautes dont il riait gentiment. Elle aurait voulu trouver des mots, comme dans les poésies qu'il lui lisait, et elle n'arrivait qu'à griffonner, en tirant la langue : *Deux mains seuleman, hi va anvil. Grosse bize a mon Pierrot. — Angélique.*

Armand plaisantait Pierre sur l'orthographe. Mais pas trop. Il y avait des choses qu'il respectait, ce Méphistophélès. « Elle a huit ans de plus que toi, et qu'est-ce que vous ferez si vous avez des enfants? — Je ne sais pas, répliqua ce jeune irresponsable, mais imagine-toi, elle m'aime pour de vrai : hier, elle m'a mordu. »

Il était si heureux qu'il voulut faire un cadeau à Armand. Celui-ci n'avait pas d'allumettes, et restait là, maryland au bec. « Tiens, ça te ferait plaisir? » Pierre, généreux, se dépouillait : le beau briquet qu'on lui avait donné pour le Jour de l'An, sa marraine.

## XIV

L'approche des élections au Conseil général avait rendu à la vie les eaux dormantes de Sérianne. Elles devaient avoir lieu fin juillet. Le Dr Barbentane était conseiller sortant. Serait-il réélu? À l'échelle du canton, ce serait une bataille d'approche de l'élection législative à laquelle on savait bien qu'il voulait se porter. Et il n'y avait pas que la question personnelle du maire, mais aussi pour beaucoup la question religieuse, et pour plus encore la question de la Patrie. Étaient-ce les radicaux, avec leur langue démagogique qui pourraient faire la loi de trois ans, si nécessaire? Sans compter les menaces sourdes de l'impôt sur le revenu et même, à lire les journaux socialistes, du prélèvement sur le capital. Caillaux, le Caillaux d'Agadir, avec les radicaux, relèverait la tête, ce serait la dictature des clubs, des loges, et tout cela devant une Allemagne armée jusqu'aux dents, disciplinée, elle, avec un Empereur, et pas tous ces bavardages parlementaires.

On parlait d'une candidature républicaine modérée. Quelqu'un de Paris. Savoir quelle serait l'attitude de Barrel, làdedans. L'autre fois, au second tour, il avait fait voter pour Barbentane, malgré ses opinions religieuses; c'est qu'après tout à ce moment-là il y avait une poussée socialiste, et dame devant le péril! Outre qu'au fond Barbentane était son médecin... Beaucoup d'ouvriers suivaient le patron quand il faisait voter somme toute à gauche. Mais s'il allait à droite, l'écouterait-on? Évidemment le problème, c'était la campagne, paysans et vignerons. Ils n'aimaient guère les ouvriers, puis eux cette histoire d'impôt sur le revenu les chiffonnait. *Pro Patria*, clique du patronage en tête, faisait des tournées dans les villages. On défilait. Il y avait des exercices de gymnastique autour de l'échafaudage des pompiers. On chantait. Les gars

du patelin fraternisaient avec les jeunes messieurs de Sérianne,
et on faisait marcher la boîte à musique dans le bistrot.
Parfois même on dansait. Il y avait beaucoup de radicaux
dans les campagnes, mais pas les fils. Les jeunes, ils aimaient
les sports. Il fallait les voir quand passait le Tour de France.

Armand, la tête pleine de rêves, avait beau se trouver en
plein centre de cette agitation, il n'y prenait point de part.
Maintenant, ce qui le menait à la dérive, c'était le souci d'une
grande aventure amoureuse. Rien qui ressemblât à la pitoyable
idylle de Pierre et d'Angélique. Sur le rang social de l'héroïne,
il n'était pourtant guère fixé. C'est que, Marguerite, à tout
prendre ce n'était qu'une fille d'ouvriers. Pourtant il se sentait plutôt attiré par les personnes d'un certain niveau. On
n'était tout de même plus au temps du Dr Faust, et puis comme
il n'avait point à sa disposition le pouvoir satanique d'offrir
les bijoux à Marguerite, mieux valait qu'elle eût déjà, de
famille, les parures nécessaires, et la connaissance de mille
délicatesses que le jeune homme lui-même peut-être ne faisait
qu'aspirer à connaître.

Il devint plus mondain, se soigna et négligea les expéditions
de *Pro Patria* pour assister à la grand'messe. Sa présence y
faisait toujours un peu scandale à cause de son père. Pendant
l'élévation, il jouait à faire lever la tête à des jeunes filles. Il
prenait l'air fatal, courait à la sortie pour offrir l'eau bénite
à la fille du pharmacien. Non point qu'il se fît des illusions
sur son physique, il se trouvait laid depuis qu'il avait constaté
qu'il avait un œil plus petit que l'autre, et le visage pas pareil
des deux côtés. Ses cheveux noirs frisaient facilement, lui
donnant, à cause du nez busqué, l'air juif. Mais il avait
confiance dans ses yeux clairs, intelligents. Grand avec ça, et
vif assez pour qu'on ne lui reprochât pas trop d'être mince.
Il ne tenait pas du tout de son père.

Très vite, il fixa ses chimères sur la plus jeune des Barrel,
son aînée de deux ans, Jacqueline. Blonde, les cheveux flous,
elle ressemblait à sa mère, elle était encore fluette, de cette
maigreur de la jeunesse, et très inquiète de sa poitrine, qu'elle

soulignait avec une haute ceinture, bien que ce ne fût pas la mode. Les trois demoiselles Barrel, même au gros de l'été, portaient des robes montantes et des manches longues. Seule Marthe-Marie, l'aînée, avait parfois des applications de dentelles à travers lesquelles on apercevait un peu de sa peau. Jacqueline avait rougi terriblement un jour en rencontrant Armand près du confessionnal de l'abbé Petitjeannin. De là tout le départ d'un songe. Elle était grande, avec des yeux comme de l'émail, la bouche fine et légèrement tordue. C'était ça qui lui donnait un charme très singulier, que n'avaient pas ses sœurs, plus madones, plus régulières. Évidemment, Armand ne songeait pas au mariage. Non. Cette histoire-là n'était que le point de départ d'une vie : romance, mais prélude. Il ne suffisait pas des rivalités politiques de village entre les Barrel et les Barbentane pour le tromper là-dessus, lui. Probablement quand il l'aurait séduite, Jacqueline, et qu'elle serait enceinte, le scandale serait si formidable, surtout si l'on songe à la vocation ecclésiastique du Don Juan, que son père serait obligé d'écarter Armand pour quelque temps de Sérianne. Il irait à Marseille, ou qui sait, à Paris.

À Paris, il y avait Edmond. Il le détestait moins Edmond, depuis qu'il ne croyait plus en Dieu. Son frère l'aiderait-il à se lancer dans le théâtre? Il ne voulait pas faire le Conservatoire. À moins que sa famille ne l'exigeât. Le mieux serait de devenir l'amant d'une grande actrice, Robinne, par exemple, parce qu'il aimait les blondes. Il l'avait vue au cinéma. Elle l'imposerait dans un petit rôle, pour commencer, jalouse, pensant ainsi le surveiller. Mais lui, qu'on aurait beaucoup remarqué à la représentation, se fatiguerait bientôt d'elle. Peut-être qu'elle s'empoisonnerait. Les journaux en parleraient. En revenant à elle, elle prononcerait son nom : Armand... C'est avec du véronal, qu'elle aurait fait ça. L'Art maintenant se serait emparé de lui et, avec chaque nouveau rôle, un peu de son passé s'évanouissait, il ne pouvait se satisfaire de la même femme. À chaque rôle correspondait un nouvel amour. Il y a quelque chose d'insatiable dans la nature de l'artiste : il

cherche, il cherche, et quoi donc? Lui-même sans doute, un
fantôme, une fleur.

En attendant, il traînait tant qu'il pouvait, tout le temps
que lui laissait sa rhétorique, aux alentours de la maison des
Barrel. Les relations des deux familles n'étaient pas telles
qu'on ne se saluât pas, puisque le docteur soignait les lourdeurs
d'estomac du chocolatier. Mme Barrel, parfois même, s'arrêtait en voyant Armand et lui demandait des nouvelles de sa
mère. Ces dames se voyaient chez les Rinaldi ou chez les
Loménie de Méjouls. Indiscutablement Jacqueline avait remarqué le manège d'Armand. Ils se rencontrèrent une fois sur le
boulevard, à l'heure des boules. Adrien jouait avec M. Migeon.
Partie serrée : qui allait l'emporter, du petit pète-sec quadragénaire ou du jeune homme aux hanches roulantes? Il y
avait bien dix personnes à les regarder. Armand salua, puis
hardiment tendit la main, comme elle était seule. Elle hésita.
Sa bouche se tordit encore, adorable comme la peur. Elle
mit une main gantée de fil blanc dans celle d'Armand. Elle
portait une robe rose, avec un tas d'empièrements, et là-dessus
une jaquette bleu marine. Sa main était petite, petite. Elle la
retira, avec un rapide salut, et s'en fut sans qu'ils aient parlé
ensemble, très vite. Les boules faisaient un bruit de victoire.
Armand était comme ivre, et déjà terriblement apitoyé par la
petite main de sa future victime. Mais quoi, on ne fait pas
d'omelette sans casser des œufs!

Allait-il lui écrire? Il y rêva longtemps, puis se décida
d'accompagner sa mère le dimanche suivant chez les Loménie.
Peut-être Jacqueline y viendrait-elle... C'est cette semaine-là
qu'on apprit qui se présentait contre le docteur : un certain
Delangle, ami du député, décoré des palmes académiques et
du Nichan Iftikhar. Le dernier détail provenait du docteur
lui-même qui avait pris ses renseignements... Les socialistes
auraient un candidat de Marseille, un avocat sans cause, rien
d'important.

Les Loménie recevaient dans leur jardin, avec des chaises de
paille autour d'une table verte, sous un grand figuier. Des

enfants jouaient un peu plus loin sur une balançoire. Il y avait trois vieilles dames avec des rubans au cou, et Mlle Éva avec un jabot plissé qui préparait le thé et les petits fours, tandis que Philbertine de Loménie tricotait des chaussettes blanches pour un de ses fils, si serrées, et se penchant si fort, la bossue, qu'on avait peur que toutes les aiguilles lui entrassent dans le visage et que la laine lui traversât le nez goutteux. Mme Barbentane parlait surtout avec Suzanne, toujours extrêmement aimable avec elle, une Suzanne en tussor, très animée, pleine de potins touchant Mme Respellière. Le cocker blanc et brun de M. de Loménie frottait aux pieds d'Armand sa grosse oreille frisée où une tique avait dû se fourrer. Il y avait des mouches bleues, et il faisait trente-deux degrés à l'ombre. Or, quelque part dans les faubourgs de Paris, une femme que son mari battait avait comploté avec son fils, son amant et l'associé de son mari, c'étaient des gens qui avaient une entreprise de camionnage, la suppression de ce tyran domestique. Ils avaient tout préparé pour donner à l'affaire l'aspect d'un accident, un vieux fusil de chasse qui serait parti tout seul pendant qu'on le nettoyait, le fils guettait à la porte, l'amant ce jour-là se montrait chez des clients à 80 kilomètres de là, c'était l'associé qui n'avait dans le coup qu'un intérêt matériel, qui s'était chargé de la sale besogne... La femme avait embrassé son mari : « Gustave, on t'appelle en bas, va-z-y donc voir! »

« La perversité des femmes! disait Mlle Éva. Dans tous les crimes... Elle l'embrassait. C'est trop fort! — Si son mari la battait, dit Mme de Loménie qui s'était trompée dans ses diminutions et avait dû défaire dix rangs, lesquels bouclaient maintenant sur ses genoux de toile grise. — Il faudrait les guillotiner tous, déclara une des vieilles dames qui faisait de la broderie anglaise, un homme dans la force de l'âge! Et le fils, c'est le plus affreux. »

Armand écoutait sagement, les dames Barrel ne viendraient pas. Suzanne ne l'intéressait guère. Ce n'était pas tout à fait une jeune fille. Elle disait *madame* tous les trois mots, en parlant à sa mère : « Qu'est-ce que vous voulez, madame, ce n'est pas une fréquentation pour moi, madame, après ça les gens parlent, madame... » Le tout aggravé de cet accent pointu qu'elle avait pris au couvent d'Hyères, où elle avait été élevée.

« Pourtant si elle avait un amant, cette femme, il avait bien raison de la battre, son mari... — Il n'avait pas raison, mais c'est une excuse pour lui. Pauvre cher homme, ça ne lui fait pas ouf, aujourd'hui, les excuses! — Un Hammerless! » dit rêveusement M. de Loménie de Méjouls qui avait sur toute l'affaire un point de vue de chasseur, et il regarda son chien.

Si tous ces gens-là avaient su qu'Armand *était* un acteur, un cabotin, qui se produisait en public, et un libertin avec ça, des maîtresses en veux-tu en voilà, qu'est-ce qu'ils auraient dit? Des momies. Avec ou sans Hammerless, des gens comme ça on les supprimerait bien. À condition de ne pas se faire prendre.

« Armand, dit Mme Barbentane, aide donc Mlle Suzanne. » Ils s'en furent tous les deux dans la maison chercher l'orangeade. « Mme Barrel ne viendra pas aujourd'hui? — Je ne pense pas. Vous ne dites rien, vous êtes là assis. Tenez, prenez le sucre, monsieur Armand. »

Ils étaient dans la cuisine basse et large aux petits carreaux rouges. Par la fenêtre on voyait les vignes. Avant qu'on n'ait pu rien faire, le sucrier de verre était tombé. En miettes. Tous deux, embarrassés de ce qu'ils avaient déjà pris, posaient tout au hasard, et les doigts se heurtèrent parmi le sucre et le verre cassé. Suzanne avait tout à coup l'air, accroupie, d'une gamine sournoise. Elle le regardait avec des yeux rieurs. Elle avait quelque chose de court, de pas achevé. Elle sentait la verveine.

« Embrassez-moi », dit-elle.

Ils tombèrent sur le carrelage, c'était un drôle de désordre, Armand ne savait plus ce qu'il faisait, il lui passait la main sous la jupe, et elle le repoussait en gigotant. Il se coupa à la main gauche. À la vue du sang, ils se relevèrent, avec du sucre en poudre sur leurs vêtements; le robinet pissa une eau tiède sur la main blessée. Pas de morceau de verre, au moins? On entendit la voix de Mlle Éva : « Et cette orangeade? »

Ils revinrent les bras chargés. On parlait politique. M. de Loménie de Méjouls expliquait son attitude, à lui. En faisant sonner les *s* terminaux, parce qu'il était sudiste. Aux élections, il voterait pour le socialiste. Parfaitement. Pour pousser à la roue. Et allez. Que tout craque une bonne fois, qu'on la porte à la poubelle, cette République. Une honte. Plus que ça irait mal et mieux que ça vaudrait. Je ne vais pas m'esquinter à travailler pour engraisser une bande de députés peut-être. Et des impôts, et des impôts. Et pour quoi faire? À qui je vous prie ira l'argent de l'impôt sur le revenu? À des Caillaux, à des Étienne, à des Poincaré. Tous dans le même sac, je vous dis. Et la pierre au cou. Des pourris. Et votre Clemenceau, un ancien Communard. À faire des courbettes aux ouvriers pour un bulletin de vote. Est-ce que vous croyez que la délimitation des vins ce n'est pas une volerie peut-être? Ils reçoivent des caisses de champagne, et c'est Bordeaux qui gouverne, voyons. Pour le socialiste. Tant pis si ça aboutit à la Carmagnole. Il faut ça, et vient Thermidor, Bonaparte, et au bout du compte Louis XVIII. Naturellement qu'on ne peut rien espérer que d'une monarchie. Je vote pour le plus rouge, je vous dis.

Suzanne jouait avec le sac de Mme Barbentane. « Mais oui, madame... oui, madame... »

Jacqueline Barrel ne viendrait pas décidément. Les enfants criaient aux balançoires, malgré la chaleur de juin. Armand songeait déjà au bruit que cela ferait dans Sérianne quand il aurait déshonoré Suzanne. Ce serait facile, parce qu'il ne l'aimait pas. Il regardait la poupée qu'elle lui avait faite avec un mouchoir à elle, et il surprit ses yeux sur la main blessée. Allons, à la rentrée, on l'enverrait faire sa philo à Paris.

« Tous vos politiciens, hurlait M. de Loménie, ils me font je ne dis pas quoi, à cause de ces dames. Mais attendez un peu, je les leur-z-y ferai voir, moi mes fesses. — Mon ami, plus tard! » soupira Philbertine.

## XV

Abandonnant Sérianne et les premières réunions de la campagne électorale, les groupes qui se formaient sur les places, autour des cafés, des permanences des trois candidats, avec leurs grands calicots et les affiches de couleur, Armand prenait le tram qu'il avait appris à conduire et débarquait dans l'après-midi étouffant à Villeneuve, où il rencontrait Suzanne derrière l'église. Ils gagnaient les vignes au-delà des propriétés, à mi-coteau, et allaient se cacher quelque part où, en cette saison et avec ce soleil, on ne viendrait pas les relancer. Derrière les grands ceps, dans le sol sans eau, ils s'accroupissaient cherchant l'ombre. On commençait par faire semblant d'étudier : Suzanne servirait de répétitrice au candidat bachelier. Bientôt les livres dinguaient, et l'élève et la répétitrice passaient à d'autres études.

Suzanne était irritante et habile. Elle ne laissait faire que ce qui lui chantait. Armand enrageait, glouton, toujours sûr que cette fois ça marcherait, et avec ça tellement inexpert, et peu ferré sur ce qui devait marcher que ce n'était guère de belles victoires que remportait la vertu de Suzanne. Le sulfatage des vignes les saupoudrait drôlement.

Non, mille fois non, il n'était pas amoureux, Armand. L'image de Jacqueline ne s'effaçait pas entièrement de son cœur, et puis cette hypocrite de Suzanne, quand, après, elle parlait avec des dames, elle était à fouetter. Avec ça qu'elle n'était pas peu fière des domaines paternels : quarante hectares de vignes s'il vous plaît, qui donnaient bon an mal an huit mille hectolitres d'un vin lourd et râpeux, qui ne valait pas cher sans doute, mais avec lequel on pouvait falsifier de meilleurs crus. Ça rapportait dans les quarante mille francs net.

Quand le vieux Loménie avait acheté les Mirettes, il n'avait

pas toutes ces vignes. Peu à peu, il avait arrondi son avoir.
Surtout après le phylloxéra. Parce que les vignobles avaient
été ruinés, et qu'il fallait repiquer avec du plant américain.
Alors la plupart des vignerons avaient abandonné; ils n'avaient
pas le sou pour acheter les ceps, et le sulfatage, et la lutte
contre les insectes, que c'était sans fin. Ils avaient juste gardé
de petits bouts de vignes près de leurs maisons, et ils avaient
été bien aises de trouver acquéreur pour le restant. Loménie
avait ainsi patiemment racheté, replanté, guéri la vigne et la
terre, enfin sauvé le vin du pays.

Maintenant les anciens propriétaires se louaient chez lui
comme saisonniers : sans lui ils n'auraient pas eu de travail.
Quand ils avaient fait les huit heures sur les vignes du patron,
ils avaient encore un moment, le matin et le soir, pour cultiver leur raisin. Parce que pour du vin, ils n'en faisaient guère,
c'est ruineux pour de si petites pièces, toute l'installation. Ils
faisaient du fruit, et même le vendaient à Loménie. Pas très
cher évidemment, il n'avait pas besoin d'eux, enfin. Tout de
même un ménage trouvait comme ça une pièce de 400 francs
la récolte, et comme avec la saison morte l'un dans l'autre un
bon journalier ne gagnait pas plus de quarante-deux, quarante-
trois sous par jour, c'était un appoint pas négligeable pour la
famille. On arrivait à manger pour douze, treize sous. Pas
de la viande bien sûr, mais enfin des légumes. Le laitage,
fallait pas y compter, parce que tout allait à Sérianne à la
chocolaterie.

Il avait pris de l'importance, cet Hubert, depuis le temps
qu'on se battait avec lui pour les filles. M. de Loménie était
resté Hubert pour ses compagnons de jadis. Leurs femmes le
tutoyaient presque toutes, pas. Et maintenant quand on voyait
ses fils ou sa fille dans les vignes à se bécoter avec quelqu'un, ça faisait drôle, et on se sentait vieilli. Les fils étaient
partis l'un après l'autre. Des grands bandits, ceux-là, même le
François, le dernier, qu'avait eu cette histoire avec une Italienne. Les Italiens, on ne les aimait guère à cause de ceux
qui se louaient au temps de la vendange, à demi-prix. Quand

l'usine débauchait, on n'était plus sûr de son pain, comme
l'autre année, après leur grève. Des pillards, ces Italiens. Et
puis braillards, prêts à jouer du couteau.

M. de Loménie à Villeneuve faisait campagne contre le
maire de Sérianne, tandis que sa fille se pelotait avec le fils
Barbentane, le petit curé qu'on l'appelait. On jasait là-dessus,
c'était un peu la revanche après tout. Hubert avait assez
carambolé les filles du pays. Quand le docteur vint faire une
réunion au café Blanc, on s'amena rigoler un coup. Le candidat modéré, le monsieur de Paris, était venu pour la contradiction, et le vieux Loménie était dans la salle. Qu'est-ce que
tu paries qu'il se déculotte? Chiche. Je perdrais. Et c'est vrai
qu'il aurait perdu, celui qui aurait parié parce que lorsque
Barbentane parla de la République, du salut de la République,
debout sur un banc, Hubert tomba la culotte en criant : « Je
te la saluerai, moi, la Gueuse! » De cet Hubert tout de même!
Si on avait ri et applaudi, c'était pas le docteur qui avait pu
continuer à parler. Quant au monsieur de Paris, il ne s'attendait pas à celle-là et il se frisait la moustache, avec un sourire
pour ne pas avoir l'air surpris. Il parlait de la France, des intérêts des viticulteurs, du prix du vin. On s'en foutait du prix
du vin, il n'y avait que Loménie, et trois autres, qui en faisaient, et sur le prix du vin ils en savaient plus long que le
Parigot, des fois. Il était pour les curés avec ça, le Parigot.
Les vignerons étaient contre les prêtres, qui pour Barbentane, qui pour Loménie. Comment voteraient-ils? Pas mal
d'entre eux ne voteraient pas. Il y avait des journaliers socialistes, mais le candidat rouge n'était pas encore arrivé de
Marseille. La plupart d'ailleurs n'avaient pas le temps de rési-
dence nécessaire pour voter. Ils faisaient du chahut tout le
temps, et Loménie gueulait avec eux : *La Sociale, la Sociale!*
On connaissait la rengaine : *plus ça va mal...* Sacré Hubert.
Pourtant les socialos, ils voulaient nous prendre notre terre,
la propriété. Caillaux aussi, alors. Ah! tous ces gens-là, ils
s'entendent sur le dos du pauvre monde. Le raisin était à
donation, et peu à peu les petits propriétaires prenaient des

hypothèques pour continuer à pouvoir cultiver leur lopin.
Ils hochaient la tête quand Loménie disait que tout allait de
mal en pis. C'était bien vrai. Alors, voter pour l'un, voter
pour l'autre. On connaissait un peu le Barbentane, tandis
que ce type de Paris... Paraît qu'il était décoré d'une décora-
tion africaine, tu plaisantes, c'est les palmes. Les palmes,
aussi. Un savant. Avec toutes ses histoires de voter pour le
socialiste, probable que cet Hubert, il voterait pour lui. Il
l'avait reçu chez lui à dîner. Ils avaient dû en combiner, des
fourbis. Cet Hubert est un malin. Il défend nos intérêts au
fond, il est un vigneron comme nous tous, et puis il est un
peu de la famille. Ce M. Delangle, peut-être que c'est un
pas méchant. Il a le bras long, qu'on dit, il en connaît des
députés, des ministres. Tout ce monde-là, bien sûr, se moque
pas mal des vignerons à quarante-trois sous par jour, mais
enfin, si le vieux Loménie s'en mêle.

Le soir, dans l'entrée de Villeneuve, sous les platanes, on
faisait la promenade. Il y avait ceux qui buvaient chez Blanc,
et ceux qui ne buvaient pas, qui regardaient. Il y avait les
amoureux et ceux qui s'en allaient par bandes, les jeunes.
De temps en temps, un homme soûl tombait près du bazar,
ou vers la fontaine. Le vieux Vidal, peut-être, ou un des
Italiens, qui jurait à faire rougir une maquerelle. Il y avait
des disputes, mais plutôt personnelles que politiques. Le boulanger cassait de temps en temps la gueule au receveur bura-
liste qui flirtait avec sa femme. C'était le paradis sur la terre,
Villeneuve. Bien que pour douze sous on n'eût pas bien gras à
briffer. Les gens sont maigres par ici, mais c'est la terre. Ils
ressemblent à des pieds de vigne, et très vite, sur les quarante
ans peut-être, ils commencent à être tordus.

Armand, machiavélique, se faisait inviter à l'apéritif par
le père de Suzanne. Par lui, il commençait à s'intéresser aux
élections. Si le docteur était battu tout de même... Allons,
ce n'était pas ça qui empêcherait son départ pour Paris.

## XVI

Dans les splendeurs écroulées du haut Sérianne, ce n'était plus les amours de Marguerite et de Raimbaud qui émouvaient les ombres des valets de chiens; c'était enfin le couple véridique de Pierre Delobelle et de son amoureuse, qui trouvait derrière des pans de muraille le plus beau des hôtels à l'enseigne de l'été. Il est douteux que Pierre et Angélique fussent les inventeurs de cet emploi des ruines. Sans doute que ni les heures ni l'enfance d'Armand n'avaient jadis su lui permettre de voir comme dès la tombée de la nuit le haut Sérianne se peuplait de romances et comme, jusqu'à la vieille tour de signalisation romaine qui le couronnait, des jeunes gens renouaient les mythes anciens sur ses pentes. Vers dix heures du soir, là-haut, quand enfin la nuit était la maîtresse et que la tête de la ville s'enfonçait en plein dans les étoiles, l'air même y devenait tout soupirs. Des chuchotements confus fuyaient dans les ruelles, et le passant solitaire sur son passage surprenait à s'interrompre soudain des murmures, qui reprenaient, après un temps, derrière lui.

Plus bas, la civilisation commençait par le chant d'un phonographe, au « Panier Fleuri », où l'on pouvait entendre les derniers airs de la capitale dans la salle de consommation : *Le Comte de Luxembourg* ou *Rêve de Valse.*

> *Un soldat — Racin' l'a décrété*
> *Ne peut pas — Farder la vérité...*

Et dans les rues et les ruelles vers l'Église, la place du Marché, la Grand'Place, avec la chaleur violente du midi, les gens sortaient, sur le pas des portes, ornées de rideaux de perles pour les mouches, se groupaient en bras de chemise,

discutant politique, se promenaient avec leurs femmes, s'arrêtaient dans la lueur des cafés, où d'autres gens qu'on connaissait, fumaient, buvaient et parlaient. La bataille électorale
était engagée. La tournée des candidats dans les villages voisins vidait chaque soir Sérianne des hommes passionnés qui ne
voulaient pas perdre une miette de colère et d'enthousiasme.

Plus que jamais, les hommes et les femmes de la rue Longue,
ceux qui, le rideau baissé, les volets mis, comptaient avec
ardeur, dans le négligé de leur toilette, les rentrées et les
sorties, ceux qui établissaient le bilan soucieux d'un avenir
pareil à un combat où déjà l'on doit avoir affaire à d'autres que
soi-même (et à d'autres qui sont âpres et discuteurs), plus
que jamais les boutiquiers, les petits patrons, ou simplement
les économes, les prudents, ou les rentiers encore, tous ceux
enfin qui avaient à défendre un lendemain lequel pouvait
être pis que la veille, plus que jamais tous ces gens-là éprou-
vaient un sentiment sur eux de menace. Au jour le jour sans
doute, il semblait bien que tout fût calme et sûr, et pourtant.
Quand on dressait bien l'oreille dans la paisible nuit sociale,
est-ce qu'on n'entendait pas au loin, et parfois pas si loin
que tout ça, comme des coups sourds, des clameurs, des
plaintes?

On avait beau tâcher de n'y pas penser, c'était d'hier pourtant que dans la France même, à vingt reprises, le sang avait
coulé sur de brusques accès de colère. Ce qui régissait ces
accès, le pire était bien qu'on ne le comprît point. Des explications diverses, le socialisme, l'Allemagne, ou d'autres
disaient la provocation, que pouvait-on vraiment retenir qui
expliquât qu'un jour des gens, qui n'étaient ni meilleurs ni
pires que d'autres, sortissent du train quotidien de la vie avec
des yeux de meurtriers, des gestes d'assassins, et qu'on tuât?
Les ouvriers sont souvent de grands enfants. Les soldats, ça
peut être vous ou moi. La police même, c'est vrai que chez
nous, on n'aime guère la police, le gendarme... mais enfin
laissons de côté toute fronde : ces gens-là, ça les empoisonne
quand il y a des histoires, voyons. Il faut, disait M. Arnaud

père, lire le journal de ce cochon d'Hervé, *La Guerre Sociale.*
Alors on se rend compte qu'il n'y a pas que des braves gens
sur la terre. Le fantôme rouge à vrai dire n'épouvantait pas
chaque jour Sérianne, bien qu'on eût pris conscience de sa
proximité, lors de la grève chez Barrel, ou pendant les troubles
de la viticulture; la population flottante des vendanges n'était
pas un voisinage moins inquiétant que celui de l'usine. Pourtant si l'on avait toujours de pareilles idées en tête, eh bien,
c'est tout simple : on ne vivrait pas. On n'aurait pas la force
chaque jour de faire son travail, de se réapprovisionner en
boutons-pression par exemple. Ça vous paraîtrait stupide.
Alors, on se laissait aller, on se laissait porter par la vie, par
son train-train. Nous disions trois tabliers sans bavette, et
quatre avec bavette... C'est drôle, ça fait plusieurs fois que je
remarque cette année que la vente des tabliers sans bavette
baisse. Après tout, c'est peut-être la mode... Et puis, tout
d'un coup, qu'on faisait des plans pour équilibrer son mois,
qu'il semblait qu'on pouvait prévoir la vente, les rentrées,
pan! voilà que les journaux reprenaient le ton alarmiste,
pour les événements extérieurs cette fois... Les gens se rencontraient avec des mines. Personne n'achetait plus rien. Et il
est vrai qu'une fois c'est le Maroc, l'autre les Balkans, l'autre
la Tripolitaine, les rentes russes qui baissent à cause des
troubles qu'ils ont en Sibérie, enfin le monde n'est pas bien
tranquille, voilà ce qu'on peut dire. On ne sait pas sur quoi
l'on danse, ni comment c'est remonté toute cette machine-
là.

Évidemment, chacun rejette sur les autres la responsabilité
de ce qui ne marche pas. On se regarde en chiens de faïence,
mais au bout du compte, que, comme le prétend M. Migeon,
ce soit tout la faute aux curés, ou à en croire M. Arnaud,
tout machination des Loges, pourtant qu'est-ce donc qui ne
va pas? Personne ne veut vraiment le mal, cette idée. On
est un peu près de ses sous, peut-être, mais il faut ça pour
vivre, et il vient aussi bien des misères de la prodigalité;
au fond, si on y voyait clair, est-ce qu'on ne s'aiderait pas

les uns les autres? Quand le commerce va, c'est dans le pays comme une détente. Il y a bien les gros, les grands magasins, les compagnies. Ils font vivre aussi des gens, n'est-ce pas? Avec de bons députés, qui sauraient défendre les produits locaux, comme on en aurait peut-être avec la proportionnelle, plusieurs choses s'arrangeraient. Ça faisait quelques années qu'on en parlait, de la proportionnelle, et on ne la voyait toujours pas pointer. Peu à peu, même ceux d'abord qui avaient toutes sortes de raisons contre, tout le monde à force d'en discuter, s'était mis à avoir un espoir vague, mais fort, dans ce remède social, la Proportionnelle, qui semblait devoir en finir avec les abus, la malhonnêteté humaine, les mares stagnantes, la concurrence déloyale, toutes les vilenies à quoi on était tout de même mal accoutumé.

Et puis, dans la lutte pour la Proportionnelle, on avait fait l'épreuve d'une étrange aventure, qui avait à ses heures quelque chose de réconfortant : on avait vu des hommes qu'on croyait des ennemis jurés, des socialistes et des conservateurs, s'entendre tout à coup sur un point. La loi électorale mettait ainsi en évidence, chez des gens que tout semblait séparer, le même dégoût devant certaines turpitudes, le même espoir dans un idéal de justice. La bonne foi. C'était comme une promesse d'union de tous les Français, un mirage qui faisait toujours recette, allez, et l'idée que ce n'était pas qu'une rêverie, mais que devant un danger commun peut-être on pourrait réaliser cela, faisait presque souhaiter, tenez, un danger de ce genre-là. Au fond, est-ce que les Rinaldi, et bien d'autres, ne votaient pas pour le radical Barbentane? Est-ce que tous les ouvriers étaient socialistes? Non. Alors. Ça prouvait seulement qu'il y a partout des braves gens, et que les braves gens, au-dessus des partis, s'estiment entre eux, vous ne pouvez pas empêcher ça.

Cependant, toujours, quand il y avait des élections quelconques, la température montait. Comme un accès de fièvre. Quand est-ce que ça commençait, cela aurait été difficile à dire. Enfin les gens ne se parlaient plus, ou s'abordaient trop poliment. Pendant quelque temps, certains faisaient encore semblant de n'avoir rien entre eux qui les divisât. Puis ça se mettait en train. Des criailleries. Des gens qui jouaient aux cartes et qui se les flanquaient par la figure. Ça prenait des tours inattendus, des fois vous auriez dit qu'il ne s'agissait pas de politique, et puis creusez un peu : l'intérêt de celui-ci n'était pas le même que l'intérêt de celui-là, on ne soufflait pas mot de l'impôt sur le revenu par exemple, on s'attrapait à propos de bottes, pourtant c'était là ce qui faisait qu'on prenait tout mal l'un de l'autre.

Là-dessus les affiches poussaient sur les murs. Les cafés prenaient parti. Il y avait quelques réunions, on s'était trouvé soudain les uns d'un côté, les autres de l'autre. La discussion commencée sur le pas de la porte se poursuivait dans les petits journaux qui naissaient toujours dans ces moments-là, sur les affiches suivantes. Les injures. Enfin la campagne était ouverte, et les espoirs et les haines n'étaient plus des abstractions, les craintes prenaient corps : il y avait les candidats. En général, une famille, c'était tout d'un : les mêmes raisons vous poussaient dans le même camp. Mais il y en avait de malchanceuses où ces moments-là vous départageaient, vous lançaient les uns contre les autres, les jeunes surtout contre les vieux, même entre frères. On n'était jamais si loin de l'affaire Dreyfus qu'on pût ne pas se rappeler jusqu'où on avait été, alors, dans ce sens-là. Et pourtant la question juive à Sérianne n'était pas bien brûlante. Qu'est-ce qu'il y avait de Juifs dans la ville? Les Crémieux, paraît-il, l'épicerie de la rue Gambetta. Autrefois, il y avait eu un receveur de la poste, comment s'appelait-il donc? Un petit brun, enfin, qu'on avait envoyé plus tard en Algérie. Ah c'est là, paraît-il, qu'il y en a, et ils ne sont pas heureux avec les Arabes!

Une famille déchirée, par exemple, c'était celle du maire. On était habitué à lui. Évidemment, certains lui reprochaient d'être républicain d'une façon un peu agressive. Pourtant son concurrent, Delangle, qui était un modéré, dès qu'on allait par là, il en avait aussi plein la bouche de la République. Il avait été sous-préfet, puis il avait quitté l'administration pour être chef de cabinet d'un ministre, un de ses amis. Maintenant, on le poussait là, au Conseil général, parce que, bien entendu, c'était une force qui se perdait, et il avait trop pris position politiquement pour rentrer dans l'administration, avec le ministère qu'on avait. Pour lui sans doute que ce n'était qu'un échelon. De toute façon, lui ou Barbentane, c'étaient des hommes capables. Pas comme le gueulard, le socialiste. Celui-là !

Drôle de chose tout de même que les gens ne voient pas du premier coup à qui ils ont affaire ! Cet avocat sans causes venu de Marseille, à supposer par impossible qu'on en fît un conseiller général à Sérianne, c'est bien évident qu'il ne venait là que pour se faire une situation. Il devait avoir des dettes criardes. Il était un peu râpé, et avec ça bien monsieur pour un socialiste. Rien d'un ouvrier. Un avocat, quoi ! En redingote, une cravate montante et un col cassé, même que c'était un peu ridicule par cette chaleur, et que le laisser-aller du docteur, à la bonne franquette, était autrement sympathique. Un homme de chez nous, ce Barbentane. Le socialiste avait dans les trente ans, un type au-dessus de la moyenne, pour la taille au moins, avec une barbe en pointe, blonde, un peu frisée et pas très bien tenue. Vinet, son nom. Maurice Vinet. Il faisait toute sa campagne contre l'armée, les Trois ans. D'abord, c'était un sujet pas d'une actualité brûlante, parce que le Gouvernement même ne s'était pas encore tout à fait prononcé dessus. Bien sûr, les spécialistes des questions militaires écrivaient dans les journaux qu'il faudrait en passer par là, que ce serait un suicide de ne pas s'y résoudre. Mais les spécialistes militaires ! Et puis, il faut ce qu'il faut.

Il avait ses partisans, ce Vinet. Même dans la ville. Le marchand de bicyclettes, ce type de Nice, qui n'était pas marié, à ce qu'on disait, avec cette petite poudrée avec laquelle il vivait. Des pas grand'chose, bien qu'il fût serviable, il faut le reconnaître. Et naturellement tout le faubourg, les gens de l'usine et les cheminots, les conducteurs du tram, des journaliers dans les campagnes. Sans compter une ou deux communes où on était très rouge. Ça ne ferait jamais une majorité, mais le jour de son arrivée, au train, ils étaient bien une centaine à attendre le candidat, avec des drapeaux rouges, et ils ont chanté l'*Internationale*. Moi, je ne les ai pas vus, c'est Mme Mestrance qui me l'a dit. Elle a des soucis, Mme Mestrance, des choses chez elle, probable, elle a encore bouffi ces derniers mois.

## XVII

Pierre jouait avec les mains d'Angélique : « Tes pattes! » dit-il. Elle sourit, les regardant, très humble. Il avait raison, Pierrot, c'étaient des pattes. On ne pouvait pas les appeler autrement, ces mains forcies par le travail, rouges, aux doigts gonflés, douloureux, avec des longues lignes partout. Pas comme les mains de Pierrot, des vraies mains de demoiselle, malgré les taches d'encre, et qu'elles n'étaient pas soignées. Mais petites pour un garçon, les doigts fins. Elles n'avaient pas lavé par terre, fait la vaisselle chaque jour du bon Dieu. « Tes grosses pattes! » dit encore Pierre. Elle acquiesça, des grosses pattes. Il fit tout à fait l'enfant gâté : « Tes vilaines grosses pattes! » Et voilà qu'elle avait éclaté en sanglots. « Gélique, Gélique, ma douce, ma à moi! » Il s'inquiétait, il cherchait à écarter maintenant les grosses pattes pleines de larmes des yeux qui se dérobaient. Angélique se détournait, résistait : « Rien, rien, c'est bête, c'est rien, c'est bête... » Pierre lui caressait les bras, si doux les bras : « Gélique j'ai pas voulu te peiner, elles ne sont pas vilaines, les patoches, elles sont pas grosses, c'est pour parler... »

Les herbes folles dans une cour dévastée où les briques tombées faisaient comme un petit tombeau de ce qui avait dû être un départ d'escalier, plièrent sous le couple lutteur.

Déjà les sanglots se calmaient dans les rires. « Laisse donc,
soupira la fille, j'aurai l'air de quoi, rentrant! » Il lui défaisait
son corsage.

Mme Eugène attendait sa bonne sur le seuil du magasin.
L'Angélique maintenant, tout lui était bon pour s'absenter. Et
c'était pour cinq minutes toujours, et ça vous durait une demi-
heure. Elle revenait, rouge, essoufflée, comme une qui a couru.
Elle n'avait plus la tête à l'ouvrage, elle était dans les nuages,
elle ne répondait pas quand on lui parlait. Même que l'autre
jour elle avait chanté. Un comble!

Mme Eugène avait terriblement engraissé et, quand elle
se baissait pour ramasser quelque chose, sa vue se brouillait,
elle avait des cloches aux oreilles. Ce n'était pas pour avoir
tout à faire chez soi. Sans compter que cette fille devait être
amoureuse. Elle n'y aurait peut-être pas pensé toute seule,
parce que ce n'était pas son tour d'esprit de s'occuper des
gens, et encore moins de sa bonne, ce qu'elle pensait, ce
qu'elle sentait. Mme Eugène demandait tout juste à son mari
de ne pas jeter les sous par la fenêtre. Au-delà... Mais ces
lettres qui étaient arrivées, l'une après l'autre, depuis dix,
douze jours, lui avaient mis la puce à l'oreille. Une fois qu'on
y avait pensé, c'était évident. Elle courait le guilledou, l'Angélique. Son galant, ça devait être un pas grand chose, qui ne
travaillait pas, parce qu'elle filait comme ça, à n'importe
quelle heure.

Tout de même, on ne la payait pas pour ça, l'Angélique.
Qu'elle trompât M. Eugène, ce n'était pas ce qui aurait
empêché Mme Mestrance de dormir. Mais d'abord, si elle
couchait avec le premier venu, elle pouvait flanquer qui
sait quoi à cet Eugène. C'était moins sûr que le « Panier
Fleuri ». Moins cher, c'était encore à voir, parce que s'il
fallait des pharmacies...

« Gaston, va donc voir si tu vois où elle traîne, Angélique... »
Gaston l'aurait envoyée au diable, sa mère, tout à jouer aux
billes avec le fils du menuisier. Il faisait un peu semblant.
Quelle scie, alors, quelle scie, cette Angélique! tous les jours

maintenant la même histoire. Quand elle rentrait, il s'approchait d'elle à la dérobée, et il la pinçait : « Monsieur Gaston! »
Quel sale mioche, déjà comme son père! « L'Angélique, je le
dirai à maman, que tu es sortie aussi ce matin. — Petite
teigne, je ne te donnerai plus de sous! » Ça, il n'y avait pas
de chance. Gaston savait bien que ses menaces portaient
fruit. La bonne, pour avoir la paix, lui payait des billes, une
toupie. Tout ce qu'elle gagnait filait comme ça, et à des dou-
ceurs pour Pierrot. Ce Pierrot! Elle lui avait donné une
médaille de Jeanne d'Arc en vermeil, pour laquelle elle avait
travaillé un mois. Ensuite, il avait fallu une chaîne, pas?
Jeanne d'Arc veillait comme ça sur lui sous les vêtements, sur
sa peau. Angélique, au fond, était un peu jalouse de Jeanne
d'Arc.

M. Eugène, il n'y avait pas de milieu. Ou il était après vous
pendant des heures, ou il ne se portait pas bien, il devenait
regardant à l'ouvrage. Il vieillissait. Il avait besoin maintenant pour arriver à son plaisir d'y penser longtemps à l'avance.
Il tournait autour d'Angélique, il la pelotait, il lui disait des
grosses cochonneries, des mots d'ordure, il prétendait la garder
tout le jour à portée de la main, pour quand ça lui viendrait,
et il croyait tout le temps que ça allait lui venir, et puis
pas du tout, pas si souvent que ça. Il se fâchait contre Angélique quand il n'avait pas suffisamment l'envie d'elle, alors
il renversait une boîte par terre, pour qu'elle ait à en ramasser
le contenu, ou il salissait exprès les carreaux et gueulait que
c'était d'une saloperie, mais alors d'une saloperie, cette boutique! Il lui marchait sur les doigts pendant qu'elle lavait.
Il se bouchait le nez : sûr que le vieux avait encore fait sous
lui! Elle devait le déculotter, parfois pour rien. M. Eugène
regardait la scène, ironique. Il faisait des remarques sur
l'anatomie de son beau-père.

Quand sa femme lui toucha un mot d'Angélique, sans parler
des lettres bien entendu, parce qu'il aurait pu en faire une
crise, il commença par ricaner sans trop se fâcher contre elle :
« Bon, bon, madame Sainte-Nitouche, voyez-moi ces gros

sabots! Mais, dis-le, dis-le donc qu'Angélique a un greluchon!
— Je ne dis pas ça, je m'étonne... — Et pourquoi tu ne le
dirais pas si c'est la vérité? Oh! elle en est bien capable,
une tranche-moi-ça-que-j'en-crève, une tiens-mon-cul-qu'il-s'en-
vole, une j'avale-tout, une... »

Il était simplement cramoisi. Tout d'un coup, sa rage
retomba sur Mme Mestrance :

« Quant à toi, sale pute, mère maquerelle, ça te fait jouir,
c'est clair, tu t'en rinces! Hein, ça te plairait, sacrée garce,
que je sois cocu, tu ne serais plus la seule? Eh bien, je m'en
fous, imagine-toi, mais alors là, totalement. Elle peut se faire
enfiler et renfiler, en long, en large et en travers, ça ne me
fait pas ouf! Ça te la coupe, ça? »

Après quoi, il avait couru parce qu'il y avait un client qui
appelait en bas : il avait essayé tous les melons du magasin.
C'était pour un mariage. Mme Eugène n'était pas dupe. Elle
vit bien que son mari surveillait la bonne, maintenant. Angélique ne voulait pas en parler à Pierre. Pourtant, elle se
défendit parce qu'il la retenait. « Non, non, M. Eugène va
s'apercevoir. — M. Eugène! Tu ne m'aimes plus. Gélique,
je t'ai dit de ne jamais me parler de cet affreux bonhomme... »

Il lui avait fait une scène. Elle ne lui parlerait plus de
M. Eugène. Pierrot avait composé un grand poème pour elle.
Comme qui dirait une chanson qu'on ne peut pas chanter.
Quand il le récitait, c'était drôle, pas bien clair, mais très
doux, on avait envie de rire et de pleurer.

M. Eugène avait cherché à savoir. Un jour, il l'avait suivie.
Elle l'avait bien vu, heureusement. Elle était allée bavarder
avec Mme Reboul, qui n'était pas fière, et qui lavait son
linge sous une voûte de la ville haute. L'idée lui en était
venue à voir le ruisseau bleu de la lessive. Et puis, Marie
Reboul, la femme du marchand de meubles, se sentait triste
et très seule depuis quelque temps. Son ami, le jeune Arnaud,
la délaissait. Il partait pour le régiment, et déjà il était soûl,
et cela presque chaque jour. Aussi Marie recevait-elle toujours
gentiment Angélique. Un être humain, pas.

« Je voudrais bien savoir, demanda ce soir-là Mestrance à Reboul, pendant qu'ils jouaient au billard avec Respellière qui tracassait sa moustache de chat, au café, pourquoi ma bonne est *tout le temps* fourrée chez ta femme? Tu peux m'expliquer ça? »

Ils étaient de vieux copains. Maçons tout les deux. Reboul savait les liens de l'autre avec sa bonne. Ces relations lui parurent déplacées, et ce soir-là, en rentrant, le colosse battit sa femme un peu plus fort :

« Ah! je t'apprendrai, moi, à faire des potins avec des gueuses... Ah! je t'apprendrai... Et celui-là sur ta belle gueule... Avec des pouffiasses... Qu'elle leur lave les fesses à tous dans la famille... Oui, même au gosse, que je te dis... Je t'apprendrai, moi, à en avoir, de la tenue, et si je la prends, cette Angélique... »

Adrien Arnaud fêtait son départ au « Panier Fleuri ».


## XVIII


Le Dr Lamberdesc soupira. Sa jeunesse foutait littéralement le camp dans ce trou de Sérianne. A quoi lui servait ici son physique de casseur de cœurs? Il commençait à se lasser de Mme Butterfly, comme il appelait pour sa propre jubilation Thérèse Respellière. Elle lui avait déjà raconté toutes ses histoires d'Indochine une demi-douzaine de fois et le percepteur abusait légèrement de son amabilité forcée en faisant déranger le docteur même de nuit pour ses accès de paludisme. Même de nuit. Pour la peau, bien entendu. Avec ça, que l'ancien colonial était râleur dans ces moments-là. Il avait jeté un pot de fleurs à la tête de son épouse et, quand Lamberdesc avait fait mine de s'interposer, le mari avait pris un air plus mari que nature pour gronder un : *Ah, je vous conseille!* qui en disait long sur les ignorances prétendues du bonhomme.

Qu'est-ce qu'il avait comme amusements? Se promener un peu dans sa Peugeot, la belle affaire!

L'arrivée de Delangle avait un peu éclairci la vie. Ils s'étaient connus jadis au quartier, bien que Delangle fût son aîné. Ça avait été une rencontre de hasard, il n'avait d'abord pas cru qu'il s'agissait de ce Delangle-là, dont même il devait n'avoir connu que le sobriquet. On l'appelait... Comment l'appelait-on? Ça n'a pas d'importance. Une veine que Delangle fût le candidat modéré. C'était donc tout naturel de se montrer avec lui en public. Ça tombait bien :

« Imagine un peu que si tu avais été socialiste, dans ce maudit trou, nous n'aurions même pas pu nous saluer. Non, non. J'y aurais perdu ma clientèle! Ma clientèle! Si tu voyais ça!, comme raclures, comme rats de sacristie et comme chaisières! Et tous crachent, ont des chats dans les poumons, une oreille qui suinte, un pied qui remue. Il y a un urémique qui a si peur d'une crise qu'il vient tous les matins me souffler dans le nez, histoire que j'y renifle l'haleine. Je fais des ponctions dans des ventres pleins d'eau, je badigeonne à la teinture d'iode des utérus légitimement endommagés, je pose moi-même des ventouses à un général en retraite. Enfin, c'est une vie comme une autre, que veux-tu. — Je te sortirai de là, quand je serai élu. » Delangle disait ça mécaniquement à ce vieil ami retrouvé comme à tout le monde. Il promettait du matin au soir. Il avait un gilet gris, en piqué, rayé ton sur ton, une ravissante invention de Charvet, et Thérèse Respellière lui faisait clairement des sourires, bien que son mari fût un électeur de Barbentane. Mais Delangle était un galant homme, et il avait compris à demi-mot de quoi il retournait avec Lamberdesc. Il lui glissa que, puisqu'il soignait le percepteur, il devrait tâcher de le faire voter pour lui. Mais c'était sans grand espoir. D'autant que les crises se rapprochant, dans les derniers mois, Respellière, dont la calvitie s'aggravait, devenait tout à fait intraitable. Mal embouché avec ça.

Comme Lamberdesc se lançait, à l'heure de l'apéritif, dans une grande histoire sur un copain perdu de vue, et que

Delangle pendant ce temps repassait les notes qu'il avait prises
sur l'état des chemins vicinaux, et les revendications propres
aux vignerons de Villeneuve (une idée de petite route risquait
de lui donner avantage sur Barbentane), on vint chercher le
jeune docteur pour un accident qui avait eu lieu en gare.
Une fausse manœuvre. Un cheminot écrasé. Quelle vie de
dévouement! Et pour ce que ça rapporte! Le cheminot habitait
au diable vauvert, il avait tout le bassin écrasé, un fémur qui
crevait la peau. Pourquoi ne l'avait-on pas porté à l'hôpital?
Incompréhensible. Maintenant, trimbaler *ça!* Dans le linge
sale du lit, avec la veuve... enfin c'est comme si déjà... qui
chialait et un gosse maigre et terrorisé dans ses jupes, le
moribond à chaque mouvement hurlait, le visage creusé de
douleur, jaune-vert, les yeux enfoncés dans une ombre de
sueur. Il avait dû avoir quelque chose au thorax par-dessus
le marché. Il râlait entre deux hurlements. Au milieu de tout
ça, une idée se confondait avec la douleur et la mort qu'il
voyait s'avancer vers lui : «Le petit... le petit...» Ah! je vous
assure qu'il faut avoir le cœur bien accroché. Ça puait là-
dedans, des eaux ménagères, le seau pas vidé! Une turne
misérable, dans le quartier de l'usine. Il y avait des voisins
sur le pas de la porte, comme si on avait eu de l'air à revendre.

En sortant de là, le docteur s'était senti tout faible, comme
il passait devant le garage. Il y a un café, juste au coin de la
rue, en face. Il en venait de la musique, et des ouvriers, des
employés de chemin de fer y parlaient fort, y riaient. Bon, ça
me changera les idées. Il s'assit à la terrasse et s'envoya un
Pernod. On prend l'habitude du Pernod, dans ce Midi.

À l'intérieur, il y avait une dizaine de personnes, et des
conscrits. C'était juste avant le départ de la classe. Le patron
rinçait des verres derrière le comptoir. Dans le fond, un
violoneux jouait un air que chantait une femme brune, de
type gitan, avec une robe de foulard et un fichu rouge;
de grandes boucles noires autour d'un visage plus étrange
que beau. Mélodiquement, ce n'était pas bien malin ce qu'ils
faisaient là : l'homme jouait et elle chantait à l'unisson une

mélodie assez simplette, mais que tout le monde devait connaître à voir comme on remuait la tête dans le café :

> *L'acier de coutre de charrue*
> *Vaut mieux qu'un canon de Lebel.*
> *L'un produit pendant qu' l'autre tue.*
> *L'un nourrit, l'autre-est-cri-mi-nel!*

Et tout le café reprenait en chœur, tandis que le violon, un
homme fort, assez mal rasé, brun, un Marseillais probable,
scandait le refrain sur son instrument en dirigeant les voix
de la tête et de l'archet :

> *Non, non! Plus de combats!*
> *La guerre est u-ne-bou-che-ri-e.*
> *Ici, comme là-bas,*
> *Les peuples n'ont qu'u-ne-pa-tri-e!*

Cela unissait tous ces hommes jeunes et quelques vieux, et
des filles aux yeux brillants. Les brevets *Bon pour le service*
branlaient ironiquement aux casquettes. Eh bien, la propagande socialiste n'était pas mal faite! Il fallait raconter ça
à Delangle. La bohémienne parcourant les campagnes pour
débaucher les conscrits... Un joli sujet de conte, ma foi, pour
quelqu'un qui saurait écrire. La femme chantait encore :

> *Un champ vaut mieux qu'un cimetière*
> *Pour le bien de l'humanité.*
> *Crions par-dessus les frontières :*
> *La Paix, c'est la fraternité!*

Et voici que dans les voix, qui grimpaient un peu fausses,
mais généreuses, sans ménager les poumons :

> *Non, non! Plus de combats!*
> *La guerre est u-ne-bou-che-ri-e...*

Lamberdesc reconnut un timbre déjà connu. Il n'était pas fou, oui, là-bas, au milieu des conscrits, avec à la boutonnière l'insigne de *Pro Patria*, Armand Barbentane, le fils du maire, son concurrent, solfiait le refrain antimilitariste.

C'était la dernière toquade d'Armand, et le pur et simple résultat de son aventure avec Suzanne, si bizarre que ça paraisse. À force de discuter avec ce vieux réactionnaire de Loménie, il avait perdu la foi patriotique, comme il avait perdu la foi tout court. Le malheur avec Armand était que, quand il donnait la réplique à quelqu'un, il se forgeait un personnage, il se jetait dans la contradiction avec une telle force, qu'il se convainquait lui-même. Il avait commencé à jouer le rôle de l'antimilitariste, et ça y était : il s'était pris au sérieux. Même qu'il s'était disputé là-dessus avec Pierre Delobelle, et Étienne. Il n'en avait pas fallu davantage pour l'ancrer dans son idée. La scène s'était passée au patronage, où il y avait des conscrits, des ouvriers, qui s'étaient regardés entre eux, et qui se poussaient le coude. Quand Étienne, qui allait partir à la caserne comme Adrien Arnaud, s'était fâché tout rouge, et avait crié qu'Armand était un baveux, et que les types comme lui on les foutrait au poteau en cas de guerre, ça avait failli faire une rixe. Heureusement que l'abbé Petitjeannin n'était pas là ! Enfin, à la sortie, c'était dimanche, quatre des conscrits, un petit gros qui rigolait tout le temps, un long qui avait les lèvres minces, et deux autres, des solides, un avec de gros sourcils, l'autre le nez écrasé, avaient entraîné avec eux Armand, comme un nouvel ami, tout étonnés d'eux-mêmes et de lui, et ravis, et ne sachant plus comment rester ensemble, et se marrer, et se signifier qu'on était des copains, des types prêts à se faire casser la gueule les uns pour les autres, et pas pour leur patrie, ah, non ! Alors, pas pour leur Patrie. Le fils à Barbentane. Ça alors ! Ils lui avaient payé à boire. Et vive la sociale ! Ils étaient tous socialistes, et internationalistes, rouge bon teint, comme disait le petit gros. On leur en ferait baver au service, c'est entendu, mais faut pas croire que ça se passera comme ça. Quand on reviendra dans deux ans, le temps que les tifs vous repoussent, il ne restera plus rien, plus rien de l'armée, on oubliera tout ce qu'ils nous auront appris. Leurs fusils! Tiens, regarde ce que j'en fais, de leurs fusils! Le grand long balayait la table des verres. Le patron intervint, qui c'est qui payera! Moi, dit Armand. On lui fit fête, et là-dessus étaient entrés les musiciens.

Armand regardait la femme avec un attendrissement certain. Elle était jeune, et sa poitrine remuait quand elle chantait. La bière rendait tout assez confus, il faisait très chaud. On apprit le refrain de la chanson :

*Non, non, plus de combats!*

Quand le Dr Lamberdesc vit ce tableau de la terrasse, il ne fut pas touché comme d'autres l'eussent été sans doute devant les conscrits, leur jeunesse, et cette santé populaire, cet esprit de révolte qui avait sa grandeur. Non. Il se sentit pris d'une hilarité reposante après cette histoire de cheminot écrabouillé. Il plissa méchamment ses redoutables yeux de velours. Le petit cureton! Celui qui faisait parler la ville pour sa piété, là à brailler avec ces lascars, et soûl comme une grive, ma parole! Il raconta l'histoire en rentrant à Thérèse. Elle voulait justement se remettre au piano pour chanter en s'accompagnant du doigt. Elle s'interrompit. Le petit? le jeune Armand? Elle ne riait pas. Elle avait là-dessus un point de vue de femme. Celui qui se préparait à être prêtre? Oui, oui.

« Si sa mère savait ça! » dit-elle avec un accent de conviction profonde qui égaya Lamberdesc. En même temps, elle était un peu rêveuse. Elle se mit à fredonner : « *Sur la mer calmée...* — Oh, ta gueule! coupa sans périphrase le docteur, viens donc ici qu'on bavarde. »

C'est-à-dire qu'ils se turent aussitôt.

## XIX

« Comment pouvez-vous parler et agir ainsi, Armand, vous qui voulez consacrer votre vie à la religion ? »

Comme depuis un moment, affalé dans les vignes, et terriblement intéressé par un faucheux dont la démarche rappelait celle d'un de ses professeurs de la préfecture, Armand ne suivait plus les paroles de Suzanne, il ne sut pas si la jeune fille s'indignait des propos qu'il lui avait tenus contre l'Armée, les Trois Ans, le Drapeau, les Généraux, la Patrie, ou si ce qu'elle disait se rapportait à la sortie qu'il venait de faire, parce qu'elle se refusait à reconstituer avec lui ces scènes minutieusement décrites par Pierre Delobelle, dont Pierre était avec Angélique le héros voluptueux.

C'était de l'antimilitarisme d'Armand qu'elle s'indignait. Quel toupet ! Et alors se tripoter dans les coins avec une grande sale comme elle, ça, elle trouvait ça tout naturel de quelqu'un qui se consacrait à la religion ?

Enfin, ils se fâchèrent. Comme Armand là-dessus s'absenta pour se présenter au bachot, la brouille fut une brouille pour de bon. À Aix, le temps de l'écrit et de l'oral, la tête du jeune homme marcha d'une belle allure. Pas pour ce qui touchait Suzanne. Avec celle-là, c'était réglé. Mais enfin, seul, avec un peu d'argent, déjà comme un homme, il se sentait maître de son avenir. Il songeait au théâtre, aux obstacles du côté famille. Il avait jeté par la portière du train l'insigne de *Pro Patria*.

Pour se prouver son indépendance et avec ce même goût du schisme qui l'avait jeté dans l'hérésie nestorienne, au débarqué, il se munit des journaux qu'il n'eût point osé lire devant les siens : *La Bataille Syndicaliste, L'Humanité*. La lecture de ces feuilles faillit avoir sur lui tout juste l'effet inverse de celui que lui-même y cherchait. Ce maudit esprit de contradiction : non point qu'il le repoussât vers l'Église, et les briseurs de grève, non. Mais au fond, blessé de ce qu'il y avait d'outrancier dans les articles qu'il parcourait, sautant ce qu'il ne comprenait point, à cause du jargon, et de toutes sortes d'histoires dont il ignorait le point de départ, Armand se regimbait devant ce qu'il trouvait sommaire dans tout cela. Pour un peu, il en serait devenu radical, comme son père.

Pierre passant latin-langues ne devait se présenter que huit jours plus tard; il n'y avait à Aix que deux ou trois Sériannois, avec lesquels Armand était peu lié. L'un d'eux, Paul Cotin, le neveu de cette dame Cotin, qui avait eu un si bel enterrement en 1911, il le connaissait de *Pro Patria*, et ils s'en furent au café ensemble et fumèrent un cigare offert par Paul. C'était un blond dégingandé, avec des manches trop courtes. Voyant les journaux de son camarade, il s'en choqua vivement.

« Oh, une fois par hasard, il faut bien s'instruire ! » dit Armand, mal à l'aise. Mais aussitôt il se repentit de façon amère de cette lâcheté, paya les deux consommations et s'en fut.

Ah, il n'avait pas la tête à son examen ! Une nouvelle histoire lui montait l'imagination. Et quand il serait socialiste ? et quand il penserait comme ci ou comme ça, où serait le mal ? C'était comme un nouveau rôle à apprendre. Les journaux, il se forçait à les lire de bout en bout, et à en admettre le ton le plus révoltant. Tout comme il se forçait dans la rue à planter ses yeux droit dans les yeux des femmes.

Il passa son écrit et son oral tant bien que mal. Dans le programme latin-grec, rien ne concernait les nouvelles préoccupations du personnage qu'il s'était mis à incarner. Est-ce qu'il saurait avec des socialistes parler le langage qu'il faudrait ? C'était un peu comme jadis avec les fourmis... Mais, les mots neufs et maladroits empruntés à la presse, Armand n'était pas sûr de pouvoir les prononcer. Ce n'était pas tout à fait comme avec les fourmis. Cotin disait qu'une chose à faire serait de s'introduire chez ces gens-là et de pousser tous leurs paradoxes jusqu'à l'absurde, alors ça ferait échouer toutes les entreprises des meneurs, parce que les crédules, la masse, vous suivraient forcément. Armand écoutait ça d'une oreille pas tout à fait fidèle, parce que le jeu ressemblait aux siens, sauf que lui il ne se préoccupait pas de faire échouer, mais de faire aboutir. Serait-il pris au sérieux? Quelle sorte d'homme est-ce que ça pouvait bien être, ce Jaurès, à qui son père reconnaissait un certain talent? M. de Loménie disait ordinairement qu'il aurait fallu le fouetter devant tout le monde. Armand se moquait pas mal de cette vieille canaille de propriétaire et de sa vicieuse de fille, maintenant. S'il n'avait pas tant craint les mauvaises maladies à Aix, il se serait bien arrangé sans elle, *sans eux.*

Entre l'écrit et l'oral, il aperçut Mestrance dans la rue, endimanché. Le marchand de perles venait se réapprovisionner : Sérianne avait épuisé son stock de vénération mortuaire. Armand pensa avec plaisir que pendant ce temps-là, Angélique était toute à Pierre Delobelle. Peut-être comptait-il un peu trop sans les suspicions de Mme Eugène.

C'est comme il répondait à l'examinateur de math, sa faiblesse, que tout à coup l'idée de Cotin lui revint, et la craie au tableau s'écrasa avec un bruit désagréable. Au fond, c'était une saloperie, cette idée-là. Sur le moment, il n'en avait pas eu conscience... « Eh bien, monsieur, le volume de la pyramide? » De quoi se mêlait-il, celui-là? Les pyramides, je vous demande un peu le besoin qu'on a de mesurer leur volume! Comment avait-il été reçu? Le jeune Cotin, lui, n'avait qu'à se représenter en octobre.

Là-dessus, il se reprit à penser à son père, à sa mère, aux Rinaldi de la plaine : qu'est-ce qu'il avait à faire avec tous ces gens? C'est vexant, on les lui reprocherait sûrement, chez les socialistes. Il y avait des phrases dans les journaux qui lui faisaient revenir, comme des bouffées de honte, des conversations de la maison, à quoi il n'avait pas attaché sur l'instant d'importance. Comme on y supputait les biens des Rinaldi, l'héritage, les vignes, et ces actions pour lesquelles son père et sa mère se chamaillaient! Tout cela, quelle profonde, quelle abominable horreur!

Il se jurait qu'il n'accepterait rien des siens. On n'est pas forcé d'hériter peut-être? Il se souvenait pourtant vaguement d'avoir un jour entendu sa mère parler de quelqu'un qui avait refusé l'héritage de ses parents. Un monstre. Mais c'était qu'il ne voulait pas reconnaître les dettes des siens. Alors, ce n'est pas la même chose...

Une lumière nouvelle baignait pour son fils le personnage du Dr Barbentane. Sans doute, dans son enfance, l'avait-il considéré comme l'Antéchrist : mais ça! On ne peut pas dire que ce soit grave, grave. Tandis que maintenant, pour la première fois, à cause de tout et de rien, comme il vivait, comme ils vivaient tous, la famille, voilà qu'il se demandait s'il ne fallait pas le regarder comme un salaud. Son propre père. Vous me direz que l'amour filial ne l'étouffait pas. Mais de là à penser que son père était un salaud. Très honnête-ment, il en avait la suée. Peut-être que la saison y était pour quelque chose.

En rentrant à Sérianne, il trouva la ville sens dessus dessous. On était en plein dans les élections. On s'était battu dans des réunions, dans le faubourg, entre socialistes et membres de *Pro Patria*. Étienne Delobelle, juste le soir d'avant son départ pour le régiment, en avait rapporté un œil au beurre noir, mais un ouvrier avait reçu un coup de matraque, qui lui avait fendu le crâne. Il délirait depuis trois jours à l'hôpital. Trois enfants. Là-dessus, ça avait fait du vilain à l'usine, à cause de ce qu'on savait bien que *Pro Patria* c'était Barrel qui en était le vrai patron. Il y avait eu une grève des bras croisés en protestation. Barrel était fou de cette histoire. Ce n'était pas un mauvais homme, il se tenait pour un peu responsable de ce crâne cassé, il se tirait sur ses moustaches, ça lui donnait l'air de s'arracher les poils du nez, il ne savait que faire envoyer à la famille, des choses absurdes, des gants fourrés. En juillet!

Barbentane, extrêmement agité, racontait le fait, légèrement ironique, à ses fils. Car Edmond était déjà là depuis
quinze jours, qui bayait aux corneilles. Ce n'était pas la
même chose de jouer avec M. Migeon qu'avec Adrien, maintenant mobilisé. Il prenait ses quartiers au « Panier Fleuri »,
où M. Robert, le patron, lui faisait des passe-droits : le fils
du maire! Il était bien sûr de retrouver ça sous une forme
ou une autre. Il y avait là une blonde, Germaine, qui se
plaisait à s'envoyer le jeune étudiant et, lui, ça le flattait.
Tout le monde était content.

Tout ça faisait une bouillie dans la tête d'Armand. Il était
comme un soldat qui rentre à la chambrée, en permission de
minuit, quand les autres y sont déjà enfermés depuis plus de
trois heures, avec les godasses, la transpiration, les pieds et
les fenêtres closes, et que ça chelingue, je vous prie de croire.

Sérianne chelinguait ferme au soleil de juillet.

Mestrance, qui se doutait de quelque chose, battait Angélique. Elle montrait en pleurant ses bleus à Pierre, qui en devenait rouge, puis blême, et serrait les dents. Mais qu'est-ce qu'il
pouvait y faire? Elle oubliait vite avec lui les mauvais traite-
ments, « tu m'aimeras toujours, dis, toute la vie ». Toute la vie.

À une réunion, à Villeneuve, où Armand s'était rendu moins
par désœuvrement que par inquiétude, le Dr Barbentane,
attaqué par le socialiste, avait été sommé de s'expliquer sur
l'éventualité des Trois Ans, réclamés par les journaux de
l'État-major. Il s'était prononcé avec violence contre toute
prolongation du service militaire :

« C'est assez cher nous demander déjà que de nous priver
pour deux récoltes des bras de nos jeunes fils. Peut-être
rêve-t-on ailleurs à de sanglantes vendanges. Nous, pacifiques
travailleurs, nous exigeons que la jeunesse... »

Dans un coin de salle, avec son gros nez et son œil rouge,
le vieux Loménie sardonique, applaudissait à tout rompre.
Il criait : « Le service d'un an! Six mois! Et allez donc! » Il fit
de loin un petit salut de tête à Armand.

Le lendemain, à Sérianne, à une réunion contradictoire où

Barbentane et Delangle se trouvaient à la tribune, le candidat
modéré, avec son beau gilet gris, avait parlé de la France d'une
façon très touchante, agité le spectre allemand, la loi votée
récemment au Reichstag. Il y avait eu quelques sifflets quand
le maire s'était levé pour répondre. Il était visiblement ému :
« Nous sommes, dit-il, résolument contre tout ce qui peut
mener à la guerre, contre l'aggravation de ce qu'on appelle
d'une façon sinistre l'impôt du sang. Mais si on nous démontre
que la loi du Reichstag met en danger la Patrie des libertés
républicaines, si l'Empire allemand menace notre terre de
démocratie, croyez-vous, citoyens, que nous refuserons à la
République, à la France républicaine, les armes dont elle a
besoin? Nous n'oublierons pas, j'en fais ici le serment, nos
ancêtres de Valmy, nos pères de 93! » La barbe du docteur se
perdit dans les applaudissements.

Armand désormais, chaque sou qu'il avait des siens, chaque
repas à la maison lui était un supplice. Évidemment, ça ne
durerait plus longtemps, il gagnerait sa vie au théâtre, mais
en attendant. Il devait filer à la gare en cachette pour lire
*ses* journaux. En chemin il les jetait après en avoir fait une
boule. Son père était-il vraiment un salaud? Il parlait d'argent,
très fort avec sa mère, justement, dans la pièce à côté. Il
s'agissait des sommes que Mme Barbentane donnait au curé.

À qui tout de même s'ouvrir de tout cela? Pierre, autant
parler à une bûche. Sauf qu'il s'était mis à faire des vers, et
quels vers, Dieu du ciel! Dans cette petite ville pourrissante,
il n'y avait pas âme qui vive pour Armand. Il imagina de
parler à Vinet, le candidat socialiste.

<h1 style="text-align:center">XX</h1>

« Ah ça, alors, pour un revenant, c'est un revenant! — Non,
faut qu'il y soit tombé une dent! »

On le regardait, on le faisait tourner sur lui-même, avec
son petit complet d'alpaga gris, on se le poussait, on rigolait.
M. Robert, une espèce de boxeur, avec des pattes aux oreilles,
et un veston marron clair, avait claqué dans ses mains, et
Madame avait appelé tout le monde au salon. Les portes des
étages s'étaient ouvertes, même chez Zoé qui travaillait avec
un fermier des environs. On avait tout de suite compris qu'il
s'agissait de quelque chose d'inhabituel, une bonne rigolade,
et on rappliquait. Les treize pensionnaires du « Panier Fleuri »
ramassant leurs bas, leurs voiles de couleur, et leurs chemises
de fantaisie, envahissaient l'estaminet, où Mélanie, la bonne,
elle-même, avait été admise pour le retour de l'enfant prodigue.

Les consommateurs, trop jeunes pour vraiment apprécier la
situation, le fils du maire tout le premier, un beau gosse, le
béguin de Germaine, faisaient semblant de saisir de quoi il
retournait. Le client qui valait tout ce remue-ménage était
schlass, mais ce qui s'appelle schlass. M. Robert le fit asseoir,
tout de suite, entre Pierrette, Claire et Bertha, les aînées de
la boîte. Madame remontait le phono. Et lui-même se planta
devant la table en faisant signe à Mélanie : « Du champagne !
Et du bon ! c'est moi qui offre ! » avec ce clin d'œil dont l'effet
était immanquable : tous se tordirent. Oh, ce Robert ! Pour
un blagueur !

En haut, dans l'escalier, le fermier, en bannière, appelait
Zoé, furieux : « Dis donc, madame, j'attends tes fesses ! » Zoé
s'excusa auprès de l'arrivant, se remit du rouge et grimpa.

C'était un charmant petit estaminet que l'estaminet du
« Panier ». Tout décoré de roses, comme une tonnelle de
fleurs, et au-dessus du bar une grande toile probablement due
à un maître célèbre, représentant une jeune fille nue d'une
pudeur inquiétante, qui arrivait à cacher ses seins mêmes,
et à rendre décentes ses hanches à peine nubiles à force
d'ingénuité. Aux tables de marbre, les couples se formaient.
On causait. Car, pour le reste, il y avait les chambres, peut-
être.

« Alors, dit M. Robert, c'est un accès de revenez-y, ou c'est pour de bon? — Il en a assez de sa bourgeoise, dit Bertha, une grassouillette aves des cheveux beiges. — Sa bourgeoise! »

Pierrette haussait ses maigres épaules. « Madame veut faire celle qui est au courant, elle ferait mieux de se taire. — Comment, comment! C'est un client à mézigue, non? » Claire intervint : « Laissez-le parler, vous êtes bassin, alors! »

Et ça, c'était vrai : elles étaient bassin. Le bouchon de champagne fit paf! et la bouteille bava sur les cuisses à Claire : « Dis donc, mes bas! » Elle s'essuyait, parce que c'est dégueulasse, ce sucré.

Robert frappa sur le ventre de M. Eugène : « Eh bien, ça fait plaisir de revoir les amis. Je le disais l'autre jour, à qui donc? Enfin ça n'est pas l'affaire, un de ces jours, il en aura marre, et il reviendra... — Et je suis revenu... »

Il était odieusement schlass. Il lampa une flûte de champagne, regarda Robert, et gémit : « C'est toi qui offres? — C'est moi, répondit Robert. — Alors, si c'est toi... si c'est toi... c'est toi... »

Il se reversa une seconde flûte qui prit le chemin de la première. Tout valsait. C'est méchant sur le Pernod, le champagne. Même celui-là, de la tisane. Comment de la tisane? Oh, je dis tisane, et puis ce n'est pas de la tisane. Surtout après le Pernod. Et quand je dis *le* Pernod, c'est *les* Pernod que je devrais dire, ah lala! *les*, on dit *les* pour deux pour trois et pour quatre, cinq, six Pernod...

« Sans doute les élections, dit Edmond à Germaine qui n'en finissait pas d'ouvrir des yeux, c'est un électeur à papa. — Il se soûle comme ça, ton père? s'étonna-t-elle. — Tu veux rire! Ses électeurs seulement. — Tu n'es pas bavard, reprenait M. Robert, en touchant amicalement son client à l'épaule.

— Pas bavard... pas bavard... » Il rit idiotement. « Je suis soûl, mon vieux. »

Il prit ici un air de grand mystère, agita l'index, et demanda à tous le secret d'une mimique évidente. Puis il se renfila une flûte, et commença de divaguer : « Quatre ans... quatre ans... pas un de moins... si j'avais eu un petit bébé la dernière fois

avec toi, la Berthe, un petit bébé, un tout petit bébé, eh bien...
eh bien quoi, maintenant il aurait quatre ans... je veux dire
si nous avions accouché toi et moi, la dernière fois... il pourrait
presque aller à l'école... un petit bébé! »

Ah non, ce qu'il était rigolo, ce M. Eugène! Ces dames s'en
payèrent sur le mode aigu. Le phono jouait *Cœur de Tzigane*.
M. Eugène s'attendrissait : « Un petit bébé... On aurait pu se
voir tous les jours depuis quatre ans... Que de temps perdu!
Et j'ai vieilli, pas, j'ai vieilli? »

Il avait enlevé son chapeau mou, hagard, interrogateur. On
s'empressa autour de lui, mais non, ma vieille, mon chou,
mon grand gosse t'as pas bougé, frais comme une rose. Il se
calma : « Un petit bébé... Et pourquoi, pourquoi, dis, que je
ne suis plus jamais, jamais revenu? Dis-le, toi, Robert, qui
rigoles! À cause d'une Marie-salope, oui, mesdames, d'une
Marie-salope, je ne retirerai pas le mot! »

Ces dames se regardèrent, en hochant la tête. Et Germaine,
intéressée, dit à Edmond : « Ah, voilà! Il a des peines de
cœur. » M. Robert ouvrit une seconde bouteille, et en versa à
tout le monde : « Cette fois, c'est sa tournée. — Oui, oui,
opina Mestrance, elle a eu une tournée. Et quand je tape, moi,
je tape quand je tape. »

Son poing s'abattit sur un verre qui se cassa. Eugène ne
remarqua pas qu'il saignait. Claire et Pierrette, avec des petits
cris, lui prirent la main. C'était peu de chose. Un coup de
torchon nettoya le tout.

« Quatre ans... La garce... Moi, l'imbécile, j'étais doux avec
elle, j'y faisais des petits cadeaux... Tu es fatiguée, bon, tu
te lèveras à sept heures et demie... Une rien du tout, que je
l'ai ramassée, elle chialait... Elle a bouffé mon pain tout ce
temps-là... Une souillon... Elle enlevait la crotte au cul du
vieux... Et moi, pas dégoûté... Imbécile! Quand c'est plein
de jolies femmes dans le monde, et maintenant j'ai vieilli...
Les derniers temps, j'avais de la peine à me monter l'imagination... Pas étonnant! Elle se faisait mettre par un blanc-bec,
un jean-foutre... Ça vous fait rigoler parce que je suis cocu?

D'abord, je ne le suis plus, cocu... La pouilleuse, je l'ai foutue
à la porte... après la tournée... je l'ai foutue à la porte, la
carne, la carne... Et que je ne te rencontre pas, je te casserais
les reins, dégoûtante! Avec un vaurien... Voler l'argent du
monde pour se faire... ah, tiens! c'est trop sale, c'est trop sale, le
monde n'est pas gentil, maman, maman! »

Le marchand de couronnes mortuaires s'était mis à pleurer.

« J'ouvre la troisième bouteille, dit solennellement
M. Robert, en versant à la ronde, parce que tu as besoin de
te distraire un peu. »

La figure d'Eugène Mestrance reparut derrière les flûtes,
tout en larmes, avec de la morve dans la moustache, et les
joues marbrées. Il reniflait le chagrin. L'invraisemblable était
qu'il l'avait aimée, cette Angélique. Il n'en savait rien, il le
découvrait dans son désespoir d'homme trompé. Il s'était terriblement attaché à elle, et maintenant il l'avait chassée, il
avait dû la chasser. Il avait aimé en elle sa propre jeunesse
perdue et ces quatre ans avaient creusé le fossé entre lui et
sa jeunesse. Boire... Le champagne, ça fait drôle quand on n'en
a pas l'habitude, c'est léger, et puis c'est lourd. Angélique,
oh lala, Angélique!

M. Robert sentit que la bienséance exigeait qu'on s'intéressât
aux affaires de cœur du client.

« Et comment que tu as appris la... triste nouvelle? »

Ces dames pouffèrent. Robert les rappela à l'ordre, du
fameux clin d'œil. Alors ça devint intolérable, on riait, et
on ne pouvait pas éclater, moi, je vous dis que c'en était à faire
pipi.

« Comment que j'ai... Je ne sais plus... Ah, si! Des lettres.
Un cochon alors, celui qui écrivait ces lettres. Mais quelqu'un
de renseigné. Il signait d'ailleurs comme ça. Quelqu'un de
renseigné. Pauline, elle ne voulait pas me montrer les lettres.
Pauline, c'est Mme Mestrance. Non, qu'elle disait, tu vas te
faire du mauvais sang. À la fin, je me suis fâché. Pauline,
tu es une vache. C'est vrai, c'est une vache. Pour l'argent, on ne
se fait pas idée. C'est une vache et un rat, un de ces rats.

Donne-les-moi ces lettres, ou je fous le feu à la tôle. Elle a pris
peur, j'avais bu. Elle m'a donné les lettres. Quelqu'un de
renseigné. Il racontait tout ce qu'ils faisaient là-haut, les deux,
dans la vieille ville, par terre comme les chiens. Moi j'avais
bu. J'ai pris les lettres, j'ai giflé Pauline. C'est Mme Mestrance.
Je descends quatre à quatre, je me jette sur Gaston qui
grimpait, je te vous l'envoie à bas de l'escalier, il hurle.
La porte s'ouvre, Angélique entre. Qu'est-ce qu'il y a, un
malheur? Ah oui, un malheur. Elle demande s'il y a un
malheur! Enfarinée, va. C'est-il vrai, ça, et ça, et ça? Elle
n'en revenait pas, elle tremblait, elle se cachait derrière le
vieux. Ah, si tu crois que ça me gênerait, le vieux! Tiens,
regarde comme j'y crache dessus, au vieux. Pfffchitt! Si c'est
salivé, hein? En plein dans les yeux. Il y a assez longtemps
qu'il m'emmerde à ne pas crever dans l'arrière-boutique,
celui-là! J'aurais pu la suivre, l'épier, les prendre sur le fait,
les cochons. Mais non, ce n'est pas mon caractère. Et puis,
j'avais bu... Je lui ai demandé à elle. C'est vrai, alors? Elle
avait peur, elle a dit oui, que c'était vrai, et tout, dans la
vieille ville, par terre, comme des chiens. D'abord, je me suis
mis à pleurer, elle est venue tout près, attendrie. Alors j'ai
tapé dessus, putain de sort, j'ai tapé tant que j'ai pu. Sale
garce, sale garce, va te faire baiser ailleurs! Hors d'ici! Hors
d'ici! »

Il s'était dressé comme si elle avait été devant lui. M. Robert
jugea l'instant venu : « Emmenez-le, dit-il à ces dames, oui,
toutes les trois, je connais ses goûts... la chambre aux glaces...
s'il vomit vous m'appellerez. »

## XXI

« Je fais monter quelque chose à boire? Si, si. »
Armand était dans la chambre de Maurice Vinet, à l'hôtel

Brot, au-dessus du Café des Arts. Le candidat socialiste avait préféré garder à cette entrevue un caractère intime; est-ce qu'on sait jamais? Il était guetté par tout le monde, dans cette petite ville, même par les camarades. On pouvait utiliser contre lui la visite du fils du maire, et encore de celui qu'on appelait *le petit curé.* D'ailleurs, son premier mouvement avait été de ne pas le recevoir, ce gosse. Il avait l'air bien exalté, on était à la veille du vote. Un grand garçon, mince, pas très développé, des yeux drôles. Enfin comme ça, dans la chambre... Une voix au loin chantait *La Tosca.* Par les jalousies baissées il venait assez de lumière pour accuser le désordre du matin dans la pièce, le linge sale mal dissimulé derrière une chaise, un col sur la cheminée, et le plateau avec les restes d'un petit déjeuner. Sur le bord du lit défait, l'homme de Marseille, assis, regardait avec intérêt ce gamin avec lequel il bavardait depuis une demi-heure environ. Sa redingote sur un dossier de chaise avait l'air d'un personnage abandonné. En bras de chemise, le candidat ne se ressemblait guère, plus jeune, et plus peuple.

« Voyez-vous, mon vieux, il faut m'excuser si du premier coup je n'ai pas compris ce que vous me vouliez. Moi, je suis un fils d'ouvrier, enfin de contremaître. Boursier. Une enfance dure. La haine autour de moi des autres lycéens parce que mal fringué. Pas le sou, comprenez? Mon père avait déjà de la peine à payer les bouquins. Pour faire mon droit, m'a fallu bourlinguer à côté. Commis de librairie, puis ça prenait trop de temps, des adresses à domicile. Même travaillé dans une usine. Un été à La Ciotat, aux chantiers. Alors, comprenez, tout naturel que je sois ce que je suis. Le père s'est retiré à la campagne, chez des cousins paysans. Un brave vieux. S'il ne buvait pas tant... »

Un peu du physique du candidat s'expliquait : cette allure gauche, et les épaules bien larges pour un avocat. Jusqu'à la barbe jeune, et pas tout à fait assez soignée, qui avait brusquement des parentés avec la redingote déposée : une tentative de dignité sociale. Comme ça sans col, il inspirait

mieux confiance qu'en représentation. Sur la table, devant la
fenêtre, il y avait un tas de journaux dépliés, une affiche
avec un gros titre : CANAILLES!., un pot de colle, des
ciseaux, un article commencé d'une grosse écriture écrasée à la
plume de ronde, et des chaussettes à raies violettes et noires,
jetées sur le tout.

Le récit d'Armand l'avait surpris. Au fond, pourtant, c'était
dans la règle. La voilà bien, la famille bourgeoise! Seulement,
après tout, qu'est-ce qu'il voulait, pratiquement, le petit?
Parler, évidemment, parler. Vinet savait bien que c'était ça
l'important pour son interlocuteur, mais en même temps
il aurait voulu lui donner des conseils, l'orienter. Il sentait
un peu trop le dérisoire des propositions à faire. Quoi, c'était
toute la question sociale à soulever! Et puis, un reste de
défiance.

Armand s'était jeté dans les confidences comme à confesse,
avec cette furie qu'il apportait à tout. Quand l'idée lui était
venue tout à coup qu'il avait cherché ici un successeur à
l'abbé Petitjeannin, il s'était mis un instant à bafouiller.
Oh, et puis zut! Le drôle est qu'il avait voulu surtout parler
de son père, et que, sans savoir comment, il avait dû expliquer
la vie de la famille, sa mère. Avait-il eu raison de trahir à
ce point celle-ci? Jamais jusqu'alors il n'avait raconté à
personne les scènes nocturnes, l'hystérie maternelle. Devant
Vinet, c'était inexplicable comme il l'avait fait, se mordant
la langue, mais parlant quand même. C'était un peu en dehors
du sujet, le socialiste allait mal le juger, penser qu'il était
bien le fils d'une telle mère. Il en disait même un
peu trop, un peu plus que la vérité, lui sembla-t-il à lui-
même. Pour se faire entendre, il était bien obligé de
dramatiser, parce qu'ici, dans cette chambre, on ne pouvait pas
retrouver l'atmosphère de ces nuits quand des sanglots vous
réveillent.

Peut-être aussi qu'Armand avait voulu d'abord présenter
Esther Barbentane comme une victime du docteur. Mais le
récit, à son propre étonnement, avait tourné d'une autre

manière. Le mal que ce fils pensait de sa mère se formait pour la première fois sur la langue. À travers tout
ça, apparaissait l'image d'un Barbentane assez débonnaire,
turlupiné par sa femme, pas mauvais homme au fond, qui
aurait bien aimé jouer avec ses gosses, mais qui ne les comprenait pas, pas le temps, et somme toute l'esclave des petits
intérêts de ses électeurs, perdant sa vie à des détails, persuadé
d'agir pour le bien... Alors quand, prenant conscience de ce
qu'il disait, Armand, tiraillé de sentiments divers en trois ou
quatre phrases un peu grosses, condamna son père d'une façon
inattendue qui parut forcée à l'avocat, celui-ci ressentit à nouveau de la méfiance envers son visiteur, et Armand s'en rendit
compte. Ses yeux, involontairement, se tournèrent vers l'affiche
jetée sur la table. Le mot *Canailles!* s'étalait, gênant. Vinet
toussa, pour s'éclaircir la voix.

C'était drôle, tout de même, comme il ne trouvait pas les
mots qu'il fallait. Il se le reprochait. Des phrases de réunion
publique manqueraient leur but. Voilà ce que nous ne savons
pas faire, gagner les individus. Évidemment, s'il fallait se
mettre à prendre les gens un à un... Parfois, ce serait utile.
Pour l'instant, juste la veille de l'élection, il perdait son
temps, mais il faisait durer l'entretien, parce que tout de
même ça le touchait que ce gosse fût venu, comme ça, le
trouver. Ce que ça représentait de courage, d'inquiétude.
L'autre soir, son adversaire, le père d'Armand, dans une
réunion, avait eu sur lui l'avantage oratoire. Ce soir-là, l'avocat
était fatigué. Il s'agissait d'intérêts locaux qu'il connaissait
mal. On aurait dû le renseigner, mais les camarades de
Sérianne n'attachaient pas assez d'importance à ces histoires
de petits travaux publics, qui tiennent tant à cœur aux paysans.
Quand on pensait quel misérable bougre c'était, ce triste
Barbentane, avec sa famille, à trembler devant les Rinaldi,
au fond tout à fait à la merci des voix réactionnaires, et pas
plus sûr que ça de ce qu'il avançait... Si les électeurs avaient
pu entendre son fils! Armand leva sur Vinet ces yeux ouverts
qui gênaient tant le Dr Barbentane quand il les rencontrait :

« Dites-moi, monsieur... citoyen... Est-ce que je dois vraiment penser de mon père que c'est un salaud? »

Vous parlez d'une situation! Qu'est-ce qu'il attendait au juste qu'on lui réponde, le petit Barbentane? Est-ce que tout ça ne cachait pas une affection d'enfant, qui craint de se tromper, qui ne demande qu'à être rassurée? Être venu chercher ça chez l'adversaire même de son père! Oh, et puis, à la fin, il n'y avait qu'à le traiter comme ce qu'il était, ce gosse! Un jeune bourgeois, qui faisait partie, il y avait encore quinze jours, d'une organisation de briseurs de grève! Qu'est-ce qu'il avait besoin de chercher midi à quatorze heures? Oui, mais voilà : tout en répondant, un peu à côté, pour n'être pas trop brutal, décidé pourtant à lui dire que son père *était* un salaud, Maurice Vinet se laissait entraîner par des sentiments humains. Cet enfant...

« Comprenez, mon vieux, comprenez, personne n'est ni tout à fait un salaud ni tout à fait le contraire. Serait trop simple. Je ne dis pas ça pour votre père. Peut-être bien que c'est un salaud complet. M'étonnerait, je dois le dire. S'imagine probable un tas de trucs, se raconte des histoires... »

Il faisait très chaud, il y avait un gros frelon qui se heurtait au plafond, et tombait brusquement sur les chaussettes. Vinet eut le brusque sentiment qu'il plaidait pour lui-même, et pas devant cet enfant, mais devant les autres, les ouvriers, le Parti dont il avait toujours un peu peur dans ses rêves.

« Tout de même, dit Armand, s'il accepte avec les autres la loi de Trois Ans... »

Vinet eut un geste large :

« Ah ça évidemment... évidemment... Je ne sais pas s'ils en viendront là... Je dis : *ils*, comprenez? Parce que ça ne dépend pas d'un seul homme. Il sera enchaîné, c'est sûr. Vous autres, les jeunes, ils vous enverront à la boucherie. D'ailleurs, qu'est-ce qu'on peut faire en régime capitaliste pour empêcher la guerre? Là-dessus, je suis bien de l'avis de Guesde, pour une fois... Je me dis certains jours que nous perdons notre temps avec nos discours... Quand *ils* vous enverront vous faire tuer, vous verrez bien que votre seul espoir, votre seule planche de salut, c'est la classe ouvrière, et le parti de la classe ouvrière... »

Bon, est-ce qu'il se croyait dans un meeting? Fichue habitude. Comment parler à ce gosse des ouvriers, humainement, lui faire entrer dans la tête... Il dit quelque chose de la guerre à venir, et puis des massacres de 1871, la Commune, Galliffet... Ce n'était pas le chemin. « Dites-le donc une bonne fois, sans vous gêner, c'est un salaud? »

Armand avait jeté cela avec quelque impatience. Drôle comme il ne s'intéressait qu'à son père!

« Eh bien, non, là, je ne le pense pas. Peut-être que je le dis, comprenez, que je le dirai encore. Mais c'est histoire de simplifier. Pour la foule, les électeurs, il faut être simple, pas de psychologie, tant pis si on est injuste. En gros, oui, c'est un salaud, socialement parlant, mais tous les bourgeois à ce compte... Et bien entendu qu'il y en a qui sont des braves gens, si on les considère isolément, ils ne feraient pas de mal à une mouche, et puis ils vivent du sang et de la chair de l'ouvrier... »

Vinet s'arrêta parce que les derniers mots avaient mal sonné dans son oreille. C'était vrai pourtant ce qu'il venait de dire là, il le pensait, mais les mots étaient trop directs pour la circonstance. Ouf, heureusement que les campagnes électorales ne demandaient pas tant de nuances! Evidemment, le Dr Barbentane était tout de même un radical, pas un réactionnaire. Au point de vue classe, ça ne faisait pas grande différence, mais humainement parlant, humainement... Vinet s'écoutait avec une certaine stupeur. Était-ce du même homme qu'il parlait, qu'il avait dénoncé l'autre jour à Villeneuve avec une violence passionnée? Ce Barbentane, élu grâce au patron Barrel et aux bonapartistes, ce démagogue qui aidait les patrons à asservir les ouvriers, à pressurer les vignerons comme leur vigne? Il s'épouvantait un peu de découvrir en lui toute une casuistique inconnue, qui était peut-être la préfiguration des raisons qu'il se donnerait un jour de trahir ceux avec qui il était alors de tout son cœur, de toute la force de ses origines et de ses révoltes. Voilà qu'il se prenait un peu trop souvent à vouloir comprendre l'ennemi. D'abord, cela avait été dans les vêtements, les manières qu'il voulait imiter, pour mieux pouvoir servir les siens. Puis il avait passé aux sentiments. Il les sentait se glisser dans ses veines au point que parfois, parlant avec des ouvriers, il ne les comprenait plus, eux, comme autrefois. Était-il possible qu'un jour lui aussi, comme les autres... Il y a des idées qui ne s'achèvent pas. On ne peut pas songer à Millerand, à Viviani, à Briand, à Étienne, sans un haut-le-cœur. Jamais, jamais. Bon sang, il y avait dans le Parti assez d'autres exemples pour le rassurer. Jaurès. Et les millions d'hommes qui croyaient en eux.

« Qu'est-ce que je suis là à le défendre contre vous, votre père, après tout? Ce que j'en pense, c'est clair. C'est pas compliqué. Voilà... »

Sa main montrait la table, l'affiche : *Canailles!* Il était lancé maintenant : « À qui est-ce que ça peut faire quelque chose d'ailleurs qu'il y ait une petite fleur bleue dans le coin de son cœur, à cet homme? On est d'un côté ou de l'autre et voilà tout. Les ouvriers restent les ouvriers et les maîtres sont les maîtres. Pour eux, il n'y a qu'une alternative, celle qu'a posée George Sand : *Le combat ou la mort, la lutte sanguinaire ou le néant!...* »

On frappait à la porte. C'étaient deux cantonniers, qui venaient pour parler avec le candidat. Ils ne connaissaient pas Armand, au grand soulagement de Vinet. Le jeune homme sentit qu'il était de trop. « On se reverra », dit gentiment l'avocat comme son visiteur murmurait une excuse.

## XXII

Le scandale avait pris Sérianne à la gorge. Depuis le matin, toute la partie haute de la ville en parlait. On avait ramené

Mestrance de « cette maison », dans un état, faut voir! Il y avait eu des cris dans le logement au-dessus de la boutique. Mme Mestrance qui n'avait pas fermé l'œil, persuadée qu'il était arrivé malheur à Eugène, avait alerté dès l'aube toutes les commères d'alentour. Pensez donc, combien d'années qu'ils étaient mariés, Eugène n'avait jamais découché. Et ça sur cette histoire d'Angélique. Oui, il l'avait mise à la porte hier soir. Allez, je savais bien de quoi il retournait. Nous autres, femmes, qu'est-ce qu'on ne supporterait pas pour la tranquillité?

Les grosses épaules de Pauline Mestrance remontaient de tristesse et de peur. La chair lui faisait des bourrelets aux poignets, courtaude et brune, brune, comme une Espagnole. Elle devenait blafarde avec le matin, si bouffie que l'œil ne perçait presque plus. La voisine, la femme du charpentier, une maigre et rouge dans son petit caraco à pois noirs sur blanc, s'agitait avec un des employés des *Nouvelles Galeries,* un de ceux que le fils Arnaud avait entraînés dans *Pro Patria.* C'est alors qu'apparut le costume moutarde de M. Robert qui portait par les pieds Mestrance, dont un soldat qui s'était attardé au « Panier Fleuri », un artiflot, soutenait la partie supérieure.

Toute la ville se rassasia de l'histoire. On poussait une pointe jusqu'au magasin que Pauline était obligée de tenir. Elle vendit près de dix casquettes dans la matinée, pleurant, racontant sans fin son malheur. « Et voilà qu'il retourne dans cette maison maudite! Est-ce qu'on devrait tolérer des choses pareilles dans une société civilisée? Ah! si une femme honnête y mettait le feu un jour, c'est moi qui applaudirais! » *Et cœtera.* Mais tout de même, le clou de ses plaintes restait Angélique.

« Quand je pense que, tout en sachant très bien à quoi m'en tenir, je ne lui ai fait aucun reproche, jamais, je la traitais comme une sœur. Quand elle m'apportait mon petit déjeuner, bien souvent, je pensais, tu es une idiote, Pauline, cette fille se moque de toi avec Eugène. J'avais des envies de tout lui envoyer par la figure. Eh bien, je n'y ai jamais cédé. Il faut la chasser de Sérianne. C'est une fille publique. Elle couchait avec tout le monde. Et qu'est-ce qu'elle m'a fait de mon homme, Dieu de miséricorde! »

Avec ça que c'était samedi, c'est-à-dire jour de marché. Sous le soleil, sur la place, les tables dressées avec les parasols de fortune, les ânes et les chevaux dételés dans les coins, une odeur de crottin, de fruits, de fromage et de paille, une foule s'agitait qui pesait, achetait, se disputait avec des clameurs jacasseuses où se mêlaient la politique, le prix des œufs et le scandale. Le provençal donnait joyeusement aux conversations leur allure chantante. Les paysans brûlés et secs, les femmes avec des mèches sous la paille foncée, sévèrement habillées d'un noir poussiéreux, glapissaient en offrant des pastèques et des grenades. De petites figues blanches chauffaient, odorantes, juste en face du magasin Mestrance, et Pauline aurait bien été en acheter, sauf que dans sa situation...

Elle avait envoyé Gaston chercher le Dr Barbentane. Naturellement, il n'était pas si facile à trouver que tout ça : la veille de l'élection, ça se comprend. Eugène soufflait, l'air hébété, bafouilleur, avec la gueule un peu de traviole, et il ne tenait pas très bien sur ses pieds. Un autre jour, Pauline aurait regardé deux fois à la dépense du docteur, mais la veille de l'élection, il ne se ferait pas payer, pour sûr.

De porte en porte, le scandale avait gagné les Reboul, et le marchand de meubles qui avait bu la veille avec Mestrance en fut saisi au ventre. Ce que c'est que de nous! Il se regarda dans le miroir avec anxiété, la moustache inquiète, et il lui sembla que le fond de cette envie poilue qu'il avait sur la joue gauche avait pris une drôle de couleur. Le colosse renonça même à une vente dans un village, un vigneron saisi, où il avait l'intention d'aller pousser les enchères, dit à Marie : « Je reviens » et se précipita place du Marché.

Il y trouva Respellière qui traînassait là, jaunâtre, parmi les couvre-chefs et les couronnes, s'arrêtant devant la grande glace pour vérifier sa calvitie, tandis que Pauline s'affairait.

Comme un fait exprès : on n'avait jamais vu tant de clients.
Eugène était là-haut tout seul. Le vieux, dans le fond, geignait,
appelant Angélique, je vous laisse à penser l'effet... Avec ça,
naturellement, que la boutique n'était pas propre, propre, dans
ces conditions. Il y avait même une jeune dame de la rue
Longue dont la belle-mère avait un petit cancer, qui durait :
elle était venue, comme ça, en passant, regarder les couronnes,
pour se faire une idée. Elle demandait les prix.

En attendant Barbentane, Reboul grimpa garder Eugène.
La chambre était encombrée de tout ce qu'on entasse avec les
années, souvenirs de foire, photographies, pots de fleurs rangés
sur des étagères, avec des roses de porcelaine en relief, des
petits marins dans des coquillages ornés, une terre cuite
représentant une idylle enfantine, et au mur au-dessus du lit
une reproduction de la *Salomé* d'Henri Regnault. Là-dessus, le
lit Louis XV et l'armoire à glace assortie, orgueil de Pauline,
les vêtements d'Eugène en désordre, et dans le lit, plus
blême que les draps, avec un rouge violacé trop haut dans
les pommettes, la pauvre face tordue du maître de maison,
la moustache noire soulevée par un soufflement, toute en
désordre, et non plus comme à l'habitude avec son bout
soigneusement roulé. « Alors, mon vieux, ça ne va pas? » dit
Reboul avec gaucherie. L'énorme marchand de meubles semblait emplir la pièce, prendre au malade tout l'air et la
lumière filtrée par des rideaux jaune et rouge. La tête roula
difficilement sur l'oreiller : « ...on, ...on, ...a mieux... » Il voulait se soulever, Eugène. Reboul l'aida maladroitement.

La ville en général plaignait Pauline. Qu'est-ce que les
femmes ont de leur mari, je vous demande? Ils leur revien-
nent quand ils ne savent plus où aller. Songez un peu que
la malheureuse, avec un fils pas élevé, si elle restait comme
ça avec deux infirmes sur les bras? Evidemment, du côté
de l'église, on voyait une punition du ciel dans cette affaire :
Mestrance n'était-il pas franc-maçon? Et côté loge, on rappelait
qu'avec tous ses défauts Mestrance était un bon républicain.
Enfin, dans l'ensemble, la réprobation allait à la coupable

de tout, cette Marie-ruisseau, un danger pour les familles.
Qui sait combien elle en avait pourri des jeunes gens? Tout
de même, la prostitution est réglementée, et à Sérianne il
n'y a pas de filles en carte. Alors...

Le Dr Lamberdesc se trouvait au « Panier Fleuri » où
Madame l'avait fait appeler. Depuis quelque temps, le matin,
elle rendait une espèce d'eau longue, rance, jaunâtre, filante.
Ça lui faisait mauvaise haleine. Et puis de ces soifs! M. Robert,
inquiet, parce que c'était Madame qui avait la licence, assistait
à l'examen. On parlait naturellement de Mestrance, le cochon,
qu'est-ce qu'il avait bu! Puis les filles s'étaient affolées quand
il était tombé par terre. On le croyait soûl, mais il ne se
relevait pas, il ne pouvait rien dire, il faisait des efforts
surhumains pour articuler deux mots, sans y parvenir. « Même
qu'il était assez comique! » observa M. Robert. Tandis que le
médecin agitait sa moitié pour se rendre compte de ce qu'elle
avait dans l'estomac, il ajouta rêveusement : « Ça fait rien,
où vous mènent les femmes! Celle-là, j'espère qu'on va la
foutre à la porte du chef-lieu, elle nous fait une concurrence
déloyale! » M. Robert appelait toujours Sérianne le chef-lieu.
Ça fait riche.

Une qui était enragée contre Angélique, c'était la petite
Mme Migeon. L'agent voyer, un grand dépendeur d'andouilles,
tout rouge, lui avait conté la chose, et entre lui et le maigre
M. Migeon qui fumait sa bouffarde, elle ne décolérait pas :
« Il faudrait lui arracher les yeux, lui casser les dents, qu'elle
soit défigurée, qu'elle n'en prenne pas d'autre, cette traînée!
Détruire un foyer, la santé d'un homme, la vie d'une femme,
salir la jeunesse! J'espère bien qu'on va la mettre en prison?
— En quel honneur? dit Migeon, placide. — Comment en
quel honneur? Ah ça, tu n'es pas dingo? Vous l'entendez, cher
ami » elle se tournait vers son amant, l'agent voyer, « vous
l'entendez? Un homme sans principes, un cynique! Ah, fumer,
ça c'est son fort! Quand il n'est pas à ses boules! Cette pipe!
Par une chaleur pareille! — Allons, dit l'agent voyer, calmez-
vous, Pulchérie. — Ma pipe! » Migeon se fâchait. « Et alors,

c'est mon droit, peut-être, de fumer ma pipe à cette heure! J'en connais qui ne valent pas mieux que cette Angélique... — C'est ça, insulte-moi! Allez, allez! Ne te gêne pas! Être dénaturé! — Bon, dit l'agent voyer, vous ne vous disputerez tout de même pas à cause de cette sale fille? »

Où avait-elle passé dans tout ça, cette sale fille? Battue en larmes, saignant du nez, elle était partie en courant, sans rien emporter de ses affaires, qui encombraient toujours le placard du vieux. Elle s'était enfoncée dans la nuit, et personne ne se demandait où elle avait dormi. Pas en peine pour trouver des lits chez les autres, ces paillasses-là.

Son nez lui faisait mal, et aussi la tête : Mestrance l'avait battue sur les oreilles avec un tabouret. Il lui avait flanqué des coups de pied dans les seins quand elle était tombée à terre. Son corsage était déchiré, il y avait un accroc à sa jupe, elle n'avait rien sur la tête, rien pour s'essuyer, pas de mouchoir. Le sang s'était caillé sur la lèvre, dans l'obscurité elle ne pouvait pas voir si le corsage rose qu'elle avait était taché ou non. Elle se sentait surtout tremblante, et comme ankylosée, difficile de fuir. En évitant le monde par les ruelles, elle avait filé vers la ville haute, par habitude. Dans cet état, elle ne songeait pas à se montrer à Pierre Delobelle. Qu'est-ce qu'il aurait pensé? Mais d'instinct elle regagnait les cachettes où elle avait été heureuse avec lui, elle se réfugiait dans les caves des maisons détruites, là-haut, sous le ciel. La nuit était d'une beauté exceptionnelle, chaude, et si intense, sans lune, avec toutes les étoiles au grand complet, et la pâleur d'un lait d'astres soudain. Une espèce de brise féminine cédait dans le front démantelé de la ville. Seule, Angélique un instant se tranquillisait. Pourtant, quand elle se fut accroupie, calmant son cœur, sur la terre dure, elle fut reprise d'une peur sourde, et lente, et croissante, et ne fit plus rien qu'écouter monter en elle cette marée. Elle laissait filer le temps, sans rien se demander, de peur de ses propres réponses. Dans sa tête primitive et simple, les choses avaient du mal à se former. Les oreilles lui battaient, douloureuses, le silence était

plein de souvenirs confus et de menaces. Angélique, lasse à
mourir, les yeux grands ouverts, tombait dans la nuit comme
dans un rêve. Elle n'imaginait ni les gestes ni les pensées
qui allaient suivre. Elle ne pourrait pas revenir chez Mestrance,
il l'avait chassée. Et alors où vivre? où travailler? Personne ne
la reprendrait dans la ville. Aller ailleurs une autre fois... Mais
cela voulait dire perdre Pierre. Pas un instant elle ne pensa
qu'il pût la suivre où elle irait. Elle savait bien, humblement,
à quoi s'en tenir. Pauvre Angélique. Pierrot, Pierrot... Il était
sa seule pensée, l'angoisse au fond des ténèbres, la chose qui
lui broyait le cœur, Pierrot, mon petit Pierrot, mon amour.
Oh! ce mot terrible et misérable, amour, ce mot tardivement
formé sur des lèvres malhabiles, sur des lèvres ignorantes, mais
sur lesquelles sa bouche à lui était si douce, et dure aussi,
quand il faisait son méchant dans les baisers... Pierrot. Elle
s'endormit comme ça, sans savoir...

Suzanne de Loménie était venue en ville pour le marché,
et aussi pour reprendre aux demoiselles Barrel un modèle de
carré de filet pour des coussins. Elle rencontra Thérèse Respellière, et bien que les relations se fussent beaucoup refroidies
entre elles sans que Thérèse comprît pourquoi, ce fut Suzanne,
d'humeur gracieuse, qui entama la conversation : « Enfin,
chère madame, on va en avoir fini avec tout ce remue-ménage
des élections, Sérianne reprendra son calme... » Mais quand la
perceptrice lui eut dit en trois mots l'histoire de Mestrance,
elle se flanqua dans tous ses états, son chapeau de travers, une
charlotte crème, son grand sac en toile brodé tango, brinqueba-
lant dans ses courtes jambes, les seins animés, avec de petits
éclats de voix. Jésus-Marie! Des choses pareilles! Quelle horreur! Et sait-on qui était l'amant de cette Angélique? Non.
Pour moi, ça doit être ce petit Armand... vous ne croyez pas?
Comment, il veut être curé? C'est un dissimulé, il court après
les filles, oui, oui. Il vous dit tout bas des choses d'un sale.
Mais... elle hésita : « Et les lettres? Sait-on qui a envoyé les
lettres? » Mme Respellière n'avait pas parlé de lettres. Quelles
lettres? On ne lui avait pas parlé de lettres, à elle. Suzanne

rougit, et se mit très vite sur le chapitre des élections. Tout de même M. Delangle était un homme bien distingué. Ah! j'oubliais que M. Respellière vote pour le docteur...

Inconsciente de toute cette agitation, Angélique accablée était revenue à elle dans sa cave, il faisait grand jour. Mon Dieu! De quoi avait-elle l'air? Elle ne pouvait pas aller chercher ses hardes, traverser toute la ville comme ça. Comme elle allait sortir de son trou, des gens passèrent. Elle se dissimula. Elle tourna plusieurs heures par les ruines, effrayant des enfants qui coururent, avant de se décider. Son cœur battait, la chaleur du matin pesait sur la terre asséchée, il y avait en l'air comme une buée. De temps en temps, l'idée de Pierre lui déchirait le cœur. Si elle suppliait quelqu'un de la garder, elle travaillerait pour rien, pour l'apercevoir. Et si Mestrance savait qui il était... si Mestrance allait le frapper, le battre, son grand, son tout petit, son chéri. Dans l'amour d'Angélique, il y avait tout le désespoir de la mère dont l'enfant était mort en nourrice, au loin, chez des étrangers. Les deux images se confondaient. Comme il lançait ses petits pieds roses, vers elle, le démaillotant! La scarlatine. Ce mot étranger était entré dans sa conscience comme un coup de poignard avec la lettre qui lui apprenait la mort de l'enfant.

L'horreur. Si Pierre allait mourir... Oh! non, ça, elle ne pouvait pas le supporter. Tout tournait autour d'elle, elle frappa de ses poings un vieux mur, où grillaient des herbes poussées entre les pierres. Elle se souvint tout à coup d'un être humain, d'une voix pitoyable dans le vaste monde. Le doux visage de Marie Reboul, une bien jolie, et douce... Celle-là la recevrait, la conseillerait, elle pourrait se laver le visage, très vite, chez elle. Evitant le monde, elle se laissa glisser vers la ville.

Le Dr Barbentane était enfin arrivé avec Gaston. Il l'aurait bien envoyé à tous les diables, Mestrance. Mais un électeur. Le tumulte des paroles du gosse, en chemin, était un peu confus. Barbentane ne comprenait rien à toute cette histoire. Il fallut se la faire redire par Mme Mestrance. Celle-ci, une fois qu'elle tenait le médecin, se mit à donner son grand spectacle. Et allez-y des nerfs! Je la tuerai, je la tuerai, cette Angélique, la gueuse! Heureusement que Respellière et Reboul avaient débrouillé l'écheveau. Bon, on allait lui donner un coup d'œil, à Mestrance. C'était bête, cette histoire-là, la veille de l'élection. Si le marchand de couronnes allait ne pas pouvoir se lever... une voix de moins...

À vrai dire, Eugène allait déjà mieux. Il était assis sur son lit, il faisait un drôle de sourire tordu. Il retrouvait un à un ses mots, mais en même temps la peur de ce qui s'était passé, une panique rétrospective qui l'étranglait. Sentant se retirer de lui l'aile de la mort, il la reconnaissait. Quand le médecin lui dit de siffler, cela dut soulever en lui des souvenirs médicaux, des visites de Barbentane au beau-père, et il éclata en sanglots. Puis il fit des efforts terribles, se prenant les lèvres dans les doigts, pour former un sifflet possible. À coup sûr, il avait le sifflet embarrassé. Mais enfin il s'en sortait tout de même. Le docteur qui rabattait le drap, il venait d'examiner les réflexes, rassura le patient d'un sourire.

« Allons, nous pourrons nous lever demain, faire un petit tour jusqu'à la mairie! »

Quelque chose d'insensé brilla dans les yeux du malade.

En descendant, avec Reboul et Pauline, Respellière était resté en haut à son tour, Barbentane les calmait. Oui, naturellement, une petite attaque. Oh! ne vous en effarouchez pas du mot, madame. À partir d'un certain âge, les attaques sont monnaie courante. Et puis il y a attaque et attaque. Il commença d'expliquer le cerveau, les lobes, etc. Cette fois, pas de crainte à avoir. Évidemment, une autre fois. Mais les réflexes n'étaient pas mauvais, la langue se dégageait. Au fond il l'avait échappé belle, Mestrance, et peut-être que cette attaque-là, c'était une attaque fort heureuse, salvatrice. Elle évitait pire.

« Toujours est-il que demain, il pourra très bien aller voter. Très bien. Peut-être faudra-t-il un peu le soutenir, mon cher Reboul, si vous aviez la gentillesse de rendre à notre ami ce service... Non, c'est trop naturel, je suis venu tout de suite, dès que le petit m'a eu dit... C'est ça, si vous croyez utile... oh! je ne le pense pas! Évidemment je suis très pris ces jours-ci, alors demain, n'oubliez pas, Reboul..., chère madame Mestrance, toujours heureux de vous revoir, et vos pieds? Encore enflés. Bien entendu... Qu'est-ce que vous dites? Angélique! Oh! bien, naturellement, elle n'a qu'à disparaître, celle-là! Non, vous n'êtes pas obligée du tout de la garder huit jours... Une prime à l'immoralité, il ferait beau voir... Si elle vous fait des ennuis, faites-le dire à mon adjoint... de rien, de rien. » Un homme supérieur, dit Reboul quand le maire se fut éloigné. Pour lui, qu'est-ce que vous voulez, Mme Reboul l'attendait à déjeuner...

## XXIII

Il ne rentra pas cependant directement chez lui. Il fit un détour par le Café des Arts, pour excuser Respellière. Il y trouva Migeon (nul au billard s'il était fort aux boules), le boucher, le receveur de l'enregistrement. De la place venaient le bruit de grands coups de marteau, des hennissements et des appels. Je ne m'arrête pas, juste le temps de prendre un verre. Comme il s'asseyait, il vit sortir de l'hôtel Brot le jeune Armand Barbentane. Il lui fit un signe d'amitié.

Armand quittait à l'instant le candidat socialiste, mécontent de lui-même et mécontent à tout prendre de celui qu'il avait été visiter. Ça le travaillait encore, ce qu'il avait dit de sa mère. Et puis zut, à la fin! On parle, on parle. Ça n'engage à rien. Qu'est-ce qu'il attendait donc de merveilleux de cette entrevue pour en être déçu? À supposer que Vinet ne fût pas un aigle, qu'est-ce que cela prouvait pour le socialisme? Il traversa la place où, sous les platanes, des hommes en maillot rayé installaient un manège et des balançoires pour la fête de Sérianne qui tombait le jour des élections.

Il redescendait rêveusement vers la sortie de la ville. Il était grandement l'heure de déjeuner. Des voitures de paysans, des carrioles le dépassaient, rentrant du marché. À un coin de rue, il débusqua en plein devant un couple de jeunes filles sous une ombrelle à carreaux blancs et noirs : Suzanne de Loménie et Jacqueline bras dessus, bras dessous. Trop tard pour les éviter. Il se sentit rougir jusqu'aux oreilles. Il salua gauchement. « Oh ! Armand, s'écria Suzanne avec tout le naturel du monde, comme s'il ne l'avait jamais traitée de garce, vous allez m'aider à porter ce paquet ! »

Elle soulevait péniblement le sac brodé où elle avait enfoui ses achats de la matinée. Armand, les yeux sur Jacqueline, bafouilla une excuse. On l'attendait. Jacqueline avait l'air ironique, elle avait sa robe rose, mais sans jaquette et un chapeau de jardin, en paille bise avec un velours noir. Ses cheveux étaient si légers qu'on s'étonnait qu'ils ne soulevassent point le chapeau, comme une écume. Suzanne donnait des raisons pour qu'Armand l'accompagnât, tant pis si la famille attendait. Jacqueline savait-elle ce qu'il y avait eu entre Suzanne et lui ? Peu probable, pourtant comme elle était distante.

« Est-ce que vous avez vu votre ami Pierre ce matin, Armand ? dit Suzanne, que la malice plissa dans sa robe de tussor, comme au petit fer. — Non, pourquoi ça ? »

Les deux jeunes filles se regardèrent. C'est agaçant, ces manières des filles entre elles. Jacqueline lui parut un peu sotte, soudain.

« Pour rien, reprit Suzanne, mais vous n'avez donc parlé avec personne en ville ? »

Non, il n'avait parlé avec personne. Le poids du sac et la méchanceté exagéraient l'inégalité des épaules de Suzanne. Elle prenait son genre mandragore. Sa voix se fit tout à fait aiguë : « Eh bien ! n'attendez pas que des jeunes filles vous racontent ça, vilain garnement ! » Elles le plantèrent là, riant, pressées l'une contre l'autre. Il les regarda disparaître sous l'ombrelle, qui se retournèrent deux ou trois fois. C'était peut-être très drôle, mais pas pour lui.

Comme il poursuivait son chemin, une voiture corna derrière lui. Il était si plein de l'image de Jacqueline qu'il ne se déplaça pas. La petite auto fit un crochet de justesse, c'était la Peugeot de Lamberdesc. Et comme il passait à côté de lui, le jeune médecin se pencha du côté de l'étourdi, narquois, chantant :

*Non, non, plus de combats!*

Dans la voiture, quelqu'un rit assez fort, Delangle, le candidat modéré, que le docteur emmenait pour une tournée, de dernière heure, qui devait durer tout l'après-midi : on ne peut pas refuser ça à un vieux camarade.

Armand avait été vu avec les conscrits. On devait en causer en ville. Mais tout de même qu'est-ce que Suzanne voulait dire à propos de Pierre? Les Delobelle n'habitaient pas bien loin. Tant pis, il serait en retard. Pour changer.

Le bouc gris du professeur et ses bandes molletières apparurent dans la porte. « Alors, jeune triomphateur, nous voilà bachelier. *Quo non ascendas!* Tu cherches Pierre? Ah! lui, il doit partir lundi. Je redoute fort qu'il n'ait pas ta chance. Il est derrière la maison, dans le jardin... »

Le jardin des Delobelle, mi-potager, mi-plaisance, avait l'avantage d'un puits, et d'un très vieux figuier à l'écorce blanche, sur la basse bifurcation duquel d'habitude Pierre composait ses poèmes. Pour l'heure, à califourchon à sa place coutumière, il semblait réfléchir la tête dans les deux mains. Le pas d'Armand sur le gravier lui fit pointer son museau soucieux.

« C'est toi? Je t'ai cherché, chez toi. Tu sais ce qui se passe? »

Armand ne savait pas. Angélique avait disparu. Comment? Pierre connaissait mal les détails. L'histoire lui était revenue déformée par la cuisinière, qui la tenait de Mme Coquelombe, la propriétaire des Respellière, qui la tenait de Thérèse. D'abord, il avait voulu faire une enquête. Il avait une pauvre mine, remarqua Armand. Parlant, il ne cessait pas, nerveux, de se gratter le tranchant des dents du haut avec l'ongle de son pouce gauche.

« En même temps je ne savais pas si on parlait de moi dans tout ça, je n'osais pas trop me montrer. J'ai été jusqu'au marché. Tout le monde en jase. Ça fait un foin du diable. Ils hurlent tous après Gélique. Ils disent qu'il faut la fouetter. On n'a pas l'air de me mettre en cause. Mais personne ne sait où elle est. Depuis hier soir. J'ai tout de suite pensé au vieux Sérianne. J'y suis grimpé. Pas de Gélique. Tous nos coins, j'ai tout visité. Autant chercher une aiguille dans une botte de foin. — Mais enfin, qu'est-ce qui s'est passé au juste? — Je ne sais pas. De ce qu'on m'a dit, il y a une histoire de lettres qui me chiffonne. Des détails... »

Il regardait bizarrement son ami. Il hésita.

« Dis-moi, Armand. Si je te demande quelque chose... tu répondras? — Sans doute. Qu'est-ce qui te prend? — Voilà. Dans ces lettres, il y avait des détails que je n'ai racontés à personne. Sauf à toi. »

Il se fit un pesant silence.

« Alors... Réponds. Est-ce que tu as répété à quelqu'un mes confidences? Tu sais surtout, cette histoire, dans la cave, que je t'ai dite... d'une chose bizarre avec Angélique... tu te souviens? »

Armand se souvenait, et aussi qu'il avait parlé de cela à Suzanne, pour l'engager à une expérience similaire. Suzanne... Qui sait? Non, impossible. Pourtant, ces agaceries tout à l'heure. Mais il n'était pas sûr. Il ne pouvait pas la mêler à ça, la trahir. Ce n'était pas chevaleresque.

« Non, dit-il, à personne... »

Il n'y avait pas un souffle de vent : « Alors, murmura Pierre, je ne comprends pas. » Et il regarda son interlocuteur avec une insistance gênée. Est-ce qu'il allait le soupçonner?

« Écoute, Pierre... Mais tout ça, c'est du romantisme. L'important, c'est de la retrouver, elle doit être dans un état épouvantable... Qu'est-ce que tu as? »

Pierre pleurait. Il pleurait comme un gosse à qui on a cassé son beau jouet : «Tu ne peux pas comprendre, dit-il, en se mouchant, ce n'est pas de la retrouver qu'il s'agit. Qu'est-ce que j'en ferais maintenant? Ne secoue pas la tête! Tu n'as pas entendu les gens. Elle ne peut plus vivre ici, à Sérianne. Et je ne peux pas la faire vivre. Je ne peux pas parler à mon père, il m'enfermerait. Ou il me mettrait quelque part en pension, comme interne. Et puis tout ça, quelle horreur... J'y pensais le moins possible, je savais bien que cet affreux Mestrance... Mais on m'a raconté des choses. Oh! tu ne peux pas savoir! Je crois que j'aime autant ne plus la revoir. Non, tu comprends, ils me l'ont salie... »

Il se reprit à pleurer. Armand le regardait avec un certain mépris.

«Alors, tu la laisses tomber? »

Lui-même ne savait pas quel conseil donner à son ami. Sans argent, que faire? Avec ça que dans les propos rompus de Pierre perçait une certaine lassitude. À laquelle n'était peut-être pas tout à fait étranger un sentiment naissant, dont il faisait grand mystère. Une jeune fille, une vraie. Ah sans toutes ces saloperies de bonniche.

Le mot lui avait échappé. L'ongle de son pouce se cassa contre ses dents. Tu n'as pas des ciseaux? Il s'était mal cassé, de travers, jusqu'à la matrice, Mme Delobelle appelait par la fenêtre : «Pierre, le dîner! » C'était une femme autoritaire, avec un visage fatigué, blondasse, et les traits longs, comme à la serpe. Sa matinée à petites fleurs vertes s'agitait au-dessus de l'embarras des deux amis. Enfin, Pierre leva les yeux : «On m'attend. Tu sais, ils sont à cheval... »

Comme pour confirmer le fait, la voix bourrue de Maurice à l'intérieur gueula : «Pierre, on la crève! »

La Wisner était déjà devant la porte, et d'aussi loin qu'il la vit, Armand se prit à courir. Reste d'obéissance enfantine. Son père était arrivé, tout le monde était à table. Le docteur avait l'air préoccupé, Mme Barbentane pestait contre Marthe, la cuisinière, qui avait laissé tourner le lait. Quant à Edmond, il était dans ses meilleurs jours d'indolence et d'inattention.

Vers le dessert, il dit négligemment à son père : « Tu ferais
bien de faire un tour par l'hôpital, papa. Il y a un type qui
est bien fichu de clamser dans la soirée. » Mme Barbentane
protesta : « Tu pourrais employer d'autres mots... » Le docteur
eut l'air ennuyé : un jour qu'il ne savait où donner de la tête.
Tout le monde apparemment connaissait le scandale, personne
n'en parlait. On prit le café au jardin. « Veux-tu me rendre un
service, dit le docteur à Armand, parce qu'aujourd'hui j'ai
encore à passer en dix endroits, et les malades par-dessus le
marché... »

Armand acceptait, le docteur s'en fut dans la maison écrire
un mot que son fils porterait à Respellière. Edmond, sans
veston, avec une chemise bleue, les manches relevées, se balançait dans le rocking-chair de paille. Il remontait avec complaisance son phalzar de flanelle sur des chaussettes dont il était
visiblement content. Armand ne put se retenir de penser que
son frère était le modèle accompli qu'on avait raté avec lui.
Mme Barbentane, toute en noir, lisait *Les Annales*. Armand
n'y tint plus, il dit à son frère : « Tu sais, cette histoire, chez
Mestrance ? — Oui, je l'ai vu hier au soir, quelque part. Il
était plutôt cuit. — Tu n'as pas entendu parler de ce que
l'Angélique est devenue ? »

Edmond éclata de rire : « Monsieur l'Abbé s'intéresse à la
pécheresse ? »

Le retour du docteur coupa court à l'altercation qui allait
éclater.

« Tiens, dit-il, voilà cette lettre. J'ai reçu tout à l'heure la
réponse du ministre à la demande que j'avais faite, du relève-
ment de la pension que touche Respellière, à cause de ses
fièvres paludéennes. La réponse est favorable, ça tombe bien,
juste aujourd'hui. Je n'ai pas grande confiance dans la fidélité électorale de Respellière, c'est un hésitant. Mais avec ça,
il y a de quoi le décider pour demain. Et puis je lui demande
de passer chez Mestrance, pour le mener à la mairie, dans le
cas où Reboul oublierait... »

Tout cela autant pour lui que pour ses fils, avec lesquels

il se sentait toujours gêné de parler. Edmond riait sous cape et jouait avec le chien. L'atmosphère de la maison n'était vraiment pas possible : Armand saisit avec plaisir le prétexte de s'éloigner.

## XXIV

Une chaleur de tonnerre de Dieu. Sous la poussière crayeuse, la rampe du boulevard montait vers la ville au-dessus de la rivière asséchée où les pierres d'un gué avaient l'air des colonnes détruites d'un Pompéi miniature. Sérianne dormait en plein jour derrière ses persiennes closes, comme une nuit artificielle au cinéma. Dans une maison, une jeune fille s'exerçait au violon, avec une phrase toujours recommencée. Les affiches électorales bariolaient inexplicablement cette île déserte. Le soleil pesait sur la tête d'Armand comme un genou. À une petite fontaine, le jeune homme se lava le visage, et ouvrant sa chemise y fit couler sur son corps le jet d'eau froide.

La Grand'Place était déjà prête pour la fête du lendemain. Manège et balançoires attendaient sous des bâches de toile verte passée. Des roulottes dételées, les bêtes attachées à un platane, et près de la fontaine, des forains penchés sur l'eau, solides et sombres, avec des femmes dont l'une allaitait une petite chose goulue. Dans le café, quelqu'un s'exerçait à des caramboles, on entendait le choc clair de l'ivoire. Les platanes, comme des êtres écorchés, grillaient en expiation des péchés des hommes. Ils faisaient près des maisons des couloirs d'ombre sèche que suivit Armand jusqu'à la maison Coquelombe, où habitait le percepteur. Les notes très lasses du piano s'interrompirent quand il laissa retomber le marteau de la porte ouverte, des pas traînèrent dans la profondeur du logis, et une voix de femme demanda : « Qui est là ? » d'une façon chantante

d'étrangère, puis le rideau de perles de bois se divisa sous
une main blanche, avec un bruit tintant et léger. Une robe
chinoise, d'un bleu vif, avec de grands oiseaux jaunes et des
fleurs longues, révéla Thérèse. Ses yeux larges et rieurs
reçurent le soleil, comme une vague, et elle porta sa main à
ses cheveux défaits qui formaient autour de sa tête un halo
frisé, une boule : « Oh! monsieur Armand, vous m'excusez,
entrez donc. »

Dans l'ombre du vestibule, Armand ne voyait plus rien. Il
avait une sorte de buée sous ses paupières, et il se cogna contre
le porte-parapluie.

« C'est une lettre pour M. Respellière... — Mon mari est sorti.
Il est chez ce pauvre Mestrance. Mais entrez donc, entrez donc.
Vous prendrez bien quelque chose... — Non, non. C'était seule-
ment pour la lettre. — Bon, je la lui donnerai. Mais vous ne
pouvez pas refuser. Du café... — Je viens d'en prendre. —
Alors, un verre de madère. »

Le petit salon où était le piano donnait en arrière sur une
cour plantée, où l'ombre des deux étages faisait une fraîcheur
de cave. Les meubles étaient vulgaires, et mêlés Louis XVI
laqué et sièges de jardin. Il y avait de minuscules bronzes
d'Extrême-Orient sur des étagères de bois noir, et la *Femme
inconnue* en stuc sur un coffre à applications de nacre. La lettre
du Dr Barbentane tomba, près d'un hippogriffe, sur un plateau
laqué.

« Asseyez-vous... Vous voilà forcé de me faire une petite
visite... »

Armand, gêné, se débattait, jouait contre mauvaise fortune
bon cœur. Il démêlait encore mal le décor et son hôtesse, il se
trouva, non loin d'elle, sur un sofa couvert de coussins de
toutes les formes et de toutes les couleurs. À terre, sur les
malons, il y avait une natte de bambou. Au mur, Respellière
en uniforme, agrandissement dessiné d'après photographie,
était encore un tout jeune homme dans un cadre baroque, à
la limite du Régence et du Modern-Style.

Thérèse apportait le vin et les verres. Le kimono très long

qu'elle portait très croisé pour ne pas marcher dessus, de la
main gauche, elle le maintenait fermé. Elle n'était pas grande,
malgré des mules à hauts talons qui claquaient à terre, sous
des pieds nus. Pour Armand jusqu'alors, elle était de l'autre
côté de l'âge de l'amour, trente-trois ans, songez donc. Soudain
ses dents très blanches l'avaient rapprochée de lui, et le négligé
de la tenue, ce sac de soie bleue qui pouvait à tout instant
s'ouvrir sur un être qu'on sentait menu, et vif.

« Je crois bien que je n'ai jamais bu de madère de ma
vie », dit-il, son verre déjà vide, parce que c'était sucré, et qu'il
était gourmand. Elle riait, versant à nouveau.

« Vous savez, je vous vois souvent de ma fenêtre. Je pense
toujours que vous allez venir chez nous, et puis vous tournez
n'importe vers où, et je me demande où vous courez. Vous
avez quel âge déjà, quinze ans? — Seize. — Pardon. À seize
ans, on a encore des excuses pour ne pas s'apercevoir que des
femmes vous regardent derrière les jalousies. »

Comme il se sentait mal à l'aise... Le madère insinuant et
lourd et ces paroles gênantes lui faisaient désirer de changer
de place. Il cherchait un prétexte pour s'en aller.

« Je ne sais comment vous demander... poursuivit-elle, on
dit que vous voulez être prêtre... »

Il eut un geste très évasif, et un petit rire qu'il jugea lui-
même assez déplacé. Elle le regarda, et lui prit les mains.
Il trouva cela très naturel, parce que ses mains à elle étaient
fraîches et douces : « Qu'est-ce que cela veut dire? — Je ne
veux pas être prêtre, proféra-t-il, la voix un peu rauque, je
veux être acteur. »

Comme elle marquait de la surprise, il se jeta à parler,
retenant les mains qu'elle allait retirer. « Je vous dis ça, et
je ne l'ai dit à personne, jamais. Je ne sais si vous me gar-
derez mon secret. Mais je ne veux pas vous mentir à vous,
bien que je ne vous connaisse pas. Je ne sais pas ce que c'est,
il fallait que je vous le dise. Ce n'est pas parce que vous êtes
une femme, il y a beaucoup d'autres femmes. Après tout,
c'est peut-être le madère... »

Elle rit encore, d'une façon un peu contrainte, et se dégagea. Il en eut comme une déception. Voilà qu'elle portait ses mains à son front. Cela fit un silence. Puis elle parla, d'une voix toute changée : « Je ne sais pas ce que j'ai... la chaleur... le vin... »

Il se levait, stupide. Brusquement elle se renversa dans les coussins, un de ses pieds battit l'air, et la mule retomba. La jambe, ronde, sortit de la robe bleue qui avait glissé, Mme Respellière avait perdu connaissance. Armand s'affola. Que faire? Il regardait la porte, il dit : « Madame », prit une des mains, il allait appeler quand il vit que le kimono s'était tout à fait ouvert et que Thérèse était nue. Il n'avait jamais vu de femme dans une telle liberté.

« Imbécile », soupira-t-elle en l'attirant dans ses bras.

Quand Marie Reboul entendit le pas de son homme sous la voûte, elle eut le cœur qui battit la chamade, et fit filer Angélique par la porte de derrière. Angélique avait pu se désaltérer, et manger un oignon et de la fougasse. Marie la regardait avec un mélange d'horreur et de pitié. Elle s'était disputée à cause d'elle avec Mme Migeon, pourtant l'histoire du paralytique et de M. Eugène la faisait frémir. Comment était-il possible qu'une femme descendît si bas... Elle lui aurait posé mille questions, mais Reboul ne devait pas la trouver là. Avant le scandale, il l'avait battue pour recevoir Angélique. Alors maintenant...

Angélique regagna donc le haut de la ville. Elle aurait voulu voir son Pierre, mais elle n'osait pas affronter les gens. Déjà ce que Marie lui avait raconté, lui faisait craindre le pire d'une population moins prude qu'hostile aux putes de son genre. C'est ainsi qu'elle gagna le sommet de la colline, où il y avait la tour.

La tour au-dessus de petits champs en espalier, où poussaient des oliviers maigres, au feuillage d'étain, surmontait la ville, et du côté de l'est, elle était limitrophe avec la limite supé-

rieure du jardin des Barrel. C'était une drôle de tour, dont
l'extérieur avait gardé des Romains l'architecture d'un poste
de télégraphe optique. Les premiers chrétiens l'avaient trans-
formée en chapelle, et pourvue de cryptes. Puis étaient venus
les Maures qui en avaient fait une mosquée. À nouveau les
chrétiens, dont l'idéal artistique avait pris de nouveaux cintres,
y avaient réinstallé leur divinité. Tour à tour, les hérésies
sanglantes, un retour des Infidèles, et finalement la Réforme,
avaient attribué à des passions opposées ce curieux bâtiment
que les hommes refaçonnaient sans cesse à leur changeante
fantaisie. Temple de la Raison, pendant la Révolution française, réaffecté au culte sous Louis XVIII, ce n'était plus
depuis 1870 qu'un débris curieux de l'histoire. Quand au seize
mai, le Midi s'était apprêté à résister par les armes à une trahison du maréchal de Mac-Mahon, on avait empilé des muni-
tions dans la tour. Cela avait été la dernière minute
d'héroïsme.

Rien de cette longue histoire n'y attirait Angélique, mais
seulement une certaine idée de l'antique droit d'asile. Là-haut,
c'était une sorte d'église, et personne n'y toucherait la fugitive.

Elle y parvint, essoufflée d'avoir monté, et elle se dégrafa
un peu, à cause de la chaleur. On entrait là-dedans comme
dans une rivière gelée. La terre du sol enfonçait sous ses pas.
Elle distinguait mal toute chose, une ogive inachevée au-dessus
d'un trou de soleil, tout au fond, par où entraient du flanc
du coteau des branches vertes. Elle avançait. Elle entendit
des voix et se figea. Qui donc à cette heure de la sieste, où
tout Sérianne somnolait, avait gagné la vieille tour?

Un couple. Deux êtres jeunes, charmants, debout l'un près
de l'autre, leurs mains se tenaient, ils étaient dans un abandon innocent, où ce qui saisissait était comme un parfum de
l'enfance. Près de l'ouverture qui donnait au-dessus de la
vallée, dans l'encadrement de soleil qui faisait de leurs cheveux, elle blonde et lui nimbé d'or, mais noir à contre-jour,
comme un accord de l'ombre et de la lumière, ils appuyaient
leurs fronts l'un contre l'autre. C'était un geste qui se retrouve

chez de très jeunes animaux, des petits chevaux tendres. Les voix venaient comme une source dont on approche, et les notes plus graves des mots masculins retinrent le cœur d'Angélique.

Elle ne voulait pas y croire. Elle n'y croyait pas. Ses oreilles étaient folles. C'était un jeu de l'obscurité, des rayons. Elle ne voulait pas y croire. Elle avançait pour se détromper, sur la pointe des pieds, dans l'ombre. La chanson de la source se faisait plus nette, plus proche et passionnée. Elle ne voulait pas y croire. Encore un pas et l'illusion allait tomber. Est-ce qu'on peut croire à sa propre mort, à une pareille horreur, à une aussi simple abomination? Elle ne pouvait pas y croire. Pierrot...

Il était là qui parlait avec une jeune fille, toute rose, et les cheveux mousseux. Il lui parlait, on n'avait pas besoin d'entendre, les mots ne pouvaient rien y changer, et Angélique savait ce qu'il disait, chaque intonation, chaque arrêt réveillait un souvenir à lui briser le cœur. Il lui parlait d'amour. Comme elle était jolie... Ce n'était pas une servante, celle-là; une demoiselle, et jeunette... Il lui parlait d'amour... Avec sa voix précipitée, un peu bougonne. Angélique vit glisser le bras de Pierre autour de son nouvel amour.

Elle pouvait redescendre en ville. Elle ne craignait plus rien. Qu'est-ce que les gens pouvaient bien lui faire maintenant? Dans l'ombre, elle sortit de la tour sans qu'eux l'aient entendue. Elle retrouva la chaleur écrasante et le grand jour. Elle aurait voulu crier. Elle était sans voix. Elle tremblait comme au gros de l'hiver. Pierrot, Pierrot... Qu'est-ce donc qu'elle avait été rêver dans la vie? Est-ce qu'elle n'avait pas toujours su cela, qu'il n'était pas pour elle? Il disait... mais l'avait-elle jamais cru, voyons, dans l'humble fond de son cœur? Cela devait venir. Rien de terrible. Rien. L'attendu. Le normal. Mais cela faisait une douleur dans les bras, dans les bras fatigués de laver à terre, dans les jambes lasses de fardeaux portés, dans les reins cassés par de longues complaisances. Les petits sanglots doux d'une pluie d'orage montaient en haut de la colline dans une fille blanche comme la peur.

Dans un geste familier, Émile Barrel se pinça la lèvre supérieure, ce qui rapprochait les deux grosses touffes châtaines de sa moustache.

« Non, dit-il au sous-préfet Rateau qui dégustait sa chartreuse, de la vraie s'il vous plaît, M. Delangle n'a pas grand' chance, entre nous, les probabilités sont pour le ballottage. et Barbentane au second tour. Il faut regarder les choses en face. — Oh! vous savez, je ne me pendrai pas pour si peu! Vous deviez avoir une fameuse collection de bouteilles, pour qu'il vous reste encore de cette chartreuse, qui fait chaque fois mes délices. De toute façon, je me borne à observer envers M. Delangle une neutralité bienveillante. — Dix douzaines. C'était juste avant l'expulsion des Pères, ils liquidaient leur stock. — Le ministre m'a dit simplement que sans être un ami de M. Delangle, il ne voudrait pas que celui-ci ait l'impression que, pour des raisons politiques, le gouvernement ne lui a pas laissé courir toutes ses chances. — Ah! c'est vrai, Delangle est administrateur de cette affaire marocaine à laquelle Steeg, Millerand, Quesnel s'intéressent... D'où le Nichan. Je me demande s'il fait aussi chaud au Maroc que chez nous. Est-ce que Lyautey est bien l'homme qu'il faut? — Ce n'est pas de refus. D'autre part, Steeg ne voudrait pas se mettre à dos les Rinaldi. — Vous croyez que Charles Rinaldi tient tant que ça au cousin Barbentane? — C'est-à-dire qu'il y a une combinaison avec Perrot qui va se présenter dans les Basses-Alpes. »

Avec ses hautes persiennes bien fermées, la salle à manger des Barrel, maintenant que ces dames y avaient laissé les messieurs bavarder, était d'un calme tel qu'on n'en serait jamais parti. M. Rateau fumait de la contrebande suisse. Un esprit original. Barrel préférait tout de même ses londrès. Comme il se levait pour prendre son coupe-cigare sur la desserte, il soupira. Tout de même, il sentait l'âge à l'heure de la digestion.

« Vous savez, mon cher préfet, ajouta-t-il, je ne voudrais

aucunement gêner la politique du gouvernement. Bien que mes idées religieuses me fassent taxer de vieux réactionnaire, vous avez pu comprendre combien chez moi le Français cède le pas sur tout autre personnage. Notre gouvernement, pour imparfait qu'il soit, n'en a pas moins à sa tête un homme que je respecte, et qui est le chef que je souhaite à ce pays. Par conséquent, bien inutile d'y aller avec moi par quatre chemins. Si on pense à Paris qu'il y a un intérêt quelconque à faire voter pour Barbentane... »

Le sous-préfet faisait très élégamment des ronds de fumée. Oh! dit-il, répondre par l'affirmative serait de ma part assez présomptueux. Nous autres, fonctionnaires, nous ne sommes pas dans les secrets des dieux. On nous laisse entendre les choses d'une façon si enveloppée, qu'enfin c'est presque nous qui en décidons, affaire de rapidité d'esprit. Pour passer d'un sujet à un autre... c'est au Maroc que j'en reviens. — Quelle chaleur! Je plains nos pauvres petits soldats. — Sans doute. Mais j'ai un peu hérité récemment, de mes cousins Rateau, vous les connaissiez... — Peut-être. — Eh bien! cela me fait des soucis. Alors j'avais pensé vous demander conseil. — Faites, faites. — Voilà. J'hésite entre ces terrains de Casablanca, et du russe. Vous savez qu'on fait un nouvel emprunt. Je suis perplexe. — Les deux sont des affaires sûres. À patriotiquement parler, il est difficile de choisir. Ma vieille amitié pour Joseph Quesnel me fait pencher pour Casablanca. L'Afrique du Nord, tout de même, c'est l'avenir de la France... Pourtant, vous savez mon éclectisme d'amitiés, le sénateur Perchot, un des piliers du radicalisme, m'affirme que de nouveaux accords avec la Russie... — À cette allure-là, cher monsieur, vos dix douzaines... J'ai rencontré à Lyon l'autre jour le Révérend Père... — Mon cousin Louis? C'est un homme d'une haute élévation d'esprit, et avec cela un lettré. Les dominicains sont l'élite de l'Église. — Oui, nous avons passé une soirée charmante, dans l'intimité bien entendu. Le Révérend Père a des vues extrêmement subtiles sur la politique extérieure. Au fait, il m'a chargé de vous dire qu'on s'attendait à un scandale avec

les laiteries Maggi, et que cela touchait peut-être votre industrie... — Maggi? Non, pas directement, sauf que ces laiteries
sont sans doute liées avec des concurrents suisses... — Vous
êtes très lié avec Joseph Quesnel? Alors, peut-être pourriez-
vous me dire si le projet pour lequel il était venu dans la
région tient toujours... Le remplacement des tramways par
des autocars... — Vous savez la difficulté? La Compagnie des
Tramways se défend. Autrement cela ne fait pas de doute que
l'intérêt local serait de... — La question sera soulevée à la
prochaine session du Conseil général, à la revision du cahier
des charges. — Sans doute. Si le Conseil n'écoute pas autre
chose que la loi du progrès... Vous n'ignorez pas que Quesnel
a tout à fait partie liée avec Wisner. Ils ont déjà établi les
services dans plusieurs départements. Cela marche très bien.
Pour mon compte, par Mme Barrel, je suis même un peu
parent des Quesnel... — Je me demande si Delangle voterait
contre la Compagnie des Tramways... — Pourquoi ça? »

Le sous-préfet se tut un moment. Puis il se pencha vers
son hôte : « M. Arnaud... le propriétaire des *Nouvelles Galeries*... est personnellement assez lié avec Delangle... si, si, je le
sais : d'ailleurs il est, au point de vue électoral, la pierre angu-
laire des chances de Delangle à Sérianne... si je ne vous
compte pas. Or, M. Arnaud est du Conseil d'administration de
la Compagnie des Tramways... — Barbentane, évidemment,
sera toujours partisan de nouvelles machines, d'améliorations
techniques... — Alors, le dernier, cette fois. Oh! vous avez la
main lourde! De toutes façons, vous serez plus facilement
écouté si vous dites à vos contremaîtres qu'après tout il n'y a
pas d'antinomie entre les affaires du chocolat Barrel et l'élection du Dr Barbentane, que si vous leur recommandiez de
voter pour Delangle, qu'ils ne connaissent pas! »

« Comment va votre malade? »
Le Dr Barbentane avait du cambouis sur les mains. C'est
toujours dans des jours pareils que les voitures se détraquent.

Il avait fallu se mettre sur le dos en pleine route. Enfin! Il n'était pas venu le matin, il avait chargé Edmond de la visite.

Mlle Rose lui tendait la serviette. Elles étaient trois qui avaient accepté, pour continuer à soigner les malades, d'abandonner le vêtement religieux. Que pensaient-elles de cet ogre d'impiété qu'était Barbentane? Mlle Rose disait son chapelet pendant les opérations. Elle soupira.

« Mal, très mal... »

L'expression amène du docteur s'évanouit. « Comment? La température persiste? Diable, diable. »

C'était un vieil établissement congréganiste qui avait été repris par la municipalité. On avait abattu des cloisons pour faire une grande salle, mais on n'avait repeint que l'inévitable. Au premier, les hommes à gauche, les femmes à droite. En bas la consultation, la salle d'urgence, et les cuisines prolongées dans la cour par un baraquement. En haut, Barbentane avait un petit laboratoire, à côté duquel couchaient les nonnes. Tout cela puait l'iodoforme et la ratatouille mêlés. Une fille de salle soulevait une poussière qui retombait sur les malades, sous prétexte de balayer. Les draps de la quinzaine précédente encombraient, jetés en tas, le palier des salles.

« Il est seul? » dit Barbentane, en s'essuyant les mains.

Mlle Rose, choquée, agita son bonnet noir. Le règlement est formel. Passé une heure, plus personne...

Barbentane enfila sa blouse. Ça le changeait, une blouse. Il était un autre homme, il oubliait les vicissitudes électorales. Voyons...

La salle. De grosses mouches tournaient au-dessus d'un vieillard. Plus loin, un gosse sourit pauvrement au passage du docteur, le pied suspendu dans un appareil à poids.

Un lit de fer à la peinture écaillée, avec à la tête un numéro 7, et la pancarte. Vilaine courbe. Pas de rémission matinale. Dans les draps jaunes et raides, l'homme était sans connaissance, les yeux mi-fermés, la peau sombre de sueur. Une barbe de quatre jours, bleue et drue. La gaze enveloppait le crâne et tournait autour du cou, croisant devant les oreilles.

En séchant, elle avait pris cet aspect miteux, roulotté, qui donne au pansement ancien un air de saleté, de tristesse. Le malade respirait bizarrement, la lèvre molle soulevée à peine, puis plus fort, plus vite, plus vite, pour retomber au rythme premier, imperceptible. C'était comme une succession de courses affolées. Barbentane se retourna vers Mlle Rose : « Cheyne-Stokes », murmura-t-il. Elle prit l'air de savoir ce que c'était.

À quoi bon examiner ce malheureux? Sans trop penser à ce qu'il faisait, Barbentane avait machinalement soulevé le drap. De la chemise d'hôpital remontée sortait le corps solide, les jambes velues : « On aurait pu lui laver les pieds », dit le docteur en laissant retomber le drap. Le pauvre bougre, il luttait ferme dans ses ténèbres pour continuer sa vie de chien! Les poings serrés, énormes, parurent au médecin une dérision. Il haussa les épaules : « Si les siens veulent le voir, à n'importe quelle heure, il faut laisser entrer. — Ah! dit Mlle Rose, c'est donc ainsi... »

Barbentane regarda encore la pancarte. Il déplia la feuille de température. Sans jouer au prophète... Au bas était écrit, en anglaise appliquée, Mlle Clémentine apparemment, les nom, prénom, âge, profession, domicile de l'entrant. « Terrassier », constata le docteur. Cela expliquait le développement exagéré des muscles de la jambe droite, qui enfonce la pelle. On ne saurait jamais qui avait frappé d'un coup de matraque. La bagarre avait été confuse. D'ailleurs qu'est-ce que cela y aurait changé? Chez les femmes, rien à signaler. La vieille 15 déménageait. Oh bien, que voulez-vous, à son âge.

En s'éloignant dans sa Wisner cahotante, par la route de Villeneuve, le maire repensait à l'agonisant. Il peut passer d'un moment à l'autre. Le père se félicitait que le bachot eût éloigné son cadet de Sérianne. Dire qu'il aurait pu être mêlé à cet assassinat! La folie nationaliste! Et naturellement, les curés là-dedans.

De toute façon, le terrassier Joly était un homme mort. C'était seulement le devoir de Barbentane d'imaginer les retentissements de ce décès. Prévoir, éviter les réactions trop vives. Si la mort se produisait le soir, les dernières réunions électorales risquaient d'être ensanglantées. Au point de vue du vote, cela voulait dire un coup de barre à gauche... c'est-à-dire à droite, reprit au fond de lui-même l'instinct du canotier. C'est bête comme on s'habitue à parler improprement. Oh Delangle surtout y perdrait. Vinet... Évidemment Vinet essayerait d'exploiter l'affaire, Armand pouvait servir à une démagogie. Le petit imbécile!

Le docteur ruminait. Mieux valait, pour le calme de Sérianne, que la nouvelle ne survînt pas avant le lendemain soir. L'hôpital n'était pas loin. Il fit demi-tour : « Appelez-moi Mlle Rose », cria-t-il de son siège à la fille de salle qui transportait le linge. Et quand elle fut là : « Mademoiselle Rose, contre-ordre! Personne auprès du malade, ça le fatiguerait. Mettez-le dans le petit cagibi, il sera mieux que dans la salle. Et puis quoi encore? Ah oui! s'il arrivait un malheur, je vous prie, mademoiselle, discrétion absolue jusqu'à demain soir! Vous m'enverriez un mot. Sous enveloppe fermée. »

La voiture en partant dérapa légèrement dans l'épaisse poussière.

Il était largement trois heures de l'après-midi lorsque Angélique vint place du Marché reprendre ses affaires. Elle savait ce qui était de la santé de Mestrance par Marie Reboul. Quand elle entra dans la boutique, Pauline poussa un grand cri comme si elle avait vu le diable et regagna quatre à quatre le premier, où en entendit tout un vacarme jusqu'à ce que Respellière en descendît.

Angélique avait haussé les épaules. Devant la grande glace, elle se vit. Les traces des coups sur son visage, son corsage déchiré, rafistolé avec une épingle de nourrice, elle n'avait pas bonne mine, non. Elle passa dans l'arrière-boutique et marcha droit au placard. Dans l'ombre, une voix gémit.

Le vieux! Elle l'avait oublié. Il l'appelait avec ce terrible pauvre langage d'infirme, qui avait en quatre ans réappris à peu près uniquement à articuler son nom à elle. Il la nommait du fond du ventre, il avait craint qu'elle ait tout à fait disparu, comme une autre jadis dont il gardait confusément la mémoire, comme sa femme quand elle avait levé le pied avec un lutteur.

Plantant là ses nippes mal déballées du placard, elle s'approcha de lui. Les pas de Respellière retentirent dans l'escalier comme elle arrangeait le vieux. Par-dessous les épaules de l'ancien colonial, des hurlements vinrent du haut de la vis de l'escalier : « Salope, salope, ne touchez pas mon père! » Mme Mestrance venait brusquement de se trouver des trésors d'amour filial. Respellière la fit taire : « Restez là-haut, madame Pauline, je m'occupe de la créature... »

Fixé à son fauteuil, le vieux contemplait sans comprendre la scène entre la bonne et le percepteur. Il grognait un peu comme un chien devant un étranger. Tandis qu'elle faisait son paquet, serrant bien dans une grande serviette son misérable avoir, Respellière la regardait, regardait cette blanche nuque fléchie, et la naissance des épaules. Les cheveux noirs, tirés, découvraient la jeunesse du cou entre les oreilles. Ils étaient gros et lisses, et formaient comme des grands traits parallèles, comme les traces longues d'un peigne. Respellière sortit sa pipe et la secoua sur le bas de la rampe. Pas vilaine, cette jeunesse. Il était très sensible à la fraîcheur, lui dont le teint était vilainement brouillé.

Quand elle se releva, c'est à lui tout naturellement qu'elle s'adressa pour réclamer son dû. Plus de quinze jours qu'on lui devait et ses huit jours. Respellière n'avait pas pensé à ça. C'était régulier, cette fille. Il lui dit d'attendre et regrimpa. Pendant qu'il discutait là-haut, on entendait la voix hystérique de la patronne, elle revint vers le paralytique : « Pauvre papa, lui dit-elle, qui c'est qui va te soigner maintenant? T'es un bon vieux pourtant. Tu ne pinces pas, toi, tu ne tapes pas... »

Pauline faisait une scène dans le grand genre dans la salle à manger. Quand Respellière avait dit les exigences d'Angélique, elle était tombée de son haut. De l'argent, cette voleuse d'homme, de l'argent qu'elle voulait! Dans son saisissement, tournant sur elle-même, elle s'était, battant des bras indignés, heurtée à la suspension qui se balança, avec toutes ses complications de cuivre, et la lampe à pétrole conservée au-dessous de l'ampoule, pour le cas où l'électricité manquerait. Cela avait retardé légèrement l'explosion, parce que Pauline et Respellière s'étaient précipités les mains en avant pour calmer ces oscillations dangereuses, rejetant la tête en arrière de peur de tout recevoir dans le nez. Pas assez pour Pauline dont les chichis s'accrochèrent à une fioriture. Respellière l'aida à se dégager. C'est tout de même bizarre cette mode des faux cheveux aujourd'hui.

Alors avaient commencé les cris. Le visage raviné de larmes qui coulaient sur la graisse du double menton, le teint sombre et la bouffissure mauvaise, Pauline hoquetait de fureur, et ses seins faisaient un machicoulis mobile à ses sanglots; décoiffée par la suspension, une boucle arrachée au chignon dans sa main gauche, elle fut agitée de secousses spasmodiques qui la jetèrent dans les bras de Respellière. Celui-ci, ennuyé, la maintenait tandis que, de l'œil, il surveillait encore la suspension. Elle hurlait : « De l'argent, elle demande de l'argent! »

Respellière louchait sur le buffet où il y avait une carafe d'eau et des verres. Il expliqua posément, tout en ceinturant la dame, que la demande de la domestique n'était pas anormale, enfin compréhensible. Là, là, calmez-vous. On lui doit ça à cette fille, mieux vaut en finir avec elle. Mme Mestrance portait un corset très haut qui lui remontait les seins. Pas très fermes, pensa Respellière.

« Et les huit jours! Elle veut ses huit jours! Jamais, jamais! » Lourde déjà comme ça, ça ne l'allégeait guère de se débattre. Dans la pièce voisine, Mestrance qui allait mieux s'agitait. Il cria : « Pauline! » et cela combla l'énervement de son épouse. L'idée d'Eugène infirme lui tira des soupirs nerveux qui sifflèrent dans ses arrière-fosses nasales comme des rires incompréhensibles. Elle se secouait de telle sorte que cela devenait difficile, même pour un solide gaillard, de la tenir. Les moustaches noires se hérissaient comme d'étonnement et d'effort. Ils luttèrent ainsi jusqu'à ce qu'elle fût fatiguée, et mollissante elle pleura contre son épaule; il tournait alternativement les yeux du seuil de la chambre à la porte de l'escalier. Il lui parla comme à un petit enfant. Avec une douceur qu'on n'aurait jamais attendue de cette brute, il la persuada gentiment de débourser l'argent, une misère, pour en finir. Il lui caressait les cheveux sans penser, un peu comme on flatte une jument, et elle se blottissait toujours plus fort.

Là-dessus, la porte du fond s'ouvrit à la volée et Gaston, essoufflé, qui venait chercher de la ficelle pour la toupie ronflante du fils au menuisier, entra étourdiment et surprit la scène; il s'arrêta ébahi, et ne put que penser à mal, ce cher enfant. C'est pourquoi, du fond du cœur, il s'écria : « Ah! merde alors... » et reçut une gifle maternelle.

Cela mit la fin à tout ce trouble. Mais Mme Mestrance resta sur un point inébranlable. Elle ne voulait pas entendre parler des huit jours. Elle invoquait l'autorité du maire. Respellière descendit donc, compta l'argent à Angélique, et discuta le coup avec elle. D'en haut, Pauline épiait la conversation. Elle regrettait déjà l'argent *donné*. Cette fille n'avait pas de honte, comme elle s'acharnait à réclamer encore, et encore davantage. Elle parlait de son dû! La voix de Respellière monta, grondante. La morale reprenait ses droits. Il y eut un silence, puis des pas traînants. On entendait dans la maison voisine le bruit du bois scié, han, régulier, han. La sonnette de la porte tinta au magasin. Par la fenêtre Pauline vit s'éloigner l'ennemie, avec son baluchon.

Le vieux, en bas, devait avoir compris, car il avait de grosses larmes dans les chiffons de ses vieilles paupières. À soixante-quinze ans, il souffrait toute l'horreur d'un abandon, d'un amour malheureux. Et par-dessus le marché, il avait faim : sa fille, dans tout ça, avait oublié de le nourrir depuis la veille.

Ah maintenant, il s'agissait bien du socialisme! Il s'agissait
bien de savoir que penser du Dr Barbentane. Salaud ou non,
il ne faisait qu'appartenir à ce monde chaotique, où désormais Armand avait une raison de se débattre, un ordre de
préoccupations nouvelles, qui donnaient un prix nouveau jusqu'au plus insignifiant jeu de la lumière, jusqu'à un ton de
voix, un geste, un rire.

Dans le désordre du salon de la maison Coquelombe, Thérèse s'étonna du silence de son jeune amant. Elle ne pouvait
le faire qu'avec des mots désastreux, car pour Armand encore
le divorce des mots et des choses de l'amour était entièrement
à apprendre : « Tu es triste maintenant », dit-elle, à peu près
sûre qu'elle l'étonnait de cette divination. Eh bien, il n'était
pas triste du tout, il était abruti, c'est différent.

Elle avait de très jolis seins, petits et écartés, et une ensel-
lure très marquée. Mais elle était d'une vulgarité saisissante,
même pour un débutant. Avec Lamberdesc, elle se surveillait
davantage, parce qu'il lui en imposait. Mais ce petit! C'était
tout de même bien la première fois... Ce que Suzanne de
Loménie lui avait dit l'avait un peu trompée. Il avait l'air
d'un agneau noir monté en graine, avec une gentille petite
gueule irrégulière, et un nez busqué.

Armand eût voulu rêver au-delà de ce qui venait de lui
arriver. Contrairement à la règle, à ce que ses camarades lui
avaient raconté, il n'éprouvait pas du tout le besoin de dire :
Ce n'est que ça! Il était émerveillé. Thérèse n'était qu'à
peine partie de la merveille. Pourtant il aimait bien comme
ses cheveux faisaient la boule. Il en oubliait ses paroles :
« Frisée... », souffla-t-il. Elle avait refermé son kimono.

« Alors je te plais? » dit-elle, certaine de la réponse : « Non,
mais voyez-moi ces yeux battus! Pour si peu! Un moineau.
Tiens, tu feras bien de reprendre du madère... »

Il but en la regardant par-dessus son verre. Il lui avait bien
plu, à cette femme. Il plairait à d'autres. Il allait faire l'amour
avec toutes. Tout le temps. Tant qu'il pourrait. Il se sentait
rire en dedans.

« Bien, tu peux te vanter de n'être pas bavard... C'est tout ce que tu trouves à dire? Tu ne m'as même pas parlé de mes jambes. »

Elle était au milieu de la pièce et elle releva tout le bleu et les oiseaux et les fleurs jusqu'au-dessus de ses genoux. Stupide, Armand lui regarda les jambes. Eh bien! c'étaient des jambes... jolies, je ne dis pas. Que fallait-il en dire? Armand n'avait pas l'habitude de parler aux femmes de leurs jambes. Il se sentit plus naïf que tout à l'heure.

« Non mais, tu es difficile, mon petit garçon, si ces jambes-là ne te plaisent pas. Des jambes qui ont fait courir tout Saïgon. Des jambes célèbres. Tu ne te rends pas compte de ta veine. Allons, dis-leur quelque chose à ces jambes, avant qu'on les cache... »

Au fait, ces jambes lui plaisaient. Il les caressa longuement, puis levant ses yeux jeunes et las vers Thérèse, il dit : « Tu n'en as qu'une paire? » Elle lui tira les cheveux.

« Tenez-vous tranquille, monsieur Armand. Vous reprendrez, s'il vous plaît, le ton et la correction d'un jeune homme en visite. Vous avez manqué fiche votre vin par terre. Nous nous verrons demain à la fête. D'ici là, tâchez de vous reposer, vous avez une mine de l'autre monde. Tu m'aimes? »

Comme Armand là-dessus ne savait pas mentir! Il répondit « Mais oui... » avec une telle hésitation que Thérèse éclata de rire : « Enfant, dit-elle, il faudra apprendre à rouler les femmes, ou on ne fera rien de bon de toi! »

Il avait une envie de filer qui lui fit jeter d'un coup le reste du madère dans son gosier. Ses yeux se posèrent sur le portrait de Respellière avec un sentiment de triomphe et d'inquiétude. Thérèse se méprit à son expression.

C'est alors qu'elle révéla sans le vouloir un peu de l'abîme qui se cachait derrière sa vulgarité de nature. Elle plissa canaillement les yeux, et s'éloignant d'Armand d'un geste oblique des épaules, les prunelles glissant sous les yeux vers lui, elle le repoussa soudain d'une tape au genou : « Sale petit antimilitariste... » murmura-t-elle.

Cela rappelait à temps au jeune homme l'existence d'un
certain Lamberdesc.

## XXV

Quel dimanche! L'été s'était dépassé. Les hommes vaincus
avaient dormi presque tout le jour, malgré le devoir électoral.
La terre blanche et poudreuse semblait vous remonter à la
gorge. Le soir s'approchait épais, odorant. Les insectes chantaient aux champs si fort qu'on les entendait en ville. Les
fenêtres s'ouvrirent quand le soleil baissa. On vit dans les
maisons des jeunesses soupirantes; des gars qui se rasaient
pour être frais pour la fête. À la mairie, où les hommes se
portaient aux nouvelles, les employés s'agitaient, en sueur.
L'adjoint apparaissait sur la porte et lisait les résultats d'un
village. Le téléphone sonnait à l'intérieur. À Villeneuve,
Delangle battait Barbentane de justesse. Partout ailleurs, Barbentane était en tête. À Sérianne, le socialiste avait eu plus
de voix qu'on n'aurait cru. On exultait au Café des Arts.
La veste tombée, Respellière faisait une série. Les boules du
billard avaient l'air happées les unes vers les autres. Mme Barbentane avait passé l'après-midi à l'église, en prières. Que
demandait-elle à Dieu? Le succès de l'impie ou sa confusion?

Dans les petits cafés près de la fabrique, on avait bu ferme.
Des boîtes à musique jouaient. Les femmes à la fontaine parlaient, avec des grappes de mioches près d'elles. Des odeurs de
cuisine pauvre sortaient des maisons, où gémissaient des tout-
petits. Il faut faire à dîner le dimanche comme les autres
jours. Par les ruelles, les jeunes gens commençaient la traîne,
interpellant les filles qui allaient par bandes. Des cheminots
près de la gare, sortant du travail, demandaient les nouvelles.
Barbentane en tête... Il y aura ballottage.

Barbentane élu! Cela avait été officiel vers les sept heures

et demie. Le vainqueur apparut à la fenêtre de la mairie et
parla. Il n'y avait pas grand monde pour l'écouter, mais tout
de même. Les gens, sur la place, crièrent : *Vive Barbentane!*
et chantèrent la *Marseillaise*. Au Café des Arts, le billard
s'interrompit quand le maigre Migeon, essoufflé, suant, passant le doigt dans son col dur, proclama le résultat à tue-
tête, comme sa dernière victoire aux boules. « Celui-là ou un
autre! » ricanait, à Villeneuve, Hubert de Loménie, qui, pour
montrer son désintéressement de la question, s'était installé
dans son jardin, pas loin de la route, bien en vue, à peindre une
poule d'eau sur un étang, d'après une carte postale piquée
au-dessus de la toile, avec une punaise, au bois du chevalet.
« Vous allez à Sérianne ce soir? lui cria quelqu'un de la route,
il y a un tir! » Déjà, les garçons commençaient à cheminer
vers le chef-lieu de canton. Il passait des carrioles. Ça chantait un peu partout.

Lamberdesc avait trouvé Thérèse singulière, mais plus violente que d'habitude. Il avait bonne mine maintenant, lui qui
devait dîner avec Delangle chez les Barrel. Il ne savait pas
encore le résultat. Il arrangeait sa cravate dans la maison
Coquelombe. Tu as de la poudre, pour mes yeux? Thérèse
lui dit soudain : « Tout de même, les hommes, ils ont besoin
d'être dessalés... » Il se retourna, qu'est-ce qu'elle voulait dire?
Oh, et puis si on commençait à se demander!

Un qui était content, c'était Vinet. Somme toute, beaucoup
plus de suffrages qu'il ne comptait. Il n'avait jamais sérieusement pensé être élu. C'était surtout un échec pour Delangle,
ces élections, et la majorité de Barbentane était faible. Il
était content, le candidat socialiste, surtout parce que c'était
fini, toute cette longue corvée, et il ne s'en était pas si mal
tiré, le comité ne pourrait rien dire. On ne l'engueulerait pas
à Marseille, cette fois-ci. Il avait déjà pondu le petit article
envoyé là-bas, et un télégramme pour *L'Humanité*. L'affiche
de remerciements pour les électeurs était préparée d'avance,

il n'y avait eu que le chiffre de voix à rajouter. Allons, une soirée à être gai, à faire le gosse! Puisqu'il y avait la fête, il allait se payer un peu de bon temps. Plusieurs camarades étaient là, dans sa chambre, tandis qu'il se débarbouillait rigolant, des jeunes, des grands types sympathiques, des pareils à lui, pensait-il; on irait ensemble. Ça lui rappelait le patelin où le père s'était retiré. Vinet avait invité une petite copine, qui avait travaillé pour lui à la permanence, la fille à Pignerol, le maître-maçon, on irait la chercher d'abord. Par la fenêtre, arrivait la tournante musique du manège, qui n'avait jamais pu attendre l'heure pour commencer, comme si les cochons, les vaches et les cygnes avaient eu des démangeaisons de bouger.

Dans le haut Sérianne, on se parlait d'une maison à l'autre. Ça sentait l'ail. Des grands rires sortaient de chez les Estève qui donnaient ce soir-là un dîner de fiançailles : leur fille et un jeune homme de la campagne. Chez les Reboul, on se disputait. Les criailleries arrivaient au milieu de la joie universelle. Pauvre Marie. Mme Migeon s'impatientait du retard de son époux, encore à ce café! L'agent voyer l'agaçait aujourd'hui, elle qui d'habitude était ravie que Migeon, avec sa partie de boules, leur laissât régulièrement les loisirs de l'adultère. Doucement, le soir mollissait. Il était même apparu dans le ciel bleu un petit bout ridicule de nuage, tout rose du couchant, et effrangé. « Un pantalon de femme », dit à mi-voix Armand, comme sa mère, de retour de l'église, le montrait. Edmond crut avoir mal entendu. On attendait le père, tout à ses électeurs.

Comme la femme sortait de l'hôpital dans cette fin du soleil où tout le monde se retrouvait au bout d'une longue stupeur, des voitures passaient qui se dirigeaient déjà vers la fête. La poussière était blanche, et si épaisse, que le pied y enfonçait comme dans une boue. L'hôpital lépreux, aux vitres sales, avait l'air indifférent d'un vieil homme. La femme se répétait

tout bas, sans fin : Il ne faut pas qu'il meure... Allait-elle
tourner à droite ou à gauche? Elle avait oublié ses enfants.
Soudain, ce qu'elle disait parvint à sa conscience : Il ne faut
pas qu'il meure..., et cela lui fit un coup terrible, un hoquet
de tout elle-même, et elle sentit ce vent amer, cette marée
en elle, les larmes. Mon Justin, mon Justin...

Les larmes roulaient toutes seules, elles faisaient un rideau
à la vue, et d'une carriole qui passait quelqu'un cria à cette
femme de se ranger. Elle obéit docilement. Ils chantaient, dans
la carriole.

Comment est-ce possible? Qu'est-ce qui est arrivé? Un jour
comme les autres. Ils avaient dîné ensemble. Il était parti en
se dépêchant à cause de cette maudite réunion. Mais voyons,
les gens ne sont pas si méchants, et puis il était si fort...
Qu'on se soit battu, c'est toujours possible, ça. Mais, mais...
Le mot *mort* remonta du fond de son cœur dans sa gorge.
Mort, mort, tué... Voilà : tué. Pourquoi? Les gens... Quelles
gens? Qui pouvait vouloir tuer Justin? Vouloir, c'était sans
vouloir... On avait voulu... Il faudrait savoir qui, on lui avait
dit des choses, ces jeunes gens de Sérianne, elle les avait vus
défilant parfois...

Les voitures passaient. Quelqu'un, près d'elle, parla. L'infirmier, celui que tous les jours elle interrogeait. Elle ne comprit
pas. Il répétait la chose, que cela faisait vingt-quatre heures...
Comment? L'homme l'entraîna un peu à l'écart. Il était gêné,
il ne voulait pas qu'on le vît de la boîte.

Eh bien, c'était clair. La veille, quand elle était venue, il
était déjà mort. On ne l'avait mis dans la petite chambre
que pour cacher ça... on avait menti, hier, ce matin... On l'avait
laissée dans l'ignorance, exprès... et pendant ce temps-là, Justin était seul, qui refroidissait avec les mouches, les affreuses
mouches... L'infirmier ajouta quelque chose encore qu'elle
ne saisit pas bien à propos des socialistes... Elle rentra chez
elle en courant. Une voisine gardait les petits. Elle dit en
entrant : Mort. La voisine éclata en sanglots et se mit à
hurler. Alors les gens arrivèrent, et toutes les femmes se

mirent à pleurer et à sangloter avec un bruit qui faisait mal et qui soulageait. Elles entouraient la veuve, car quelqu'un avait dit : La voilà veuve... Elles criaient. Elles prenaient les enfants dans leurs bras. Des hommes s'approchèrent.

Alors, assise sur la chaise où le soir il posait ses habits, la veuve raconta la mort de Justin. Mardi que c'était la réunion ou lundi?... Samedi, il l'avait regardée. Et puis le soir on l'avait mis dans une petite chambre. Qu'est-ce que lui avait dit l'infirmier? Soudain, elle comprit toute l'histoire, le monstrueux de toute l'histoire. Et pourquoi l'infirmier avait parlé des socialistes. Où sont-ils? Où peut-on trouver les socialistes?

Des hommes l'entouraient maintenant, qui l'interrogeaient. Au-dehors, des enfants jouaient, cela riait et criait clair. Le soir tombait. Les gens se promenaient. Il y avait des musiques. La fête. L'histoire de Justin sortit de la petite chambre étroite où les deux lits vous prenaient tout l'air. Elle gagna la rue. Des hommes la portèrent au milieu de la gaîté des autres, des couples d'amoureux, des danseurs. D'autres encore se consultèrent dans le fond d'un café. On courait après des copains, plus capables. Le syndicat levait la tête. L'histoire prenait corps et s'étalait sur le faubourg.

On se souvenait de ce que le fils du maire était du groupe *Pro Patria* qui avait assommé le terrassier pendant la réunion électorale. Le maire qui venait d'être élu au conseil général. C'était lui qui avait caché cette mort. Il fallait lui demander des explications, on irait. Où donc était ce nom de Dieu de Vinet? Les camarades de la section l'avaient cherché. Le maire était sûrement à Sérianne, à la fête, à son triomphe.

Une foule, devant la maison du mort, lentement s'amassait. Une colère.

Suzanne de Loménie allait partir. Elle avait mis sa robe bleue. Elle avait au poignet une chaîne d'argent avec une médaille de saint Georges. Elle regarda avec plaisir dans le miroir de sa chambre, sur la coiffeuse laquée Trianon, son grand chapeau de paille noire, pas si exagéré que les gravures de mode, mais enfin, avec une fantaisie de lophophore. Peut-être que les couleurs du lophophore étaient un peu violentes pour le bleu de la robe, mais aux lumières, ça s'arrangerait. Suzanne voulait être belle, c'est un désir légitime. Et puis, elle se sentait tout excitée d'un tas de choses : l'histoire Mestrance, Armand, les élections, et surtout des demi-confidences de Jacqueline Barrel. De qui s'agissait-il? Lamberdesc dînait ce soir-là chez le chocolatier. La jeune fille allait-elle le souffler à la perceptrice? Elle devait rejoindre les Barrel au dessert, chez eux. On ferait un tour à la fête. Elle se promettait de s'accrocher à Lamberdesc. Il était amusant, ce jeune docteur, très parisien. Et ce Delangle, l'ami des ministres, il avait été battu, dommage : il s'était montré plein d'attentions pour elle, quand il avait dîné aux « Mirettes », l'autre soir.

En passant, dans le jardin, où d'énormes papillons sombres volaient au-dessus des capucines, elle embrassa sa mère et tante Éva. M. de Loménie était déjà au café Blanc. Les figuiers, dans les restes du jour, accroupissaient sur l'allée leurs bras d'ogres aux doigts écarquillés. Sur la route, elle entendit le bruit de quincaillerie du tram; elle se mit à courir. Un éclair bleu, et les lumières pâles vers la droite : c'était dans l'autre direction, elle se calma. Elle arrivait à la grille lorsque la motrice passait devant, ballottante, qui donc était descendu à l'arrêt facultatif qui ne desservait guère que « Les Mirettes »? Le fermier? Elle pencha la tête pour voir.

Sur la route, il y avait un soldat. Un grand gaillard, avec le képi en arrière. Il avait un sac à la main. Un permissionnaire sans doute. Il venait vers elle. Elle prit son air mijaurée : « Suzanne! » Le saisissement la cloua sur place. C'était François, son frère le Légionnaire. Un François forci, basané, magnifique. Il avait toujours ce joli nez fin, le seul de la famille. Simple soldat, remarqua-t-elle. Il l'embrassait. Il sentait la sueur, le cuir. « Attention, ma robe », soupira-t-elle. « François! Qu'est-ce que tu fais ici?... — Je reviens, j'en avais marre de la Légion et de toute cette putasserie. J'ai fait

trois ans là-dedans, tu sais... — Ça ne t'a pas plu? — Plu?
Je t'en foutrai, moi, de la plaisance! Tout le monde va bien? »
Oui, oui... Suzanne répondait aux questions, assez émue,
intéressée de tout cet univers qui débarquait là du Maroc,
mais qu'est-ce qu'elle allait faire, la fête, et elle ne pouvait pas
laisser François pour le premier soir... « Tu sais, il y a la
fête à Sérianne... — Ah! tu y allais, petite sœur? Bien, ne
te dérange pas parce que j'arrive... » Il rigolait. Cette espèce
de faiblesse qu'il avait jadis dans le visage, maintenant que
ses traits avaient un peu épaissi, avait tourné à une sorte de
lourdeur. Il avait attrapé une cicatrice au menton qu'on ne
voyait pas tout de suite. « Ça? C'est un coup de sabre. Pas
la peine d'en parler. » Elle poussait des petits cris, un coup
de sabre? Ça a saigné? « Bien sûr, c'est de l'homme! » Elle
eut une idée : « Tu leur diras bonjour plus tard, viens à la
fête avec moi! » Il hésita, l'amour des siens, sans être vif, vif...
et puis surtout il y avait la valise. Elle parlait vite, et déjà
s'emparait du sac. On le laisserait là, derrière le pilier, à
droite, dans la propriété... Ça ne craint rien, personne ne va
s'imaginer... S'ils te voient, la famille, ils ne te laisseront plus
partir, et puis papa est au café... « Ça, dit François, j'aurais
bien bu un coup avec lui. Fait soif... » Oh, ces hommes, tous
les mêmes! « Tu sera là pour les vendanges? — Sûr, je suis
revenu à temps! »
Ils prirent donc le tram de Sérianne, dans la baladeuse où il
y avait encore deux places debout, parce que c'était bondé de
gens qui allaient à la fête. De l'autre bout, quelqu'un salua
Suzanne. Elle pouffa. « Tu as vu? Ils se demandent avec qui
je suis. On ne te reconnaît pas. — Qui est-ce? — Les Bésanges.
— Lesquels? — Ceux de l'Oliveraie. — Ah! » On passait au
milieu des cahutes des Italiens. Le visage de François se
fit dur, et sombre. Il pensait à sa gueuse, apparemment.
Dans le soir, quelqu'un raclait une mandoline et il y avait
des voix fraîches qui chantaient dans la langue de là-bas.
Depuis trois ans, ça n'avait guère changé, bien que le long
de la route les pancartes-réclames se fussent multipliées, et

aussi les grandes affiches peintes au dos des maisons. Bibendum
sur fond bleu sombre annonçait l'entrée du faubourg.

La fête s'étendait sur la Grand'Place et la place du Marché.
Le monde peu à peu se rassemblait là, et dans les rues avoisinantes. Bourgeois de la ville, paysans ouvriers, petits commerçants. Tout le canton rappliquait, avec des chars à bancs, des
tombereaux, des bicyclettes. On remontait à pied du faubourg.
Cela faisait un grand caquet, encore mal à son aise, les voix
trop claires parce qu'il n'était pas encore nuit. Des jeunes gens
avantageux s'étaient déjà mis à faire valoir leurs biceps devant
le Café des Arts où il y avait une tête de Turc sur laquelle
on tapait avec un marteau pour faire grimper un dynamo-
mètre. Aux fenêtres des roulottes, les forains regardaient,
attendant l'heure. Certains s'affairaient encore à la toilette
de leurs boutiques. Il y avait un tir, deux loteries, le manège,
les balançoires, un théâtre avec des glaces et des femmes
pailletées qu'on apercevait quand le rideau de velours grenat
sur le fond de l'estrade s'entrebâillait. Un jeu de flèches,
place du Marché, où on gagnait du nougat. Tout ça s'éclairait.
Les platanes ne se ressemblaient plus. Les balançoires se
mirent de la partie. Un gros homme à la voix de mêlé-casse y
appelait les clients en frappant dans ses mains énormes :
« Allons, la jeunesse! Les amoureux, on se balance? »
Mme Brot, la patronne de l'hôtel, une petite vieille noiraude,
inaugurait le manège sur un cochon. Un beau manège, avec
des glaces dans tous les sens, et taillées à facettes, et de l'or,
et les vaches la langue pendante et rose, les cochons avec des
rubans bleus et des noms de femmes, les cygnes traînant des
chars en velours rouge avec des clous de cuivre; et près de
la caisse, au centre, la mécanique à musique toute en tuyaux,
dans un cadre de fleurs bleues et blanches, et de petits personnages automatiques frappant sur des cymbales en tournant
la tête, dans des costumes russes, avec des tiares, des bottes,
des diadèmes, une splendeur. Toutes les musiques soudain

éclatèrent. Des coups de feu au tir avec des bravos et des cris, des éclats de rire. La jeunesse se jetait sur le manège en se bousculant. Les balançoires filaient dans le ciel, la grosse caisse appela tout le monde vers le théâtre, qui dans le jour brusquement éteint, brillait de toutes ses lumières. En rang d'oignons, le sourire prêt, les maillots chair, les costumes multicolores, la troupe éclectique, avec deux lutteurs, une beauté orientale, une femme en marquis, deux clowns, et un joli cœur en costume de chasse, n'étaient encore rien à côté de ce que vous alliez voir à l'intérieur, et la baguette du bonisseur, hybride de dompteur et de grognard en habit noir, frappait d'une cravache l'affiche où on lisait : *Tableaux vivants : Le Nu esthétique, Mademoiselle Denise se marie (saynète), Napoléon en Égypte (grandiose évocation historique)*, etc... Dans les intervalles de la parade, un orchestre, composé d'un piano, de cuivres et d'un violon, à l'extrémité de l'estrade, jouait des valses.

« Où va-t-on? » dit Vinet à ses copains. Ils se tenaient en bande, par le bras, six, la petite à Pignerol au milieu, une brunette gentille, sans chapeau, déjà un peu décoiffée, heureuse. Cette bande faisait sensation parce qu'ils étaient tous de jeunes ouvriers solides, avec leurs chemises ouvertes, et leurs manches relevées. L'un d'eux voulait tout le temps chanter. On le faisait taire. On avait envie de s'amuser. C'est difficile à commencer. De temps en temps, un des gars lâchait les autres pour attraper une fille. On se heurta à un groupe de vignerons de Villeneuve qui prétendait barrer le chemin. Ça faillit faire une batterie, puis les autres reconnurent Vinet, et chantèrent l'*Internationale*. C'étaient des journaliers, parmi les plus pauvres. On ne fit plus qu'un seul groupe, avec quatre ou cinq petites Italiennes de la fabrique qui avaient des fleurs à leurs corsages; si bien qu'au centre de la cohue qui se divisait entre les baraques, entrait ici et montait là, ce fut comme une compagnie joyeuse des complices, qui se mit à organiser des rondes, autour d'un couple endimanché, ou de deux vieux, ou d'un soûlard, et des courses, des farandoles

en se tenant la main, à travers les lumières, et la nuit maintenant parfaite, glissant parfois hors de la fête, s'échappant
pour revenir, filant d'une place vers l'autre comme une fusée
de rires; et sur les murs, les vieilles affiches de la campagne
électorale orange, bleu sucre, vert herbe et rose bonbon,
avaient l'air d'une douce plaisanterie ancienne.

Comme il courait après une des Italiennes, devant le *Tir
de l'Univers* où des chameaux, des danseuses, des lapins
blancs de craie défilaient sur fond noir entre les œufs des
jets d'eau, Vinet faillit tomber, et ça lui fit ouvrir la bouche.
Il y reçut à toute volée une poignée de confetti. Pouf! Ça vous
sèche la gueule, mais des confetti! Où en achète-t-on? Ça c'est
une idée! C'était à la baraque du nougat, et déjà toute la foule
se les arrachait, s'en battait. L'air était plein de papier, l'air
était de toutes les couleurs.

Armand avait pris à sa toilette un soin absolument nouveau.
Tout se passait comme si, ce soir-là, il dût jouer un premier
rôle dans une pièce qu'il ne connaissait pas encore. Pour lui-
même, Armand appelait sa chambre sa *loge*, et tandis qu'il
se lavait les dents avec énergie, qu'il se rinçait la tête et
vérifiait chaque petit détail de sa personne, il se disait : « Je
me maquille. » Le temps lui parut long jusqu'à la nuit. Son
père recevait des gens en bas, et le jardin était envahi. Des
verres se choquaient : « Je bois à la République... » Il avait
fallu aussi esquiver Edmond, qui pour une fois se serait bien
affublé de son jeune frère pour aller à la fête. S'il allait
rater son entrée, Armand?

Sérianne était tout à sa folie annuelle. Armand tombait
là-dedans quand déjà les yeux brillaient, et les gens avaient
perdu la retenue de tous les jours. De loin, on entendait
la musique et les clameurs, et il y avait une lumière dans les
arbres qui les rendait faux et qui éclaboussait de blanc cru
les maisons. Les ombres volantes, immenses, des balançoires
accueillirent les premières le jeune homme. Des couples se

formaient et se déformaient sur son passage. Il avait le brusque
sentiment de découvrir la place disproportionnée de l'amour
dans la vie. Il se sentait de la langueur et de l'impatience, et il
comptait dans sa poche le peu d'argent qu'il possédait, ses
économies. Devant le théâtre, la foule était serrée. On dansait
plus loin. Il reçut comme un coup de fouet des confetti bleus.
Maurice Delobelle lui donna au passage une bourrade amicale.
Il salua Mme Migeon. Il cherchait Thérèse. Il la trouva au tir.

Respellière, le teint plus brouillé, plus malsain que jamais,
faisait des cartons au milieu de l'admiration générale. Le
couple était flanqué de deux vieillards, leurs propriétaires,
les Coquelombe. Thérèse, dans une robe de pongé ornée de
vert, avec un collier de jade, baroque, s'embêtait. Lamberdesc
était à son dîner, et le petit n'arrivait pas. Elle, elle tirait
comme une seringue, alors... pour faire rire les gens. Quand
elle aperçut Armand, elle s'écria : « Oh, voilà le petit curé! »
et elle s'échappa vers lui. Respellière rechargeait son arme.
Il regarda la scène de loin, haussa ses puissantes épaules, puis
avec application visa un œuf. « Monsieur Armand, cria très fort
Thérèse, mon mari travaille pour la galerie. Faites-moi la
cour! »

On connaissait le petit, dans les gens qui étaient autour
d'eux. Il y eut quelques rires bonasses. Un coup de feu.
L'œuf avait sauté du jet d'eau.

Thérèse entraînait Armand par le bras. Elle lui murmurait à
l'oreille : « Qu'est-ce que tu as fait, petit chameau? Je
t'attends depuis des heures, on n'a pas idée! » Avait-il tant
tardé? On les bouscula. Aux fléchettes, des types de *Pro Patria*
faisaient le désespoir du marchand de nougat. Thérèse acheta
trois sacs de confetti et les mit dans les bras d'Armand. Ils
parcouraient la foule, et elle puisait dans l'un des sacs ce
qu'elle jetait aux passants, à ceux qu'elle trouvait beaux
gosses, des grands paysans éberlués, ou des messieurs de sa
connaissance qu'elle aguichait. Quelqu'un, de temps en temps,
lui parlait avec ces yeux allumés qu'Armand voyait à tant de
gens ce soir-là. Elle s'échappait en courant, l'appelait : « Mon

cavalier! Où est mon cavalier? Monsieur Armand! » La petite
robe de pongé faisait tailleur, très ouverte. Ses seins, sous
la jaquette, il semblait que rien ne les préservât, et dans le
décolleté on en voyait l'écart, la peau blanche, la rondeur.
Armand avait l'envie perpétuelle d'y fourrer sa main. C'était
à lui, peut-être...

Les musiques contrariées, qui faisaient des cacophonies,
puis se désunissaient quand on avançait vers l'une des baraques, le mouvement et la cohue, c'était, dans la nuit serrée
comme le cœur d'une fleur, un alcool terriblement fort pour
Armand et pour les autres. Des hommes attrapaient par la
taille des passantes qu'ils n'auraient jamais songé effleurer
un autre jour. On se frôlait au passage. Une grande rieuse
jeta un dahlia à Armand, qui n'osa pas le ramasser. Thérèse
le tirait avec elle. « Pige un peu le receveur des postes : la
bobine que fait sa femme! Je ne vois pas ton frère? Tu ne sais
pas s'il est là... Petite canaille, dis-moi vite que tu m'aimes... »
Le théâtre exhalait une valse française et Thérèse fredonnait :

> *La Chaloupée — c'est la vals' d'aujourd'hui.*
> *Elle fut lancée — par qui? par Max Dearly,*
> *Et Mistinguet-te — guet-te*
> *En gigolette...*

Tout à coup, Armand avait pris des confetti à pleine main
et il les enfonça dans le corsage ouvert de Thérèse. Elle
hurla. Il ne retirait pas sa main. « Monsieur Armand... Monsieur Armand! » Des gens rigolèrent près d'eux. On les sépara.
C'étaient ceux de la bande à Vinet qui faisaient une farandole.
Ils entraînèrent Armand. Thérèse s'était accrochée au bras
d'un grand garçon du faubourg qui était en bras de chemise
avec un pantalon bleu et un gilet ouvert. Armand eut un
brusque mouvement d'humeur et rejoignit *sa* femme. Il lui
prit le poignet et le tordit. « Oh, cria-t-elle, il m'a fait mal! »
Alors, tout le monde se mit à rire, on les entoura, Armand fut
aveuglé de confetti ramassés par terre. C'était pas propre,
mais les types n'avaient pas de quoi se fendre de neufs, à cinq

sous le sac. Tout d'un coup, Armand reconnut Vinet. Le candidat lui fit bonjour de la tête. Il était en nage, il tenait la petite Pignerol contre lui, il menait toute la bande. Armand se sentit assez choqué. Il se faisait une idée tout autre d'un socialiste.

Thérèse l'entraînait. Il lui paya les balançoires, le manège, et puis encore les balançoires, on se tenait debout à la corde, tous les deux l'un près de l'autre, et le vent lui soulevait les jupes, à Thérèse, et il avait envie de lui caresser les jambes. On entendait au loin les coups de feu du tir. « Il tue toujours des œufs, ton mari? » Elle éclata de rire. Plus haut! Plus fort! En descendant de là, tout leur tournait. Le cœur allait vite. Ils n'eurent pas besoin de parler, ils trouvèrent très naturel de gagner l'ombre des rues. Ils jouaient à se poursuivre, et sortis de la fête, ils s'embrassèrent comme des fous. « Non, petit bêta, pas ici! » Il la suppliait, il connaissait un endroit dans la ville haute... Elle se laissa persuader. Elle chantait : *La Chaloupée c'est la vals' d'aujourd'hui...*

## XXVI

La fête ne se limitait pas au cœur de feu de la petite ville. Au-delà des lumières, des musiques et des grandes ombres descendantes, la joie se prolongeait par grandes traînées dans les rues larges, reflambant aux petits cafés pour atteindre le faubourg où beaucoup de gens circulaient, qui chantaient, riaient, et se payaient des plaisirs plus à leur portée que les baraques de la Grand'Place. Tout le monde était dans la rue. Les plus pauvres. On faisait un tour là-haut pour voir, puis on se retrouvait entre soi. Il s'était fait des bals ici et là, devant les débits où il y avait une mécanique quelconque, un phono qui toussait des romances. Les gens du peuple, dans le Midi, dansent bien et aiment à danser. Un peu plus pour-

tant ici que dans la ville, des groupes d'hommes s'entretenaient
encore des événements, de la politique. Vêtements de toile
bise, sarrots gris, et les bleus délavés des ouvriers, avec des
ceintures marine ou rouges tranchant sur la chemise blanche
mise pour la fête. Les femmes, ici, ne s'étaient guère faites
belles, il y avait eu les mêmes ennuis, les mêmes fatigues que
tous les jours, et la marmaille. Aussi, pour la plupart,
étaient-elles délaissées par leurs hommes, et se groupaient-elles
entre femmes, à des portes, à des bancs. Vers la gare, près du
garage, une certaine agitation régnait qui n'avait pas la fête
pour cause, mais la vie. Là, tout travail ne mourait pas avec
le dimanche. Il y avait encore des allées et venues d'hommes
en sueur, au visage maculé de cambouis et de graisse. Un
cri de locomotive perça la nuit près d'un hangar.

Puis les groupes s'espaçaient, et commençait doucement
l'ombre claire des campagnes où s'échappaient des jeunes
gens, des amoureux. Il y avait, sous le morcellement d'argent
des oliviers, des rires nerveux et des murmures. La ville se
perdait ainsi dans une périphérie de sentiments tendres et
de langueur. La lune tombait doucement sur les vignes mûris-
santes.

Mais au-dessus de la fête, au-dessus des lueurs tournantes
et du chahut mêlé des folies citadines et du triomphe électoral
du Dr Philippe Barbentane, qui pérorait au Café des Arts,
au milieu des membres de son comité, se dressait une masse
de ténèbres et de silence, le vieux Sérianne enfoncé dans le
ciel comme dans ses souvenirs. Les gens d'ici s'étaient tous
vidés vers les places. Les maisons étaient désertes et sombres,
à peine si une veilleuse teintait les vitres d'une chambre où
se confinaient de trop vieilles gens. Quelque part, en grimpant,
vers les demeures ducales, d'une croisée ouverte s'exhalait
le gémissement d'une femme en couches qu'on avait laissée
seule, et qui sentait avec horreur une vie commencer pendant
que le père égoïste faisait le joli cœur dans les balançoires.
Des chats fuyaient, qu'on entendait plus loin hurler à l'amour
dans les ruelles. Sous le réflecteur sale, attachées au coin des

maisons les petites ampoules jaunâtres de l'électricité municipale s'espaçaient en montant. Puis venait la nuit véritable et
le délabrement.

Armand rentrait dans son royaume.

Il n'était plus l'enfant rêveur à qui toute la poésie du monde
est dans les histoires sans fin du passé, dont le cœur battait
dans la poitrine de Raimbaud d'Orange pour une reine qui
s'en est allée. Il n'était plus le schismatique à l'orgueil grisé
de logique dont la jeunesse lançait au silence des ruines
des paroles flambant dans le désert. Il était un homme aujourd-
'hui, un homme qui revient dans le jardin fantastique, avec
sa proie réelle, une vraie femme au sein palpitant. Une
femme qu'il n'avait pas choisie, sans doute, mais qu'importe!
Une femme avec tout son mystère vivant. Une femme dont on
ne sait pas ce qu'elle pense, qui va sans cesse avoir un geste
inattendu, qui parle, que dit-elle? Les mots, bas murmurés
comme si chacun d'eux était criminel, ne trouvent pas toujours
l'oreille d'Armand, trop occupé de lui-même et trop ému
d'avoir passé la forge fermée d'Avril le Mexicain. Que dit-elle?
« La nuit, parfois, à Saïgon... » Et c'est tout ce formidable
Orient de pacotille qui se lève au cœur noir du pays de
Marguerite de Provence et des troubadours, cet Orient qui
s'est ouvert avec un kimono bleu plein d'oiseaux et de ramages
à l'imagination toujours prête d'Armand. Voici pousser dans
la nuit des rizières. Joncs d'un paysage où courent des hommes
jaunes aux pieds nus... Armand, la réalité pourtant le domine
et comme il remarque à cette heure pour la première fois
les détails lunaires de son vieux Sérianne, comme il est saisi
que ce ne soit point la cité pleine de chevaliers et de demoiselles qu'il porte avec lui depuis des années, mais le vrai
Sérianne en ruines, lamentable, et sale, et abandonné, avec
ses pavés disjoints, le sable encore marqué des rigoles d'hiver,
ses murs tombants, ses tuiles cassées, des ordures en plein
milieu des rues, ses toits crevés, sa misère. Pour la première
fois, la force étrange des choses telles qu'elles sont le saisit.
Pour la première fois, il est de plain-pied avec elles. Salut

à vous, venelles, pierres sèches, poussières. La terre sera dure
où nous nous allongerons tout à l'heure. Les moellons accro-
cheront *sa* robe. Familiarité du sol et des plantes. Il y a
des orties à éviter là-haut, elles ont envahi tout un coin de ma
cave. À cette heure, on ne verra pas comme leurs fleurs sont
blanches. Pourvu que d'autres ne soient pas venus s'égarer
par ici! Oh, et puis la barbe! Qui grimperait dans le haut
Sérianne, si ce n'étaient des amoureux? On n'en voyait pas à
vrai dire, ou qu'ils connussent des cachettes profondes, ou
qu'ils eussent tous préféré ce soir le grand rire des lumières
et le *Nu esthétique,* et le tir à fléchettes du marchand de
nougat.

Il faisait bleu comme jamais dans la vie d'un homme.
Tout était blanc qui n'avait pas la couleur du corbeau. La
nuit méridionale avait une odeur pénétrante. Dans la nouvelle
lune montaient au-dessus du couple l'échafaudage des ruines,
les éclaircies qui mènent à la tour romaine. Armand faillit
longer sans le reconnaître dans cette féerie transfigurante le
vieux branlant qui était rose en plein jour. Son château...
Par la brèche, ils passèrent ensemble, et il sentit toute la
femme contre lui.

Jamais les gens n'avaient été plus laids ni plus drôles.
Celui-là avec son grand pinceau pisseux de moustache, un
petit ventre, un gilet à carreaux, de longues jambes, et une
peau de caoutchouc flasque sous le panama. L'autre, un court,
à la barbe en bourre à matelas, le nez pâle, un navet, et des
anses dans un veston à petit damier. Les deux dames, sèches
comme du crottin sur lequel on aurait mis des plumes. Toute
une famille en rang d'oignons, des yeux de crapaud répétés à
toutes les tailles, du veston fatigué du père aux marins à col
bleu repassés de fils en fils, du trop court au trop long.
Un clerc de notaire qui s'est mis au cou un mouchoir à fleurs,
l'oreille en clé de sol et un nez de rat. Une marchande de
légumes en blanc, avec des chaînes et des bagues d'or, comme

une théière sortie aux grandes occasions. Le patron coiffeur de la rue Longue, qui a une tête comme une demi-blonde. Des vieilles demoiselles sur les cochons, des taureaux fatigués, apoplectiques, au-dessous des balançoires, et la bousculade, et ceux qui courent, qui dansent, qui crient. Les confetti sur tout, à la confusion des dignités.

Mme Migeon se sentait un peu soûle après deux fines entre l'agent voyer et le percepteur Respellière. Son mari s'était perdu quelque part, à parler boules, dans la sarabande que menait le candidat rouge. On avait déjà essayé de tout, même du théâtre, où il y avait un bien bel homme, un brun. Mme Migeon n'était pas comme ces femmes du Midi qui, parce qu'elles sont du Midi, préfèrent les blonds, parce qu'ils sont une rareté, non, elle préférait les bruns, les beaux bruns, bien bruns, comme elle y était habituée. Respellière rigolait un bon coup : il était du genre, pas? Et quant au petit Migeon, châtain, il pouvait passer pour blond à Sérianne. Respellière ouvrit sa chemise. Regardez-moi ça. Il était velu comme un singe, et noir, ça on peut dire, malgré quelques poils d'argent, bon teint. Alors? Mme Migeon se renversait de petits rires et l'agent voyer devenait nerveux. Les musiques se croisaient comme de grinçantes mains de fer. Pierre Delobelle attendait dans un coin, près du manège, quelqu'un qui ne venait pas. C'était vrai qu'il devait y avoir un dîner chez les parents, mais enfin. Il était touchant de fébrilité, un grand gosse qui a peur pour son jouet. Il était un de ces jeunes gens qui ont toujours le col plus petit que la chemise, si bien qu'on leur voit un morceau du cou entre deux. Il était inquiet avec ça de ne pas apercevoir Armand. Peut-être lui avait-il fait de la peine ou peut-être... Ça, ce serait pire. À qui se fier?

De derrière ses fenêtres, Pauline Mestrance surveillait le spectacle, enrageant de devoir rester là. Mais qu'aurait dit le monde? Mestrance, on pouvait le voir dès maintenant, se rétablirait. Il se remuait dans son lit, insupportable. Il appelait pour ci, pour ça. Il avait trop chaud, il voulait à boire. Ce n'était plus qu'un ivrogne. Il ne savait pas ce qu'il voulait. Pauline, par haine, continuait à faire celle qui est inquiète, parce qu'elle voyait que ça le frappait : « Suis-je si malade? » demanda-t-il, comme elle marchait perpétuellement sur la pointe des pieds, de façon à lui donner à chaque pas craquant une raison de bondir. Elle ne répondit pas, et devint maternelle. Il fut pris d'une peur atroce : « Je suis perdu... je vais mourir... » Il suait, il se souleva : elle vint, bonne à en crever, le retasser dans ses draps, avec un soin terrible pour les oreillers. Il se mit à pleurer comme un gosse. La musique à travers les volets jouait un succès de Mayol :

> *Les mains des p'tit's femm' sont admirables*
> *Et tout's semblables*
> *À des oiseaux!*

C'est alors qu'on perçut, venant des bas quartiers, une espèce de rumeur, et comme l'haleine d'une foule. Cela grondait. Cela sortait on ne sait d'où, du ventre peut-être, comme un borborygme inattendu dans la fête. On ne l'avait pas d'abord saisi à cause des musiques, de la gaîté, des plaisanteries, des lumières et des balançoires. Tout continuait d'ailleurs comme quelques minutes auparavant. Mais un peu partout des gens s'étaient mis à écouter, à écouter croître cette marée comme un secret de la terre. Cela s'enflait sans se préciser jusqu'au moment où la masse même des rieurs, des joueurs, se sentit comme figée face à face avec une autre masse qui suintait des rues et des pavés, qui semblait sortir des maisons, une foule sérieuse et compacte, qui n'avait ni confetti, ni serpentins, ni armes, ni drapeaux. Car on eût préféré n'importe quoi à ce silence, à ces épaules serrées, à ces poings de lutteurs, à ces visages où se peignaient l'indignation et l'horreur. Qu'y avait-il? Les balançoires continuaient leurs grands gestes vers le ciel, le manège tournait, la musique couvrait les battements des cœurs avec sa voix de caf' conc'. Qu'est-ce que tout cela voulait dire?

Il semblait que tout ce qu'on oubliait toujours, pensant à

Sérianne, tout ce qui n'y était ni boutiquier, ni rentier, ni
prêtre, ni propriétaire, tout ce qui n'était ni Mme Serbolet, ni
M. Arnaud, ni Mmes Cotin, ni les Barrel, tout ce qui faisait
dans la vie de Sérianne la trame habituelle, et plus jamais
remarquée de cette vie, était monté là dans un sentiment
incompréhensible, dont échappait le motif.

Il y avait là ceux qui cassent les pierres sur les routes, ceux
qui déchargent les légumes, ceux qui pendent les quartiers
de viande aux boucheries, ceux qui mènent dans la nuit et le
matin des charrettes chargées d'oignons et de fruits mûrs, ceux
qui montent sur les toits comme des acrobates, ceux qui
suspendent les fils télégraphiques, les ravaudeurs des choses
vulgaires, ceux dont les mains sont pleines d'échardes, ceux
dont les yeux sont blessés perpétuellement par les feux des
forges, ceux dont les bras et la nuque se déformèrent sous les
charges pesantes, ceux qui crèvent la terre pour y enfouir
l'eau et l'électricité, ceux qui soignent la peau monstrueuse
des routes, ceux qui vident les poubelles et ceux qui promènent
dans la nuit nauséabonde les énormes tinettes ou la pompe
qui souffle à la canule des maisons, ceux qui cousent, accroupis,
le cuir ou la laine, des hommes et des femmes qui savent
ce que c'est que la faim, aux dents mal tenues, à la force qui
fait contraste avec le rapide vieillissement, des jeunes qui
n'ont pas le temps de remarquer leur jeunesse, les ouvriers
de la fabrique, les femmes de la manutention, des cheminots,
des carriers de par-derrière la ville, des charroyeurs, des journaliers de la campagne, des hommes qui se louent, qui se ven-
dent, qui se tuent, des hommes de toutes les tailles et de
tous les horizons, sans ordre, les petits et les gros, les grands
et les maigres, des Provençaux et d'autres venus de loin,
métissés de tous les coins de la France, de tous les hasards
du travail, comme les cahots des rues, et des Italiens rageurs
et noirs, et des Luxembourgeois tombés là Dieu sait comme,
des Suisses, des fronts marqués, et de jeunes yeux révoltés, et
des poitrines puissantes, et des bras de tombeurs, des bras
presque uniformément musclés, en dépit de l'âge, de la

jeunesse, de la vieillesse, des bras énormes, des poings dispro-
portionnés, où, bleu pâle, grimpaient des tatouages, des cœurs,
des serpents et des entrelacements, ceux qui bâtissent, ceux
qui défont, dont le corps a gardé quelque chose des murailles
issues d'eux-mêmes, du fer qu'ils plient ou de la chair qu'ils
débitent dans les abattoirs.

Il y avait là tous ceux sans qui les autres, ceux qui les
regardaient venir, seraient morts de faim au milieu d'un univers sauvage, nus, et dans leurs excréments. Et ceux qui les
regardaient venir n'avaient jamais été plus laids, plus peureux,
et plus drôles. Drôles comme des puces savantes qui regarde-
raient des chiens.

À leur tête marchait une femme, une femme muette et
sans couleur, avec des gosses, trois, dans les bras un bout de
chiffon, aux yeux encore émerveillés de toutes les flammes, et
deux dans les jupes, cinq et trois ans, des hommes qui ne
pleuraient pas, noirauds, contre leur mère. Et au-dessus d'eux,
les balançoires faisaient dans les quinquets de la fête de grands
signes d'ombre affolés.

Vinet avait vu se produire le rassemblement, dans la stupeur.
Qu'est-ce que cela signifiait? Les copains de sa bande, brusquement figés, malgré deux ou trois des femmes d'abord qui
n'avaient pas compris, s'interrogeaient autour de lui. Le candidat s'avança vers les lumières, et près du théâtre, d'où les
gens sortaient, malgré les efforts des saltimbanques débordés,
plusieurs des hommes qui arrivaient vinrent le rejoindre.
Des ouvriers, un type des tramways. « On t'a cherché, l'avocat,
il faut venir. » Ils lui expliquèrent le coup en moins de deux.
Vinet se sentait mal à l'aise, encore tout essoufflé et suant de la
course et du jeu, honteux de ce qui se passait sans lui. Il
essaya de s'excuser, il ne savait pas. Bien sûr. Ils lui coupaient
la parole : « En attendant, pour le Parti, faut que tu sois là. »
C'était un petit décidé, qui avait dit ça, une mine d'écureuil,
Vinet le connaissait un peu, il travaillait aux broyeuses.

L'instinct du devoir, ou celui du chef, il y avait en Vinet
quelque chose qui le poussait en avant sans trop réfléchir.
Il allait parler, dire ce qu'on attendait de lui. Quel âge avait
le mort? Trois enfants? Ah oui, ceux-là. Il eut une vague
idée qu'il n'était pas correct, comme ça, sans veste. Il prit la
sienne à n'importe qui, qui n'osa pas refuser, et se la jeta
sur les épaules sans passer les manches. Dans sa tête, il
préparait ses premières phrases pour avoir le temps de réfléchir en parlant : Citoyens... Tonnerre, il n'aurait pas pu...
Enfin cette fête, il aurait mieux fait de s'abstenir... Il avait
un sentiment de culpabilité qui le gênait pour penser, il
était humilié, il se sentait rudement rappelé à l'ordre par la
masse, par les ouvriers. Il était maintenant avec eux, à leur
tête. Jamais de sa vie il n'avait senti si directement à quel
point il n'était rien par lui-même : « Citoyens... » Un murmure,
et des *chut* coururent. La foule imposait le silence au manège
où la musique s'étrangla. Des protestations lointaines éclataient. « Citoyens... » Les balançoires enfin s'arrêtèrent. La
lumière fausse, et le décor des platanes, se transformaient
avec le silence. Un meeting s'improvisait. « Citoyens, un
homme vient de mourir!... »

Dans le Café des Arts, le Dr Barbentane, entouré des nota-
bilités, venait de prononcer une allocution brève, mais qui
avait été accueillie avec une grande cordialité. Il y avait là
les hommes de progrès de cette ville, tous ceux qui ont
conscience des responsabilités républicaines. Peut-être les meilleurs de cette bourgeoisie mesquine, mais animée de grandes
illusions autant que de petits intérêts. Le sort du monde les
avait fait réfléchir. Ils avaient écouté avec inquiétude les
bruits lointains du canon balkanique, la menace de la guerre
qui pour eux part autant de Paris que d'outre-Rhin. Leurs
ridicules qui nous sautent aux yeux ne peuvent nous faire
oublier tout à fait cela. Ils lèvent leurs verres, ils trinquent
à toutes sortes de grandes baudruches, mais tout de même
à la paix, à la vie. Et quand la porte s'ouvre, et qu'un des leurs,
l'air égaré, entre et leur dit ce qui se passe au-dehors, leur

première pensée à tous est pour cet homme qui vient de mourir. Ils ne le connaissaient pas, et vivant, ils l'auraient peut-être facilement maltraité, mais il est mort, et ça leur sèche tout de même la gorge. Le pauvre type!

Barbentane transpire. Un soir comme celui-ci. Et puis il ne se sent pas tout à fait tranquille, il faut aller voir. Ce socialiste qui parle, dans sa ville... La fête bousillée.

Au-dehors, la voix de Vinet monte : « Un mouvement spontané nous a tous ici ramassés, parce qu'il y a dans cette affaire quelques obscurités intolérables, et que vous voulez, que nous voulons savoir... »

La foule n'est plus séparée en deux maintenant. Autour de l'orateur, les rangs se sont confondus. Les forains, à leurs boutiques, écoutent. Tout un groupe formé des Barrel, de Delangle, de Lamberdesc, des deux Loménie est là, avec les autres. Barrel est bouleversé. La mort, c'est une chose à quoi il ne peut penser sans frémir. Quelle horreur! Il ne veut pas penser à cela, et c'est plus fort que lui. Il se répète à lui-même que c'est absurde, qu'il n'a pas même la responsabilité de l'existence de *Pro Patria*, et puis c'est un accident, alors il est bien étranger à cette mort. « Mon cher Delangle, peut-être pourriez-vous leur dire quelques mots... cet affreux malheur... » L'élégant Delangle se récuse avec une certaine hauteur : « Excusez-moi, cher ami, je n'ai plus rien à faire, à dire ici après ce blackboulage. Ce sont les affaires de votre Barbentane. » Il y a toute une histoire dans le geste de protestation de Barrel, et le sourire qui lui répond. Barrel veut dire qu'il a voté, lui, pour le modéré, et le modéré, lui, que Barrel a fait voter pour Barbentane. Il y a là-bas des grondements, la voix de Vinet qui monte : « Citoyens.. »

Dans tout cela Pierre Delobelle a retrouvé Jacqueline, il l'a jointe, il lui parle à mi-voix. Le Dr Lamberdesc observe ça du coin de l'œil. « Il va y avoir du vilain, avec ces affreuses gens? » demande Suzanne de Loménie. On ne lui répond pas. Son frère hausse les épaules. « C'est bien du bruit pour un seul mort, dit-il. On ne fait pas tant de foin que ça pour la vie

humaine au Maroc. » « Un beau soldat, ce garçon », pense
Mme Barrel, qui ne peut détacher ses yeux de la cicatrice du
coup de sabre. Barrel, lui, se tourmente. L'accent circonflexe
de sa moustache va et vient de son nez à sa lèvre. Il a pris le
bras de sa seconde fille, sa préférée. « La vie humaine, dit-il,
n'est pas une quantité si méprisable... — Oh! vous savez,
répond Lamberdesc, c'est affaire de métier. Naturellement
les militaires... — Mais la mort, docteur, la mort. — Nous
aussi, reprend le docteur, qui voyons mourir tant de monde,
nous sommes cuirassés, que voulez-vous? »

« Citoyens, dit au-dessus de tous Vinet, citoyens, les responsables ne sont pas les hommes, mais le régime! le régime! Que
votre protestation indignée et légitime, douloureuse et légitime,
garde donc le caractère de dignité dont nous ne devons jamais
nous départir... nous départir. Nous prendrons en main, nous
autres socialistes, les intérêts de la veuve et des malheureux
orphelins. La classe ouvrière de Sérianne restera alertée, et
veillera à ce que la municipalité fasse entièrement son
devoir... »

Dans la foule mêlée, il y a diversité de mouvements. Pourtant les jeunes gens du patronage et de *Pro Patria* qui ont
essayé au début d'élever la voix se taisent maintenant. Allez
faire entendre raison à une foule sentimentale! Maurice Delobelle et quelques autres râlent dans leur coin, mais ce n'est
pas le moment de se montrer. Ces socialistes, tout leur est bon
vraiment. Celui-là comme il joue du cadavre! Qu'est-ce qui
se passe? Des cris, des sifflets, des applaudissements. Une
barbe claire, un petit ventre ceint aux couleurs de la France.
C'est le maire qui vient de s'avancer avec le groupe de ses
amis, l'adjoint, les conseillers, auxquels se sont ajoutés Respellière et le maigre Migeon. Il règne une certaine confusion. On
n'entend pas bien les premières paroles.

« ... Au nom de la municipalité républicaine de notre ville.
Nous prenons ici l'engagement de faire le nécessaire, tout le
nécessaire... »

Les lumières crues et fausses de la fête donnent à tout cela l'aspect d'un atroce marchandage entre gens honnêtes, mais inquiets comme s'ils ne l'étaient pas. La présence, auprès de Vinet, de la femme avec ses enfants ajoute au décor une terrible amertume. Barrel, soulagé de la présence de Barbentane, soupire. On devrait emmener au moins les enfants. Les paroles du maire passent sur la foule comme une brise d'apaisement. Peu à peu, l'assurance lui est revenue, à Barbentane, l'assurance qui naît de la parole. C'est un orateur comme le Midi en est plein. Ses phrases se développent, se balancent, deviennent des périodes harmonieuses. On l'écoute. « Il parle bien, cet homme! » dit Mme Migeon, qui serre le bras de l'agent voyer. Edmond Barbentane dans la foule a salué de loin Mme Barrel qui répond en pliant son cou bagué de velours. Quelqu'un derrière lui demande dans un souffle : « De quoi s'agit-il? » Il répond sans se retourner parce qu'il a reconnu la voix de M. Robert, du « Panier Fleuri », avec lequel il n'a pas l'intention de s'afficher en public. La grande vague des phrases couvre les murmures qui pourtant s'exhalent des plus pauvres parmi ces hommes. Mais l'autorité de Barbentane est grande, et l'autre, le seul qu'on puisse lui opposer, le chef se tait, il calme même la foule de la main. Il va répondre, évidemment, il va répondre. C'est un meeting. Il commence à se faire une espèce de mouvement de désintérêt dans la masse même. Les forains qui sentent passer l'heure, et la recette s'envoler, ont remis doucement leurs musiques en marche, en sourdine. Sur le manège qui tourne à vide, des jeunes gens sont même montés.

Vinet parle. Il n'est pas content, non pas tant du tour des choses, mais d'une observation très sèche que lui a faite le petit à tête d'écureuil. Celui-ci lui a reproché d'avoir dit que c'était une manifestation spontanée qui s'était produite : « Spontanée? Des fois qu'on n'a pas eu assez de mal à ramasser les gens... » Qu'est-ce que c'est tout d'un coup que cette querelle de doctrine intempestive! Cet emmerdeur aurait voulu que Vinet marquât le rôle du parti à mobiliser les ouvriers ce soir... Toujours les mêmes rengaines! Le rôle du parti. C'est-à-

dire que ces pauvres bougres voulaient faire mousser leurs
initiatives. D'ailleurs, pour ce à quoi elle aboutirait leur manifestation! Le parti, ici, c'était lui, Vinet. Il avait dit *spontanée*
comme il aurait dit autre chose. Tout cela l'agaçait, pendant
qu'il exposait, comme dans une cour de justice, l'étrange
attitude du maire, la dissimulation de la mort pendant un
jour... Il aurait voulu parler du fait que le fils du maire était
un des *Pro Patria,* mais sa conversation avec Armand le
gênait pour ça. Alors il y avait un chaînon qui manquait.
Il sentait qu'on ne le suivait plus...

« Pas brillant, le socialiste, ironisa François de Loménie,
je vous les conduirais à la schlague, moi, tous ces gars-là! »

Les balançoires avaient repris leur course doublée d'ombre,
les musiques jouaient librement. Les hommes en qui se poursuivait le drame, là-bas, agitaient leurs bras comme des muets.
On ne les entendait plus. On voyait des mouvements dans les
premiers rangs qui traduisaient les phrases du dialogue. La fête
reprenait le dessus. Le maire promettait, promettait. On se
regardait sans trop savoir. Qu'est-ce qu'on faisait là? Il y eut
probablement une sorte d'accord entre les orateurs. Ils se
saluèrent avec cérémonie. Vinet s'éloigna, il appelait les siens.
On comprit qu'il voulait continuer cette histoire, expliquer où
on en était, dans une salle du faubourg, au siège des syndicats.
Il y eut des hésitations. Il aurait fallu profiter du désarroi
général, obtenir pour la veuve et les enfants... Beaucoup,
puisqu'ils étaient là, restèrent pris aux baraques. Les autres
peu à peu s'écoulèrent. La fête avait entièrement vaincu.

*La Chaloupée* berçait la ville et, sur le théâtre, la parade
agitait des robes lie de vin et des habits noirs, quand seule,
la mine assez défaite, haletante d'avoir couru, Thérèse Respellière déboucha d'une ruelle sur la Grand'Place. Suzanne qui
coquetait avec Lamberdesc, l'aperçut la première et, au grand
ennui de Mme Barrel qui n'aimait guère la perceptrice, elle
l'appela.

## XXVII

« Ceci est mon palais », avait dit Armand, aidant Thérèse à
pénétrer dans la cave. On n'y voyait pas plus que dans un
four, sauf que là-bas le mur se déchirait et par l'ouverture
maintenant entrait un flot de lune qui s'accrochait à des
ronces et du lierre pendant. Armand avait sorti son briquet, le
briquet que lui avait donné Pierre Delobelle, mais Thérèse
l'empêcha d'allumer. Elle voulait garder à ce lieu son mystère,
elle redoutait la vulgarité du réel. Ils gagnèrent donc à tâtons
l'ouverture béante de lune.

À cette heure, le paysage avait un caractère fantastique.
La cave s'ouvrait en haut d'un mur, qui dominait une ruelle
sombre, de telle sorte qu'on était de ce côté, non plus dans
une cave, mais dans une tour. Les masures et les ruines revêtaient un aspect sauvage, un aspect des jours féodaux, à cause
de l'exagération de l'éclairage. Tout était flèche dans cette ville
morte, au-dessous de laquelle on ne pouvait apercevoir les
vivantes lumières. On plongeait au-delà de la cité sur la
trouble vallée sans eaux, où les pierres seules offraient à la
lune de faux miroirs blancs. Comme une cravate de notaire
enserrant Sérianne, le fleuve zigzaguait dans un univers de
cailloux vers deux horizons. À droite la masse des dernières
Alpes, pelées, arrondies, dressait les seins multiples d'une
chienne, et les collines, à leur pied, moutonnaient d'une verdure noire à cette heure. À gauche, la plaine, les vignes, et
des îlots d'arbres et d'hommes, des lumières. De temps à
autre quelque chose de blême et de scintillant passait dans
ce coin de l'univers, le tramway. Tout ce qui reliait au ving-
tième siècle ce décor fait pour les exploits des grands détrous-
seurs des routes, de Mandrin aux Chauffeurs. Abrité qu'on
était, on ne percevait plus les musiques et les rumeurs de
Sérianne. Le vent ne portait pas de ce côté. Dans la journée,

on entendait ici le bruit des carrières au-delà des arbres du jardin Barrel. À cette heure, tout était parfaitement muet, même le vent. Il faisait si beau qu'Armand ferma les yeux pour mieux serrer contre lui sa Thérèse. Elle se mit à parler. On l'aurait tuée plutôt que de l'empêcher de parler. Elle repoussait Armand qui quêtait des baisers, mais restait dans ses bras, parlant. Elle se sentait libre pour la première fois.

« Tu n'imagines pas leur été, là-bas c'est l'hiver. C'est fiévreux, ce delta, le ciel vous pèse. On est trempé de sueur du matin au soir, et les nuits ne sont jamais comme ici, un repos. Nous n'avons jamais eu ni l'argent ni les vacances pour faire comme les fonctionnaires, aller à la montagne, dans la baie d'Along, qu'on dit ce qu'il y a de plus beau au monde. C'est au Tonkin. Une fois on avait failli : l'infanterie de marine était envoyée à Hong-Haï, aux mines de houille, où il y avait une révolte d'indigènes. De Hong-Haï c'est facile, c'est tout à côté. Mais le régiment de Respellière est resté en Cochinchine. Si près, et n'avoir pas vu ça... »

Armand souffla doucement quelques mots sur la beauté présente. Il cherchait les lèvres de la bavarde. Elle parlait de ses amants.

« Tu ne peux pas t'imaginer la place que ça prend dans la vie d'une femme, dans un pays pareil. Seule. Respellière appelé ici ou là. Rien à faire, et ce climat épuisant. Je ne dis pas ça par excuse. Mais ces hommes, on n'a qu'à étendre la main pour en prendre : ils sont fatigués des jaunes. Des officiers. J'en ai connu, j'en ai connu. Tiens, le commandant Dorsch, il n'y a pas longtemps que j'ai vu dans les journaux qu'il était passé général. C'est lui qui m'a donné ce collier. Il paraît que cela vient d'un temple... »

Armand ne l'écoutait plus, il la pliait, il la voulait, maladroit, ne sachant s'y prendre. Tout d'un coup, elle devint toute molle, elle fléchit. Elle dit : « Mon boy, mon boy... » et ils ne remarquèrent pas la dureté du sol.

La jeune expérience d'Armand en était encore à d'élémentaires découvertes. Dans l'ombre, Thérèse détruisait à chaque

geste une ignorance, et naissait un émerveillement. La leçon
se confondait avec le prestige ancien du lieu. Le jeune homme
ne pouvait chasser tout à fait de sa tête les rêveries de l'enfance,
dans leur cadre d'ombre, avec cette lumière nocturne, qui,
à cette époque de l'année, jusqu'à la grande pluie des étoiles
au début d'août, est propice aux sorcières de Provence pour
préparer les philtres d'amour, les sorts et les envoûtements.
On n'entendait point au-dessus le pas des hommes d'armes.
Étaient-ils tous partis pour la croisade, ou avaient-ils déserté
la garde de la reine? La lune n'avait pas bougé d'un sourire
depuis mille ans. Armand se prit à penser avec une insistance
absurde au conte de Peau d'Âne : il aurait su maintenant,
s'il avait été le roi son père, ce que pouvait être une robe
couleur du temps... Le temps s'allongeait dans la cave comme
une bête de proie, féline, et qui distingue mal des caresses les
blessures lentes que font ses griffes. L'ombre doucement tournait avec la lune. Le temps, le temps... Thérèse dit : « Il
doit être bien tard. — Oh! soupira-t-il, tu as le temps... »

Elle s'était assise avec une inquiétude subite. Elle bougeait,
comme quelqu'un qui cherche quelque chose. Il l'interrogea.
« Mon collier, dit-elle, je ne retrouve plus mon collier... » Leurs
mains se rencontrèrent sur le sol. Cela ne pouvait avoir glissé
bien loin : « Je l'avais en arrivant, je l'ai touché, quand je
t'ai parlé du commandant Dorsch... — Il n'a pas glissé dans
ton corsage? — Voyons, ne dis pas de bêtises. Cherche. J'y
tiens. » Ils cherchèrent donc.

Dans l'ombre soudain, elle poussa un cri. « Qu'as-tu? » dit-il.
Ce n'était pas le cri de la trouvaille. Elle se taisait. Il comprit
qu'elle avait peur. « Qu'est-ce que tu as? » reprit-il avec
agacement. Elle lui prit la main, elle tremblait en silence.
« Alors, quoi? » Il la détestait de cette puérilité. Mais elle
dit avec une voix basse qui s'étranglait : « Là... quelqu'un... »
Elle avait une peur atroce, une peur démente qui le gagna.
Il sortit de sa poche le briquet, le briquet de Pierre Delobelle,
et il l'alluma. Levant la petite flamme il interrogea l'ombre.
Rien, personne. « À droite... » murmura Thérèse. La main

d'Armand décrivit un demi-cercle, il fit deux pas, et il aperçut une masse qui ne touchait plus le sol, le corps bleu d'Angélique, pendue où elle avait connu l'amour.

Quand Thérèse se fut enfuie et que, la corde coupée, Armand, avec l'horreur d'un enfant qui découvre la mort en même temps que la lâcheté des êtres, eut constaté que le cœur ne battait plus et, qui pis est, avec cette terrible chaleur de juillet, que déjà ce corps était irrémédiablement retourné à l'empire de la nature, le jeune homme songea tout d'abord à Pierre, mais comment le trouver? Il descendit vers la ville, cherchant de l'aide à travers un désert. Les premiers hommes qu'il rencontra, deux grands gaillards, ne voulaient rien entendre. Pourtant quand ils surent que ce type qui les avait abordés dans l'ombre était le fils du maire, leurs manières changèrent. C'étaient le boucher qui avait sa boutique près de la forge du Mexicain, et un de ses garçons. Ils portèrent le cadavre et, quand on se trouva dans la lune, ils faillirent le lâcher d'épouvante à cause de l'expression atroce de la morte. Le patron sortit son mouchoir, un grand mouchoir à carreaux, pas très propre, qu'il jeta sur ce visage dont les yeux coulaient déjà. Il fallait aller jusqu'à l'hôpital, c'était un sacré bout de chemin. Ils refusèrent l'aide timidement offerte d'Armand, qui respira. Ils éviteraient la fête, déjà assez troublée comme ça. Comment? Armand apprit de leurs lèvres l'histoire du terrassier crevé à l'hôpital, de la scène qui s'était produite avec le socialiste, son père. Le boucher votait Barbentane, il raconta le discours du docteur avec une admiration qu'Armand ne partagea pas. Il avait senti dans le premier moment le rôle de son père, quelques mots échangés la veille entre celui-ci et son frère lui revinrent à la mémoire. Il revoyait l'affiche sur la table de Vinet : *Canailles!* Tout cela, et le pitoyable fardeau, faisait une salade dans sa tête. La ville lui apparaissait comme un monstre qui vient de broyer deux victimes dans sa mâchoire. Les réflexions des bouchers sonnaient sinistrement dans la nuit.

Quand ils passèrent près de la Grand'Place, par un détour sur la droite, ils entendirent les musiques, le tohu-bohu, et les lumières vinrent jusqu'à eux par les ruelles. Des femmes leur adressèrent la parole, et un petit groupe se forma, escortant cette chose misérable. L'un des porteurs dit tout à coup : « Les gens, quand ça meurt, c'est comme des figues... » Il faisait le drôle pour ne pas trop songer à l'odeur. Armand pensa que Pierre était là, dans ces lumières et ces chansons, il eut un geste hésitant que le patron boucher comprit : « Allez-y donc, monsieur Barbentane, nous suffirons bien. Il sera temps demain pour donner votre déposition... »

Quand il eut quitté l'escorte, Armand ne se décida pas d'un coup à entrer dans le monde de la clarté. Adossé à une maison, près d'un volet de bois derrière lequel on entendait s'agiter des gens qui venaient de rentrer de la fête, il cherchait dans sa tête le fil d'un écheveau douloureux. Thérèse ramassant son collier, et s'enfuyant avec une expression si basse de la peur d'être mêlée à une affaire scandaleuse, sans se préoccuper de la morte, la morte elle-même, et cette histoire d'une autre mort... la vie venait de prendre une teinte affreuse et nouvelle, et il ne semblait pas que demain pût recommencer comme hier, après tout cela. Quel était le lien, le sens de toutes ces choses épouvantables? Il ne pouvait le dire. Il ne tenait pas le système. De tout cela seulement se dégageait le sentiment d'une monstrueuse injustice, d'une injustice triomphante et sans corps saisissable, à la merci de laquelle on se trouvait à proportion qu'on était pauvre, ou simplement sensible. Il aurait bu volontiers, Armand, il se serait soûlé s'il en avait eu le courage. Le bruit de la fête était bonnement écœurant, comme le tangage d'un bateau. Enfin, il se décida. Par-derrière les grandes balançoires, il entra dans la fête avec les précautions d'un baigneur dans l'eau froide, et le cœur lui manqua quand des gens joyeux lui flanquèrent des confetti en pleine figure. La fête allait son train, rattrapant le temps perdu. Au tir, cela pétait ferme. Les musiques

s'en payaient un coup. Son père... Pierre... Il passa au milieu
de gens qu'il connaissait, et qu'il écarta d'un salut. Tout ce
monde étrange et faux riait, et jouait comme un grand enfant.
Le marteau de bois retombait sur la tête de Turc, pour
montrer la force d'un diable de paysan. Aux tables du Café
des Arts, sur la place, on buvait, attablés tous ensemble, avec
les deux serveuses débordées qui couraient, de la bière et de
la limonade plein les bras. En atteignant le manège, Armand
y aperçut tout d'abord Thérèse. Elle était sur une vache avec
un grand soldat basané, qui la chatouillait, et la serrait de
très près. Il devait être ivre et elle riait d'une façon hystérique.
Brusquement un sentiment l'emporta sur tous les autres en
Armand, un dégoût presque insurmontable, et il revit le
visage d'Angélique étranglée. Il crut qu'il allait dégueuler,
à cause de ces lumières tournantes. Dans le char rouge traîné
par un cygne, Jacqueline Barrel était aux côtés de Pierre, de
Pierre si clairement amoureux qu'Armand ne put pas ne
pas le comprendre. Étrangement, c'est à cette vue qu'il sentit
la morsure de la jalousie. Une chose incompréhensible et
neuve. Il faisait l'apprentissage d'une douleur. Ses yeux s'emplirent de larmes tièdes, pesantes. La fête alors se balança
dans une vapeur. Jamais Armand n'avait touché ainsi le fond
de sa solitude. Il n'y avait pas une âme au monde à qui s'ouvrir
ce soir ni jamais, de cette tristesse qui provenait de tout,
de l'accumulation de tout, depuis des scènes que faisait sa
mère la nuit dans sa robe de chambre rose, jusqu'à ce cadavre,
et des paroles d'Edmond la veille : « *Il est mort drôlement :
on aurait dit qu'il ne voulait pas* », qui lui étaient reve-
nues, et qui ne le quittaient plus guère. Il fallait tout
de même parler à Pierre, bien qu'évidemment ses demi-
aveux concernassent Jacqueline. Pis qu'un amour : un
rêve.

Il fallut que ce fût Suzanne de Loménie qui l'interpellât
la première. « Armand! » Il la regarda, soudain se souvenant
d'un doute. Les lettres... Avant tout interroger cette fille.
Mais oui! Elle s'était mise à bavarder, fière d'avoir un frère

de retour, et superbe, et regardez-le, *et cœtera*. C'était le soldat
qui tenait Thérèse sur sa vache. Armand dit tout à coup :
« Suzanne, savez-vous qu'Angélique est morte? » Elle poussa
une espèce de gémissement et porta ses deux mains à sa
bouche ouverte. Pendue, parfaitement. Non, pas un crime, un
suicide. « Et, dit-il, en si peu de temps méconnaissable. Comme
si elle avait eu peur au moment de mourir, tout le visage
bouleversé, bleu-noir, elle qui était si blanche, les yeux ouverts
déjà... » Il eut un haut-le-corps à prononcer le mot : « déjà
pourris. Ses yeux tout à fait inhumains, avec quelque chose
qui en dégouline... »

Suzanne l'interrompit en le frappant des deux poings sur un
bras : « Taisez-vous, taisez-vous, je vous en prie. » Les vaches
couraient après les cochons et les cygnes. Il y avait de grands
coups de cymbales, et les jambes de Thérèse, ces jambes
célèbres à Saïgon, sortaient de la jupe, comme par hasard
prise et relevée par le pommeau de la selle. Suzanne regardait
autour d'elle avec des yeux de panique. Armand savait-il?
Pourquoi lui racontait-il ça? Il parlait assez bas, tout près
d'elle, il parlait d'Angélique, et de la mort. Chaque mot, plein
de la décomposition et d'un sentiment terrible, entrait en
Suzanne comme une accusation précise, affolante. Ce n'était
pas le remords qui la saisissait, mais la peur. Pourtant il ne
pouvait rien savoir... Pourquoi venir lui raconter ça, à elle?
Elle ne la connaissait même pas, cette fille... cette paillasse...
ah quelqu'un de pas intéressant, alors! Le manège en s'arrêtant
déversa toute sa troupe titubante qui regagnait le sol avec
des rires blancs. Il fallait parler à Pierre. Armand s'écarta
de Suzanne. Des gens qui passaient lui cachaient le petit
Delobelle. Une femme chantait :

> *Où donc, où donc, où donc, où donc*
> *Qu' j'ai perdu mon p'tit pantalon?*

Là-dessus grimpait le rire chatouillé de Thérèse. Elle avait
dû boire, elle aussi. Elle avait quitté toute mesure, avec

François de Loménie. Armand s'en foutait pas mal. Le collier
de jade au cou de cette femme vulgaire, suante, et bizarrement
allumée par ce soldat au képi en bataille, lui rappelait assez
la scène tragique et dégrisante qu'elle semblait, elle, avoir
si rapidement oubliée. Pierre et Jacqueline avaient glissé
Dieu savait où. Il avait des enfants, ce terrassier... Tous ces
gens étaient assez partis, on avait beaucoup bu, histoire de
se remettre en train après cette désagréable affaire. Armand
tombait là-dessus comme mars en carême.

> *Si c'est pas chez ma mère,*
> *C'est p't-être chez mon p'tit frère?*
> *Je l'ai cherché partout :*
> *L'aurais-je laissé chez vous?*

Mme Barrel était scandalisée, elle montrait au Dr Lamberdesc qui lui faisait compagnie la tenue de Mme Respellière.
Le docteur, un peu pâle, bien qu'au fond vous savez, cherchait
à changer de conversation. Suzanne dans ses mains déchirait
doucement, lentement, un mouchoir. Brusquement il se passa
quelque chose qu'on n'attendait pas, et qui coupa la route
à Armand vers Pierre. Un homme s'était dressé au milieu du
groupe, dont la voix monta plus haut que les musiques. Sa
grand masse, oscillante, et jaune, se détacha sur les quinquets.
Armand eut à peine le temps de comprendre à la moustache
hérissée que c'était Respellière, un Respellière assez ivre
lui-même, et pris d'un accès de fièvre, qui n'avait pas supporté
de voir sa femme pelotée par un simple soldat. On entendit :
« Putain! » et une claque. Les deux hommes étaient tombés l'un
sur l'autre. On les séparait, Migeon, Barrel, Delangle, des
inconnus. Cette extraordinaire soirée se prolongeait mal. Le
feu, une sorte de feu de discorde, ne pouvait pas s'éteindre.
Respellière, le col arraché, fonça tout à coup sur le soldat.
François l'évita mal, et le coup de tête dans l'estomac lui fit
perdre l'équilibre. Alors quelque chose brilla dans sa main.

Une lumière sèche comme le bruit. On ne comprit pas d'abord,
à cause du tir.

Le percepteur Respellière était tombé dans les pieds mêmes
d'Armand, et il se tenait le ventre en criant.

La fête était finie cette fois, pour ce soir-là.

DEUXIÈME PARTIE

*Paris*

# I

Au-dessus de la ville, une roue tourne avec ses wagonnets bizarres, bizarrement équilibrés, dans un quartier de terrains vagues, qui se meurt parmi des jardins et des casernes. Les maisons neuves s'organisent en une cité hostile avec des noms de musiciens à leurs plaques bleues. Les façades sont aussi fermées que le macadam des rues. Des femmes d'officiers passent très vite sur les trottoirs, des domestiques avec des filets à provisions. C'est l'hiver gris-perle, sec, et tintant de talons Louis XV. Puis, par les avenues très longues et qui sans doute en été derrière ces grilles auront de la verdure, s'ouvrent des courants d'air sur un monument dédoré qui évoque au loin le fantôme de la gloire et de ses vicissitudes : les Invalides, nom qui revient du fond des âges, comme une menace et comme un remords.

Le quartier militaire aperçoit ainsi le soleil de son déclin. Dans ces immeubles battent des cœurs épris de la poudre. Ces brise-bises cachent des fronts habités par des images de mort. Familles de soldats, prêtes à s'enflammer au premier souffle, braises dormantes d'un incendie universel. Tous ces appartements pareils dans la pauvreté architecturale, avec salon, salle à manger communiquant par des portes à petits carreaux où se froncent des tulles ou des satinettes, se ressemblent plus encore par les nostalgies qu'ils renferment, les sabres et les sagaies, les kimonos aux murs, les souvenirs

d'Algérie et de Chine, les brûle-parfums, les ivoires, décora-
tions encadrées, photographies qui vous mettent le vague
à l'âme, où, de passe-partout en passe-partout, le même héros
des garnisons prend du galon et du ventre. Ici l'on rêve de
combats. L'aile noire de la défaite de 1871 traîne encore
dans les alcôves et sur les cheminées de marbre blanc. Quarante années de piétinements, de rancœurs et d'affronts ravalés,
le souvenir de Fachoda et la blessure encore à vif du bec de
canard congolais, s'entassent dans ces cubes de pierre de
taille, qui prennent des airs de caisse à dynamite. Et comme
insoucieux du danger, séparant cet îlot explosif d'un monde
entièrement différent de maisons pauvres, sales et pressées où
brillent d'impudents bals populaires, dans le soir descendant,
un long serpent lumineux court sur un chemin de fonte noire
qui surplombe un boulevard plein de langueur, de chiens, de
cuisinières et de cuirassiers. Avec un bruit de chaînes qui
rappelle les châteaux hantés, le métro s'arrête à Sèvres-
Lecourbe, aux confins de cette conscience guerrière et du petit
commerce de Grenelle. Par les escaliers descendent des gens
mal triés qui portent avec eux des univers contradictoires et,
sur le terre-plein, cette poussière humaine se disperse avec ses
idées fixes, ses petites misères, ses labeurs, ses désespoirs. Deux
hommes qui se sont heurtés s'écartent dans un pardon machinal : ils ignorent l'un et l'autre ce qui les ferait s'entre-tuer
si facilement. À peine la marchande de journaux les distingue-
t-elle à la nature de leurs achats. Mais, au tréfonds de ces
prunelles où ne vient se refléter pour l'heure que la lumière
des premiers réverbères, il y a des incendies couvant, il y a
des lueurs qui envahiront tout pour peu qu'on les exaspère
avec l'encre épaisse des nouvelles de la frontière. Sur le trottoir
d'en face, une laiterie flambe innocemment, claire comme les
manches de la crémière : elle porte déjà pourtant à son front
le mot fatal, *Maggi*, qui la désignera aux fureurs patriotiques de
la foule. Déjà plusieurs lieutenantes et deux colonelles ont
interdit à leur cuisinière de s'y servir. Vous n'avez pas lu ce
qu'écrit Léon Daudet?

Les rêves de la ville avec la tombée de la nuit se prolongent et se précisent comme de déchirantes fumées et, au delà du quartier militaire, vers la Seine, il y a de grands silences abandonnés, car ici, passées de petites entreprises, commencent de longs murs enfermant des usines. Les chimères de la gloire font place à des machines maintenant immobiles. Personne ne songe plus dans ces bâtisses assombries où l'acier dort à cette heure. Sur l'autre rive débutent les beaux quartiers. Ouest paisible, coupé d'arbres, aux édifices bien peignés et clairs dont les volets de fer laissent passer à leurs fentes supérieures la joie et la chaleur, la sécurité, la richesse. Oh, c'est ici que les tapis sont épais, et que de petites filles pieds nus courent dans de longues chemises de nuit parce qu'elles ne veulent pas dormir : la vie est si douce et il y aura du monde ce soir à en juger par le linge sorti, par le service de cristal sur une desserte. Les beaux quartiers... D'où nous les abordons, comme des corsaires, ce long bateau de quiétude et de luxe dresse son bord hautain avec les jardins du Trocadéro et ce qu'il reste encore de la mystérieuse Cité des Eaux où Cagliostro régna aux jours de la monarchie : subite campagne enclose dans la ville avec les chemins déserts du parc morcelé, la descente aux coins noirs où des amoureux balbutient. Puis c'est la ville aisée, aux rues sans âme, sans commerce, aux rues indistinguables, blanches, pareilles, toujours recommencées. Cela remonte vers le nord, cela redescend vers le sud, cela coule le long du Bois de Boulogne, cela se fend de quelques avenues, cela porte des squares comme des bouquets accrochés à une fourrure de haut prix. Cela gagne vers le cœur de la ville par le quartier Marbeuf et les Champs-Élysées, cela se replie de la Madeleine sur le parc Monceau vers Pereire et ce train de ceinture qui passe rarement dans une large tranchée de la ville, cela enserre l'Étoile et se prolonge par Neuilly, plein d'hôtels particuliers, dont la nostalgique chevelure d'avenues vient traîner jusqu'aux quais retrouvés de la Seine, et aux confins de la métallurgie de Levallois-Perret. Les beaux quartiers... Ils sont comme une échappée au mauvais rêve dans la

pince noire de l'industrie. De tous côtés, ils confinent à ces
régions implacables du travail dont les fumées déshonorent
leurs perspectives, rabattues quand le vent s'y met sur leurs
demeures aux teintes fragiles. Ici sommeillent de grandes ambitions, de hautes pensées, des mélancolies pleines de grâce.
Ces fenêtres plongent dans des rêveries très pures, des méditations utopiques où plane la bonté. Que d'images idylliques
dans ces têtes privilégiées, dans les petits salons de panne rose
où les livres décorent la vie, devant les coiffeuses éclairées de
flacons, de brosses et de petits objets de métal, sur les prie-
Dieu des chambres, dans les grands lits pleins de rumeurs
parmi la fraîcheur des oreillers! Dans ces parages de l'aisance,
on voudrait tant que tout fût pour le mieux dans le meilleur
des mondes. On rêve d'oublier, on rêve d'aimer, on rêve de
vivre, on rêve de dispensaires, et d'œuvres où sourit l'ange de la
charité. L'existence est un opéra dans la manière ancienne,
avec ses ouvertures, ses ensembles, ses grands airs, et l'ivresse
des violons. Les beaux quartiers! Mais déjà s'éclaire la ville,
vers le centre, où sont les plaisirs.

Car la nuit reprend ses droits sur les hommes, elle restitue
à la folie, au rire, à l'ivresse, au plaisir, les mannequins
corrects de l'ouest. Elle les relance dans la lumière et le
tumulte d'un monde artificiel où se perd le mirage de la
bonté. Cela commence dans les arbres des Champs-Élysées,
cela tourne par les boulevards, jusqu'à la République, dans ce
domaine des théâtres et des cafés, des boîtes de nuit et des
bordels qui grimpent les pentes de Montmartre avec des
bouffées de musique et des tamponnements de taxis. Ah, les
amateurs de la violence et de la vie peuvent encore épuiser le
trop-plein de leurs forces : il reste pour eux un brillant terrain
d'expériences où l'orchestre du danger joue au milieu des
tables. Ici l'on rêve éveillé. La beauté des femmes et les
abîmes de l'argent, l'éclat de l'alcool et la complicité des jeux
d'enfance, la brutalité de la joie et la prostitution du cœur :
le revolver n'est jamais très loin quand le maître d'hôtel
s'incline sur les seaux à champagne. Il y a toujours quelque

chose de bleu comme la nuit dans les sourires, quelque chose
d'agressif dans l'étincellement des bijoux, quelque chose
d'incompréhensible aux revers de soie des habits noirs. Miroirs,
romances, encore une bouteille, voulez-vous? De grosses dames
impudiques se plient dans la pâleur des tangos, tournent dans
la valse qui emporte des Sud-Américains couleur de cigare.
Un carnaval de hideurs, de défaites physiques, tragédies du
temps, entoure les êtres féeriques de cet Eldorado moderne.
Il rôde un air de la décomposition. Mais que de belles filles,
que de seins splendides, de bras à vous damner, au-dessus de la
vaisselle et des pailles, dans l'obséquiosité des garçons. Il y a
dans chaque homme une incertitude de l'heure suivante, de la
folie suivante. Va-t-il rentrer chez lui sagement, vers le matin?
Une liqueur peut toujours le faire verser d'un monde dans
l'autre, il sera la proie des propositions flatteuses, il chavirera
dans la nuit, il se retrouvera dans un lieu de glaces et de rires.
Il paiera son plaisir avec le même billet bleu qui sert à la
philanthropie. Au-dehors, les ombres louches font un trafic
incertain dans les mailles de la lumière électrique, il y a
des êtres qui attendent, des marchandages, des menaces, des
supplications. Tout cela se défait à travers l'immense ville vide
où rien ne bat plus après les heures de bureau, sauf le lointain
cœur des Halles; et les rues vides, où file une auto comme
chante un pochard, semblent attendre avec leurs réverbères
sans fin un monarque en voyage qui a changé d'idée au dernier moment. Rêves, rêves de la pierre : les statues aux yeux
blancs rêvent sur les places.

Paris... Mais au nord, à l'est et au sud, Paris commence et
dort, pesamment, écrasé, sans rêves, à perte de vue, Paris, chair
vannée, maisons, hommes sans toits, bicoques, fortifications,
zone, Paris, Paris qui se poursuit au delà de lui-même dans la
suie et le bric-à-brac, dans le désordre pauvre des faubourgs,
des chantiers, des usines, de Paris qui s'effile dans sa banlieue
interminable, où les édifices espacés surgissent des débris
d'un monde de palissades et de démolitions, Paris qui fait
autour de lui-même de grands moulinets blancs de routes, qui

s'étire à travers des cités de sueur, vers une campagne pelée, comme un souvenir de bonheur.

## II

« Messieurs, dit le Président, la séance est ouverte. »

Il y avait, dans la grande pièce de la rue Saint-Ferdinand, une douzaine de personnes tassées, autour de la table. Un monsieur qu'on ne connaissait pas était assis à la droite de Joseph Quesnel. Celui-ci avait vieilli, mais il se défendait pourtant, grand et grisonnant, chauve au sommet du crâne, avec sa belle moustache blonde tombante, bien apprêtée, cette roseur douteuse aux joues, cette espèce de sécheresse soulignée par l'étoffe anglaise du costume, épaisse, et assez raide. Il devait avoir dans les cinquante-cinq ans, et ses sourcils devenaient touffus. De la rue étroite montaient les appels des autos et le bruit de l'école communale qui se vidait. Quatre heures d'une fin novembre humide et douce. « C'est le représentant de Wisner », souffla discrètement, pointant l'inconnu, le directeur des garages de Levallois à son voisin, un gros et court, avec les yeux à fleur de tête. Joseph Quesnel parlait.

« Messieurs, il y a tout juste un an, jour pour jour, qu'a débuté la grève d'où est sortie notre association et qui s'est terminée à la satisfaction générale des propriétaires de voitures, des compagnies et des chauffeurs raisonnables [1]. Il faut le dire, les chauffeurs ont été les artisans de notre union. Jamais, si ce n'est forcés par les conditions mêmes de la lutte, nous ne nous serions unis, nous n'aurions su coordonner nos efforts et nos intérêts. Le patronat de la voiture de place, il faut en convenir, est un patronat romantique, et tranchons le mot : retardataire. Il se confine encore bien trop souvent à

---

1. Voir *Les Cloches de Bâle*.

une mentalité artisanale, surannée, qui n'est aucunement en rapport avec les difficultés de l'heure. On voit les dirigeants de grandes firmes, qui déjà groupent des milliers de voitures, se laisser aller dans leurs affaires à une sentimentalité rappelant les jours de la voiture à cheval et la mentalité du vieux cocher qui ne veut pas se séparer d'une haridelle couronnée. C'est cependant une loi de l'histoire que de l'excès du mal naisse toujours un grand bien et c'est lorsque ce don-quichottisme patronal nous eut menés au bord du gouffre, lorsque nos employés se furent révoltés contre nous, écoutant une poignée d'agitateurs, que nous nous sommes ressaisis et que nous avons su voir que, à la ligue des syndicats et de l'anarchie, il fallait opposer quelque chose qui fût le soutien de l'ordre. C'est alors que nous avons formé le cartel qui nous a menés à la victoire. »

Une espèce de murmure approbatif courut parmi les barbes, les cravates épaisses, les vieilles mains qui crayonnaient sur le papier réglé. Sède de Liéoux murmura quelques mots à l'avoué du consortium qui jouait près de lui avec un trousseau de clefs.

« Messieurs..., c'est fort bien d'avoir compris que nos intérêts, loin de s'opposer, s'épaulaient, mais c'est peu encore. Il faut aux dangers qui menacent dans un avenir plus ou moins proche, opposer une ligne de conduite commune, un plan mûrement réfléchi. Il faut connaître les dangers, savoir d'où ils partent. La tourbe syndicaliste n'agit point contre nous seulement par l'agitation de la rue, le sabotage, les bombes dans les garages, la grève, le feu aux voitures. Elle trouve dans la société contemporaine des moyens plus subtils, et parfaitement légaux, de vous atteindre. Elle fait même voter des lois qui, sous le couvert de l'humanité, tendent à votre ruine, et par suite à la ruine des travailleurs vivant de votre fortune que ces lois prétendent défendre contre vous. Par ailleurs, vous êtes visés et lésés par les dispositions légales, de plus en plus menaçantes qui se réclament des droits abusivement amplifiés de cet État moderne, sorte d'Ugolin qui se nourrit de ses enfants. Pris entre les hommes que vous faites vivre et cet État vorace, vous voyez l'avenir de vos affaires singulièrement obscur, le champ de la spéculation singulièrement rétréci, et vous êtes en droit de vous demander pourquoi vous ne réaliseriez pas purement et simplement vos bénéfices, bornant là vos ambitions, sans vous préoccuper du lendemain, de l'avenir d'une industrie française dont les Français semblent tous comploter la perdition.

« Eh bien, non. Nous avons, contre notre intérêt immédiat peut-être, une mission à remplir et nous n'y faillirons pas. Notre pays, quelle qu'en soit l'ingratitude, n'aura pas à nous reprocher une démission honteuse. Nous saurons lutter pour le meilleur avenir de notre industrie. Nous saurons adapter nos méthodes à la dure loi de la vie moderne et même, prévoyants, de la vie future.

« Messieurs, il y a un mois environ, est mort à Rome, un homme dont l'exemple est à méditer. Exemple cher à nos cœurs, puisque, à l'heure amère de la défaite, au lendemain de Sedan, John Pierpont Morgan et son père prêtaient à notre pays les deux cent cinquante millions qui permirent le redressement français. Mais ce n'est pas en cela que cet exemple aujourd'hui nous est surtout précieux. John Pierpont Morgan est l'homme qui a compris, et cela dès les années soixante, que la libre concurrence, ce stimulant ancien des affaires, avait fait son temps et que, à l'anarchie de surenchère qui amenait catastrophe sur catastrophe dans l'industrie, il fallait enfin substituer des alliances entre les puissances productives pour dominer le marché, en régler les fluctuations, ouvrir au génie humain les grandes perspectives paisibles du monde moderne. Le nom de John Pierpont Morgan est indissolublement lié à la création de ces trusts qui ont porté l'industrie américaine à cet état de perfection et de concentration, lequel est le grand fait des cinquante dernières années de la pensée humaine. Et je me hâte de dire que les critiques qui sont faites à ce système des cartels et que nous entendons ressasser par une presse à court de copie partent le plus souvent d'esprits qu'il faut bien qualifier de réactionnaires, même lorsqu'ils se rangent parmi les socialistes décidés.

« À l'heure où nous sommes, ce qui nous manque dans l'industrie de la voiture de place, et d'ailleurs dans toute l'industrie, c'est une audace à la Morgan, une invention de cette taille qui, bouleversant les rapports économiques de notre temps, déconcerte pour une longue période les machinations des saboteurs de l'industrie. Aujourd'hui, la cause des cartels est gagnée : la concurrence anarchique dans la complexité des intérêts combinés ne peut plus redevenir un danger sérieux. Plus nous irons et plus les affaires seront entre les mains de bureaux restreints, plus elles convergeront leurs efforts entre les mains d'hommes de moins en moins nombreux, de telle sorte qu'au bout du compte on peut imaginer voir disparaître, et c'est souhaitable, tout le désordre qui nous empêche encore de réaliser les vues géniales d'un Pierpont Morgan. Aujourd'hui, le danger est autre.

« S'il ne vient plus de nos dissensions, il vient de notre incapacité à sortir des conditions qui nous sont faites à tous par les forces négatives du monde où nous vivons : le travailleur qui ne voit pas plus loin que la paye du samedi, l'État qui ne voit pas plus loin que l'équilibre momentané de son budget. L'un et l'autre, je le disais, cherchent à nous asservir par la loi. Ce qu'il faut comprendre aujourd'hui, messieurs, c'est que, de même que dès 1860, la grande industrie a dû abandonner le préjugé de la libre concurrence qui avait été son mot d'ordre, de même, en 1913, nous devons abandonner le préjugé de la légalité considérée comme le conditionnement même des affaires. Oh, je sais ce qu'une idée semblable a de risqué, et ce qu'elle trouvera d'objections, de scrupules de votre part! L'heure est venue où l'industrie, pour vivre, doit être placée au-dessus de la loi. Je m'explique avec des exemples puisés dans notre profession.

« Nous avons lutté avec tous les moyens légaux, l'appareil de la démocratie, le Parlement, contre des lois démentes, criminelles, qui se parent du prétexte de la législation sociale pour imposer au développement de l'activité humaine des frontières dérisoires, des lois qui cherchent à mettre un frein au mouvement même de l'histoire et qui sont donc par là même historiquement condamnées. Telles sont les lois de 1908, dont nous n'avons pu que retarder l'application, mais qui, tôt ou tard, risquent d'entraîner notre ruine. Lois sur la durée du travail qui briment le chauffeur plus encore que nous-mêmes, lois des assurances sociales, et cœtera. À ceci vient s'ajouter le poids écrasant de l'impôt, qui rend précaire le fruit même de notre travail. Tout aujourd'hui tend à limiter le développement des compagnies : les dispositions de la loi ne les laissent aucunement les maîtresses de leurs bénéfices et l'État, dans la crainte de leur pouvoir montant, en les forçant à de perpétuelles redistributions des bénéfices, les met dans la situation d'organismes perpétuellement saignés à blanc qui s'épuisent à devoir sans cesse reconstituer le trésor globulaire nécessaire à leur vie.

« Messieurs, l'industrie, je le répète, doit se placer au-dessus de la loi, parce qu'elle est la réalité du pays, et comme, en face des féodalités, les forces vives de notre bourgeoisie ont su jadis imposer leurs volontés et détruire les lois anciennes, nous devons aujourd'hui, en face des nouvelles féodalités, syndicales et étatiques, savoir élever une forteresse du haut de laquelle nous ferons table rase de toute cette législation réactionnaire, basée sur le droit à la faiblesse, à la paresse et à la misère, sur ces utopies à la Jean-Jacques qui ne sont que l'aspect philosophico-légal du sabotage, les équivalents juridiques de la Mamzelle Cisaille de cet illuminé d'Hervé... »

L'homme de Wisner approuvait. Il avait de grosses poches plissées sous les yeux, et un col cassé où pendaient les fanons d'un cou ayant maigri sur le tard. Le secrétaire du consortium prenait des notes d'un air déférent. Le gros, à côté de Sède de Liéoux, se penchait à droite vers un homme de petite taille et lui parlait derrière sa main. Il n'avait pas la tête aux affaires : « J'ai été finalement, murmurait-il, à ce Théâtre des Champs-Élysées dont on parle tant. Voulez-vous mon avis? C'est confortable, mais comme art, le bâtiment ne me séduit pas. Non, non. Il faut du nouveau, entendu. Mais c'est un

hangar! C'est sec et solennel, c'est indigent, en un mot : ce
n'est pas français. Ça sent son Allemagne à plein nez. Comme
je vous le dis. Ah, écoutons Quesnel : il termine... Qu'est-ce
que vous faites là, cher ami ? »

Le voisin poussa devant lui le papier sur lequel il marquait des croix et des ronds à côté de noms rangés par
colonnes alphabétiques. « Vous voyez, du pointage... qui sera
pour Poincaré... qui sera contre. »

### III

L'amour paternel, le soin des études d'Edmond, et conjoin-
tement l'intérêt politique qu'il y avait à venir prendre à Paris
certains contacts dans une période trouble, à la veille de
l'élection présidentielle, décidèrent le Dr Barbentane : il écrivit à son fils aîné de ne pas quitter la capitale pour les
vacances du Jour de l'An, — il avait toujours grand soin de
ne pas dire la Noël, fête religieuse, — il viendrait lui-même
lui rendre visite. Tant pis pour la clientèle, pendant dix jours
le Dr Lamberdesc pouvait le remplacer. Au fond, il était très
correct, ce garçon, et de bonnes façons entre confrères ne sont
jamais perdues. Ils s'entendirent à l'occasion d'une rencontre
fortuite chez les Barrel, dont la bonne avait un panaris. Et,
pour la bonne, on prenait le médecin bien pensant.

La situation était fort obscure après dix mois de cabinet
Poincaré. La rue de Valois soutenait le ministère. Poincaré
était un dreyfusard... pourtant il y avait un certain mécontente-
ment dans le parti même. Des gens comme Mestrance, tenez.
Évidemment ce n'était pas la mer à boire. Mais le docteur
avait le respect démocratique de ses électeurs. Sans compter
que la proportionnelle telle qu'elle se présentait maintenant
ne lui donnerait pas grand'chance aux élections législatives...
C'était un peu dur à avaler, n'est-ce pas, pour un homme de
gauche, toute cette politique militaire de Poincaré et on avait

beau affirmer que le président du Conseil y était étranger, que c'était la ligne d'Alexandre Millerand, un homme dont il s'était toujours méfié à cause de ses origines socialistes...

À la gare de Lyon, Barbentane trouva Edmond qui l'attendait. Il l'aperçut entre deux valises, dans le croisement des porteurs, et il eut un petit choc. Un grand type brun, élégant, avec sa petite tête et ses épaules larges, des yeux clairs, une ombre de moustache. Ses gaillards tenaient indiscutablement du côté Rinaldi. Edmond, plus fort et mieux proportionné qu'Armand, ne frisait pas comme son frère, il avait aussi les traits plus réguliers. Le docteur regardait venir son préféré : que fabriquait-il à Paris? À Sérianne, il l'avait fait surveiller : il savait, par le tenancier même, que son fils avait fréquenté le « Panier Fleuri ». Il y avait dans la tête de ce brave père un projet en train de mûrir : la seconde des filles Barrel aurait fait un bon parti pour Edmond. Ç'aurait été politiquement un coup de maître, l'opposition matée. Elle aurait été difficile, la petite Barrel, si elle n'avait pas voulu de son garçon. Le père ému embrassa son fils. « Nous dînons ensemble, je suppose? »

Le ton n'admettait guère de réplique, mais il y eut une espèce de retrait du jeune homme qui répondit, les yeux lointains : « Je regrette, je suis pris. »

Barbentane était trop affairé de retrouver Paris pour vraiment protester. Il voulut jouer au grand frère et s'exclama : « Ah, le pendard! », sans trouver le moindre écho. Depuis toujours le docteur descendait à l'Hôtel du Louvre, Edmond l'y déposa et lui fixa rendez-vous pour le lendemain après-midi. Le matin, il avait son service à la Charité, chez le professeur Beurdeley, celui du pancréas.

À vrai dire, Edmond, ce soir-là, ne désirait que se prouver son indépendance. Il regardait débarquer son père comme si la province entière et, qui pis est : la famille, se fussent déversées sur Paris. Sale invention que ces chemins de fer.

Ce jeune homme ressentait un peu plus que du mépris pour un père qui avait été l'admiration de son enfance.

Edmond n'avait tout de même pas traversé impunément cette
atmosphère d'ambition qui constituait le cadre de la vie des
Barbentane. Il avait vu son père ravagé par des désirs si lents
à se réaliser que la pitié lui en était venue. Être le premier
à Sérianne, il fallait bien de l'encrassement pour en faire son
rêve. Edmond avait appris à apprécier la nature des soifs
paternelles. Il avait pendant près de vingt ans assisté à la
cuisine de cette gloire locale. Parce que son ambition était à
une tout autre échelle, il ne reconnaissait pas la parenté de
ses pensées avec celles du docteur. Il se disait : Je suis un
arriviste, avec orgueil. Son père, lui, n'était qu'un intrigant.
Son mariage n'avait relevé que du maquignonnage électoral,
sa vie tout entière se résumait en platitudes et petites précautions rusées pour retenir tout le monde et se pousser du
col. Edmond aurait certainement pris le parti de sa mère,
n'eût été qu'il la trouvait sotte, et qu'il était d'une incroyance
foncière. Alors les simagrées de cette dame, ses attaques de
nerfs revêtaient pour lui des explications très simples qui le
rendaient assez grossier envers le ventre d'où il était sorti.
    Après avoir dîné chez Chartier, il traîna boulevard Saint-
Michel jusque vers les dix heures. Presque tout le monde,
ses camarades étaient partis à cette époque de vacances. Un
Grec avec lequel il avait travaillé à l'Hôtel-Dieu lui paya à
boire à la *Source*. Conversations en clins d'yeux à propos de
petites femmes. Quel imbécile, ce type. Par désœuvrement,
quand il l'eut quitté, il alla regarder jouer au billard au Prado.
Un stagiaire arménien de son service voulait à toute force
lui céder son tour dans une partie. Tout ça ne rimait à rien,
il faisait un froid de chien, et un sale temps. Il échoua dans
son hôtel et se mit à potasser ses bouquins.
    Il y avait une chose au monde qu'il admirait de façon
sincère : la méthode anatomique. Cette façon de décrire les
objets ou les parties du corps, sans laisser au moindre accident, au plus petit détail, la possibilité d'échapper, cette façon
de serrer la réalité sur toutes ses faces, au delà même de ce
que peut envisager l'appareil photographique, qui n'est qu'un

œil, enivrait Edmond parce qu'elle lui donnait l'impression
d'avoir acquis un avantage au moins sur cette réalité, une
prise sur la vie. Pour lui, la poésie était là, si je me fais bien
comprendre. Les images de Farabeuf parlant du collier à
double rang de perles de l'astragale, ou du fichu de la grisette
et du schall de la courtisane pour les muscles du dos, cela lui
tenait lieu de Baudelaire, cela lui prolongeait Baudelaire. Les
récentes acquisitions de la physiologie qu'il étudiait à la Sorbonne chez Dastre, en marge de sa médecine, lui étaient aussi
éléments de lyrisme. Le matérialisme de principe dont il se
réclamait se traduisait dans le domaine de la psychologie
par la transposition qu'il faisait dans ce domaine du langage
de la science expérimentale. Il parlait du *seuil* des émotions,
avec une certaine insistance sur le mot *seuil*, par quoi l'on
pouvait induire qu'il l'employait comme s'il se fût agi du degré
premier d'excitabilité d'une patte de lapin. Des notions comme
la *chronaxie*, alors invention encore confidentielle, devenaient
d'inestimables trésors pour ses pensées intimes, l'élément premier des métaphores de sa vie. Un certain sentiment de supériorité accompagnait cette hâtive utilisation de l'enseignement
scientifique. Edmond en jouissait surtout auprès des femmes.
Vers onze heures et demie, quelqu'un frappa à la porte.

Le Dr Barbentane n'avait pas résisté, passant dans le voisinage, à l'envie de contrôler l'absence de son fils. À son
grand étonnement, la clef n'était pas au tableau. Bon, Edmond
devait avoir quelqu'un chez lui... Tant pis, il ne pouvait pas
savoir, n'est-ce pas? En passant... et puis c'était son fils ou
non?

« Je suis venu en passant, dit-il devant la mine renfrognée
d'Edmond, et j'ai vu que tu étais là. »

Il jeta son manteau sur le lit, avec son chapeau après avoir
constaté l'encombrement du porte-manteau sur la porte. Il
était décidé à faire camarade. L'aspect studieux de la pièce,
livres et cahiers ouverts, un crâne sur la table de nuit, le
déconcertait un peu. Bigre, il n'avait jamais imaginé son aîné
aussi studieux!

« Je croyais que tu étais pris... — En effet, mais je ne t'ai pas
dit par quoi. »

Assez froid, ce petit, pas communicatif. Il fallait y mettre
de la rondeur. Barbentane s'assit sur la chaise qu'Edmond
avait repoussée pour aller ouvrir. Le fils restait debout, désa-
gréablement cérémonieux.

« Tu as travaillé toute la soirée? — Toute la soirée. »

Il mentait d'une façon tranquille. L'accent méridional de
son père le mettait hors de lui plus encore que cette impuissante inquisition. Depuis qu'il était à Paris, Edmond avait
appris à parler du bout des dents et en serrant les lèvres,
comme toutes les personnes du Midi qui ont de l'éducation.
Le docteur, lui, y allait bonnement. Une vulgarité. Edmond
se promit de ne se montrer avec lui en public qu'au minimum, quand il n'y aurait pas mèche de couper à cette corvée.

« Et moi, reprenait jovialement le père, qui croyais que tu
faisais la bamboula! Pas moins. Alors tu les potasses, comme
ça, tes livres? Tu es fort sur l'histologie, des fois? Moi, de mon
temps, on ne l'étudiait guère et, dans la suite, quand je voulus
me mettre au courant, je n'y arrivai qu'avec peine... »

Le ventre pliait légèrement sur les cuisses. Avec son pantalon fantaisie, le docteur, bien alourdi par la cinquantaine,
une grosse bague d'or à la main gauche, la barbe dans la
cravate et une chaîne au gousset, avait cet air déjà déplumé
du politicien français, que c'en eût été une rigolade pour
tout autre que pour son fils, pour qui ça se bornait à être
un drame. Il fleurait doucement l'ail. Même à Paris.

« C'est pas tout ça, fiston. Je ne perdis pas mon temps,
ce soir. Tu fus bien inspiré de turbiner plutôt que de faire
la noce avec ton père... »

Les bras croisés, Edmond eut ici un regard parfaitement
impertinent, mais l'autre, tout à l'euphorie de son arrivée
dans la capitale, ne s'en aperçut point.

« ... Oui, j'appris dans la soirée des choses importantes. Je
dînai avec Maurice Perrot. Tu ne sais pas qui c'est, Maurice
Perrot? On ne te l'a point dit à la Faculté? Vois-tu, fiston,

dans la vie, il n'y a pas que la médecine... Perrot, c'est un des
soutiens du parti. Un banquier. Il a des intérêts dans les
entreprises de travaux publics. Un vrai républicain. Il ne se
porte point encore à la députation, mais il jouit d'une grosse
influence, grosse, grosse... Il veut se présenter à Castellane, où
il aurait beaucoup de chances, parce que là-bas c'est surtout
affaire de galette et s'il avait l'appui du cousin Charles
Rinaldi... alors tu saisis, je lui suis utile. Aussi, m'offrit-il, ce
soir, un de ces petits dîners je ne te dis que ça. Je lui avais
téléphoné de l'hôtel et il bondit sur l'occasion. Il voulut me
voir tout de suite. Au Café de Paris, pas moins. Il y eut là des
personnes... capiteuses. Aux tables voisines, tu m'entends! Ne
va pas l'écrire à ta mère. Bien que ta mère... enfin, laissons-la
dans sa province, elle s'y plaît! Cette mode dans votre Paris
a bien de l'extravagance. Dans la rue, les robes montantes,
avec ces tuniques, là, ça ne dit pas grand'chose. Mais le soir,
avec le tralala, quand elles sont en peau! Je te choque? »
Edmond avait en effet rougi. Il murmura une espèce de
dénégation.

« ... Oui, mon petit, maintenant je vois un peu mieux dans la
situation politique. Perrot m'a expliqué. Le parti ne veut pas
de Poincaré à l'Élysée. L'histoire n'est pas encore très claire
pour tous. On dit que Perchot hésite... mais attends un peu.
On va proposer à Léon Bourgeois, pour la forme, et puis on
porte un grand coup : on présente un type du Roussillon, qui
est ministre de Raymond, on en fait une discipline des gauches
et Poincaré se retire. Tu saisis? — Poincaré est très populaire... — Populaire? Dans votre Paris. Paris n'est pas la
France. Il s'est mis bien du monde à dos au ministère. Crois-
tu que le Midi le blaire bien fort, ce cocardier? Et je ne parle
pas encore du nôtre, de Midi. Mais à Narbonne, par exemple,
les vignerons, ou à Toulon, avec l'Arsenal... Dans l'ensemble,
au pays du soleil, on n'aime guère à jouer à droite alignement.
Et puis contre Caillaux, contre Clemenceau... — Les radicaux
l'ont soutenu au ministère. — Eh! oui, justement, et s'ils se
retirent... c'est la vieille histoire : qui t'a fait comte? Il donne

des gages à la réaction, et il croit que les républicains marcheront dans la combine. Il y a des histoires pas croyables
avec ce Millerand. Encore un, qu'il a fait du chemin, le petit
bougre. Ah, pour des dents longues, celui-là... Ce qu'il trafique dans l'artillerie, et l'aviation! »

Au fond, les crédits qui allaient à des groupes industriels
donnés, Maurice Perrot aurait voulu qu'on en fît un autre
usage. Un peu moins d'aéroplanes, et un peu plus de routes.
« Remarque, au point de vue national, les routes ont aussi
leur importance. Une armée qui n'a pas de routes, c'est une
jolie femme sans croupion! »

Edmond le haïssait ferme, son père. Cette conversation politique allait-elle s'éterniser? L'autre était là, carré, chez lui,
il n'y avait pas de raison... Il dut sentir l'hostilité filiale, car
brusquement il changea de ton, toujours le genre grand frère,
le plus odieux peut-être : « Allez, allez! Ferme-moi tes bouquins, ce n'est pas tous les jours qu'on est ensemble! On va
sortir, je t'invite. Tu connais bien un endroit rigolo? On va
se baguenauder un peu. Oublie que je suis ton père... »

Ce n'était pas très facile, mais l'offre ne se déclinait pas.
Et puis Edmond se dit qu'il déclencherait peut-être une
augmentation de sa mensualité. Ils allèrent donc aux Noctam-
bules, où ils s'empoisonnèrent à cent sous l'heure.

## IV

Mme Grésandage soupira. On venait de sonner. Son mari
n'était pas rentré. Apparemment, c'était M. Quesnel. Toujours
la même chose. Elle lissa machinalement ses cheveux plats,
et posa son livre sur le guéridon. À trente-cinq ans, elle avait
un peu forci, grande et brune, sans élégance, des traits lourds,
mais de beaux yeux. Elle reçut son hôte avec cette aménité
des femmes dont la vie intérieure surtout prévaut. Elle ne se
rendait pas compte de la hideur des meubles, et de tout ce

qui faisait, banal, souffrir son visiteur dans ce décor sans goût,
de hasard, faubourg Saint-Antoine, à marqueterie et piano
couvert d'une soie à bouquets, où le regard ne s'humanisait
qu'à tomber sur les livres dans la bibliothèque de bois noir.
La bibliothèque de bois noir ressemblait à Mme Grésandage :
comme elle, brune, sans grâce et pensive.

Ils s'assirent, elle sur le sofa, lui dans la bergère. Il y avait
entre eux la lampe basse et le livre abandonné sur le guéridon. Cela étouffait de tapis. Le bric-à-brac d'une famille,
avec l'inégalité d'humeur de ses membres présents dans de
petits cadres photographiques, les enserrait du confort de sept
heures du soir : M. Joseph Quesnel, sa calvitie, sa moustache,
sa haute stature un peu voûtée et le drap marengo du costume,
formaient un premier plan qui rappelait les peintures de la
Nationale sous le vert de l'abat-jour. Ses mains vieillies, aux
veines gonflées et bleues, près des manchettes très blanches,
attrapaient un peu de la lumière dans le vieil or des poils.
« Alors Richard? — Toujours pareil. — Il se tue de travail.
Et pourquoi? — C'est ce que je lui dis : il n'aime pas l'argent,
que voulez-vous? — Cela est bien drôle, avec son métier.
Les gens n'imaginent pas cela. Directeur du mouvement général des fonds et toujours dans ce cadre... — Notre intérieur
nous suffit. — Ma chère Élise, il n'y a pas de reproche à ce
goût de la mansarde. Seulement ce stoïcisme, en soi, a quelque
chose qui m'effraie, bien que, pour ma part, je sois tout prêt
à me contenter de moins encore. S'il le fallait. Enfin... »
Il soupira. Mme Grésandage lui trouva l'air défait. Elle ne
le dit pas directement. Depuis quelque temps, il vieillissait,
le cher ami. Évidemment chez eux, il devait se trouver dépaysé
après sa demeure du parc Monceau. Elle faillit citer saint Paul
et se mordit les lèvres. Cette façon qu'il avait de sourire
des textes, Joseph Quesnel. — « Vous aviez meilleure mine,
il y a deux mois. — Sans doute. Mais je suis plus heureux. —
Ah! » Elle était désappointée. Le feu brûlait dans la cheminée
avec des crépitements. Le visiteur regarda longuement son
hôtesse :

« Vous m'en voulez, dit-il. Ne protestez pas. Je le sais.
Est-ce à cause de Blanche? Je ne le crois pas, et je connais
assez votre cœur, sans petitesse, pour ne pas croire non plus
que c'est à l'irrégularité de ma vie que vous pensez... — On
ne vous voit plus. — C'est un art bien difficile que de parta-
ger sa vie entre ses amis et... Élise, je suis parfois si heureux,
si profondément heureux, qu'il m'en prend une crainte superst-
titieuse du malheur. Je l'aime, Élise. »

Ce mot-là fit un silence, et Mme Grésandage, sans utilité,
se leva, jeta au feu une bûche nouvelle qui fuma. « Vous
l'aimez... », dit-elle et, reprenant sa place, elle se mit à rêver.

« Mon Dieu, reprit-elle après un instant, c'est sans blâme.
Votre femme est morte et votre fille grandit bien sans vous.
Mais j'ai peur pour vous de la passion de jeune homme
que vous apportez dans cette histoire. Et puis vous nous
délaissez. Richard, après tout, vous considérait un peu comme
son véritable père... »

Joseph Quesnel sourit. Il avait de l'affection pour Richard
Grésandage, et même de l'estime. Surtout de l'estime. De là à...
Il reprit le premier thème de la conversation : « Ce désintéressement de Richard... Voyez-vous, Élise, il a pourtant auprès
de lui une créature d'élite qui aurait droit... — Laissez donc.
De quoi ai-je besoin? — De vrais Spartiates! Et ce cas n'est
pourtant pas isolé dans la finance d'aujourd'hui. Comme on
méconnaît la vraie nature des hommes! Vous peindriez un
Richard dans un roman, qui croirait à son désintéressement?
Personne. Tenez, plus nous allons, et plus nous nous dépouil-
lons nous-mêmes de toutes choses. Le riche d'aujourd'hui,
c'est un mythe. Un fidéicommis aux biens de ce monde. Des
gens comme votre mari, ils travailleraient dans n'importe quel
régime comme dans celui-ci. C'est ce que ne comprennent pas
ces Jaurès, ces Guesde. Peu à peu, nous nous destituons nous-
mêmes. Un jour viendra où il n'y aura plus qu'un coup de
pouce à donner. — Vous voilà encore dans vos rêveries révo-
lutionnaires. »

Il y eut du bruit : Richard entra. Il avait sa serviette de

chagrin sous le bras. C'était un homme petit, assez sec, à la moustache en brosse noire, nette, sur une lèvre qui se retroussait. « Comment va Carlotta, demanda-t-il avec un grand naturel, elle m'a paru pâlotte l'autre jour. » Il embrassa sa femme.

« Élise, dit Joseph Quesnel, n'aime pas Carlotta, sans même la connaître, et si moi je ne connaissais pas ta femme, je penserais qu'elle est jalouse. Oui, jalouse, je dis bien : jalouse. »

Grésandage posa sa serviette et, suivant son idée, il poursuivit, tourné vers son vieil ami : « Si tu as des Ports de Touapsé, tu ferais aussi bien de les vendre demain dès l'ouverture, même à perte... — Tu crois? Tu as l'air esquinté, mon petit. Tu as tort de prendre tellement à cœur les finances publiques. Si je ne t'avais pas formé moi-même, si je ne te connaissais pas par cœur, j'imaginerais je ne sais quoi... »

Il aimait venir se retremper ici, jadis, Joseph Quesnel, dans ce simple ménage de Richard où Élise était pour lui comme une réplique jeune de sa mère, une femme à l'ancienne façon, qui savait chanter les cantiques. Et Richard lui-même, une justification. Pourtant aujourd'hui il était venu chercher autre chose dans le petit appartement de la rue de Passy. Il était plein à déborder de paroles nouvelles, de confessions prêtes.) À qui aurait-il parlé de Carlotta sinon aux Grésandage? Qui d'autre l'aurait écouté? Qui n'aurait pas ri? À leur place.

Il parlait donc. Cela continua plus tard, à table. Chez les Grésandage on mettait aux manches des côtelettes les petits étuis de papier qu'on leur voit dans certains restaurants. Une tradition de la famille d'Élise, et chaque fois Joseph Quesnel l'en plaisantait. Elle attendait de pied ferme la réflexion habituelle qui ne vint pas. Allons, il était bien pincé. Richard aurait voulu placer un mot sur un sujet tout différent. Bien qu'il tînt la politique, à proprement parler, pour indifférente à un fonctionnaire comme lui, et pour peu importantes ces périodiques relèves du personnel ministériel, il était, par métier, assez fortement impressionné par Caillaux, et un tantinet incertain sur ce qu'il fallait penser de la candidature Pams. Quesnel

était, il le savait, résolument poincariste. Richard aurait aimé
parler de ça. Pas mèche. Dans la salle à manger, il y avait
une salamandre et, comme on n'en finissait pas avec le dessert,
la bonne avait mis le café à réchauffer sur la plaquette ajourée.
Richard alla chercher lui-même l'armagnac dans le buffet.
Les hommes ont des prérogatives. Les petits verres étaient
vraiment petits, mais à leurs facettes, il y avait un peu de
doré dédoré.

## V

Dans les jours qui suivirent, Barbentane multiplia les visites,
les démarches. Il négociait une espèce de pacte avec Perrot,
pour que celui-ci soutînt rue de Valois sa candidature aux
élections législatives, contre l'appui des Rinaldi de Castellane
à une candidature Perrot. Le tout était fonction de la situation locale, les Rinaldi de Sérianne étant prêts à ne plus suivre
Barbentane, s'il leur demandait de voter pour quelqu'un qui
ne serait pas lui-même, parce que la réaction opposerait au
député sortant, dans la circonscription ou plutôt, avec ce fichu
scrutin de liste, dans le département, un candidat qui n'était
peut-être pas un bonapartiste, mais enfin de la noblesse
d'Empire... alors vous saisissez ce qui pouvait se produire :
ballottage au premier tour, la majorité radicale ébranlée, au
second tour c'était le grand Inconnu, à cause du scrutin de
liste s'il était voté. Cette proportionnelle, une vraie bouteille à
l'encre. Des gens qui auraient moins de voix que d'autres
seraient élus à leur place! Dans toute cette arithmétique électorale, les braves gens se perdraient, avec le panachage et
*tutti quanti.* Il y avait très grand risque qu'histoire de barrer
la route à la réaction, effrayés par les premiers résultats, toute
une partie des voix radicales fît bloc au second tour avec les
faubourgs de la préfecture, les ouvriers des fabriques et que
de tout ça sortît un socialiste. Ce serait du joli.

Il fallait donc à tout prix rattraper les voix de droite. Mais pour cela il fallait d'une part Barbentane comme candidat, et de l'autre un préfet républicain, parce que, personne n'en doutait, avec la proportionnelle, ce serait le préfet qui ferait les élections. Ce problème, c'était celui de toute la France. Le parti devait d'abord asseoir son prestige, en envoyant à l'Élysée un homme à lui. Barbentane se rendit au ministère de l'Agriculture avec Perrot qui le présenta à Pams. Le docteur avait, bien entendu, des petites choses à demander pour sa commune et l'occasion n'était pas mauvaise de se faire connaître de celui qui serait le premier magistrat de la République. Il fut séduit par le candidat : quel homme simple, tout rond, tout réjoui! Quelqu'un de chez nous. Il paraît pourtant qu'il est riche à millions, avec le papier à cigarettes. Puis ces batailles épiques qu'il a livrées dans le Roussillon contre la réaction! Et là-bas, elle est mauvaise, la réaction. Ouh lala!

Avec tout ça, le docteur avait des soucis. À cause du fils. Un drôle d'animal, ce garçon. D'abord, il parlait comme si dans l'affaire présidentielle, il fût poincariste! Vous l'écoutez, vous diriez un article du *Matin*. C'était dégoûtant, cette réclame pour cet homme! Ses chiens qui avaient leur photo en première page des journaux! Certes, Edmond ne coupait pas là-dedans, mais voilà justement ce qui lui faisait souci. Le fils, il n'était pas poincariste par conviction, mais parce qu'il prétendait que Poincaré était sûr de son affaire. D'abord ce n'était pas couru et puis, ces raisonnements-là, ça ne peut pas plaire à un père... à un républicain. Barbentane s'en faisait. La moralité d'Edmond l'inquiétait bien. Pas seulement parce que c'est mon fils, mais si c'est là la mentalité de la jeunesse... les Restaurations commencent ainsi. Barbentane était déjà à Paris depuis quinze jours, il télégraphiait de temps en temps à Lamberdesc et à sa femme pour prolonger son séjour.

Edmond ne voyait guère son père qu'à dîner. Les cours avaient repris. Le jeune homme se jetait à l'étude avec toute la fureur dont il était capable. Il y passait ses nuits, le matin le retrouvait avec le café froid qu'il se faisait monter le soir, devant son lit non défait, au milieu des bouquins, des feuilles griffonnées. Il marchait par sa chambre, inconsciemment élevant la voix, pris par le lyrisme de la question d'internat, imaginant sans cesse des présentations nouvelles, des raccourcis sensationnels, une expression théâtrale de la pathologie : « Le malade est dans le décubitus dorsal, blême, asthénique. Il a le pouls petit, filant, irrégulier... » Les mots dans sa bouche atteignaient à l'horreur, ils rejoignaient la grande tradition des cliniciens du XIXᵉ siècle, et celle des musées Dupuytren des foires. Edmond avalait une tasse de café. Les premiers bruits de la ville, sourds, ajoutaient au pathétique du tableau. Le jeune homme souriait amèrement. Ah, s'ils pouvaient l'entendre, les jurés du concours, ainsi, avec cette éloquence sobre, et ce sens du dramatique aujourd'hui perdu! Il n'y avait plus guère que Widal, à la Faculté, qui sût faire trembler en parlant de la méningite tuberculeuse. On disait qu'il avait pris des leçons avec Mounet-Sully...

Les voisins, parfois, frappaient à la cloison. Du culot, ceux-là! Est-ce qu'ils se gênaient peut-être quand ils faisaient l'amour? Edmond était devenu singulièrement chaste. Non point par simple application. La présence de son père à Paris et, probablement, les idées que celui-ci se faisait de la vie d'étudiant l'y poussaient par défi. Nous ne sommes pas ce que ces gens-là imaginent. Tout de même il dînait avec le docteur : une rude économie. À midi, en sortant de la Charité, il se contentait d'un café-crème avec des croissants, au bar qui faisait le coin de la rue Cujas et du boulevard. Il gagnait souvent sa pitance à l'appareil à sous où, par haine de son père, il jouait sur le vert ou le jaune. Toujours contre le rouge. Le soir, retrouvant son paternel, il se faisait offrir de la viande saignante. L'avarice provinciale marmonnait bien un peu : « Tu prends toujours des chateaubriands, qu'est-ce que tu dirais d'un bifteck? » Edmond, avec un air de pitié, s'adressait au garçon, la voix légèrement claironnante : « Pour moi, ce sera un château, il est tendre, votre château? à peine saisi, surtout. Petits pois, peut-être... et puis non, allez-y pour les pommes! » Et se retournant vers le docteur, avec ses dents de jeune carnassier : « C'est plus classique. »

Il y avait dans son service deux ou trois jolies filles auxquelles il donnait un peu plus de temps que n'en exigeaient la science et le souci de leur santé. Il goûtait cette familiarité de l'hôpital, la rougeur subite de la malade quand, de cet air indifférent où il excellait, il relevait les draps. Il y avait des patientes qui y mettaient un certain bon vouloir. L'une d'elles, une petite danseuse, qu'on avait sauvée d'une pleurésie après un avortement infecté, se faisait palper le ventre à tout bout de champ. Elle aimait la percussion plus que tout, elle insistait pour qu'il recherchât si elle n'avait pas, par hasard, de la matité quelque part. Oui, là... là... oh, c'est là! Les infirmières passaient très dignes, et n'en pensaient pas moins. Douceur des seins contre l'oreille, comptez trente-trois, trente-trois...

On commençait à Paris à jouer au bowling. C'était évidemment tout autre chose que le grand art provençal des boules, mais tout de même assez vite on s'y mettait. Souvent, le soir, Edmond filait par le métro dans un café du voisinage de la porte Maillot, où il y avait un bowling au sous-sol. Il y était assez adroit, et il se faisait ainsi des relations toutes différentes : gens de sport, courses, autos. Des femmes regardaient les joueurs. Edmond avait besoin de cette admiration féminine pour son adresse, il relevait sa manche pour lancer la boule et il lisait l'étonnement de sa force dans des yeux pareils à des violettes. Il gagnait généralement les consommations au bar et, du coup, la proximité gratis de belles filles, de la viande à boxeurs.

La ruine, c'étaient les cigarettes. L'ironie du caporal donnait une teinte d'or au pouce et à l'index d'Edmond. Il écrasait avec rage un mégot fumé à l'extrême sur la table de dissection, dans le jus phéniqué du cadavre. C'était humiliant de devoir chaparder cent sous par-ci par-là, sur des livres, sur les inscriptions. Son père n'aurait pas pu se conduire décemment? Amertume de la jeunesse : Edmond se vengeait mentalement sur la vieille pauvresse maigre, sans dents, aux yeux révulsés, qu'ils étaient quatre à dépiauter minutieusement par les membres, tandis que dans le ventre ouvert et vidé, marinaient les trousses. Pour la tête, on s'était disputé déjà, on la jouerait à la manille. Edmond s'intéressait aux muscles de la face, évidemment c'est plus facile sur un homme, mais l'agréable de cette bonne femme-là, c'est qu'elle était bien sèche, sans graisse, et proprement injectée. Elle n'avait pas dû bouffer grand'chose dans les derniers temps de sa vie.

Un jeudi, au rendez-vous, Barbentane arriva, très agité, brandissant les feuilles du soir : « Tu as lu les journaux? Non? Même pas ce matin? — Qu'est-ce qu'il y a? — Millerand a réintégré Du Paty de Clam! — Alors? — Ça ne te dit rien, à toi, Du Paty de Clam? Du Paty de Clam, c'est toute l'Affaire! Ce salopiaud de Millerand! Tu t'en fous? — Qu'est-ce que ça a d'important? — Il le demande! Mais ça va faire un barouf du diable. Poincaré est foutu, tu ne comprends pas? — À propos, dit Edmond, demain je ne dînerai pas avec toi. »

Son patron avait donné à Edmond une place qu'il avait reçue pour la générale de ce soir-là; et le jeune homme devait prendre chez elle la femme de son chef de service, qui ne pouvait pas aller seule au théâtre. Edmond était un peu pâle de pas mal d'imaginations qu'il se faisait. En smoking, il passa à l'Hôtel du Louvre pour demander un louis à son père, qui ne lui donna que quinze francs : une pièce de cent sous et une pièce d'or de dix. Muni de ce trésor, il préféra ne pas dîner, quitta son père et, en avance, musa un peu en route, il faisait froid, mais heureusement sec et, sur le boulevard Saint-Michel, entra dans une parfumerie. Il acheta un échantillon de fougère royale, s'en fut au Café de Cluny où il s'en aspergea dans les lavabos. Après quoi, il changea dix fois de poche le petit flacon qui l'agaçait.

Le professeur Beurdeley habitait une maison du quai de Conti qui donna le vertige du luxe à son externe. L'immen-

sité des pièces le déconcerta. Le professeur était déjà sorti;
il allait à une conférence. Madame était une blonde assez jolie,
mais sans jeunesse. Elle avait un ruban d'argent, très large,
dans ses cheveux flous, et une robe avec de la dentelle par
devant, un drapé de charmeuse grise, le décolleté bien poudré,
un collier platine et diamants, et un grand éventail en plumes
de paon. Edmond eut un brusque accès de respect pour cette
dame et se maudit tout bas. Dès le premier instant, il était
sûr de manquer le coche. Jamais il ne saurait séduire la
femme de son patron et toutes ses belles résolutions s'évanouissaient, ses espoirs. Tandis qu'elle s'encapuchonnait dans
l'escalier, dans le taxi, parlant de tout et de rien, donnant la
réplique, il s'efforçait de l'imaginer, cette femme, dans des
gestes intimes. Il la déshabillait à contrecœur. Elle n'était
pourtant pas mal, qu'est-ce qu'il avait à faire le difficile?
Les femmes du monde...

La générale à laquelle ils allaient était à sa façon un événement politique. Une pièce à thèse, et le titre en était tout
un programme : *Alsace*. C'était Réjane qui jouait, c'est tout
dire. Dès le vestibule, la fièvre de Paris avait enveloppé
Edmond, de ce Paris brûlant, brillant, interdit à sa pauvreté
d'étudiant. Il hésitait à reconnaître dix têtes cent fois vues
sur les journaux, dans les caricatures. Au vestiaire, un homme,
grand, élégant, portant beau sa cinquantaine et l'habit, avec sa
barbe encore blonde, et les cheveux bien lissés, blanchissant,
avait salué très profondément Mme Beurdeley. C'était le couturier Charles Roussel, qu'on disait très ami de la grande
actrice. Mme Beurdeley s'habillait chez lui. « On se sent un
artiste, madame, dit-il, quand on voit sur vous ce que devient
une robe de... Il vous prend de l'orgueil à habiller une personne de... comme vous. — Est-ce vrai, dit Mme Beurdeley,
qu'on craint des incidents pour la représentation? — Oh!
répliqua le couturier, il y a un discret service d'ordre... »

Ils furent logés dans une baignoire, et seuls, étrangement.
Le spectacle ne commença que fort tard, ce qui mit mal à
son aise Edmond, attendant merveille de l'extinction des

lumières. L'éventail ocellé battait dans l'ombre. Edmond, légèrement inquiet d'avoir eu la main lourde et de fleurer trop
fort l'eau d'Houbigant, se sentait dans un conte d'Alfred de
Musset. Les longs gants perle aux bras nus de sa compagne
le fascinaient. Il regardait la lumière s'accrocher aux gouttes
de diamants du collier, montés d'une façon ancienne, à de
minces fils pendant. Au cours du premier acte, il retrouva
un peu de son audace et il lui parut qu'il saurait n'être pas
ridicule avec cette femme. En même temps, il n'était pas très
sûr du smoking que sa mère lui avait fait faire l'année précédente à Marseille.

Réjane. C'est bien simple. Elle était tout bonnement éblouis-
sante. Chaque mot qu'elle disait retentissait dans la salle
comme un coup en plein cœur. Elle avait fait du naturel le
plus terrible artifice. Mme Beurdeley, tout comme elle posait
ses lorgnettes de nacre sur le rebord, à deux, trois reprises,
de saisissement prit la main d'Edmond et la serra. C'était
apparemment sans signification aucune, que l'effet de l'art
de Réjane, mais le jeune homme en concevait une certaine
ivresse.

La pièce était plus que médiocre, mais habile. Edmond
qui ramenait tout à lui-même devant ce drame intérieur d'une
famille alsacienne était bien prêt de se ranger du côté du
fils, en lutte contre les traditions des siens, qui veut épouser
une Allemande, et bien prêt d'assimiler les sentiments héroï-
ques de l'Alsace au cœur français avec les petites histoires provinciales de Sérianne-le-Vieux. Ainsi s'établissait entre la salle
et lui un étrange divorce d'émotion. Sa voisine, elle, applaudissait comme tout le monde, mais cela la rendait jolie dans
la pénombre et finalement Edmond se retrouvait à l'unisson
des passions de la salle, parce qu'il regardait se soulever le
sein de Mme Beurdeley. Les diamants lui riaient dans
l'ombre.

Dans une loge de balcon, en face, trois hommes debout
attiraient l'attention par leur façon d'applaudir. L'un d'eux,
la barbe en bataille, devait sans cesse s'éponger le front avec

un mouchoir, tant il s'épuisait à battre des mains. Mme Beurdeley se pencha vers son compagnon, désignant la loge : « Déroulède, dit-elle avec le ton du respect. — Qui sont les autres? » murmura le jeune homme. Sa bouche effleurait les cheveux légers de la « patronne ». « Marcel Habert et Henri Galli, le président du Conseil municipal, un ami du professeur... » Edmond enrageait un peu de tout ce qui liait cette femme à un monde dont il était exclu. Il sentait grandir en lui l'envie de s'en venger sur elle, en l'humiliant de sa jeunesse et de sa force, quelque part dans un vague meublé, d'où les femmes sortent les yeux baissés.

Le final du premier acte fut un triomphe. Devant son fils qui se tient à l'écart, et dont elle sait qu'il veut épouser une ennemie, quand on est resté entre soi, les Envahisseurs ayant enfin compris qu'ils étaient de trop ce soir-là, Jeanne Orbay, Réjane, rappelle la soirée où elle a été expulsée d'Alsace; on était ici même, entre Alsaciens, comme aujourd'hui, et à ce piano, on jouait... elle s'en approche, elle ouvre le clavier, et debout elle commence en sourdine... *la Marseillaise*. La famille, les amis groupés, la suivent, en sourdine, on chante. *La Marseillaise*... Debout, seul, de l'autre côté de la table où traînent les débris du repas, dans ce décor flanqué d'assiettes d'étain et de faïence aux murs, avec des petits drapeaux partout, du vaisselier à l'horloge rustique, un rouet dans l'ombre du fond sous une reproduction d'un tableau de Dürer, seul, seul, seul, le jeune Jacques, le protestataire muet, écoute avec son grand amour dans le cœur, que n'entendent ni ces fanatiques de la scène, ni ceux de la salle, qui se sont levés, moites, et les yeux mouillés, frémissants, et dont la tempête éclate avec des cris : *Vive la France, vive la France!*

Ils hurlent. Le rideau quatre fois se rouvre. Quelle chose diabolique, le talent! Dans sa robe de soir roulée autour d'elle, beige, Réjane salue une main encore sur le piano où s'est tue *la Marseillaise*. Une robe de chez Roussel, évidemment. Pas à la mode. Réjane ne suit pas la mode. Quelle chose contagieuse, le succès! Le délire de la salle assèche un peu la gorge d'Edmond. Il est debout derrière sa voisine, très proche, et il a envie de la prendre dans ses bras. Elle applaudit, elle s'agite, elle fait des signes vers la salle avec son éventail replié.

Au foyer, ils retrouvent la salle bruyante, émue et défaite, qui se remet, renoue ses histoires de la vie à cette minute de l'art dramatique. Mme Beurdeley est saluée de toutes parts, elle sert des mains, présente ou ne présente pas son cavalier, un peu sur la réserve. On parle de l'audace de la pièce. Un tel thème au théâtre! Ah, il y a vraiment quelque chose de changé en France! Pendant quarante ans, les passions de la foule eussent rendu cela impossible. La vue d'un uniforme allemand eût fait une émeute. Aujourd'hui c'est comme un sujet historique, somme toute. L'enthousiasme, évidemment... Mais si nous ne sommes plus chauvins, nous restons pacifiquement patriotes. Dans toutes les conversations, un même thème : dans la loge directoriale, il y avait un cuirassier, le fils de Réjane, en permission, croyez-vous. On parle de la frontière comme d'une fiancée. La guerre et les sapins des Vosges sont présents; Mme Beurdeley converse avec un monsieur aux moustaches blondes, qui est, paraît-il, Robert de Flers : « Quelle pièce! Quel rôle! »

Il est un peu réticent : « Les sentiments les plus nobles sont souvent ceux auxquels il est le plus difficile de toucher. Le patriotisme est de ceux-là. — Mais pourtant... — Il ne demande pas seulement des cœurs sincères et des mains pieuses, mais aussi une expression délicate et discrète et une constante justesse du ton... »

Edmond écoute avec étonnement. Ce langage est nouveau pour lui. C'est donc ainsi que ces hommes-là séduisent! Il y a en lui quelque chose que cela révolte : le joueur de boules de Sérianne... Il est furieux de l'attention que leur donne cette Mme Beurdeley. Elle est bien moins séduisante aux lumières. Avec une espèce de condescendance pour ce jeune provincial, elle lui désigne soudain des célébrités. Alexandre Duval, par exemple, le fondateur des Bouillons... Wisner, le

Wisner des autos... Edmond ne l'a pas vu, mais, peu intéressé, fait celui qui déjà...

La foule élégante où les femmes se détachent sur le fond noir des habits piaille et roule. Par les portes des loges, on aperçoit des groupes où la politique a pris le pas sur l'amour. Le nom de Poincaré se mêle à tout cela. Il sort des lèvres d'une jeune brune habillée de liberty mandarine bordé de cygne blanc. C'est devenu comme une chanson tropicale dans ces lèvres-là : Poincaré... Mme Beurdeley dans une excitation très vive montre à Edmond une femme toute en dentelles blanches : Polaire.

Charles Roussel est auprès d'elle, il la quitte et comme continuant la conversation il s'adresse à Mme Beurdeley : « Ouf, j'ai eu chaud, chère madame! Un bruit incroyable... Une histoire de... On prétendait que le commissaire aux Halles, Paul Guichard, était là, vous voyez ce monsieur là-bas? Alors vous comprenez, ça a manqué faire une affaire de... À une soirée comme celle-ci, quand il souffle un patriotisme de... — Je n'y suis pas, dit Mme Beurdeley, en quoi ce commissaire... — Vous n'y songez pas! Avec ce qui s'écrit de lui tous les jours dans *L'Action Française!* Vous savez bien qu'il est compromis dans toutes sortes de marchés avec la Compagnie Maggi, qui est une officine d'espionnage allemand! Il y avait vingt personnes qui voulaient lui casser la figure. J'ai eu une peur de... à cause de notre grande Réjane... Vous savez que son fils est là? Alors je me suis dit que je devais parler à ce Guichard, pour éviter un scandale de... Oui, ce monsieur là-bas. Eh bien! imaginez-vous que c'est le frère de mon valet de chambre... — Paul Guichard? — Non, non. Ce monsieur... Oui, croyez-vous que c'est mêlé de nos jours, les générales! »

Edmond eut l'impression que, ce disant, le couturier le regardait.

Il ne vit rien du reste de la pièce, ni des épaules de Mme Beurdeley. Il était malade d'humiliation.

# VI

À la générale d'*Alsace*, le fabricant d'automobiles Wisner avait été fort étonné de rencontrer son vieux collaborateur Joseph Quesnel avec une très jolie personne, d'un blond roux, dont il avait vaguement le souvenir de l'avoir vue quelque part. C'était à l'entr'acte, et pour l'instant le grand industriel était avec trois ou quatre personnes, ce qui ne lui avait pas laissé les loisirs d'approcher du couple. Où ai-je vu cette gosse-là? Le drôle était que ce puritain de Quesnel se montrât ainsi en bonne fortune au Tout-Paris. Wisner avait bien déjà entendu parler de quelque chose. Mais rien d'officiel jusqu'alors.

Sa tête n'avait guère le temps de marcher parce que la conversation dans laquelle il était lancé touchait de trop près à ses intérêts. Il portait beau l'habit, jeune de découpe, et le visage, un peu haut en couleurs, peut-être, étonnait sous les cheveux grisonnants aux tempes, la moustache coupée bien droit encore très noire. Il était avec MM. de Houten et Lenoir, le premier, un Hollandais, une des figures les plus intéressantes de la coulisse, et le second assurément un des maîtres réels de la presse. L'animation autour d'eux, les émotions de la soirée, faisaient un brouhaha très peu propice aux affaires. Pourtant Lenoir insista : « Je vous l'assure, la Compagnie Française du Port de Touapsé a reçu de Russie les millions qui lui étaient dus... Par suite l'affaire est redevenue tout à fait saine, et cela change les perspectives... Le Quai d'Orsay était discrètement intervenu auprès de Sa Majesté Impériale... »

Joris de Houten ferma les yeux d'un air de respect. Il était encore temps : il garderait les actions qu'il avait reçu ordre de vendre pour Joseph Quesnel, dont il était souvent le prête-nom en Bourse. En revendant à terme, cela ferait un joli magot.

« Qu'est-ce que le Quai a donc à s'intéresser à cette

affaire-là, dit Wisner. C'est Perchot qui est derrière cette histoire de Touapsé, et Perchot, dans les questions d'armement, joue contre nous. Quelle singulière idée de venir lui prêter main-forte? »

Lenoir eut l'air tout à fait entendu :

« Nous sommes à la veille de l'élection, cher ami... voyons. — Ah! dit Wisner avec un sursaut d'honnêteté indignée, vous n'allez pas prétendre que Poincaré trafique de son influence? »

Joris de Houten éleva une main aristocratique, où l'on voyait une bague avec un tortil de baron : « Je suis persuadé que notre ami Lenoir se laisse emporter par une imagination trop vive... — Mais, permettez, dit Lenoir. — Allons, allons, vous êtes poète, je le sais! »

Lenoir rougit. Il avait des vers sur la conscience. Il en avait même récemment envoyé au président Poincaré, après cette entrevue qu'ils avaient eue, sur l'entremise de Klotz. Wisner avait l'air assez fâché. Ce Lenoir, avec ses stupides bavardages vous compromettrait n'importe qui. Le jour où il lui arrivera malheur, il ne pourra s'en prendre qu'à lui-même. Wisner détourna l'attention par une remarque sur la jolie fille qui accompagnait Quesnel. Non, Lenoir ne savait pas qui c'était, bien qu'il lui semblât l'avoir aperçue dans un cercle où il jouait. Houten s'intéressait vivement à la conversation. Une liaison? C'est la première fois qu'on connaît une liaison à Joseph Quesnel. Personnellement Wisner se fût bien passé du dernier acte. En général, il n'aimait guère le théâtre.

À la sortie, il retrouva Lenoir et Joris et ils s'en furent chez Maxim's. Quand l'orchestre attaqua suivant la tradition : *On va fonder une société* (bis) — *Qui réunira tous les jeunes gens — de dix-huit à soixante ans...* Wisner fit signe au maître d'hôtel d'emplir les verres et il se mit à parler politique. Les paradoxes fleurirent, et le Hollandais sourit.

« Alors, monsieur Wisner, à ce qu'il paraît, vous êtes un révolutionnaire, vous aussi? »

Les dames du lieu saluaient Wisner. Il y en avait une, rousse, qui lui remit en tête la compagne de Quesnel. Nom de Dieu, où est-ce que je l'aie vue, cette garce-là? Joris de Houten, très au courant des auteurs classiques du socialisme, parlait de Marx, de la concentration capitaliste. Il eut un mot très flatteur pour les usines Wisner, un grand pas en avant dans la voie du socialisme. On savait d'ailleurs les opinions de l'industriel. Oh, aujourd'hui, les patrons sont plus socialistes que les ouvriers! Les ouvriers, au premier signal, ils suivraient une musique militaire... Pour Wisner, la guerre, il n'y voyait certainement que les affaires, il n'y apportait pas cette stupide passion nationaliste qui ferait battre des montagnes...

Tout en parlant ainsi, Joris songeait au petit coup qu'il allait réaliser sur les Ports de Touapsé, le danger était tout de même de se fâcher à cette occasion avec Joseph Quesnel... Bah! qui le mettrait au courant? Et puis le Hollandais voulait faire un cadeau à son amie, Mlle Jonghens.

Wisner continuait à se demander où il avait vu cette petite. Vous savez quand on ne peut plus mettre un nom sur une tête. D'abord, c'est vexant. Puis on se pique au jeu. Enfin ça devient une marotte. Tout de même, à y réfléchir, ça faisait une drôle de compagnie ce Lenoir et Joris. Qu'est-ce qui les unissait, ces gens-là? Il s'en faisait une idée, puisqu'il savait leurs liens avec Isvolsky. Mais Houten avait aussi quelque chose à faire avec la *Deutsche Bank,* l'Allemagne... N'avait-il pas trempé dans une affaire de drogues, de suicide, l'autre année? Oh! bon, j'y suis! Ça, par exemple. Alors, elle était trop rigolote, celle-là! Au fait, il n'avait pas mauvais goût, Joseph Quesnel. À ce qu'il se rappelait, Wisner, la gosse avait de très jolis seins. Ah, il l'avait tirée de là, le vieux protestant.

« Et vous, disait Lenoir à Joris de Houten, vous y avez été à Touapsé? Vous connaissez bien la Russie? »

Joris de Houten n'avait pas été à Touapsé.

## VII

Du Paty de Clam réintégré! « L'Affaire » était rouverte.
Des bruits sinistres couraient : les Balkans se remettaient à
flamber, et l'Autriche et la Russie menaçaient à tout instant
d'intervenir, les journaux en jouaient pour la défense du
gouvernement. Juste à ce moment, le geste du ministre de la
Guerre, arguant d'une parole de Messimy à l'époque d'Agadir,
remettait en activité l'accusateur du capitaine Dreyfus, le
faussaire, l'homme du parti noir! Et cela à huit jours de la
réunion de l'Assemblée de Versailles. Rien ne pouvait mieux
mettre en lumière la collusion de Poincaré avec la réaction.
L'ancien dreyfusard achetait les voix de droite peut-être, mais
on allait voir ce qu'on allait voir. Barbentane télégraphia à
son adjoint : *République en danger Stop Prolongerai séjour
Paris mesure nécessaire.*

Millerand démissionnait le 11 janvier. Poincaré l'avait donné
aux radicaux. Barbentane triomphait. Le président du Conseil
baissait la tête. Edmond, lui, rigolait doucement en écoutant
son père. Les déclarations du Lorrain au Conseil des ministres
avaient empli de joie le jeune ambitieux. Un modèle d'hypo-
crisie et de manœuvre. Poincaré avait su à la fois dégager sa
responsabilité, garder l'allure de l'homme qui couvrira son
ministre de la Guerre, et lui indiquer poliment qu'il n'avait
qu'à foutre proprement son camp, une merveille. Sur ses
cahiers, Edmond faisait la tête du premier ministre au bonhomme dont il dessinait la parotide mise à nu, avec des
lambeaux de chair rabattus, pour montrer les rapports de la
glande et de sa loge. Il donnait les traits de Poincaré à des
écorchés montrant le trajet de la mammaire interne, cette
artère qui se place par rapport au nerf phrénique comme le
bras du villageois qui tient un parapluie. Le César Borgia

de Bar-le-Duc avait trouvé son Machiavel à l'hôtel Royer-Collard.

« Tu comprends, fiston, Lebrun passe des Colonies à la Guerre. Lebrun, évidemment, c'est comme tous ces gens de la Meuse, un Père la Revanche, *ils ont brisé mon violon parce qu'il avait l'âme française...* mais c'est un sensible. Il pleurnicha lors de l'accord de 1911 avec Guillaume, il pleurnicha, mais il s'exécuta. Discipliné. Ancien ministre de Caillaux, et pas précisément un foudre de guerre. De Millerand à Lebrun, c'est un grand pas dans la voie de la paix. Si tu ne manges pas ton cresson, tu ferais mieux de me le donner... Je ne sais pas si tu apprécies à sa juste valeur la comédie de Poincaré avec Ribot... Tu ne lis point *L'Illustration* peut-être? Dommage. Aussitôt qu'il entendit dire que Ribot se présentait à la présidence de la République, mossieur Poincaré se rendit avec son huit-reflets chez Ribot pour un échange de vues. Ils les échangèrent, leurs vues, et puis mossieur Ribot, à son tour, se saisit de son chapeau-claque et se rendit chez Poincaré pour un échange de vues. Le tout d'une courtoisie talons rouges, alors! Ils se firent l'un l'autre connaître que nonobstant la profonde admiration réciproque qu'ils se professent, ils maintiendraient tous deux leurs candidatures. Ça donna l'occasion à *L'Illustration* d'une de ces premières pages... je ne te dis que ça... D'un côté Poincaré, de l'autre Ribot. On fait mieux comme petites femmes. Le dessin est de Simont. Ça ne vaut pas l'autre zigue de la maison, Sabattier. Celui-là, alors, la garce! Tu ne lis pas *L'Action Française?* Moi non plus. Pourtant de temps en temps. On dira ce qu'on voudra, mais Daudet est un drôle. Il n'aime pas beaucoup Poincaré, et quand il se met à parler des dessins de Sabattier, qui est devenu le portraitiste bi-mensuel du président du conseil... tu devrais lire *L'Action Française* en passant... oh pas Maurras! Celui-là, c'est à vous dégoûter d'être méridional! »

Les nouvelles de Sérianne n'étaient pas alarmantes. On s'y portait comme un charme, alors pourquoi le docteur Barbentane n'aurait-il pas attendu l'élection de Versailles? Il avait

pu voir Clemenceau un soir, à *L'Homme Libre*, et le grand
homme avait daigné se ressouvenir qu'il y avait une parenté
à la mode de Bretagne entre sa famille et les Barbentane.
Saperlipopette, si seulement celui-là pouvait revenir au pouvoir,
c'était alors que ça marcherait rondement! Évidemment, il
serait appelé tout de suite par Pams, qui était son poulain.
Ce qu'il ne pouvait pas le sentir, le Poincaré, ce Clemenceau!
*Le petit Bossu*, comme il disait. « Alors, je lui ai dit, racontait
Barbentane, monsieur le Président, je lui ai dit, et il m'a
répondu, mon cher cousin, le Président du Conseil n'est pas
un imbécile, mais il manque irrémédiablement de ce que nos
amis d'outre-Manche appellent le sens de l'humour; et moi,
je lui repartis, monsieur le Président, on ne peut pas en dire
autant de tout le monde! » Le docteur, très content de lui,
rit assez fort. Edmond en profita pour demander une fine
avec son café et, plissant méchamment ses yeux gris et mépris-
sants, avec un retard étudié, il articula sur le ton de la plus
parfaite déférence : « C'était, somme toute, assez bien tourné. »
   Les journaux étaient pleins des préparatifs de l'Assemblée
nationale. Deux cent cinquante kilos de veau, de jambon et de
pain étaient prévus pour rassasier les congressistes. Un millier
de bouteilles d'eau minérale. Le pays se passionnait à l'idée
que le palais de Versailles ne pouvant être électrifié, ce
dogme ne se contestait point, les cent becs papillon qui y
fonctionnaient étaient d'une insuffisance notoire pour éclairer
l'aube d'une nouvelle présidence. Le bec Auer, après délibéra-
tion, avait été adopté. Six cents en seraient posés avant le
17 janvier. Au fait, l'élection tombait un vendredi. Jour chic,
mais jour maigre. Sale affaire pour les restaurateurs versaillais,
vous voyez d'ici ce qu'il leur faudrait d'imagination et de
poissons! L'opinion publique se calma sur ce point, et sur
le risque de péché mortel pour les députés qui s'enverraient
les 250 kgs de veau et de jambon, quand Mgr Gibier, un nom
prédestiné, évêque de Versailles, fit assavoir qu'il levait ce
vendredi-là, pour toute la Seine-et-Oise, l'obligation de faire
maigre. On commentait le fait que tous les sièges de la salle

du Congrès avaient été recouverts à neuf de cuir jaune foncé. Il y avait des gens qui auraient préféré une autre couleur. Le quinze janvier, Barbentane passa la journée au Luxembourg, pour la réunion des gauches. Moment suprême. Le docteur, ce jour-là, ne se prenait pas pour de l'eau de bidet. Par les couloirs du Sénat, il tâtait le pouls de la République. Dans une porte, il se heurta littéralement à un petit homme désagréable qui glapit avec une voix de sinusite : « Pourriez pas faire attention! » C'était Poincaré. Barbentane en eut le frisson de l'Histoire. Il vit Jaurès. Clemenceau avait la grippe, mais il vint quand même : Barbentane l'aperçut suivi d'une sorte de meute déférente, se précipita vers le grand électeur. Mais celui-ci n'eut pas l'air de le reconnaître, et de sa main gantée, qu'on savait en proie à un mal desséchant, il indiqua une fenêtre ouverte; un huissier, se hâtant pour la fermer, se flanqua par terre. Quant au petit père Combes, il avait une extinction de voix à peu près totale. Tout prenait figure de symbole.

La journée ne suffit point aux gauches pour s'entendre. Poincaré au premier tour, au second tour Pams, arrivaient en tête de ce que les journaux du lendemain appelèrent la représentation des couturières de l'élection présidentielle. Un troisième tour le seize déciderait du vote de Versailles. On allait avoir la nuit et le matin pour mille marchandages. Poincaré, jusqu'à présent, se refusait à retirer sa candidature. On disait qu'il la maintiendrait même avec un vote défavorable le lendemain. Barbentane dit à son fils : « Tu vois, ton Poincaré, c'est le candidat des droites, maintenant... Il veut assassiner la République... Je l'ai vu cet après-midi, il n'a plus qu'à se soumettre, voyons! Grande journée! Pour nous reposer de toute cette politique, qu'est-ce que tu dirais des Folies-Bergère? »

Ils dînèrent chez Poccardi. Le docteur parla longuement des Barrel, du chocolat, de la dot des filles, de l'intérêt qu'il y aurait à unir tous les Français. Son fils le guignait du coin de l'œil, où voulait-il en venir? Mais le silence d'Edmond glaçait le vieux malin et lui mettait la puce à l'oreille. Avant de lâcher le secret de ses projets, il fallait être sûr du petit. Le spectacle des Folies fit diversion.

Le docteur goûta beaucoup les vieilles chansons interprétées par Yvonne Printemps. Le tableau de Trouville et une mise en scène osée qui s'appelait *Le Vitrail* lui permirent d'atteindre avec son fils ce ton de familiarité nécessaire à une explication. À l'entr'acte, puisque les idées n'avaient pas de prise sur Edmond, tant pis, le père s'était décidé à lui parler intérêt. Dans le va-et-vient du promenoir, tandis que les femmes maquillées abordaient, la cigarette aux lèvres, avec leurs robes drapées et leurs chapeaux à aigrettes, des Péruviens, des Turcs et des Scandinaves, devant le petit tableau lumineux où tournicotaient les ombres chinoises de dames en corset avec des messieurs à moustache, le maire de Sérianne-le-Vieux, lissant sa barbe, chapitrait son rejeton sur la coïncidence de ses intérêts matériels et de la morale politique du parti radical.

« Tu as fait deux ans de médecine, fiston. Il t'en reste deux à faire et, avec de la protection, tu t'en tireras avec dix-huit mois de service. Cela veut dire que tu peux t'installer à Sérianne dans l'été de 1916... Tu me suis? Mais ton père est un homme jeune, il ne peut s'effacer devant toi... Alors, si je ne suis pas à la Chambre, qu'est-ce que tu deviens? On peut te caser quelque part, mais tu végètes. Je ne vais pas te payer un cabinet, peut-être... — Tu n'as pas de feu, chéri? »

C'était une grosse brune dont le bras nu laissa sur le veston noir du docteur une trace de crème grasse autour du col. Elle s'éloigna en se dandinant sur ses talons et soupira : « Ce qu'ils sont tarte, tout de même, ces provinciaux! »

Barbentane rajustait sa cravate papillon :

« ... Hum! qu'est-ce que je te disais? ah, oui... si tu crois qu'à Sérianne ça arrangera tes affaires, ce scepticisme politique! Il faut se baser sur quelque chose, dans la vie. Probablement qu'au lycée tu n'as lu qu'avec négligence quelqu'un qui aurait pu t'enseigner cela... »

Ici, le docteur fit une pause, pour éprouver l'ignorance des jeunes générations. Ils étaient dans le hall, au pied de l'escalier, et un nègre en fez tapait à tour de bras sur un tambourin pour appeler les amateurs à la danse du ventre : « Je voulus parler, reprit-il, d'Emmanuel Kant... »

Suivit un développement sur la raison pratique et la pratique sériannoise du docteur combinées. Une jeune femme du type Claudine souriait à Edmond. Il avait envie de lui répondre. Il faisait chaud. Elle pouvait avoir vingt ans, et elle n'était pas belle, mais elle avait un air canaille et les jambes longues.

« ... À Sérianne, tu n'as de clientèle que si tu es politiquement soutenu. On n'aura jamais confiance dans un coco qui ne montre pas son visage politique. Qu'est-ce que tu veux faire, à droite? Il y a ce jeune Lamberdesc... Alors, tu n'as pas le choix : tu dois être radical. Et il faut comprendre ce que ça veut dire : on ne joue pas avec le radicalisme! C'est une vocation, tout comme la médecine, une abnégation, une responsabilité... — D'abord, coupa Edmond, les yeux fixés sur la jeune personne qui maintenant était appuyée à une colonne, et qui se tripotait les seins en le regardant, je ne prendrai pas ta succession à Sérianne... — Hein? »

Le docteur s'était redressé de toute sa paternité. Il était devenu si rouge qu'une passante s'inquiéta : « Tu devrais venir prendre l'air... qu'est-ce que tu offres? » Il prit le bras de son fils et l'entraîna à l'écart.

« Tu plaisantes? Qu'est-ce que c'est que cette histoire? — Je suis absolument sérieux. Je veux faire les hôpitaux, la carrière. — Tu la perds, la boule, putain de Dieu! Tu ne t'imagines pas que j'ai payé tes études pour que tu me laisses choir à un moment décisif de ma vie? — Si ton fils est un médecin des hôpitaux, ça ne peut que te servir... — Allons, pas de bêtises. À Sérianne, déjà comme ancien externe, tu en as assez. L'internat n'est pas indispensable. — Mais je ne veux pas de Sérianne. Paris... — Ah! le voilà lâché, le grand mot, Paris! Tu as une liaison? »

Il regarda son fils avec un air bonhomme, qu'Edmond jugea

d'une fausseté révoltante : « Puisque je te dis que c'est la
carrière... — La carrière, tatatata! Si, pour des histoires de cul,
tu te mets à me raconter que tu veux faire ta carrière, ça ne
prend pas, niquedouille! Je ne suis pas né d'hier. — Comme
ça te chante. Je n'ai pas de liaison. Les femmes, je m'en fous,
je les ai comme je veux. »

Barbentane en eut la respiration coupée. Il regarda son fils
pour la première fois de sa vie avec respect :

« Bon, bon, ça va. Pas la peine de se chamailler. Parlons
chiffres. Je te crois, fiston. Mais si je t'allonge pendant trois
ans les billets dont tu as besoin, c'est d'une. Si tu veux faire
les hôpitaux, ça peut en durer dix, et je n'ai pas les moyens.
Tu as un frère, une mère. Il faut y penser. Avec cela que je
vieillis... eh! si, si! je le sens. La médecine, ça demande la
jeunesse. Il y a cette chance de ma situation politique. Tu
comprends si ton père est le député, ta position à Sérianne sera
forte... — Je n'exercerai pas à Sérianne. — Ah! tiens, tu me
fâches. Tête de mulet. Et si je te les coupe, les vivres? — Je
n'exercerai pas à Sérianne. — À la fin, tu ne comprends pas
que, député demain, après-demain je puis être ministre, et
alors je te prends à mon cabinet, et une fois le pied à l'étrier,
dame! Au lieu de quoi tu veux faire la bête à concours, suivre
toute la filière, et combien qui réussissent? — Je n'exercerai
pas à Sérianne. »

La sonnette de l'entr'acte avait l'air d'épouser la rage du
docteur. Il en avait des bouffées, le pauvre. Il s'épongea le
front. Les mots se pressaient dans sa gorge. Ah! la rosse, la
rosse. Ayez des gosses. Saignez-vous pour eux. Edmond, médecin à Sérianne, c'était sa situation locale renforcée; et lui
aussi, après tout, il avait le droit de vouloir vivre à Paris,
aussi bien qu'Edmond. L'égoïste! Il y avait trop à dire. Les
gens étaient rentrés dans la salle.

« À propos, dit Edmond, tout ça est très joli, mais Poincaré
sera président de la République. — Comment? — Et il
gouvernera sans *vous*. — Alors, c'est la guerre! — Votre guerre
ou votre paix... Il aura d'ailleurs une part des voix de gauche.

— Tu ne sais pas ce que tu dis. Les 272 voix de Poincaré aujourd'hui, il ne les aura plus demain, et après-demain, la discipline des gauches... »

Edmond pinça les lèvres. Son père partait déjà sur une nouvelle piste. De la salle venait un air de tango.

« C'est commencé », dit Barbentane, en homme qui a payé sa place. Ils regagnèrent leurs fauteuils au milieu des protestations étouffées. Sur la scène, dix jeunes femmes montraient leurs fesses. Ça représentait les Grecs devant Janina.

# VIII

Richard Grésandage était en retard : Élise devait s'inquiéter. Il n'avait pas si loin du rond-point des Champs-Élysées chez lui, mais d'une chose sur l'autre, il avait bien perdu une heure, en attendant les nouvelles de Versailles. Ils devaient, ce soir-là, dîner chez les Schoelzer. Enfin, Richard s'engouffra aux *Gaufres* pour téléphoner.

Dans le café, près de la cabine, il montait le guet comme un lion en cage. Dans la cabine, énervante de lenteur et de redites, une voix de femme se reprenait, se répétait, au fil d'une conversation toujours sur le point de s'interrompre, coupée de silences. Élise devait s'inquiéter. Il tourna les pages d'un annuaire périmé, par désœuvrement. La voix repartait, humble, assez douce. Elle rappelait à Grésandage un timbre ancien, à demi oublié. Des gens passaient, allant aux lavabos.

De ce qu'on apercevait de la femme (elle n'en aurait donc jamais terminé?) par la glace à dessins de la porte, ça devait être une poule quelconque. Richard se surprit à écouter : « Non, non... oh! je t'assure, Micheline... mais pourquoi, ma petite?... On peut bien se voir encore... »

Il eut honte de ce qu'il faisait, mais cette voix réveillait des souvenirs lointains. Le soleil. Une jeune fille avec des yeux immenses. Le grand soleil. La voix poursuivait :

« ... Non, je t'assure qu'il est très gentil... Tu crois? Peut-être que tu as raison... Il ne faut pas dire ça... Comment veux-tu que je fasse, maintenant?... Mais si, j'aurais voulu te voir... Je m'ennuie de toi, tu sais... Ma petite... Écoute, je vais te dire, écoute... Charles est un gentil garçon, un très gentil garçon... Mais si, il sait... Il sait que j'ai un enfant... Nous en avons longuement parlé... Il ne s'est pas fâché... En tout cas, excuse-moi bien auprès de ces messieurs, de M. Ducharme, surtout; je tiens beaucoup à ce que M. Ducharme ne pense pas... Si tu connaissais Charles, tu ne dirais pas ça... Ma petite Micheline, comment veux-tu que je fasse pour choisir? Je vous aime bien, mais... Naturellement, si je me trompe... Je peux me tromper... Il est bien gentil, si tu savais... Il ne faudrait pas que ces messieurs et ces dames... Oh! tu es dure... Qu'est-ce qu'il y a de changé?... Évidemment, on ne peut pas en parler tout de suite, à la longue... Mais si, pourquoi pas?... À la longue... À la longue, il m'épousera, il se fera à cette idée... Alors, quand nous serons mariés... Mais je pourrais te voir demain... Oui, demain, à l'heure qui te plaît... Alors, excuse-moi auprès de M. Ducharme... Ne dis pas ça, tu n'es pas juste... Je t'assure qu'il est gentil... Ah! non, ce n'est pas le vice, alors ça, loin de là... Un grand repos... Charles... Pourquoi dis-tu ça? Tous les hommes ne sont pas pareils, heureusement... »

Absolument hors de lui d'attendre, Richard s'était placé près de la cabine et un mouvement de la causeuse lui fit craindre l'ouverture soudaine de la porte. La honte de l'espionnage le reprit, et il s'éloigna. L'inventaire du lieu, il l'avait déjà pratiqué dix fois. Il avait été si profondément persuadé du succès de Poincaré que sa confirmation ne lui donnait pas matière à d'abondantes rêveries. Maintenant, il revenait vers la cabine avec le désir conscient d'écouter. Cette voix... En même temps, il s'imaginait le drame et sa banalité. Cette fille, tant de fois trompée, avec un bâtard quelque part, qui se raccroche à des relations de petits-bourgeois à Plai-

sance ou à Courbevoie, et qu'une liaison nouvelle en sépare,
comme un scandale de trop. Il devait être joli, M. Ducharme,
et la nommée Micheline, donc! *Tous les hommes ne sont pas
pareils*, cette phrase avait pris une mélancolie affreuse.
Richard se fâcha de sa propre sentimentalité.

« ... Mets-toi à ma place, ma petite... Je n'ai pas de travail :
je ne peux pas le quitter... Qui paierait les mois de nourrice?...
Mais, bien sûr, je te l'ai dit, il est au courant... Nous en avons
parlé longuement... Je te dis qu'il est très gentil, Charles...
Alors, il me voit comme ça, alors il paie pour le petit... Oh!
je te dis qu'il n'est pas comme les autres... Il voit ça de trop
près : comment pourrait-il être indifférent?... Non, ça, je
te le jure : plus jamais... Je n'ai pas de quoi payer pour le
petit : alors, est-ce que je vais aller jouer?... M. Ducharme a
dit ça? Voyons... Alors, excuse-moi auprès de tous... Il faut
surtout bien m'excuser... C'était une folie, tu comprends...
J'étais si seule, après toute cette histoire... Et puis, les cartes,
cela faisait passer le temps... J'avais gagné des fois... Maintenant, jamais, jamais... Il est très, très gentil... pas vicieux...
Pourquoi pas, à la longue?... On finit toujours par se marier...
Pour l'instant, je préfère ne pas lui en parler... Le petit, tu
comprends, c'est déjà si bien à Charles... Si je suis heureuse?
Naturellement, vous me manquez, vous autres, et dis bien
à M. Ducharme... et à ces dames... Oui, alors... Surtout il faut
bien, bien m'excuser... Et puis, demain, tu veux bien, alors
demain, quelle heure?... C'est ça, c'est ça... Alors, c'est
entendu... Alors demain... Ma petite Micheline... Alors
demain... »

Le bruit du récepteur raccroché se termina par un silence.
La femme, là-dedans, avait élevé son sac, on devinait qu'elle
se refaisait en hâte le visage. Peut-être avait-elle pleuré. Elle
avait l'air assez bien habillée. Elle se moucha. Tout à coup,
la porte céda, la femme apparut.

Elle s'extirpa de la cabine comme d'un mauvais lieu. Elle
jeta des yeux furtifs sur Richard, et hésita comme si elle
n'eût plus connu le côté de la sortie. Richard avait senti en

lui comme un grand froid. Il avait attendu une très jeune femme, très peinte. Il avait devant lui une femme, pas mal mise, mais déjà ravagée par la quarantaine, une femme sans grâce, sauf des yeux assez étranges, à l'air maladif. Une femme qui avait quelque chose de pauvre et de démuni. Peut-être une employée de commerce de luxe, dont les quatre sous passent à s'entretenir, à cause du magasin, de la clientèle. Presque maigre. Brune, et marquée, aux narines, de deux longs plis précoces. Maintenant que la voix s'était tue, les intonations lui en paraissaient plus encore vulgaires, et mieux connues. À quoi donc rêvait-il, l'écoutant? Au grand soleil. Une jeune fille dans un pré. Il revoyait les fleurs blanches dans ses bras, et à son cou le petit médaillon... Jeanne, c'était Jeanne...

La femme était partie. Elle avait pris le petit escalier avec cette même humilité qu'elle avait à s'excuser auprès de M. Ducharme. Et Richard ne l'avait pas arrêtée, il ne l'appelait pas. Il restait là, cloué. C'était Jeanne, pourtant, Jeanne. Il ne l'avait pas retenue : est-ce qu'on retient sa jeunesse? Ce qu'elle était devenue, la jeune fille de ses vingt ans... Elle avait un enfant. De qui? Un singulier sentiment de jalousie l'avait mordu. Bah! quelque saligaud... Tous les hommes ne sont pas pareils... Comme elle avait dit ça! Peut-être un peu à cause de lui, jadis, Richard... Oh, il était englobé dans cette idée générale, probable, les hommes! Brusquement, il comprit qui était Micheline... Micheline, bien sûr, c'était la petite sœur, la gosse de cinq ans... Elle était mariée aujourd'hui, et son monde boudait la grande... Jeanne... Il y avait vingt-deux ans de cela. Elle avait une bouche comme une baie, petite et dure. Elle disait : Non, non... quand on l'embrassait, comme tout à l'heure au téléphone, exactement. C'était même cela, d'abord, qui l'avait fait écouter, Richard. Il repensa à Élise, et se précipita dans la cabine. Pas libre... pas libre... On ne retient pas sa jeunesse.

# IX

Jeanne Cartuywels étendit la main : il pleuvait. Quel ennui! Elle remit ses gants noirs, assura son étole de skunks élimée, ouvrit son parapluie et s'élança du café vers la station d'autobus. Elle eut la chance de ne pas attendre, et le déplaisir de devoir prendre des premières. Elle ne voulait pas non plus arriver en retard, à cause de Charles, qui avait si peu de temps pour dîner. Elle s'était assise, dans un coin, contre la vitre, et le soir éclairé de Paris giflé de pluie se fondait avec sa rêverie...

Tout à l'heure, elle n'avait pas avoué à Micheline l'inquiétude qui lui mordait le cœur : les nouvelles du petit étaient mauvaises, une fièvre qui ne cédait pas. Et Dieu sait comme il était soigné chez ces paysans des Charentes. Ne pas pouvoir y aller : fallait-il quitter Charles en ce moment, si tôt, quand une absence pouvait encore tout gâcher, tout détruire? Une triste, une longue expérience des hommes s'opposait à l'instinct de la mère. Elle n'en avait rien dit à Micheline, parce que cela n'aurait pas été compris. Et qui sait ce que M. Ducharme aurait pensé d'elle?

Pourtant, au milieu de tout cela, elle songeait à Charles avec reconnaissance. Oh, si c'était enfin possible! Pour la première fois, elle croyait à la tranquillité. Il était bon, solide, il gagnait bien sa vie, il l'aimait, il avait l'air de l'aimer. Elle se rappelait comment tout cela avait débuté, au cercle, ce soir où elle avait poussé sa mise une fois les cartes tirées. Comme il l'avait regardée. Comme il avait sans être vu repoussé les plaques devant la tricheuse. Comme il lui avait parlé plus tard. Et voilà. Elle était devenue sa maîtresse. Elle avait promis de ne plus jouer. Jamais. Elle repensa au petit, à la ferme là-bas, où elle l'avait porté l'année précédente. Elle s'était dit, alors, que, qui sait, s'il aimait la campagne et qu'il fasse plus tard un paysan, il serait peut-être plus heureux dans la vie. Elle ne pouvait, rêvant à l'avenir, s'imaginer son enfant dans ce Paris d'hôtels meublés, de gargotes à la cocose, avec ses vacheries et ses bassesses, dans le Paris qui avait été sa vie et son malheur. Bébé apprendrait à monter à cheval, il aurait de belles couleurs, il serait aimé d'une jolie fille qu'il épouserait. À moins que cette inexplicable fièvre... Il y a tout de même une justice, il y a tout de même un Dieu. Jeanne descendit au coin de la rue Favart.

Ils avaient rendez-vous dans un petit restaurant, à côté de l'Opéra-Comique, une espèce de boyau avec le passe-plats dans le fond, où les tables aux nappes à carreaux étaient les unes sur les autres, encombrées de dîneurs très parisiens, des journalistes surtout, des gens de théâtre aussi, un peu de tout : des jeunes très pommadés avec des femmes qu'ils se reluquaient les uns les autres. Costumes chinés, bonjours échangés par-dessus les bouchées à la reine, familiarité de serveuses avec les habitués, rires, plaisanteries traditionnelles, Jeanne à travers tout ça cherchait Charles. Il n'était pas seul. L'homme qui était à sa table posa son demi brune; elle le reconnut avec un serrement de cœur. Allons, il fallait tout de suite n'avoir l'air de rien.

Charles Leroy s'était levé pour faire signe à Jeanne. C'était un homme assez pâle, un peu bouffi, d'une taille très moyenne, mais qui paraissait petit à cause de sa largeur d'épaules. On n'aurait jamais cru, n'étaient son teint et son binocle, qu'il avait un métier sédentaire. Il grisonnait très fort, la moustache encore bien brune, et bouclée, et à la correction de sa mise, à la cravate noire, on pensait qu'il devait avoir à faire avec une haute administration quelconque. Ses cheveux, incroyablement robustes et serrés, portaient à leur centre un petit sillon d'habitude qu'il appelait : *ma raie*, et qu'il vérifiait souvent dans un miroir de poche. C'était ce qui agaçait Jeanne en lui, ce tic, et elle se promettait, plus tard, de le lui faire passer.

« Tu connais M. Colombin ? », avait-il dit. M. Colombin

s'était déjà rencontré avec Mme Cartuywels. M. Colombin
était tout ce qu'on peut imaginer de plus jovial, de plus
pivoine, avec des taches de rousseur et un poil queue de
vache tout à fait envahissant et une verrue dans le sourcil
gauche qui lui donnait l'œil spirituel, d'autant qu'il en clignait.
Il pesait cent deux kilos, et ça paraissait à peine. Le sport,
n'est-ce pas? Il faisait de la course à pied, de la boxe, du
saut à la perche. À quarante-cinq piges, bon pied, bon œil! Il
revenait de la Côte d'Azur.

« C'est ce qu'il y a de chic dans le métier, il faut le dire : la
plupart du temps, dans des bath coins, avec du soleil, de
l'air, des fleurs, du beau monde. Ça me flanque un peu le
cafard, après ça, quand je travaille à Paris. — Je vous comprends, monsieur Colombin, dit Charles. Moi, je n'ai qu'un
regret : c'est de n'être pas Monégasque. Ah, si j'étais Monégasque! »

Jeanne se sentit un peu choquée : « Ça ne te ferait rien de
n'être plus Français? — Oh bien, tu sais, Français, Monégasque, il n'y a pas grand mal; si j'étais Monégasque, je pourrais avoir du travail à Monte-Carlo, nous louerions une petite
maison du côté de Beausoleil, et pas besoin de courir comme
ça, sous la pluie, dans la boue, avec nos étages, les autobus, sans
parler de la mer. Toute bleue, là-bas, qu'elle est, la mer! —
Une petite maison... » Jeanne ferma les yeux. Elle pensait à
Bébé. Si Bébé avait été adopté par Charles, alors il aurait été
Monégasque. Il n'aurait pas eu à faire le service militaire. Elle
craignait pour lui la caserne. M. Colombin rigolait : « Oh! ça,
c'est la belle vie, pour sûr. Et qu'est-ce qu'il y a comme
gonzesses! M'excuserez, madame Cartuywels. Enfin, du linge.
Au point de vue du métier, c'est carré, là-bas. De la tradition,
vous saisissez. Ce n'est pas comme ici ou, même quand tout est
régulier, comme chez vous, tout de même, ça n'est pas officiel.
Alors. Tandis que sur la Côte, n'est-ce pas? c'est franc jeu.
— Le cas de le dire », souffla finement Charles. Tous trois
s'amusèrent beaucoup.

Colombin poursuivit : « Il s'y traite des affaires monstres, avec ça. C'est ce qui fait. Il n'y aurait que le jeu. Mais le jeu et les affaires : alors, quelquefois, ça déraille un peu. Nous sommes là pour remettre les choses discrètement en place. Oh, discrètement! Il faut savoir voir sans voir, quoi. Pas de scandale, c'est la consigne. »

On criait les journaux au dehors, les résultats de l'élection présidentielle. Cela mit le restaurant sens dessus dessous. Les gens sortirent, un camelot entra. On s'arrachait les feuilles. Poincaré élu! Vive Poincaré! On riait. Pendant un bon moment, la conversation fut générale. Jeanne, au milieu de tout cela, rêvait. Il paraît que c'est quelqu'un de capable, ce Poincaré. Les voix de Colombin et de Leroy se croisaient devant elle.

Le miroton était bien réussi. Tout le monde en tomba d'accord. Charles le dit à la serveuse qui le répéta au patron. Le patron s'approcha tout de suite, et c'est Jeanne qui le déclara, cette fois : « Il était bien réussi, votre miroton. » Le patron s'inclina, flatté. Et, tout d'un coup, Jeanne sentit un pincement au cœur. Elle était là contente du miroton, et le petit qui était peut-être mal, tout à fait mal. Bébé saurait-il jamais ce que c'était qu'un miroton?

« Vous ne vous sentez pas bien, madame Cartuywels? »

Elle sourit à M. Colombin, bien qu'il lui fît peur, cet homme, et elle s'excusa vers Charles : « Je pensais aux Charentes. » Entre eux, c'était comme ça qu'on faisait allusion au petit quand il y avait du monde.

« Oui, reprit Charles après un silence, l'ennuyeux, à Paris, c'est que même si tout est correct, on se sent, je ne sais pas, moi, en marge. Remarquez que, chez nous, c'est bien tranquille : jamais d'histoires. Des clients qu'on connaît. Le passage, insignifiant. Je veux dire... les gens qui s'inscrivent, comme ça, pour quelques jours. En un an, je n'ai pas vu quatre incidents. Et encore, incidents... le mot est bien gros... — Sauf pour cette histoire de coups de revolver... — Sauf, évidemment... Qu'est-ce que vous me faites dire? Ce n'était pas chez nous, d'abord. Les clients, une fois sortis, font ce qu'ils veulent... — Plus ou moins, Leroy, plus ou moins. Vous en avez de bonnes. Ah mon gaillard! »

Ils s'esclaffèrent. Colombin baissa la voix :

« Dites donc, vous n'avez pas remarqué, chez vous, une jeune femme... blonde, euh! enfin, blonde comme moi, un peu plus foncée... — Une rousse? » dit Leroy bonnement. Colombin tiqua légèrement : « Enfin, une blonde... Une jolie fille... Eh, eh! Mme Cartuywels va vous manger! Faut pas être jalouse, madame Cartuywels, ce n'est pas son genre... »

Jeanne sourit, très tristement. Elle n'avait pas entendu, elle pensait au petit.

« Très élégante... Oui? Vous voyez ce que je veux dire? Vous me rendriez service en me disant ce qu'elle fait, si elle gagne, si elle perd... Avec qui elle vient... Oh! c'est un peu en dehors du service... »

Charles Leroy ne pouvait pas s'attarder au dessert. Il était déjà en retard. Il donna de l'argent à Jeanne.

« Tu payeras... M. Colombin est mon invité... Vous prendrez le café ensemble... Et un petit marc, monsieur Colombin? Il n'est pas mauvais ici. C'est du Savoie. Toi, tu viens m'attendre vers une heure chez Pousset... »

Jeanne resta donc en tête-à-tête avec Colombin. C'était ce qu'elle avait craint dès le premier moment.

« Vous me tiendrez compagnie pour le marc, madame Cartuywels? Non? Alors, deux cafés, un marc... et une Bénédictine? — Un Cointreau. — ... et un Cointreau! »

Il y eut entre eux un silence que Colombin laissa durer jusqu'au café. Et quand il fut là, bien noir, et les petits verres remplis, l'homme se pencha soudain par-dessus la table pour rechercher les yeux de la femme. Il avait l'air d'un gros bœuf et il rit silencieusement, montrant des molaires d'or.

« Alors, madame Cartuywels, on ne va plus jamais aux Galeries Lafayette, faire un petit tour? »

Le visage de Jeanne était devenu blême. Depuis une demi-heure elle attendait quelque chose de ce genre; mais quand ça était là, elle était saisie comme par une catastrophe.

Colombin, tout à fait bonhomme, posa lourdement sa grosse patte poilue sur les doigts de la main droite, agités d'un tremblement nerveux.

« Allons, allons, ce n'est qu'une plaisanterie, on ne se connaît pas d'hier... »

De grosses larmes s'étaient formées aux cils rimmellisés de Jeanne. Elles s'alourdirent, lentement se détachèrent. Elles tombèrent dans la tasse, une, deux, ridant le café. Sous la table, Jeanne Cartuywels sentit les jambes épaisses, les genoux de l'inspecteur Colombin qui s'emparaient de ses jambes frêles, les serraient avec la lenteur même des larmes à tomber.

## X

C'est au lycée d'Aix que le docteur avait envoyé son fils cadet faire sa philosophie comme interne. Armand avait laissé derrière lui l'enfance, et Sérianne, et la politique locale, et les monstres du chef-lieu de canton. Tout ce mauvais rêve avec ses scandales, l'évasion du fils Loménie, qui avait dû repiquer dans la Légion, et la disparition de la veuve du percepteur, qui avait vite été désintéressée avec un bureau de tabac sur l'intervention du docteur Barbentane, après une conversation avec son confrère Lamberdesc, tout cela, qui sentait à plein nez le chocolat, s'effaçait pour Armand dans le monde des idées où il pénétrait avec ses dix-sept ans. Toute une forêt de problèmes surgissait, où ses inquiétudes socialistes ne savaient comment s'inscrire. Le premier trimestre s'était passé dans un désordre incroyable de notions. Un professeur doux et bégayant qui avait un visage en gelée de coing s'épuisait sur vingt jeunes hommes distraits à faire tourner le programme officiel à la glorification d'un spinozisme timide. Armand dévora la bibliothèque. Condillac y manquait. Il s'en désespéra toute une semaine; ne pouvant faire confiance à personne,

même à cette face tremblotante, d'un jugement sur qui que
ce fût. Kant, Hegel en morceaux choisis, et un peu plus
tard seulement Schelling, lui tombèrent sur le crâne comme
une volée de bois vert. Son professeur voulait qu'il lût Ribot
et Lachelier : auteurs distingués de la IIIᵉ République. Il n'y
parvenait pas, n'avait pas le sou, couchait avec l'une des filles
de cuisine du lycée qui lui raccommodait ses chaussettes, et
sortait le dimanche chez des cousins Rinaldi, pieux à vomir.
Il fait à Aix, l'hiver, un petit froid qui n'est pas piqué des
hannetons. Ça cingle, le vent.

Aux vacances du Jour de l'An, il retrouva Sérianne, et sa
mère, le docteur à Paris pour affaires, et le Café des Arts
où le billard se passait bel et bien de Respellière, Mestrance
toujours bon pied bon œil après tout. Pierre, recalé à son
bac, menait une vie de chien, son père sur le dos, et récitait
du Vielé-Griffin et du Van Lerberghe. Tout avait pris, était-ce
la faute aux philosophes? un ton de mesquinerie atroce,
un air irrespirable de niaiserie. Suzanne, quand elle sut
Armand à Sérianne, s'arrangea pour le rencontrer. Il se sentit
si gêné qu'au bout de cinq minutes il la quitta sur une
grossièreté, prétextant crûment une colique. Après quoi, il
s'enferma pour de bon aux cabinets, histoire d'être vraiment
seul.

C'est là qu'il se prit à méditer sur Kant, avec une violence
lyrique dont il s'étonna. Ce qui l'ébranlait, en général, dans la
philosophie, c'était qu'elle existât. Il en faisait l'épreuve
comme d'un alcool. Elle le laissait aussi désemparé qu'un
lendemain d'ivresse. Autour de lui, la philo, pour tous ses
camarades, avait la valeur d'une crise de conscience religieuse,
où les doutes et l'indignation se mêlaient. Mais Armand, lui,
était depuis longtemps débarrassé de la foi chrétienne, les
philosophies ne lui apparaissaient donc guère que comme des
systèmes destinés à dorer la pilule et de plus en plus il
s'intéressait à la seule pilule qu'on cherchait à lui dissimuler.
Pourquoi, par exemple, un cordonnier consentait-il à passer
sa vie à clouer des semelles? Il n'y a pas un mot là-dessus

chez Kant, ni chez Platon. On secouait la porte : c'était Mme Barbentane, indignée : « Qu'est-ce que tu fais là-dedans? »

Armand sentait avec dégoût l'imbécile esclavage de l'étude, et ce noviciat d'homme à la remorque familiale, à la fois il le maudissait et en craignait la fin prochaine. Son enfance partagée entre l'école et la rêvasserie se poursuivait, suivant les règles bourgeoises, au delà des conditions physiques de l'enfance. Il avait honte de sa dépendance par rapport au docteur Barbentane, et à madame sa mère, née Rinaldi. En même temps, il redoutait sa libération et la nécessité de gagner sa vie, de travailler. Sans qu'il en eût conscience, sans que ce bûcheur de Barbentane et ses semblables s'en rendissent compte, il avait été élevé, comme tous ses pareils, dans l'horreur chrétienne du travail. La malédiction divine n'allait-elle pas s'abattre sur lui? Quand il songeait à l'avenir, cela formait un cauchemar où se mêlaient les anecdotes mille fois répétées sur le régiment, la vie de caserne. Il ne voyait pas comment la vie pourrait ne pas être une abomination. Il avait déjà cessé lui-même de croire à sa vocation d'acteur, quand les hasards d'une conversation avec sa mère l'amenèrent à en faire l'aveu et le lièrent ainsi à une fantaisie de gosse, qu'il eût si facilement abandonnée, qu'il était du coup dans l'obligation de poursuivre. Tout avait commencé à cause de la montre-bracelet que sa grand'mère Rinaldi avait donnée à Armand pour le Nouvel An, ou plutôt non : pour la Noël, c'est-à-dire que le petit Jésus, et ainsi de suite... En attendant, il avait fallu aller le remercier, le petit Jésus, c'est-à-dire aller passer toute une matinée avec la grand'mère, lui faire la lecture, l'aider à dévider sa laine. Le grand-père ne quittait plus son lit, lui, tout à fait gâteux. Ce n'est plus une compagnie pour moi, mon pauvre enfant. Et elle te plaît, au moins, cette montre? C'est M. l'abbé Petitjeannin qui l'a choisie... Je ne devrais pas te dire ça... Mais à ton âge, il y a des choses... Oui, je ne peux plus sortir, et puis avec mes yeux, pour choisir. D'autant que j'étais perplexe : un prêtre peut-il porter une

montre-bracelet? M. l'abbé Petitjeannin m'a affirmé que oui.
Il dit que l'Église se modernise. Je ne trouve pas ça très bien,
mais enfin, on ne me demande pas mon avis. Est-ce que je
vivrai assez longtemps pour entendre ta première messe?
À déjeuner, la montre fit à nouveau les frais de la conversation.
Armand raconta avec humour les propos de sa grand'mère.

Cela mit Mme Barbentane sur le chapitre des avantages de
la vie ecclésiastique. Oh, si elle avait été un homme, elle
eût embrassé la prêtrise. Religieuse, c'est une autre histoire.
Et même, alors, à l'âge du docteur Barbentane, avec deux
grands fils, elle aurait pu avoir un coup de tête, se consacrer
à Dieu. Cela se voyait. M. l'abbé .X.., curé d'Y... Et ce prêtre,
comment s'appelait-il, qu'on avait rencontré à Notre-Dame
des Fleurs, l'autre année, pour le percement du tunnel? Il
avait un fils dragon et un autre juge de paix. Des moustachus.

Pourquoi fallut-il qu'une phrase de la brave dame impliquât
tout directement qu'il était entendu qu'Armand serait prêtre?
Il ne le supporta point et déclara qu'il avait l'intention de
faire du théâtre, que c'était irrévocable, une force invincible
l'y poussait, inutile de jeter des cris, c'était dit et rien n'y
ferait. La foudre n'eût pas agi autrement sur la malheureuse
mère qui, sans voix, sans force, tremblante, laissa couler ce
déluge de paroles. Cela se passait dans la salle à manger,
au dessert. On apportait le café. Le chien, déjà, faisait le
beau près de sa maîtresse.

Si son fils avait voulu faire l'École des Chartes ou Polytechnique, elle aurait certes, Esther Barbentane, éprouvé un
grand saisissement de se l'entendre ainsi signifier par cet
enfant, après tant d'années à rêver pour lui une vie sainte, une
vie expiatrice de celle du docteur. Mais enfin, elle s'y serait
faite, sans doute. Seulement, seulement... Le théâtre, les planches! Elle se répétait : les planches! avec un frémissement.
Son fils. Et encore, si c'eût été l'aîné, le fils du docteur,
Edmond. Mais le sien, Armand, sa chose. Cet enfant si aimant,
si docile, dont elle avait eu tant de contentement. On le lui
avait changé. Un cabot, il voulait être un cabot. Elle eut un

gémissement si atroce que le chien qui attendait patiemment du sucre sur son derrière, bondit de côté comme si elle l'avait frappé. Armand s'enhardissait, parlait d'abondance. Il faisait déjà des tournées, au Caire, en Amérique. L'éclat dépassa toute prévision possible.

Esther s'était levée tout d'une pièce. Elle était plutôt grande et elle avait assez vieilli dans l'année pour que son visage flétri pût enfin prendre une expression vraiment tragique. Tous les mots de la terre, à ce moment, lui parurent si dérisoires qu'elle chercha dans ses seins écroulés les sanglots profonds de l'hystérie. Une boule lui remonta dans la gorge. Ses anciennes belles épaules, affreusement amaigries, se secouèrent d'une tempête de nerfs, qui faisait prévoir la grêle des larmes. Les verres tintèrent, et l'argenterie se choqua entre des mains folles sur la nappe à carreaux. Armand, une seconde, retrouva sa peur d'enfant devant les crises maternelles : « Maman! », murmura-t-il avec une douceur qui lui fit une honte secrète. Ce mot déchaîna le raffut. Esther retentit tout entière du bruit du bois sec quand la flamme s'y met, puis elle hurla soudain avec l'obstination de la chienne. Elle hurla comme une bête qui ne peut rien faire d'autre pour exprimer sa douleur. Cela tenait de l'immonde grotesque des belles-mères de vaudeville et de l'animal écrasé. C'était pathétique et burlesque; enfin, tout simplement odieux. La bonne s'en mêlait, le chien faisait chorus, le café fut renversé, Mme Barbentane se roulait à terre.

La vieille bonne s'était précipitée. Armand, au comble de l'humiliation, se sentait cloué sur sa chaise. Il ne pouvait pas ne pas jeter les yeux sur cette malheureuse démente, en qui il souffrait de reconnaître cette mère, si jolie dans son peignoir rose, dans la nuit jadis, maudissant le ciel et l'homme auquel elle était rivée. Elle avait la bave à la bouche, et tout le visage grimaçant, déformé de douleur, et secoué de petits soubresauts hideux comme l'éternuement. Ses vêtements noirs étaient en désordre, et de la jupe longue sortaient, battantes, des jambes qui auraient pu être belles dans d'autres bas.

« Aidez-moi, monsieur Armand », criait la bonne, rabattant précipitamment la jupe sur un morceau bosselé de cuisse.

## XI

Esther s'était mise à détester son jeune fils. À le détester pour la religion trahie, pour ses rêves déçus, pour cette expiation offerte à Jésus de la vie du docteur, qui n'avait donc été qu'une promesse de Gascon; pour le scandale, pour la haine de ce théâtre, un abîme de perditions où grimacent des femmes peintes, et toujours ces abominables images du péché qui la faisaient, comme une brûlure, se ressouvenir de tout ce qu'elle avait négligé dans la vie pour être la femme dédaignée d'un impie, la mère de deux étrangers. Il y avait, dans le lointain de sa jeunesse, l'attrait qu'elle avait éprouvé pour quelques hommes, des regrets à jamais voilés qui avaient la déchirante musique du théâtre quand l'étoffe rouge palpite dans ses longs cordons d'or.

Esther s'était mise à détester son fils parce que, se persuadait-elle, il avait eu la lâcheté de lui jeter sa folle résolution dans la figure à un des moments les plus abandonnés de sa vie malheureuse, quand, sous des prétextes politiques, le docteur se gobergeait à Paris. Il n'aurait pas osé le faire, Armand, devant son père. Ainsi, soudain, contre son fils, elle invoquait l'autorité paternelle qu'elle avait sapée toute sa vie dans le cœur du jeune homme. Inconséquence dramatique, dont Armand perçut en frémissant toute l'amertume. Il était prêt à se jouer au sérieux la tragédie familiale, il se surprit qui s'en exaltait et se traita d'imbécile.

Esther s'était mise à détester Armand, surtout parce qu'elle avait besoin d'une passion, d'un délire. Elle se prit dans ses pensées à user envers lui de mots qu'elle eût rougi de prononcer. Il y avait là toute la violence de la femme qui se sent

vieillir, et peut-être de plus obscurs sentiments. Son imagination lui représentait nuit et jour les débauches des coulisses,
les orgies où son fils allait se mêler. Elle eut encore le bon
sens d'en parler à son confesseur. L'abbé Petitjeannin lui
recommanda des pratiques qui avaient fort bien réussi dans
plusieurs cas, mais qui ne servirent qu'à exaspérer cette mère
pathétique.

Pour Armand, le saint homme ne sut que dire qu'il faudrait
le marier au plus tôt. Mais à dix-sept ans! Esther ne voulait
d'ailleurs pour son fils pas plus de l'hymen que des planches :
elle l'avait voué à la chasteté. Des doutes lui vinrent. L'avait-il
perdue? Elle épia son fils, interrogea les gens. Armand, là-
dessus, ses vacances terminées, s'en retournait à Aix. Elle
écrivit aux cousins chez qui le jeune homme passait ses
dimanches. Mais elle n'avoua pas toute sa honte, la vocation
théâtrale d'Armand. Ils n'y comprirent goutte, firent la morale
à leur hôte, se rendirent odieux et Armand s'arrangea pour y
paraître de moins en moins. Ils écrivirent à Sérianne qu'il
devait avoir une liaison.

Le docteur, de retour à Sérianne, la tête déjà pleine de
soucis pour son aîné, soupira, mais se résolut à faire un tour
du côté d'Aix. Il tomba à l'improviste sur Armand, le fit
libérer pour la soirée et commit cette impardonnable erreur
de lui offrir un dîner fin pour le séduire. Cette grossièreté
blessa plus Armand que toutes les maladresses de paroles,
que n'épargna point pourtant le docteur. Celui-ci se croyait
très fort, puisque, évidemment, son fils avait perdu la foi :
cela ne devait-il pas le rapprocher de son vieux mécréant de
papa? Pour gagner son enfant, il crut politique de trahir ver-
balement Esther. Armand mesura cette lâcheté : le docteur,
au premier coup de dés, avait perdu le cœur qui se jouait. Son
fils le méprisa définitivement

Quand, au dessert, la raillerie paternelle sur les choses de la
continence monastique l'amenèrent à des demi-confidences
sur la vie de son ménage et ses expéditions marseillaises, à lui,
le docteur vit soudain le dégoût dans les yeux jeunes et impla-

cables qu'il espérait séduire. Il perdit pied tout d'un coup
dans l'estime qu'il avait de lui-même. Il n'avait jamais pu
supporter le regard gênant de ce petit... La patience lui
échappa, et il reprit son ton de maître. Après tout, c'était à
prendre ou à laisser : bon, puisque les sentiments n'y faisaient rien, rengainons-les, mais le marché était bien net. Il
passait à son fils toute l'histoire de la vocation religieuse.
Sa mère s'était fait des idées, mais enfin, lui, le père, ne le
forcerait pas.

Ici, Armand se mordit les lèvres. Généreux, le papa. Ça ne
lui coûtait pas cher de céder sur ce point. Avec un *mais*
attendu, et qui ne manqua pas de venir, commençait le chantage : mais puisqu'on ne ferait pas de lui un curé, qu'il avait
satisfaction là-dessus, il devait mettre du sien dans l'affaire,
Armand. Il devait abandonner quelque chose, Armand. Donnant, donnant, mon petit. Qu'il renonçât aux planches et
acceptât un métier. Lequel? on allait voir. Un métier décent.
Faire son droit, la médecine c'était trop de deux dans la
famille, peut-être. Bien que s'il y tenait... Le docteur n'était
pas dur. Il avait l'esprit large. Si l'industrie tentait Armand,
avec des recommandations, peut-être que par Maurice Perrot...

Après le dîner, on était allé dans un café. À travers la
fumée des cigarettes, Armand, au delà des mots maternels,
s'intéressait aux voisins. Sept personnes, quatre sur la banquette, trois en face, et un gosse pâle qui ressemblait à Napoléon à Arcole. Petits boutiquiers, un melon, un mou brun, une
casquette, et des femmes en noir avec des faces bouffies,
blêmes, Napoléon gazouillait; il y avait un diamant à une
oreille de saindoux et soudain, dans les bras d'une des femmes,
apparut un bébé dans de la laine blanche, touchant comme
l'inconscience, dont les yeux profonds s'émerveillaient des
lumières. Il régnait dans les moustaches avec la mousse de la
bière une conversation de gros sous. Les femmes n'étaient pas
les dernières à s'en mêler. Armand ne voyait plus que le tout-
petit qui suçait son pouce avec conviction. Tout enveloppé de
tricotages, vous savez de cette espèce qui forme des chevrons

séparés par des jours. Son frère, Napoléon, croyait devoir faire l'enfant pour parler à cette chose vagissante et perdue. Il lui collait sur le nez, ignoble, un mioche en celluloïd, tout nu, les doigts sur la couture de la cuisse. Avec sa vareuse à boutons de cuivre, l'empereur des Français ressemblait déjà à tout ce peuple ridé qui se débattait près de lui dans les soucoupes, et les factures.

« Alors, dit le père, c'est entendu? On ne parle plus de séminaire, mais tu feras ton droit... »

Il était plus simple de mentir.

## XII

Dans le champ de statues de la cour du Carrousel, Edmond traînassait, lisant et relisant ses questions d'anatomie pour la conférence d'internat. Il avait la cervelle à éclater, des préoccupations absurdes s'y chassaient comme des images. L'ambition et la paresse, la douceur inaccoutumée de février, et cette espèce d'emballement, comme le sport, qui lui faisait apprendre des pages et des pages, et se les répéter tout bas, contrôlant sur sa montre le minutage de son débit. L'humiliation aussi parce que cette fille à lunettes, qui était de la même conférence, comment s'appelait-elle? Lagrivelière, Lagrivèlerie? arrivait à parler beaucoup plus vite que lui. Comme il aurait bien laissé tomber tout ça pour une partie de boules! Les Tuileries auraient fait un joli terrain, là, sous les arbres encore sans feuilles; ça valait le boulevard, à Sérianne. En même temps, une expression un peu méprisante de son professeur de pathologie externe, le brillant Desplat, qui serait des hôpitaux à trente ans, c'était sûr, le tenaillait comme une menace. Sa carrière, nom de Dieu, il ne serait jamais foutu de faire sa carrière.

Présentement, il s'était assis sur un banc, non loin du *Quand même* d'Antonin Mercié, dont l'Alsacienne représentait pour lui invinciblement, non point Réjane dans *Alsace*, mais la famille Schoelzer-Bachmann, où il se félicitait, malgré les idées provinciales de son père, de pénétrer par Jacques Schoelzer. Que diable, on ne se fait pas une place de médecin à Paris rien qu'avec des bouquins! Il faut avoir de l'entregent. À ses pieds, un gros pigeon s'était abattu, comme un bloc de plomb, avec la collerette dorée d'anciennes éclaboussures d'encre violette. La tête vide, Edmond suivait l'oscillation grise de l'oiseau.

Avec deux cents francs par mois, le docteur Barbentane croyait faire très large pour son fils. Il y avait pourtant déjà là-dessus quarante francs qui partaient pour la chambre. Quand Edmond, aux dernières vacances, avait demandé des « frais de représentation », son père avait bonnement rigolé. Il avait fait ses études à Montpellier, lui, et il voulait que son aîné devînt son successeur à Sérianne. Il ne pouvait comprendre cette secrète angoisse d'Edmond, que la pénurie confinait à ses seules études, écartait de ces milieux brillants où il rêvait trouver des camaraderies puissantes, des aventures féminines, les origines d'une clientèle, un chemin vers l'intérieur fermé des patrons. Et quand Edmond avait remis ça en le raccompagnant à la gare de Lyon, l'autre mois, le docteur Barbentane l'avait envoyé paître.

Pourtant, Edmond ne se laisserait pas réduire par son père à la vie de Sérianne. Il serrait les dents et les poings à cette idée, et il en oubliait avec fièvre cette arrière-cavité des épiploons qu'il était là, cinq minutes plus tôt, à se représenter, l'œil perdu, faisant de la main des gestes qui en délimitaient les parois complexes à l'étonnement des passants. Quand il songeait qu'il pourrait, pour toute la vie, rouler de chez les Mestrance, où le vieux aurait eu une attaque, aux Mirettes, chez les Loménie, où Mlle Éva l'appellerait pour sa dyspepsie, Edmond en avait des suées. Il regardait avec amertume le veston pas assez neuf, la chemise légèrement élimée qu'il portait. Les notes de blanchissage obscurcissaient toute l'anatomie. Il se savait très beau garçon, et la femme du professeur Beurdeley l'aurait pourtant aussi bien reçu que cet intrigant de Meyer ou le petit frisé qui était externe à Laënnec.

Une rage le prenait contre son père, cet homme qui se trompait si lourdement. L'élection de Poincaré l'avait bien montré : Barbentane avait soutenu jadis le Lorrain, un radical; mais faute de comprendre les nécessités de l'heure, inféodé stupidement à son parti, il s'était rangé parmi ces factieux qui avaient voulu, contre le sentiment du pays, porter Pams à la présidence. Faut-il être bête! ne pas voir l'évidence! Politique de village.

Le pigeon s'envolait lourdement après avoir cherché entre les graviers comme s'il avait perdu son monocle. Un couple très jeune passait; elle, déjà presque élégante, avec un chapeau à la mode, et lui, un ouvrier de pas vingt ans, en cotte bleue, cette force développée avant l'âge et une gueule d'enfant amoureux. Edmond les suivit des yeux, s'acharnant à penser à ce qu'il y avait de misérable dans leur vêture, et en même temps tout à coup désarçonné dans ses ambitions, par une jalousie primordiale. « Paul et Virginie », murmura-t-il pour se moquer de lui-même. Sur le Carrousel, la lumière était presque rose, des cris d'enfants se mêlaient au bruit de la ville. Tout de même, à Sérianne, après n'importe quelle folie, une échappée dans la montagne ou une longue après-midi au bordel, ou quand il se soûlait avec les jeunes vignerons, et on se battait sous les oliviers à cause d'un regard de fille, toute la vie, avec ce qu'elle avait d'absurde et de déréglé retrouvait son équilibre autour d'un centre, l'heure du repas en famille, entre ce père et cette mère divisés, et ce petit imbécile d'Armand qui disait le *Benedicite* en cachette. Aujourd'hui, Paris splendide, immense et hostile, ramenait ces souvenirs à leurs proportions de province. Edmond savait qu'il pouvait ne pas dîner, personne ne l'attendait. Il était merveilleusement seul, libéré de toutes ces histoires de la petite ville où régnaient encore l'affaire Dreyfus et la haine des maçons et des prêtres, les billevesées paternelles, les inquiétudes des Rinaldi, la proximité de l'usine, qui teintaient les conversations des femmes.

Il était merveilleusement seul, et effrayé de presque chacun de ses mouvements, saisi de l'arbitraire de toute activité, tenté par tout, ne faisant rien, qu'apprendre, qu'apprendre. Et l'épouvantable était de n'être pas sûr de retenir, et pour apprendre de laisser passer l'heure, l'occasion attendue qui aurait ouvert devant lui une route plus rapide, vers ce qu'il désirait confusément, qui n'était ni la gloire, ni le bonheur, ni la richesse, mais un peu tout cela, et l'amour, et le luxe, et une espèce d'atmosphère théâtrale, comme à l'Opéra, quand le rideau bouge, et dans la fosse préludent désordonnément les violons et les flûtes.

Quelle étrange chose que de s'être jeté dans la médecine! Évidemment, cela n'avait pas été son choix, mais le choix paternel. Toute son enfance, l'histoire avait été entendue d'avance, il ne s'en préoccupait pas, lui et puis, quand le moment était venu d'en parler sérieusement, cela avait été plus simple de ne pas s'opposer que de discuter avec un père autoritaire. Avec ça que la médecine, c'était immédiatement Paris. Comme Sérianne était beau, quand il l'avait quitté dans l'automne! Un pays de romances, désormais, mais à condition de n'y pas revenir. Les regards des voyageurs dans le train vers la capitale... À une courbe du chemin de fer, la fumée blanche comme un bras qui s'étire, et quelque part, au delà de Lyon, dans le wagon-restaurant, une idée enivrante qui commence : la solitude.

Il était merveilleusement seul depuis des mois, malgré les camarades de Faculté, quelques liaisons rapides, des femmes ramassées, une espèce d'amitié d'hôpital avec une étudiante qui n'était rien pour lui, et la rencontre de ce Jacques Schoelzer, cousin des Barrel, qu'il avait connu à Sérianne, il y avait deux ou trois ans, pendant les vacances, par son partenaire de boules, Adrien Arnaud. Jacques était l'héritier de la branche aînée des Schoelzer. Polytechnicien. Pourquoi Edmond n'avait-il pas fait Polytechnique? Il avait l'horreur de l'armée, c'est vrai, mais pas de l'uniforme. Polytechnique ouvrait des portes magiques. Il sentait autour de son nouvel ami un monde interdit, des complicités, des perspectives. Pourquoi avoir été choisir la médecine? La voie la plus longue. Et la grossièreté des internes, même des médecins, des chefs de clinique, cette vulgarité spéciale qu'il avait commencé à connaître dès le P.C.N., cet argot fait des mots scientifiques et d'une petite dégueulasserie de salle de garde, la vie des salles de garde... Est-ce qu'Edmond ne pourrait pas se faire inviter en Alsace, chez les Schoelzer, pour l'été? Ils avaient une maison près de la frontière, dans les montagnes, où se rencontraient les Bachmann allemands et les Schoelzer français. Très patriotes, bien entendu; mais, l'autre année, n'avaient-ils pas reçu chez eux le prince de Hohenlohe?

Brusquement, le temps avait fraîchi, et des chemises vert, rose et tango, les papiers glissèrent. Le vent les dispersa sur le sol. L'arrière-cavité des épiploons s'était toute mélangée avec les trous de la base du crâne et le sphénoïde. Edmond, embarrassé, ramassait les feuilles et les séparait sur le banc, à côté de lui. C'était un banc de bois, très bas. Tout au bout, il y avait un vieil homme assis. Il regardait Edmond, et d'un geste muet, il lui montra une feuille qui s'était envolée un peu plus loin. L'étudiant remercia de la tête. Sur cette feuille, il y avait un petit dessin griffonné par désœuvrement : deux jambes de femme croisées autour du cou d'un jeune homme, qui ressemblait au dessinateur. Edmond se rappela que cela se rapportait à une anecdote médicale : un malade qui avait eu un chancre dans la région cervicale pour avoir fait le malin au claque, en baladant des femmes à poil sur ses épaules. Alors, juste là où le sexe avait porté... Une petite toux sèche lui fit lever la tête. Son voisin le regardait.

## XIII

Un curieux et repoussant spécimen humain. Un peu plus de soixante ans, sans doute, et cent ans aussi bien. Ce qui

frappait d'abord en lui, c'était la débilité conjointe à la crasse.
Sordide au delà de ce que ce mot peut signifier. À bout de la
déchéance physique et de la déchéance sociale. Un gnome
avec une tignasse grise, qu'il avait dû couper lui-même, à
grands coups de ciseaux. Là-dessus, un melon crevé, posé
très en avant, et une barbe en tous sens à laquelle un timide
essai avait voulu donner une forme en pointe, mais sans que,
depuis longtemps, le cou ait été purgé d'une sorte de poil
de singe qui dissimulait l'absence de col, aggravée d'un cache-
nez qui avait dû être rose avant de devenir noir et marbré
de taches.

Le visage à proprement parler disparaissait dans tout cela,
avec encore des sourcils en parasol sur des yeux sombres, la
peau toute ridée autour des yeux, et une espèce de mélа-
nome débutant en avant de l'oreille gauche qui formait une
bosse noire, asymétrique, et comme prête à éclater d'un pus
intérieur.

Le vieillard était habillé dans un souvenir glorieux du temps
de Grévy : une jaquette, dont l'étoffe était craquée en tant
d'endroits, aux coutures comme ailleurs, qu'on avait renoncé
à la rafistoler avec des épingles de sûreté, comme au niveau
du cœur, sous la poche d'où débordait un vieux morceau de
journal, coquettement chiffonné en pochette. Tout cela, et le
pantalon raccommodé à un genou avec de la grosse ficelle
avait séjourné longtemps sous de vastes portiques, évidemment
sur les berges de la Seine, dans le ruisseau des Halles, la boue
épaisse des fortifs. Il en sortait des espadrilles brunes, rela-
tivement neuves, où s'enfonçaient deux pieds nus et décharnés,
ignoblement maculés, et par une bizarrerie singulière les mains
de ce personnage épique étaient couvertes de gants de coton
noir, soigneusement fermés au bouton pression. Cela se mit à
grincer. Il fallut quelque temps à Edmond pour démêler
les paroles qui s'échappaient de ce débris humain. Enfin, les
mots se dégagèrent, à travers les salives reprises, dans l'hirsute
du poil facial. Près du vieillard, sur le banc, était posée une
valise de tapisserie à ramages, passée et déchirée, sur laquelle

se posait une des mains noires, avec délicatesse, comme sur un chien fidèle. Il parlait sur un ton de voix chuchoté, mais rauque.

« ... Faut surtout pas vous sauver si je vous parle. Je connais les jeunes gens. Je leur fais peur. Faut pas... Je ne vais pas vous demander d'argent, malgré mes airs. Je ne vais pas... Je sais, je sais : mais faut bien parler à quelqu'un, mon bon monsieur, de temps en temps, oh! pas tous les jours, mais enfin, de temps en temps... faut bien. C'est extraordinaire comme vous trouvez naturel qu'on soit là, sur les bancs. Vous passez. Vous êtes assis à côté. Il y a les vieux et les cailloux. Je connais une femme, tenez, elle ne sait plus parler. C'était une dame très digne, vous comprenez; elle n'aurait pas adressé la parole à n'importe qui, à moi, par exemple. Alors, ça fait vingt ans au moins qu'elle traîne comme ça. Elle ne sait plus. Elle n'a que ses bouts de chiffons qui la comprennent. Le soir, dans les coins tranquilles, elle défait son baluchon, elle leur jaspine. Pas besoin d'articuler, pour eux, c'est trop fatigant. Elle parle comme les chiens, mon bon monsieur. Faut surtout pas vous sauver... »

Edmond était bien trop surpris pour y songer. Il ne pouvait détacher ses yeux des mains noires. Il y avait dans son voisin un mélange d'humilité et d'arrogance. Les mots se devinaient plutôt qu'autre chose dans cette bouche sans dents : « ... même pas, vous vous demandez même pas. Toute une vie. D'abord, on croit que ça va changer. Puis, pourquoi ça changerait? Les jours, les mois. Pas, mon petit toutou? » Ici, il passa avec une affection démente sa main sur la valise. « ... vous demandez même pas. Je l'ai eu, allez, votre âge. Fallait me voir danser. Paris, monsieur, Paris. N'est plus ce qu'il était non plus, Paris. L'année de l'Exposition. Votre âge à peu près. C'était encore l'Empire, le luxe. À peu près. J'avais des chevaux. Allée de l'Impératrice, le dimanche matin. C'étaient les derniers temps de l'Empire, les derniers, les plus beaux. Paris... »

Il eut un geste qui prenait circulairement à témoin tout le Louvre, puis grimaça dans la direction du jardin :

« ...A bien changé. Regardez-moi ça : un trou. Y a là
quelque chose qui manque. Je ne me souviens plus. Ah oui!
un trou... le palais des Tuileries. Vous êtes trop jeune, vous
n'avez pas connu... bien entendu... j'ai vu brûler ça, mon bon
monsieur, la populace! Une chose horrible, la populace...
parce que l'incendie, comme incendie, c'était un bel incendie.
Une chose bien triste, mais un bel incendie, on ne peut pas
dire. La populace... »

Il arrangea le petit bout de journal qui lui tenait lieu de
mouchoir :

« ...Du feu partout, du feu! Mon bon monsieur, là-bas,
là-bas... Rue Royale, rue de Castiglione... sur la rive gauche,
rue du Bac... il pouvait être quatre, cinq heures du matin, et
puis, pan, pan, pan! de tous les côtés. Tout à coup, qu'est-ce
que je vois? Ils brûlent le Louvre, le pavillon de Flore! Une
fumée qui sort comme si on n'avait pas ramoné des siècles...
des grandes langues rouges... le Palais-Royal... les Tuileries...
ah, ça, les Tuileries, ils les ont eues, ils les ont eues jusqu'au
trognon, mon bon monsieur... il n'en restait que des pierres
noires... et puis, pan, pan, pan! On tuait à son tour la populace.
Ah, il y a une justice, il y a une justice, c'est un grand
soulagement de penser qu'il y a une justice. Pan, pan, pan
sur la populace! Rue de Rivoli, des fenêtres, les gens bien
tiraient sur les mégères dans la rue, les pétroleuses! Il y a une
justice, n'en doutez pas. Vous êtes jeune, mais vous verrez! »

Quelqu'un qui passait sourit de la scène, sans entendre.
Edmond se sentit gêné, mais l'autre reprenait : « ...la populace, Paris, on ne comprend pas ça, on ne sait pas ce que
c'est que Paris... deux mois avant, tout le Café de la Paix nous
avait acclamés quand on était venu avec tout ce qu'il y avait
de chic, des jolies femmes et des drapeaux... Et puis, la populace... C'est comme Boulanger. Ils criaient tous : « Vive Boulanger! » Un beau jour, va te faire fiche! plus personne.
Paris. Allez-y comprendre quelque chose... Paris... une grande
ville avec beaucoup de bancs et des belles maisons... pas les
neuves... on ne sait plus bâtir aujourd'hui... »

Il se pencha et parla à l'oreille imaginaire du sac de tapisserie, minaudant de l'index une sorte de menace.

« Ce qui se passe dans Paris... Vous n'en savez rien, vous autres, qui habitez des maisons. C'est comme ça, calme, pendant des années. On s'y trompe. Moi, je regarde, je vois bouger, dans le fond, dans les bas-fonds, ça grouille lentement, ça se forme, oh ça prend de l'allure! De mon banc, je vois ça... je le dis à Médor... ça ne s'est jamais tout à fait éteint, le feu... il faudra encore tirer sur la populace... Votre République! Il n'y avait qu'un brave homme : le président Carnot! Ils l'ont tué. Les Loges! Un brave homme... Tous des voleurs! Le Panama. Sans le Panama, je roulerais carrosse. Et le capitaine Dreyfus! Il aurait fallu tirer sur la populace... C'est ici que Déroulède... vous n'étiez pas là? Moi non plus. Alors, je ne sais plus ce que je faisais... courtier d'assurances... oui, monsieur, j'en rougis, j'ai fait des métiers bien indignes de ma naissance... Il aurait fallu tirer... Si vous pouviez seulement m'expliquer ce que c'est, je n'ai jamais compris, une assurance, alors, vous imaginez, je faisais un drôle de courtier... Tout ça, c'est Paris... »

Edmond avait envie de fuir; et en même temps, il avait envie d'interroger cet homme seulement à cause d'une phrase sur le Café de la Paix « *avec des jolies femmes et des drapeaux* », mais l'autre ne lui en laissait pas le loisir :

« Tout le monde s'en fout, jeune homme, si vous bouffez ou si vous ne bouffez pas... vous pouvez crever sous leurs yeux, là, dans leur République... Vous serez peut-être comme moi un jour... vous n'avez pas eu de chevaux, vous... tout le monde s'en fout! Il y a des bancs dans Paris, et des fontaines, on a attaché les gobelets avec une chaîne, pour que vous ne les emportiez pas. En 1900, ils m'ont loué à l'Exposition pour distribuer des prospectus. J'ai fait dans les mégots aussi, et puis les portières. Ah lala, si Boulanger avait réussi, la France n'en serait pas là. Parfois je me dis : tout ça c'est Paris, on n'aurait pas dû l'éteindre, il aurait brûlé tout entier... mais quoi, il en serait toujours resté, des bancs. Alors... On

n'a pas fait ce qu'il fallait, fallait tout, tout brûler, et là-dedans
la populace! Le pire, c'est les femmes. Des chipies, des enra-
gées. On n'en a pas tué assez, des femmes. Faudra recommencer. Paris... c'est à votre tour, maintenant, à vous les jeunes.
Vous tuerez, vous tuerez, nous autres, on a été trop bons, des
moutons, on n'a pas assez tué. Pas, Médor? »

Il y eut un grand coup de vent. Les gens se hâtèrent. Des
gouttes d'eau, et brusquement l'averse. Edmond se levait. Le
vieux le regarda, il jaugeait son porte-monnaie, et soudain
chuchota :

« Vous ne pourriez pas me *prêter* dix sous? C'est pour boire,
monsieur. Uniquement pour boire. Je n'ai pas faim. »

## XIV

Edmond déjeunait en salle de garde quand on vint lui
annoncer qu'un militaire le demandait. C'était Adrien Arnaud,
brigadier au 22e d'artillerie, à Versailles.

Il y eut entre eux un moment de gêne. Non point qu'Edmond
tînt exagérément à l'opinion de ses camarades d'hôpital, mais
il redoutait l'accent d'Adrien, et une certaine rusticité. En
même temps, dans ce costume d'artilleur, cela lui faisait drôle
de revoir le compagnon de son enfance, avec sa démarche
chaloupée, sa petite moustache comme peinte et des joues
colorées. Adrien, pour sa part, était un peu impressionné par
le tablier et la blouse aux manches courtes de l'apprenti chirur-
gien. Les présentations furent vite faites. Il y avait là Lavenaz,
Dulac, Desplat, Ferry. Edmond était le seul externe qui parta-
geât aujourd'hui l'ordinaire; on le reçut bruyamment avec son
invité, parce que, un invité à son compte, cela allait améliorer la popote.

« Alors, jeune homme, dit Lavenaz, sous sa toque blanche
et par-dessus ses lunettes, à Versailles, comment marchent les
boxons? »

Lavenaz était interne en médecine chez le docteur Fumerat. Il était impossible d'imaginer plus myope que ces yeux de rat de chaque côté d'un nez aussi monumental qu'il est permis à un chrétien de Savoie d'en porter sans scandale. Une souris, avec ça, pour la taille, et une voix perçante. Il n'espérait pas de réponse et hurlait déjà pour avoir des haricots.

Adrien était brigadier-instructeur pour la gymnastique. On venait de le détacher à Paris avec un groupe de ses élèves, pour un service spécial. « Mangez des haricots, brigadier, disait gravement Ferry, un immense Normand qui avait un ulcère à l'estomac, c'est excellent pour la sécrétion séminale... » Ici, Dulac, qui avait l'air d'un bouledogue romantique, lâcha le livre où il était enfoncé : « Toi, ne parle pas de ce que tu ne connais pas... — Comment, glapit Ferry, que je ne connais pas? — Oui, que tu ne connais pas... »

Desplat, le maître d'internat d'Edmond, les apaisa. C'était un homme d'assez haute taille bâti en hercule, avec un air de servilité et des lueurs d'acier dans ses yeux de blond qui se déplume.

« Messieurs, dit-il, quand l'armée nous fait l'honneur de siéger à notre modeste table, ne lui donnons pas le spectacle des dissensions civiles! Trinquons. »

Ils trinquèrent et le vin rouge dégoulina dans les bacchantes de Ferry. On entreprit Lavenaz sur son service.

« Cette viande, dit-il, ne vaut que pouic. Jeanne! Jeanne! C'est la cuisinière, caporal, et non point la vioque. Jeanne, vous avez encore fait cuire les restes de l'amphi? Je vous ai pourtant bien dit que le vieux paraplégique ferait un drôle de miroton... Allez, ça va pour cette fois, ma fille... »

Il mastiqua terriblement, et Dulac crut devoir l'excuser auprès de leur hôte :

« N'en croyez rien, brigadier; la viande n'est pas de l'origine que prétend notre ami Lavenaz; c'est tout bonnement du chien crevé qui nous vient droit de la Fourrière... Il essaie seulement de faire diversion pour ne pas entrer dans la voie des aveux... Alors, ton patron, Lavenaz? — Mon patron? Le vieux singe est comme toujours. Un danger public. Ce matin, il s'aboule en se frottant les mains. Voyons, madame Irma, pas d'entrées pas de décès? Allons, tout va bien. Ces observations? Lavenaz, mon cher, expliquez donc à vos stagiaires une fois pour toutes que je ne leur demande pas de m'écrire des romans... Cette langue, ma petite? Ho! elle est vilaine; si vous continuez comme ça, mon enfant, vous allez claboter un de ces jours. Enfin, tout à fait gaillard. Repassez-moi des haricots. Je me disais : il a encore inventé quelque chose. Eh bien! ça n'a pas raté... — Quoi, dit Dulac, il avait inventé quelque chose? — Oui, reprit Lavenaz, et il veut faire une communication à l'Académie de Médecine, et je devrai signer avec lui, et je serai déshonoré, une fois de plus. Qu'est-ce que je disais? Ah! oui. Il avait l'air inspiré, il pelotait doucement, en regardant d'un autre côté, la petite Abraham... — Cochon! dit Dulac. — Tout le monde peut pas être antisémite, grogna Ferry. — ... et quand il a vu que sa smala était au complet, il a demandé le pharmacien, pour que personne ne manque à la fête, puis il a été pisser en disant : Je reviens, puis il est revenu, et il s'est longuement caressé la barbe. Nous, on était dans la salle des femmes, où il y avait une méningite syphilitique qui gémissait et soufflait pour faire plus romanesque, et une vieille maman qu'a je sais pas trop quoi dans le gésier, qui réclamait tout le temps l'urinal. Alors, le père Fumerat s'est assis sur le pied du lit d'une petite qui a des tiraillements avec ses règles, il a donné une tape sur les fesses d'Irma, plus laide que jamais, et il a relevé ses chaussettes, qui avaient un peu l'air mélancolique. Après quoi, il a commencé à déballer l'affaire. Voilà. Vous n'êtes pas sans savoir que, dans sa défense contre le tréponème pâle, l'organisme travaille surtout du foie, si j'ose dire. Je vous ai montré, l'autre jour, à la nécrops, le foie du père de la petite dame que voilà, qui met si gentiment ses doigts dans son nez en me regardant, et qui est guettée par le mal héréditaire. Hum! vous avez vu comme ce foie était bourré, mais là, littéralement bourré de noyaux spécifiques... Bon. Cela tient à ce que c'est

le foie qui fabrique comme une usine naturelle de produits
pharmaceutiques les corps avec lesquels l'organisme essaie
d'enrayer la marche de ce pâle tréponème... Euh, euh! Sup-
posez un instant que nous débitions en tranches le foie de
syphilitique encore frais, que nous l'étalions sur du pain,
et que nous le mangions, qu'est-ce que ça donnerait? — La
vérole! susurra Dulac. — Mauvais esprit! D'abord, nous admi-
nistrerions ça, bien entendu, pas comme du foie gras, mais
en comprimés; faut pas gâcher la marchandise. Les anticorps
agiraient, et peut-être bien que ce serait curatif. Là-dessus,
pigez-moi s'il a du vice, le vieux malabar. Vous saisissez,
messieurs, sans que j'insiste, l'avantage considérable, à
commercialement parler, du bon marché de la matière
première... — Tu mens, protesta Ferry. Il n'a pas dit... — A dit!
Va communiquer, me fera signer, serai déshonoré, et vous
autres, purs savants et enfants de cochons, vous payerez ma
gueule. »

Adrien faisait des yeux ronds. Quand il resta seul avec
Edmond, tandis que la grosse Jeanne desservait en fredonnant :
« *Dans un thé tango c't' été — Oui, madame, j'y étais!...* »,
il lui expliqua qu'il avait eu son adresse à l'hôpital par Jacques
Schoelzer. Il avait forci, c'était un assez surprenant beau garçon, les cheveux plaqués, très courts derrière, avec un arrière-
goût de maquereau que le costume de fantaisie qu'il portait
soulignait légèrement. Tout d'un coup, ces deux pays, qui
n'avaient jamais eu grande intimité, se mirent à avoir de la
curiosité l'un de l'autre; Edmond très vite pressa Adrien de
se confesser sur sa vie de garnison. Avec qui couchait-il? Oh!
avec l'une, avec l'autre. La femme d'un capitaine... Il devenait
loquace sur la gymnastique. Son travail de Sérianne n'avait
pas été inutile. Pas seulement le saut à la perche. Le groupe
*Pro Patria*, l'expérience parmi les ouvriers. Oui, on l'envoyait
maintenant à Paris, ou plus exactement à Suresnes, aux usines
Wisner. Il y avait une grève à cause de la taylorisation de
l'usine. Ce que c'est? Comme toujours, les ouvriers s'opposaient à un progrès : on chronométrait le temps de travail

nécessaire pour chaque geste, dans la fabrication de chaque pièce, des ouvriers qualifiés. Puis, ensuite, les autres devaient refaire, dans le même temps, le travail. Une économie pour tous. Le rendement de l'usine accru d'autant. Alors, naturellement, ça ne leur plaisait pas, les meneurs s'étaient mis comme la vermine. Grève. Pas totale, les chronométreurs, certains spécialistes travaillaient. Mais il fallait des hommes pour pouvoir tenir. On en avait fait venir de province. Et comme l'usine intéressait la défense nationale, on avait prêté des soldats à Wisner. Adrien serait surveillant aux tours verticaux. Déjà, une fois, paraît-il, les grévistes étaient venus débaucher ceux qui travaillaient. Maintenant, ils seraient bien reçus. Adrien et les siens étaient des spécialistes de la savate.

Les deux jeunes gens rirent un peu. À vrai dire, Edmond regardait tout ça avec un certain dégoût. Qu'est-ce que c'était que cet apostolat de briseur de grève? À quoi cela mènerait-il Adrien? Un garçon fait comme lui. L'idéal d'Edmond était tout autre. Il venait, une fois de plus, de relire *Bel Ami*. On ne voit pas le héros de Maupassant aux tours verticaux, faisant de la savate. Et la grève sera longue?

« On ne peut pas savoir, mon vieux. Elle dure déjà depuis une semaine... Il y a eu des pourparlers. Ils ont été rompus. Ces salopards, on leur cédait sur des détails, mais c'est au système Taylor qu'ils en ont. »

Le système Taylor, dans la bouche d'Adrien, prenait une ampleur, une résonance de religion ou, tout au moins, de philosophie supérieure.

« Et Wisner tiendra? — Oh, celui-là! Je l'ai vu, tu sais. Un homme qui est parti de rien. Un ancien coureur d'auto. Maintenant, c'est une ville, si tu voyais, son usine. Tout béton armé, acier. Tu entres là-dedans, c'est comme un conte de fées, le château enchanté! Et comme c'est organisé! Le pointage à l'entrée, chaque homme à sa place, une vraie machine! Des merveilles, les machines, avec ça! Ce que ça a dû coûter gros! Il est vrai qu'avec les nouvelles commandes du ministère, ça ronfle. Alors, tu imagines, juste là-dessus, pan! une grève.

— Qu'est-ce qu'il en dit, Wisner? — Ça, il a du cran. Quand
les bafouilleurs sont venus protester contre le système Taylor,
il leur a dit : « Moi, je n'ai pas besoin de travailler. Je vous
fais travailler pour mon plaisir. Mais vous pouvez vous mettre
en grève : j'ai de l'argent, je prendrai des mois de vacances
que j'irai passer sur la Côte d'Azur. » Tu parles s'ils en ont
fait une, de bouille! — Avec tout ça, comment es-tu donc libre
aujourd'hui, un mardi? — Bien, cette idée, et la transmission
des pouvoirs? Le gros Fallières cède la place à Poincaré. On
nous a donné congé parce que, au fond, il n'y a pas grand'
chose à faire à l'usine, et on a de bons battoirs pour applaudir
le Président. Un chouette petit bonhomme! »

Edmond eut envie de dire qu'il était bossu, mais se retint;
ce diable d'esprit de contradiction, tout de même. Il suffisait
que Poincaré fût un grand homme pour Adrien pour qu'il
voulût en parler comme monsieur son père. Allons, il ne ferait
jamais rien de bon dans la politique. Mieux valait se lancer
dans la galanterie.

« Tu ne te fais pas idée ce qu'il est populaire dans l'armée,
Raymond, poursuivait le brigadier; tu comprends, Poincaré,
ça veut dire la loi de Trois Ans! — Et alors? »

Edmond avait froncé le sourcil. Il n'était pas partisan des
Trois Ans, parce que ce n'était pas dans l'armée qu'il voulait
faire sa carrière.

## XV

Puisqu'on avait donné campo à Adrien pour pouvoir applaudir le nouveau président de la République, les deux jeunes
gens s'en furent place de la Concorde, où il y avait une foule
formidable qui attendait le passage de Poincaré. Cela débordait dans la rue de Rivoli, la rue Royale, les Champs-Élysées.
Inutile de songer à approcher de l'Élysée, où piaffaient les

chevaux de la garde avec les armures métalliques au-dessus d'un Paris qui rappelait les jours de Boulanger. Un jour gris, avec cette fausse brume qui s'accroche aux arbres sans feuilles, estompait la silhouette de verre du Grand-Palais. De la mer humaine comme des mâts s'élevaient les bronzes noirs des lampadaires et, sur leurs radeaux de pierre, les villes de France stupidement arrimées. Le trafic embarrassé se résumait dans un encombrement qui, tenant le centre de la place, s'en allait cornant vers la rue Royale. Des grands chapeaux de femmes avec des échafaudages de tulle et de plumes, et déjà des pailles qui font à Paris leur apparition bien avant les beaux jours, surnageaient là-dessus comme les restes d'un festin à la dérive, à quoi se mêlait l'ironie de la manne d'un boulanger. Les grandes eaux jouaient aux fontaines. L'Automobile Club et le ministère de la Marine se paraient également des écussons municipaux sous des bouquets de drapeaux à leurs colonnades. Il y avait de la casquette, moins que du chapeau mou, mais enfin raisonnablement. Tout cela riait, se poussait, les faux cols et les cache-col blancs sous les barbiches, de jeunes étudiants avec le béret ou le bonnet de police, et des femmes, des femmes. Les casques du service d'ordre qui s'établissait luisirent un peu sous un vague soleil.

À ce moment, un coup de canon fit tressaillir la foule. On entendit la musique militaire du côté de l'avenue Gabriel : « Il entre à l'Élysée », expliqua derrière Edmond un vieil homme en gris clair, avec une tache de vin sur la joue.

Ils *le* virent passer un peu plus tard, le long des Tuileries, vers le métro Concorde, où ils avaient été repoussés quand on avait dégagé la voie du landau présidentiel escorté de cuirassiers. Le Lorrain, souriant et mobile, la poitrine empesée barrée du cordon rouge, son tube constamment à la main, contrastait avec la masse débonnaire de son prédécesseur. Fallières, assis à la droite de Poincaré, son pardessus boutonné jusqu'à la barbe, faisait face à Briand, le cheveu un peu long pour son haut-de-forme. Qui était à côté de Briand? Ils ne le reconnurent pas. Les pieds blancs des chevaux bais martelaient le pavé de bois. Les hourras se propageaient en direction de l'Hôtel de Ville, comme une vague qui court le long d'une falaise. La foule oscillait sur elle-même, s'écrasant, rigolant, tandis que, par derrière, là où les badauds s'éparpillaient, le fourmillement des voitures reprenait en tous sens, avec l'affairement d'une vie assez longtemps ralentie comme cela par l'enthousiasme patriotique. Il y eut même un grain qui passa et crachota sur l'ensemble. Il était près de quatre heures. Un règne venait de commencer.

Un groupe de conscrits, avec le diplôme triangulaire sur la tête et des cocardes frangées d'or sur la poitrine, passa, se tenant par le bras et chantant *la Marseillaise* au milieu de l'approbation générale. De vieux messieurs levèrent leurs cannes d'enthousiasme : *Vivent les Trois Ans!* Des jeunes femmes les embrassèrent, cela fit une nouvelle bousculade, au milieu de laquelle on entendit une voix qui criait : *À bas la guerre!* Brusquement, comme si un remous sous-marin avait happé la foule au coin de la rue Saint-Florentin, ce fut une tornade. L'homme qui avait crié n'était pas visible : il disparaissait sous une rafale de poings, de cannes, de corps lancés par la furie. Adrien avait voulu, dans le premier instant, courir vers l'étranger, ce ne pouvait être qu'un étranger qui avait eu cette idée déplacée d'utiliser un jour semblable pour diviser les Français. Edmond le retint : « Laisse donc, ils sont assez nombreux pour cette besogne! »

Ils se désintéressèrent donc de cette chose qu'un agent entraînait en lambeaux, le col arraché, l'œil poché, le nez en sang, le veston déchiré, et qui hoquetait, rechignant, sous les poings de la foule. Sur les Champs-Élysées, pleins d'enfants, de gouvernantes, de ballons rouges, d'amoureux et de familles à la traîne, Adrien dit avec beaucoup de conviction : « Heureusement qu'il a fait beau! »

Depuis un moment, Edmond, silencieux, suivait une idée naissante. Comme un gosse avec un col d'astrakan et des guêtres noires lui envoyait un cerceau dans les jambes, il pensa soudain à haute voix : « Je n'arrive pas à comprendre l'avantage de la loi de Trois Ans... » Il ne demandait rien à son compagnon, mais celui-ci s'y méprit :

« Est-ce que tu sais ce qui se passe en Allemagne? La loi militaire de juin dernier... Elle donnera son plein effet dans deux ans, en 1915... Si, à cette époque-là, nous n'avons pas encore pris les devants, les Allemands sont plus forts que nous et les Anglais réunis... — Pris les devants? — Eh bien! oui : les Trois Ans, et peut-être même une offensive. »

Edmond regarda son compagnon. L'idée d'une guerre était pour lui à peu près comme un moucheron qui vous gêne. Il ne s'y arrêtait que peu, mais c'était drôle, tout de même, de voir là, comme ça, quelqu'un qu'on connaît, pour qui c'était sujet de rêverie familière. Quelle idiotie! Depuis tant d'années qu'on l'entendait dire, *il y aura la guerre au printemps!*

« Tu ne comprends rien à la politique, Adrien, dit-il avec supériorité; le combat qui compte, c'est la rivalité entre Briand et Clemenceau... L'empereur d'Allemagne, dans tout ça... On ne travaille pas pour le roi de Prusse! »

Il n'écouta pas la réponse d'Adrien :

« Tu n'as pas compris, continua-t-il, je ne vois pas l'intérêt de la loi de Trois Ans pour nous. Pour Poincaré, pour Guillaume, pour Wisner, Krupp, etc., je saisis bien. Mais pour nous. Tout de même, trois ans de notre jeunesse à faire l'imbécile... Ne proteste pas : toi, tu as du goût, même dans le civil, pour ces simagrées, c'est ton affaire... Mais, mon vieux, moi je veux faire les hôpitaux... — Oh, ça, c'est une autre paire de manches : la loi prévoit des dispenses importantes pour les étudiants, les concours. Au bout du compte, les gens comme toi n'y perdront guère. — Alors, dit Edmond, c'est différent. »

Le lendemain matin, en ouvrant son journal, comme il prenait un café rue Cujas, l'étudiant en médecine se remémora le discours du clochard au Carrousel. Drôle de chose que ce Paris de nom de Dieu! Place de l'Hôtel de Ville, le jour d'avant, le nouveau Président était descendu dans les hourras des porteurs de journaux, des commandants en retraite et des midinettes, au milieu des plantes vertes, des sabres brillants et des gardes en culotte blanche et gants blancs; et la veille, la police avait dû charger sur des manifestants, dans les chantiers du métro, place du Trocadéro, il y avait eu des cris : *À bas Poincaré!* On n'y avait pas été avec le dos de la cuiller. C'étaient les lockoutés des Travaux Publics. Nombreux blessés... Cette nouvelle mettait un peu d'ombre sur une autre qui intéressa l'ami d'Adrien. À l'entrée de l'usine Wisner, à Suresnes, on s'était battu. Agents, gardes municipaux, gendarmes, avaient dû déblayer les alentours pour protéger le travail qui n'avait pas été repris par le nombre d'ouvriers qu'on escomptait, mais enfin. Des jaunes avaient été molestés. Edmond songea à son partenaire de boules : qu'est-ce qu'il avait été se fourrer là-dedans? Il serait bien avancé, quand il aurait attrapé un mauvais coup. Oh, puis, après tout, c'étaient ses oignons! Si ça lui plaisait... Edmond n'était, certes, pas du parti des grévistes, mais au fond, ça se comprenait qu'ils n'aimassent pas les jaunes.

Adrien était un « jaune ». Cette idée venait seulement au jeune homme. Le mot ne sonnait pas très bien, mais qui l'avait inventé? Les grévistes. Il n'y a pas de sot métier. Quoique vraiment les usines, le travail manuel et le reste, ce ne fût pas bien élégant. Ma foi, nous choisissons notre climat. Qu'est-ce qui m'empêche, si c'est là mon plus cher désir, de partir pour le Brésil? Mais voilà, je n'ai pas envie de partir pour le Brésil. En fait, rien ne me force à cette atmosphère usinière, à fixer mon attention sur ces problèmes ennuyeux qu'Adrien croit avoir découverts. Il est comme quelqu'un qui se serait fixé une tâche, une mission. Il veut sauver du naufrage une société qui se défend fort bien toute seule. Elle durera toujours ce que nous durerons, et sans doute qu'on a fait plus pour qu'elle vive en étant explorateur au Centre Afrique qu'en allant se tabasser à Suresnes avec des syndicalistes. Je ne jouerai tout de même pas les Savorgnan de Brazza, à chacun son rôle. Son rôle, à l'avenir, Edmond le voyait plein de femmes fléchissantes dans le clair-obscur d'appartements où languissent des fleurs et des étoffes rares.

Des souvenirs de poèmes se mêlent à des pendeloques de lustres, à des eaux claires où jouent des nymphéas et des lanternes. Fêtes étranges, nuits qui débordent sur le jour. Il y avait deux lignes dans *les Fleurs du Mal* qui retentissaient en lui d'une façon bizarre, et qui se prolongeaient toujours pour lui au delà de la raison : « *La très chère était nue, et, connaissant mon cœur — Elle n'avait gardé que ses bijoux sonores.* » *Que ses bijoux...* Les bijoux vont de soi, mais on quitte tout ce qui n'est pas ce luxe, pour rester soi-même, la robe Second Empire de la Très Chère, aujourd'hui, lui aurait donné l'air d'une grand'mère, tandis que ce corps jeune défie le temps dans la musique des diamants. Ce qui ne vieillit pas...

Edmond déjeunait chez son patron. Tout le service était invité. Desplat suivait avec une précision qui s'incline la moindre parole du professeur. Ce serait sans doute un grand médecin, Desplat, un jour. En attendant, quand il n'était plus en blouse, il n'avait l'air de rien du tout. On sentait son origine paysanne, assez basse, à ses vêtements. Meyer était assis à côté de la maîtresse de maison, et elle souriait de ce qu'il lui disait. Ce jeune juif élégant, d'une famille de la haute banque parisienne, dansait, paraît-il, le tango à ravir. Il avait l'air d'un marchand de tapis. Edmond, de l'autre côté de la dame, faisait la conversation au fils de son hôtesse, Jean Beurdeley, qui était à Stanislas et qui avait quatorze ans. Les autres, un peu au hasard, y compris la petite externe aux cheveux roulés en macarons sur les oreilles, faisaient un bruit discret qui tombait de temps en temps sur un geste du professeur, quand Desplat attirait l'attention sur une pensée de leur maître, qui tout de même ne devait pas être perdue pour tout le monde.

Il se sentait un peu humilié, Edmond, de l'inattention de Mme Beurdeley. Il avait eu tort, au théâtre, de ne pas l'avoir prise tout à coup dans ses bras. Pour l'instant, il se persuadait qu'il y avait du machiavélisme à faire la conquête du fils pour atteindre la mère. Jean Beurdeley parlait fort, comme un garçon prétentieux et mal élevé, qui sait bien qu'un

externe de son père n'a qu'à s'intéresser à ses discours. Il
s'agissait de Stanislas, des conférences de la Ligue Maritime,
de camarades qui s'étaient mis des Éclaireurs; Jean, lui, n'avait
pas voulu, il n'aimait pas creuser des tranchées, et tout le
tralala. Ce qui lui plaisait, c'étaient le skating à Luna, et la
radio. Il avait un détecteur à galène...

« Voyons, disait Mme Beurdeley, ces fantaisies-là ne tiennent
pas. Tenez, la jupe-culotte, par exemple, est-ce que ça a duré?
— La tendance d'aujourd'hui, madame, professait Meyer, a des
racines profondes. On en a assez de ces styles exotiques, d'une
liberté peut-être charmante, mais qui dérange l'ordre de nos
pensées... — Alors, plus de fêtes persanes? — Il nous faut
des robes qui aillent avec l'ordonnance de Versailles, des
Champs-Élysées... La Parisienne, en un mot, redevient une
Française... »

Quel prétentieux, ce Meyer! Jean Beurdeley, avec ses cheveux blonds bouclés sur un petit corps trapu qui faisait douter
de la paternité du sec Beurdeley, se pencha vers son voisin:
« Il est de l'*Action Française*, Meyer. C'est drôle, hein? un
youpin. » Le mot choqua Edmond, il répondit comme à une
grande personne : « Ils ont eu un israélite très en vue, dans
leur mouvement, Auguste Bréal. — C'est eux qui le disent:
pas prouvé... À Stanislas, on lit beaucoup Daudet. Il y en a
qui se disputent à cause des Trois Ans. — À Stanislas? —
Ben, oui. Vous savez qu'on fait passer des listes à signer pour
demander les Trois Ans? — Comment ça? — Bien simple.
Il y en a eu à Charlemagne, à Carnot, à Janson, à Rollin, à
Condorcet. Après ça, on les portera à la Chambre, et ces
salauds de députés verront bien que les jeunes veulent les
Trois Ans. — ... une robe amusante, mais alors amusante!
susurrait Meyer. — Parce que les jeunes, les tout à fait jeunes,
veulent vraiment les Trois Ans? — Cette idée! On n'est pas
des dégueulasses. On est des Français. — Le pli de devant
retombe à mi-jambe, et la broderie dans le décolleté est d'un
effet... original. — On ne veut pas se laisser bouffer par les
Alboches. J'ai été au théâtre l'autre jour, avec mère, voir

*Servir,* de Lavedan. C'est ça qui est sympa... — Monsieur
Meyer, vous reprendrez bien des quenelles? — Tous les jeunes,
maintenant, ont conscience de leur devoir... — Et vous, monsieur Barbentane, et toi, Jean? »

Edmond se retourna vers son hôtesse; le domestique, un
peu en arrière, tendait le plat d'argent. Mme Beurdeley avait
une robe d'après-midi extrêmement seyante, jaune, ton sur
ton, avec de grands parements de dentelle bise.

« Je vous demande pardon, à vos côtés... »

Le compliment s'étrangla, Mme Beurdeley parlait déjà avec
Meyer. C'était une sotte, décidément. Il revint à son jeune
voisin :

« Et tout le monde a signé, à Stanislas? — Bien sûr. Sauf
un nouveau, sous prétexte que qui frappera avec l'épée périra
par l'épée... Vous savez, il y a de ces catholiques excessifs!
Aussi, on ne lui parle plus. Personne. On fera trois mois de
quarantaine! »

Depuis quelques jours, ce thème des Trois Ans persécutait
réellement Edmond. Il n'arrivait pas à comprendre cet enthousiasme, ni chez ce gosse, ni chez Adrien. Son cœur n'avait pas
de semblables tendances à battre la chamade. — Lâcheté de
sa part? Non. Mais il détestait le courage inutile : à lui, son
but était de plaire. Avec l'engouement présent pour la patrie,
il faudrait se surveiller du côté des sentiments patriotiques.

# XVI

Dans le bureau de l'*Immobilière du Maroc,* rue Pillet-Will,
Joseph Quesnel a convoqué Joris de Houten. Il lui donne des
ordres brefs, mais il n'a pas cet air habituel d'aisance que le
Hollandais lui connaît. Les transactions qui constituent le prétexte de cette entrevue, et desquelles Quesnel semble brusquement prendre la décision irréfléchie, revenant d'ailleurs sur

les ordres donnés, en substituant d'autres, ne légitimaient pas cet appel pressant par pneu, toutes choses cessantes (souligné), qui avait forcé M. de Houten à remettre à une heure un déjeuner chez son amie, Mlle Jonghens. Des soucis accablaient assurément le « patron ». Au reste, celui-ci brisa tout à coup les chiens.

« Mon cher Houten, il ne vous échappe pas que je me trouve coincé, ces jours-ci, entre mes échéances. J'ai entrepris, vous le savez, par amitié pour certaines de nos relations communes, bien des choses qui ont engagé fort avant mes disponibilités. Je puis dire que, dans plusieurs cas, je n'ai pas trouvé chez nos amis l'attention élémentaire, la courtoisie... — Cependant... — Voyons, mon cher Houten, ne faites pas l'enfant : vous savez ce que me coûte l'histoire de Touapsé, qu'un mot dit à vous ou un coup de téléphone, même direct de Raffalovitch, pouvait m'épargner. »

Houten jouait avec sa canne à pommeau d'argent. Il avait un pardessus gris clair à col de velours noir dont il n'était pas mécontent.

« Enfin, il serait temps que l'ambassade comprît qu'un peu plus de conséquence dans les idées, un peu moins d'hésitations, et, disons-le, de marchandage, ne pourrait qu'améliorer une situation parfois tendue. Voyez-vous, mon cher, les intérêts franco-russes dans l'industrie comme dans la politique extérieure sont aujourd'hui si bien mêlés qu'autant vaut y aller cartes sur table. C'est affaire de simple patriotisme de part et d'autre. Nous savons ce qu'il en est des armements de l'Allemagne; vous-même, avec la discrétion qui vous est propre, et la situation délicate où vous mettaient vos rapports avec nous et avec la Deutsche Bank, vous m'en avez encore touché récemment un mot. Bref, nul n'ignore que c'est moi qui ai poussé Wisner dans la voie de l'aviation, quand l'industrie automobile lui suffisait bien, et vous savez qu'il est en ce moment très gêné avec ses ouvriers, grève, que sais-je? Toute l'industrie de notre pays se tient, mon ami, et vous comprenez bien qu'un krach toujours possible de ce côté-là pourrait mettre le pays en un fâcheux état d'infériorité. L'issue est dans les commandes. Il faut restaurer le crédit. Pour cela, la loi militaire serait l'atout décisif. Mais le gouvernement Briand balance à se prononcer. Remarquez que, si ce que je tiens de M. Isvolsky lui-même est exact, nul plus que le Tzar ne désire les Trois Ans... — Alors, mon cher monsieur Quesnel, de quoi vous plaignez-vous, et surtout qu'attendez-vous de moi, je suis affreusement pressé... — Isvolsky comprendra, j'en suis sûr. Il est clair que le ministère actuel ne peut pas faire les Trois Ans. Qu'il le veuille, bien entendu! Mais le jour où il se prononcera, il trouvera devant lui la coalition des pamsistes avec les antipatriotes. Non. Seul, un gouvernement de gauche, placé en face de ses responsabilités, pourrait, avec le minimum de dégâts... — Clemenceau? — Pourquoi pas? Évidemment, le président Poincaré... Peut-être Caillaux. Un homme très fin. L'essentiel, comprenez-vous, c'est que le cabinet actuel, en prenant position, prépare pour ses successeurs une tradition gouvernementale sur la question. Après cela, il se retirerait sur une question adventice... — Vous croyez que Briand se prêterait à cela? — Briand est un bon Français. Et puis, j'ai déjà eu l'occasion, par Lenoir, de faire entendre à ces messieurs qu'une certaine compensation, à cette heure, pourrait être décisive. Nous voici au début de mars, j'avais demandé pour février une misère, vraiment quelques milliers de francs, trente-cinq pour préciser, qu'on avait promis de verser dans une affaire que Son Excellence connaît bien... Si les circonstances étaient différentes, j'aime assez mon pays pour cela, j'aurais fait appoint sur ma propre caisse. Mais vous savez que cela ne m'est pas possible avec tous ces virements qu'il a fallu faire dans les derniers mois... Son Excellence avait bien voulu me dire tout le contentement qu'elle a ressenti de l'élection présidentielle... — Vous désirez donc que je dise... »

Quesnel eut l'air absolument excédé. Pourquoi le Hollandais, d'habitude si prompt à comprendre, se faisait-il ainsi tirer l'oreille?

« J'ai eu, mon cher, à ce sujet, un reproche amical du ministre de l'Intérieur, M. Israël, qui ne parlait apparemment point en son nom particulier... J'imagine qu'il suffirait d'une assurance sur la date du versement, pour que le ministère prît des dispositions immédiates, que je considère, moi, comme salvatrices... »

Houten suivait avec intérêt les expressions qui passaient comme des images sur le visage de Joseph Quesnel. Bien que l'importance de la commission dont on le chargeait lui fît plisser de plaisir ses yeux de chat-tigre trop clairs, ce n'était pourtant pas l'objet même de cette commission qui le captivait. Non. Il se passionnait pour la psychologie de son interlocuteur. La psychologie! Une grande chose, la psychologie. Il était fort évident qu'au delà des mots de Joseph Quesnel flottait quelque chose d'imprécis, d'informulé, mais de fort, une hantise. Était-il vraiment préoccupé à ce point par ses affaires? Elles ne se trouvaient pas dans une telle posture que cela pût se concevoir. Houten sentait une espèce de distraction dans les paroles, et même une façon un peu plus directe que de coutume à exprimer des choses assez délicates, qui eussent nécessité plus de diplomatie... Quesnel l'intéressait. C'était un cas. Dans l'homme d'affaires, retrouver l'homme. Est-ce que celui-ci avait senti cette sympathie observatrice dans son interlocuteur? Toujours est-il que, sur une phrase quelconque, il fit pivoter son fauteuil et regarda dans les yeux Joris de Houten.

« Voilà. Nous sommes ici, et nous bavardons. Et tout vous a des airs d'importance. Mais vous êtes pressé. Votre tête est ailleurs. Vous êtes plus jeune que moi. On vous attend. Ne protestez pas. Le soin que vous donnez à votre toilette n'est pas seulement destiné aux ambassades. Allons donc! Vous êtes peut-être heureux. Ou malheureux. Moi, je vous parle. Mes lèvres vont. J'ai aussi mes lumières et mes ombres. J'ai aussi avec moi tout un monde muet. Le gouvernement, les affaires, les chiffres, tout cela n'est qu'un décor menteur. Je pense à ce que je ne dis pas. Nous cachons tous deux une réalité probablement semblable. Ne m'interrompez pas : pour un instant, je suis en veine d'être sincère. Nous sommes, comme les autres, des êtres doubles. Nous vivons à une époque historique qui se caractérisera peut-être un jour par là : le temps des hommes doubles. J'ai fait toujours deux parts de ma vie... »

Sa voix était tombée, et Houten grillait de curiosité. Il était pressé, c'est vrai, mais que n'eût-il donné pour connaître le fond de ce cœur étrange, les pensées cachées de l'un des maîtres de la Bourse? Lui aussi, pensait-il, avait fait deux parts de sa vie : et il songeait à sa maîtresse, Martha Jonghens, la longue idylle d'une vie si peu idyllique. Dans l'amour, ainsi, survivent, se réfugient des sentiments anciens venus de l'enfance et dont la fraîcheur vous saisit tout à coup au milieu des relents de cigare d'une existence âpre et peu sentimentale, comme une chanson dans l'orage. Et voici que dans ce banal décor de bureau, avec les cartonniers, le téléphone, la machine à écrire, il apercevait dans les yeux de ce redoutable trusteur, de ce maître qu'il servait et trahissait parfois, comme un reflet de ses propres mélancolies, une lueur de ce qu'il tenait pour l'intime de lui-même. Il toussota légèrement :

« Vous avez peut-être aimé, vous aimez », dit Joseph Quesnel, et ces paroles surprenantes et déplacées parurent toutes naturelles. « Cela est une chose étrange, qu'un homme que vous voyez devant vous, qui se plie à toutes les manigances machinales de la vie, porte ainsi son rêve au travers d'elle. Mon cher, j'ai cinquante-cinq ans... N'est-ce pas là tout vous raconter? Oh, je vous en prie, pas de politesse... Je ne suis pas un sot, mais je regarde le malheur en face. Un joli malheur, avec des yeux à perdre la raison. Seulement, que voulez-vous? Est-ce que je puis, moi, l'homme double, lié à tout ceci par une moitié de moi-même, est-ce que je puis peupler cette vie d'un être enfant, dont les loisirs m'épouvantent? Ne vous est-il pas arrivé de vous demander... »

Joris sourit avec une espèce amère de supériorité. Il connaît sa force, et sa tranquille domination de Mlle Jonghens. Pourtant, il se sent dans son humeur la plus compréhensive, comme au théâtre, quand il suit une pièce de Bernstein, son auteur préféré.

« Une femme, dit-il, n'est jamais toute à nous, elle a une famille, un monde... »

Quesnel soupira : « Ah! c'est bien là, pour moi, la plaie... Ni famille, ni monde, ni amis... Rien : le désœuvrement, les longues heures. Je l'ai arrachée à son passé. Il lui aurait fallu une occupation, un métier. Puis-je, avec le fardeau de ma richesse, exiger d'elle qu'elle travaille? Ne m'est-elle pas attachée par cette oisiveté même que je lui permets de poursuivre? Ce serait la perdre que de lui donner les moyens de l'indépendance... »

Ils rêvèrent un instant tous deux sur des pensées diverses. Quelque chose venait de les rapprocher au milieu des affaires, de la sécheresse de l'argent. Ils laissaient durer cette minute de confiance. Le silence s'engrossait d'une sentimentalité confuse. L'image de Martha rappela l'heure à Joris de Houten. Il se leva, légèrement penché sur sa canne, avec le sentiment qu'il fallait dire quelque chose de pratique :

« Achetez-lui donc, dit-il, un chat siamois... »

# XVII

Une grande fille blonde, c'est tout d'abord ce qu'Edmond en avait pu voir. Elle avait une espèce de charme animal fait de mobilité. Le teint mat comme une brune, et les yeux noirs, peut-être pas très droits, sous le casque d'or des cheveux, aux confins de la rousseur. Elle se coiffait comme toutes les femmes alors, les cheveux tirés en arrière, et la masse portée au-dessus de la tête avec une frange sur le front. Quand elle penchait ce cou flexible, et plus fort qu'on ne l'attendait, le soleil jouait dans les frisettes des petits cheveux sur la nuque. Un mélange incroyable de violence et de douceur :

très enfantine, avec une petite bouche cruelle, qu'un rien
pinçait méchamment, et des dents claires comme le rire, sur
son visage aux traits petits passaient des vagues de sentiments
qu'on craignait qui ne fussent point des caprices. Elle s'allu-
mait ou s'éteignait d'un coup, sur une phrase, ou quelque
idée dans cette tête folle; et c'était une transformation comme
chez les autres femmes il n'en vient que pendant l'amour.
L'œil s'embuait, toute la peau se mettait à vivre, le désir, le
désir fou rougissait jusqu'au lobe minuscule de l'oreille qui
s'échappait sous une mèche roulée. Les hommes, autour d'elle,
en avaient la respiration coupée, et tout simplement elle
murmurait, avec cette adorable voix chantante, à peine ridi-
culisée par l'accent italien : « J'ai vu des roses hier, oh, je
ne sais pas ce que j'aurais donné pour les avoir! » Ses deux
mains, ce disant, s'ouvraient à la renverse, et la tête pliait
sur sa charnière, et le menton pointait vers le monde, les
yeux se fermaient... Alors, on remarquait combien sa gorge
était ronde, il semblait qu'elle voulût s'échapper de la veste-
boléro noire où elle était emprisonnée, dont les parements et
le col de peau blanche bordés de peau noire étaient joints
par du fil vieux-rose; il semblait qu'elle cherchât l'air et le
soleil, on éprouvait la force surprenante de cette poupée qui
vous eût fait éclater le crâne d'un homme dans la saignée de
ce petit bras rond.

Le restaurant de la Cascade était plein de gens qui revenaient de Longchamp; la fin d'après-midi poussiéreuse avec
ses rayons obliques à travers les arbres et les rivières de cette
agonie du Bois de Boulogne se traînait sur une foule mêlée,
où le populaire de l'herbe avec ses papiers gras, ses jeux
bruyants, un ballon qui fout le camp tout à coup sous les
voitures, faisait mieux ressortir encore le caractère d'oasis au
champagne, de ce lieu où se réfugiaient les échappés du
pesage, devant la fraîcheur de l'eau et de la grotte, comme
un décor du Châtelet. Les clameurs, les trompes des voitures,
le brouhaha de la foule résumaient la lassitude du paysage.
Au loin, comme des plaisanteries, le moulin de Longchamp,

la villa de Chauchart, la Tour du Prince Impérial et la tapisserie plate des grands champs déjà jaunis. Avril, et le printemps de 1913 dans cette fausse campagne, avaient déjà des
airs d'automne. Des bicyclistes en mettaient un coup à tous
les niveaux de la perspective. Des fumées machinales au delà
de la Seine rappelaient le monde réel qui recommence où
finit la flâne et le dimanche.

Un orchestre viennois près de la véranda de glace dominait
le jardin du restaurant qui est comme un éventail, incliné
vers le confluent des Acacias et des routes de Longchamp.
Les consommateurs, entassés autour des tables, à ne pouvoir
bouger, se levaient pour laisser passage aux garçons noirs et
blancs, qui élevaient au-dessus des têtes le ruolz des pla-
teaux. Il semblait qu'ils eussent reconstitué un monde dans
la débâcle des courses. Tout ce qu'il y avait de parfumé,
d'astiqué, de bien lavé, s'était ici cristallisé après l'orage du
jeu, le spectacle effréné des chevaux, de la poussière, de la
sueur et du crottin. Des morceaux nus de femmes luisaient
dans le repos, des étoles glissaient sur des reins qui n'étaient
pas faits pour le grand air, des épaules s'alanguissaient, et
du côté hommes, il y avait un mélange singulier de jaquettes,
de vestons, de gris clair et de beige brun. Ces messieurs, tritu-
rant dans leurs poches les papiers du Pari Mutuel, retrouvaient
brusquement, après la secousse brutale du risque, après le
jeu qui les avait fait insensibles à tout ce qui n'était pas lui-
même, leur virilité réveillée, comme au bout d'une nuit
blanche. Des moustaches, où s'accrochait de la glace pistache
ou framboise, se penchaient vers des voisines aux rires nerveux.

Edmond avait assez joliment perdu, à suivre les conseils
du cousin des Barrel, Jacques Schoelzer, qui lui avait recommandé un de ces krachs, mais alors. Et par fiche de consola-
tion, Jacques, qui avait touché un placé dans la première,
l'avait emmené à la Cascade, où, tout à l'heure, à Longchamp,
le jeune Gilson-Quesnel lui avait dit qu'il serait, après les
courses, avec des amis. Roger Gilson-Quesnel, officier de cava-

lerie, avec sa tête d'ours sur un corps de girafe, était flanqué
d'une demi-douzaine de gens qui faisaient une espèce de buée
d'élégance. Edmond remarqua que tous les hommes étaient
du monde protestant, jusqu'à ce monsieur un peu âgé, dont
il n'avait pas saisi le nom, mais à qui Jacques Schoelzer
s'adressait avec déférence. Il les entendit, un peu à l'écart,
parler du Temple de l'Étoile. Il y avait quelque chose de
servile tout à coup chez Jacques, qui dégoûta Edmond. Le
melon beige de l'homme important oscillait au-dessus de légères
bajoues roses, un peu craquelées, et d'un regard qui se posait
avec insistance sur la jeune femme qui accompagnait évidemment Roger. Elle, c'était cet être de contrastes vers qui Edmond
se tournait peu à peu, indifférent à tout ce qui n'était pas
elle... La chaleur prématurée de la saison était visible dans
l'air.

L'orchestre jouait *Le Soldat de Chocolat*. La valse était le
seul vent qui agitât l'espace, et le violon-chef d'orchestre, dans
une blouse verte à boutons d'or dont les manches n'étaient
point passées, agitait ses bras pris dans une chemise bouffante
en souriant aux dames avec langueur. De grosses gouttes per-
laient à son visage et, l'œil fixe et brillant, il les rejetait d'un
mouvement de la tête, comme s'il eût dit brusquement *non*
à quelque diabolique interlocuteur. Un Soyer au champagne se
renversa sur une robe de faille amande, et les fraises, un
bout d'orange, glissèrent dans le gravier. La musique redou-
bla comme pour couvrir cet incident d'un déluge sensuel.
Les dénégations du violon se faisaient frénétiques. L'autre
femme qui était avec les amis de Jacques Schoelzer, dit
quelque chose à Edmond, qui ne l'entendit pas. Du reste, il
ne suivait aucunement cette conversation de frelons, trop acca-
paré qu'il était des sautes d'humeur de l'étrange créature.
Jacques, pourtant, l'arrachait à cette contemplation :

« Mrs Bird te parle, Barbentane... »

Il sursauta, s'excusa. L'Américaine souriait de toutes ses
dents, elle se ferait un plaisir de recevoir M. Barbentane
chez elle, un de ces jours, s'il voulait accompagner

M. Schoelzer. Mais comment donc, mais c'est-à-dire, vous me
voyez confus, avec plaisir, bien entendu. La valse faisait tour-
noyer les consommations glacées au-dessus du jardin. On appelait au loin les chauffeurs par le nom de leurs maîtres. Un
groupe prêt à partir hésitait au bord de l'océan vulgaire, à
la limite des tables et de la poussière.

Soudain, Edmond sentit que le regard de la Bête aux cheveux
d'or s'arrêtait sur lui. Il en frissonna, et comme surpris dans
son admiration, il baissa ses yeux indiscrets un moment, le
temps de lui laisser regarder ailleurs. Une phrase de musique
ronfla dans un silence relatif. Edmond eut honte de ses mains,
qu'il n'avait pas lavées depuis le déjeuner. Il redressa la
tête, et rencontra, droit dans le sien, le regard qui n'avait
pas bougé. L'effrontée. Mais il y avait sur ce visage un air de
sérieux, la bouche de l'attention. Lui, n'osa plus baisser les
yeux.

On eût dit que la femme, sous le petit chapeau où s'éployait
une mouette, cherchât dans le fond de ses souvenirs les traits
du jeune homme qu'elle regardait. C'était drôle, elle l'avait
déjà vu quelque part... C'est-à-dire qu'Edmond pensait ainsi
pour elle, bien qu'il fût certain, pour sa part, de n'avoir jamais
aperçu cet être de vif-argent. De sa vie. La valse lui faisait
des yeux tristes. Elle n'écoutait plus son voisin, le lieutenant
Desgouttes-Valèze, qui parlait du Maroc où il allait partir.
Elle avait cessé de jouer avec son ombrelle. La valse mourut...
« Monsieur... Monsieur Barbentane? »

C'était elle qui l'avait appelé. Toute la conversation s'arrêta.
Desgouttes-Valèze fronça ses épais sourcils blonds. Les têtes
se tournèrent vers Edmond. Une espèce de sourire gêné sou-
ligna la jeunesse de la moustache qu'il pouvait encore à peine
tailler. « Madame... », dit-il, comme pour s'excuser, auprès de
tous de devenir le centre de l'attention et de son attention,
à elle.

« Vous êtes de Sérianne, n'est-ce pas? »

Il attendait tout, sauf cela. Il perdit contenance, acquiesça
de la tête.

« Vous êtes parent du médecin? — Son fils, avoua-t-il. —
Ah!... » Elle détourna soudain son regard et saisit les mains
de Desgouttes-Valèze en s'écriant : « Parlez-moi encore du
Maroc! » Une mélodie qui reprenait fit diversion. Edmond
était aux cent coups. Comment savait-elle? D'où connaissait-elle
son père, son pays? Il lui semblait que tous les autres avaient
senti l'étrange de cette question, mais que tous, relancés dans
une conversation pleine de rires, d'anecdotes, de parisianismes,
n'eussent qu'un but, la faire oublier, cette question singulière,
déplacée. Comme si tous ces hommes avaient une jalousie de ce
lien bizarre entre lui et elle. Edmond crevait d'envie de
demander à... au fond, quel était son nom? Il ne l'avait même
pas entendu tout à l'heure, surpris par le jeu noir de ses
yeux. Jacques Schoelzer se renversa un peu sur sa chaise.
Edmond se pencha vers lui :

« Qui est-ce? — Le vieux? Joseph Quesnel l'oncle de Roger,
le trusteur des taxis, vaguement apparenté à la famille... »

Par-dessus les têtes, le célèbre industriel souriait à Edmond.

« J'ai eu l'occasion, monsieur Barbentane, de rencontrer
votre père chez mes cousins Barrel... Une mauvaise tête, mais
un homme capable... »

Ah ça, tous connaissaient donc son père? Il en eut une
espèce de rage. Joseph Quesnel poursuivait : « Je ne sais pas
d'où Carlotta le connaît, elle... »

Il y avait de l'inquiétude dans cette voix. Qu'est-ce que ça
pouvait lui faire, au vieux? Tandis qu'il parlait de Sérianne,
des tramways qu'il s'agissait de transformer, le vieux système
à perche était condamné, voyons, l'autobus est un progrès
incontestable sur le tram, Edmond retournait à Carlotta, elle
s'appelait Carlotta, insensiblement. Et elle, qui s'était reprise à
jouer de l'ombrelle entre Roger et Desgouttes-Valèze, avec
cette muette expression à faire perdre le souffle, de gravité
et d'attention, le regardait maintenant comme si la vie se fût
jouée entre eux.

Il avait cette carnation fragile de la jeunesse, chez les bruns
qui ont pour un rien le sang sous la peau, les yeux liquides

de sa mère, avec toute la sauvagerie de la Corse, moins enfoncés pourtant dans des orbites caves que chez Mme Barbentane ou Armand, et ses cheveux noirs de l'espèce qui se peigne si bien qu'on en voit les racines, qui fait des hommes chauves à trente ans, mais qui donne à vingt-cinq l'air d'être mieux nettoyé que les autres. Les épaules larges pour la tête, et le poignet énorme pour la main, en bon joueur de boules. Avec tout cela, encore l'accent de la province dans l'habillement, les revers pas comme tout le monde, et le col un peu trop haut, le guindant. Il tripotait des gants jaunes avec une espèce de fièvre. Quand il souriait, sa lèvre supérieure se relevait à gauche, et du même côté on lui voyait un peu la veine de la tempe. Bleue. Les yeux de Carlotta battirent comme des oiseaux sur une plage. Quand elle lui demanda, très haut : « Où habitez-vous ? » il ne put que répondre : « À l'hôtel Royer-Collard... », et aussitôt il vit sur tous les visages une consternation éclatante, mais Carlotta riait : « Je ne vous demande pas ça, je veux dire à Paris ou à Sérianne ? »

Il fut comme un noyé qui s'entortille dans les herbes. Joseph Quesnel s'éventait avec son melon. Edmond expliqua qu'il faisait ici sa médecine. L'été, bien entendu, pour les vacances... Elle lui coupa encore la parole :

« Joseph, je m'ennuie avec ces messieurs, raccompagne-moi ! »

C'est ainsi qu'Edmond comprit qu'il s'était trompé, et que Carlotta n'était pas ici avec Roger, mais avec l'oncle, le magnat des taxis. C'était une putain, tout simplement. Il lui baisa la main, comme une ortie. Il nota très clairement que le boléro noir s'allongeait avec un pan arrondi, en arrière, et que la robe était de tissu éponge vieux-rose avec des motifs de passementerie noirs.

# XVIII

Une chose, tout de même, qu'il ne se mettrait jamais dans la caboche, c'était le diagnostic des hémiplégies. Il avait beau relire ça pour la quatrième fois, il se foutait dedans tout le temps avec les symptômes. C'est pourtant simple... Oh, puis, s'il avait autre chose en tête, Edmond, après tout! La passion pour l'étude allait déclinant ces derniers jours. Il avait beau se répéter que s'il n'étudiait pas, il n'arriverait à rien. Il avait beau se pincer pour se rappeler sa soif d'honneurs, de gloire. Il avait beau se forcer à rester plus que de raison au labo devant des coupes de cervelle, du sang de typhique ou des urines problématiques, rien n'y faisait.

Le printemps rentrait doucement dans ses veines. Tout était distraction, la lumière, quelqu'un qui passait, une phrase, et tout était un souvenir. Au bowling de la Porte-Maillot, il avait lié connaissance avec une petite gosse qu'il avait invitée dans un prix fixe à cent sous, une folie. Elle était blond blanc, sans sourcils, avec de la poudre et du rouge mis de travers, elle ne restait pas une minute en place, fouillait dans son sac, parlait au garçon, montrait ses jarretières qui avaient des petites roses de tissu, et s'inquiétait toutes les trois minutes de savoir ce qu'Edmond pensait de sa robe, bleu-ardoise, avec des tas, des tas de petits plis sur les manches. Mauricette, s'il vous plaît. Elle avait fait des manières pour l'emmener chez elle, et lui ne voulait pas payer l'hôtel après le dîner. C'est qu'elle habitait à Neuilly, rue de Chartres, au-dessus d'un petit caboulot pour cochers, près de la Justice de Paix. Elle pleurait d'humiliation en rentrant dans la chambre. Elle enleva sa robe avec un soin extrême, et la plia en caressant les manches. Elle avait des dessous de coton, mais des seins charmants.

Après ça, pour ne plus la revoir, Edmond ne revint plus au bowling. D'autant qu'absolument par hasard, ayant rencontré Mme Beurdeley dans la rue, il l'avait raccompagnée chez elle et là, brusquement, avec une folie soudaine, il l'avait embrassée et elle s'était laissé faire. Maintenant, qu'est-ce qu'il y pouvait? Commencèrent des histoires d'hôtel meublé, de rendez-vous. Elle était folle, la tête à l'envers, avec une nouvelle voilette chaque fois. Elle payait la chambre, heureusement. Elle força même Edmond à prendre des leçons de tango. Chez un professeur argentin, pas loin de la Madeleine. Il y avait trois ou quatre jeunes gens boutonneux, et une fille en mal de Conservatoire. La tapeuse jouait éternellement *Le Tango du Pendu,* et il faisait chaud parce qu'on fermait les fenêtres, qui donnaient sur une cour noire.

Est-ce qu'il perdait la boule, sérieusement? Il avait un retard fou pour ses conférences; la physiologie à la Sorbonne, il n'y songeait plus. Qu'est-ce que cela voulait dire? À la fois il se sentait perdre pied dans la paresse, et il éprouvait une révolte à l'idée du travail, de la médecine. Il trouvait tout préférable à ce qu'il aurait dû faire. Jusqu'à bavarder avec ce petit idiot de Jean Beurdeley, et son répétiteur, qui lui serinait le latin à la maison.

C'était un ancien pion de Stanislas, qui venait de quitter cette école, et qui faisait quelque argent du petit Beurdeley pour continuer des études particulières, avec la maigre pension qu'il recevait d'un père, greffier au Tribunal. Un garçon de vingt-sept ans environ, timide, indécis, portant toute sa barbe, et une raie sur le côté. Mis d'une façon provinciale, et méticuleuse, avec l'air de ce qu'il était, un élève des jésuites. Il s'appelait Raoul Villain. Il discutait avec Edmond, tandis que Mme Beurdeley s'habillait pour sortir. Il était parti du socialisme chrétien, il s'était inscrit au *Sillon,* de M. Marc Sangnier. C'était un ton de voix nouveau pour Edmond, et qui l'amusait sans le toucher. Il n'était pas plus socialiste que chrétien.

Au milieu de tout ça, Edmond était hanté d'une image,

tenaillé absolument d'un regret. Il avait beau se traiter d'imbécile, il lui fallait convenir que ce qui avait changé pour lui
tout le sens de la vie, l'avait fait soudainement désespérer du
travail et de l'ambition, c'était cette sacrée fille rencontrée
à la Cascade. À cause d'elle, tout prenait une teinte de pis
aller, dans ce printemps lourd, que ne domptait pas la
passion de Mme Beurdeley. Dans ses bras, comme au milieu
des livres, Edmond ne voyait que Carlotta, la beauté violente
et saine de l'Italienne aux cheveux du Tintoret. Son irritante
voix, ses dents comme de la neige au soleil, l'espèce de puissance étrange de sa nuque, et puis on ne sait quoi de dédai-
gneux et de fort, ses yeux qui regardent sans gêne, tout droit,
avec une gravité inattendue...

L'image, pourtant, allait s'effacer, Edmond en était bien
sûr, et il n'y avait pas de réactif pour virer dans sa mémoire
l'instantané déjà ancien. Ce serait un bon débarras. Il n'avait
pas plus tôt pensé à cela que la peur de l'oubli le prenait.
Il rappelait de toutes ses forces le souvenir visuel, et chaque
détail de l'entrevue du Bois. Il souffrait de n'être pas très sûr
du menton, quelque chose du corps s'était perdu, et quelle
était maintenant la part de l'imagination dans ce portrait
évoqué? Carlotta, que n'aurait-il donné pour la revoir, et
furieux de le penser, de cette hantise, parce qu'enfin ça ne
tenait pas debout, il n'était pas amoureux, on ne tombe pas
amoureux comme ça.

Ce qu'elle avait d'appelant, cette fille, c'était la richesse du
buste, les épaules, les seins. Une espèce de générosité de nature.
Il fallait trimbaler Mme Beurdeley dans les thés, danser avec
elle. Elle payait, c'est entendu. Elle rajeunissait à vue d'œil, la
garce. Elle était heureuse. Carlotta, vous comprenez, c'était
ce qu'on sait qui vous est interdit. Ce genre de femme trop
bien pour vous, qui est réservé à d'autres. La femme plus
grande que nature. Je ne parle pas de la taille, je parle de
la femme. Saloperie de vie. Il restait cinq, six jours sans
venir chez les Beurdeley. Il essayait de travailler, flânait.
Puis, à quoi bon? Alors, il y avait une scène, des larmes, puis

des yeux rayonnants derrière les pleurs. « Je m'habille, méchant. »

Le méchant faisait donc antichambre, et parlait avec Jean et son répétiteur. Celui-ci allait bientôt faire une période militaire, au camp de Châlons. La loi de trois ans, tout naturellement, revint sur le tapis, d'autant que depuis un peu plus d'un mois, les socialistes avaient commencé par le pays un de ces chambards pas ordinaires.

« Vous savez, je ne vous suis guère dans vos idées, dit Edmond. Je ne suis pas un partageux, et le socialisme me laisse sceptique. Et puis, chacun se débrouille, n'est-ce pas? Tenez, j'en ai vu dans mon patelin, des socialistes. Ah lala! — Vous ne connaissez pas *notre socialisme*. La justice et la charité. Le véritable esprit évangélique... — Je ne voudrais pas vous froisser, mais les Évangiles m'ont toujours paru assez illisibles. Littérairement, je ne leur dénie pas une certaine poésie. Mais pour autant que j'ai lu les socialistes, assez en passant, je l'avoue, il ne me semble pas que la coïncidence de leur doctrine et de celle du Christ repose sur autre chose que sur un malentendu... »

Edmond parlait ainsi, il faut le dire, surtout pour conjurer l'image de Carlotta. Il venait de penser qu'il ne la reverrait jamais plus. Il avait commencé à délirer là-dessus. Et puis un peu par agacement de ce jeune barbu.

« Le socialisme s'écria celui-ci, c'est l'Évangile même. Mais non pas le socialisme monstrueux des démagogues, des monstres antifrançais qui... — Rendez à César ce qui appartient à César, et après cela ne parlez pas de socialisme. Le socialisme, c'est au fond le désir d'avoir de ceux qui n'ont rien. Ceux qui ne possèdent rien ne peuvent pas être conservateurs : attendez seulement qu'ils aient quelque chose et vous verrez comme ils le deviendront. »

Villain se tordait comme un ver. Il était plein de son idéal, et de sa haine contre les *faux* socialistes. Les deux auraient voulu à la fois s'exprimer. Mme Beurdeley n'en finissait pas de se bichonner. Tout de même, qu'elle connût son père, et

Sérianne, cette Carlotta... Ses dents sont petites et régulières, très légèrement pointues, comme si elle n'avait que des canines. Villain parlait ardemment des ouvriers chrétiens, de l'injustice sociale... Il y a des patrons qui comprennent. Il faudrait que tous, la main dans la main...

« Ah, laissez-moi la paix avec vos ouvriers! interrompit Edmond. Ce sont des fainéants. Cherchez à l'origine de la propriété, vous trouverez toujours quelqu'un qui a travaillé dur. Si ce n'est pas moi, c'est mon père, mon grand-père. Ceux qui n'ont rien trouvent plus simple de prendre les choses toutes cuites, sans travailler. Des fainéants. »

Mme Beurdeley apparaissait.

« Vous disputez encore M. Villain, Barbentane. — M. Barbentane ne comprend pas, madame, ce qu'est le socialisme chrétien. Il nous confond avec ces gens qui mènent dans le pays cette ignoble campagne contre les Trois Ans. Des gens qui veulent livrer Paris à l'Allemagne, parce qu'ils souhaitent l'heure où la police est désarmée pour piller la ville... les bas-fonds, la tourbe, à qui s'adressent les rhéteurs de *L'Humanité*... des gens à coller au poteau. »

Il tremblait, il avait la sueur au front, sous ses cheveux bien en ordre.

« Écoutez, dit Edmond, que la présence de Mme Beurdeley rendait méchant, je vous les donne, les socialistes, vous pouvez les couper en petits morceaux. Mais pour les Trois Ans, mon cher! Ils ne me disent rien, vos Trois Ans, et si ça fait plaisir à M. Jaurès de gueuler contre dans des meetings, je n'y vois pour ma part pas le moindre inconvénient... »

Le répétiteur avait l'air frappé du tonnerre. Il regarda son interlocuteur et marmonna quelque chose dans sa barbe. Il était devenu sombre. Il aurait pleuré.

« Allons, dit Mme Beurdeley, nous danserons au Ceylan, Barbentane, j'ai donné rendez-vous à des amis... »

Elle mentait comme chaque jour. Dans l'escalier, il la regardait descendre devant lui. Quelle déficience! Ni jeunesse ni vie. Rien en elle qui fût un trouble, comme chez l'autre.

L'autre, il la sentait autour de lui. Il s'endormait avec elle. Il en rêvait dormant comme éveillé. Bon sang de bon sort, est-ce qu'il se sentait déjà vieillir, qu'il éprouvait comme ça cet échec? Au fait quel échec? Il ne lui avait rien demandé, à cette fille. Il n'avait pas cherché à la revoir.

Les journaux du soir hurlés par les rues annonçaient un gros incident pour lequel les titres se faisaient énormes. Un zeppelin s'était abattu à Lunéville. Les détails manquaient encore. Les aéronautes prétendaient que c'était le vent. Naturellement.

« Et pourquoi ne serait-ce pas le vent? dit insolemment Edmond à sa compagne en repliant le journal dans le taxi. Décidément faites-moi reconduire chez moi, rue Royer-Collard. J'ai des conférences à apprendre... »

Les yeux de Mme Beurdeley s'emplirent de larmes.

## XIX

De l'abat-jour plissé rose, la lumière électrique suivait le pied de bronze cannelé de la lampe, baignait le napperon de dentelle sur le marbre rouge de la table de nuit en chêne clair, la pendulette en porcelaine à décor hollandais, le coupe-papier d'ivoire au manche d'argent, orné de muguets, trois ou quatre livres jaunes entassés, le départ du fil tortillé, et le bras nu, gras et un peu amolli, frôlé par une chevelure sombre. Puis la clarté s'enfonçait dans le linge : un drap très fin, marqué d'un grand G brodé, avec un jour simple, que soulevait le corps deviné de Mme Grésandage qui lisait. Il faisait un bon silence calme, feutré d'ombre et de tapis, que ne secouait que très rarement le passage amorti d'un autobus.

Élise soupira. Un pas dans l'épaisseur de la maison l'avait fait surgir des oreillers. Elle portait une chemise de toile blanche montante aux manches larges, qui se retroussaient

en s'accoudant. Du col rabattu descendaient, de chaque côté,
cinq petits plis mourant sur les seins. Les cheveux défaits
lui rendaient une certaine jeunesse, mais une ride près des
yeux s'était marquée de l'inquiétude de chaque jour. Était-ce
Richard? Entre les moulins à vent, les bonnets ailés et les
sabots bleus, elle vit qu'il était déjà minuit et demi. C'était
Richard. La porte se fermait, le pas franchissait les pièces.
Pourtant elle eut sa terreur quotidienne : « Rico? » cria-t-elle.
Et lui, comme toujours, de l'antichambre répondit : « C'est
le charbonnier! »

Le directeur du mouvement général des fonds rentrait
chez lui, assez préoccupé. Sa femme aperçut tout de suite sa
lassitude. Il avait eu ce soir-là de graves conversations, en
marge du service, avec des fonctionnaires des Finances, des
banquiers : « Rien de grave, mon Rico? — Non, la Lise...
rien. »

Elle savait bien qu'il mentait, à comme il l'avait embrassée
distraitement.

« Tu es fatigué, charbonnier? Tu as faim peut-être? Non.
Pas même du doux? Le charbonnier aime bien les confi-
tures... »

Il eut une espèce de geste très las, qui lui coupa la parole.
« Non, je t'assure, pas envie, me coucher, seulement... Je me
défringue, et on sera deux... » Elle s'inquiéta vraiment :
« Qu'est-ce qu'il y a, Rico? Mon grand, viens vite dans mes
bras, tu as des ennuis... Si, si... — Non, dit-il, c'est pas des
ennuis, c'est autre chose. »

Il s'était assis sur le pouf rayé, et il enlevait ses bottines.
Il y avait un bouton qui était tombé : « Je n'aime pas ces
boutons posés à la mécanique. Ça casse toujours... »

Élise le regardait se déshabiller. Il avait encore maigri.
La chemise était devenue large autour du cou, le col retiré.
Elle eut un petit rire quand il l'ôta, et qu'il resta en caleçon.
Il avait le tronc assez noueux, et le poil qui dessinait une
palme régulière de l'abdomen au thorax. Il enfilait sa chemise
de nuit, sortie de sous un coussin. Une chemise classique,

comme toutes les chemises de nuit d'homme, brodée de
rouge.

« Viens vite, charbonnier, viens vite... Tu vas tout oublier...
Il fait triste sans toi... À quoi penses-tu? »

En bannière, les jambes nues, il s'était immobilisé, réflé-
chissant, avec ce même geste pour vérifier le bord inférieur,
bien taillé, de sa moustache, qu'on lui connaissait au ministère.

« Je pense aux années qui passent... À ce qu'on s'était promis,
et à ce qu'on s'est tenu... À ce que la vie humaine dure... À
comment je me l'imaginais... — Tu es bien sérieux, Rico
méchant, grimpe dans le lit, mon amour. »

Il n'avait pas bougé, il continuait d'une voix assez basse :
« Je me suis toujours représenté la vie comme ça, entre
l'enfance et la vieillesse. Sans compter l'une, sans compter
l'autre. Ça faisait trente ans peut-être qui valaient pour réaliser
mon programme. Je me disais : il m'en reste les trois quarts, la
moitié... Tout ça, c'est très joli. »

Il se glissa dans les draps. Leurs jambes se mêlèrent. « Tu
as froid à tes petits pieds », dit-il très doucement. Elle répondit : « Le lit sans toi n'est pas le lit... Pourquoi tu es tout
triste? — Tout de même, toute la jeunesse est derrière nous,
vois-tu, la Lise. Déjà je ne peux plus jouer avec la vie. Même
si je faisais des choses tout à fait folles, que je partais
avec un cirque, pour être l'Auguste à la parade... — Et tu
me laisserais? — Non, Arlequine... ou que je t'attaque à
main armée des encaisseurs dans la rue, enfin, mon histoire
est tout de même bien écrite par cette longue suite de jours,
le métier exercé, tout ce que j'ai été, alors, de telle à telle
année. »

Elle respecta son silence, mais passa un bras autour de ses
épaules. Il lui sourit : « Mil neuf cent treize! Voilà qu'on y
est. Je me souviens quand je pensais : d'ici mil neuf cent
cinq, mil neuf cent dix. Et puis mil neuf cent treize... »

Élise ressentit une tristesse poignante. Elle venait de songer
à son âge. Elle se serra contre l'homme en murmurant : « Charbonnier, charbonnier... — Vois-tu, quand j'avais vingt ans, je

n'étais pas sûr que tout ce que je faisais n'était pas une comédie. Je n'avais encore aucune responsabilité dans le monde
où je vivais. J'étudiais, mais je n'y croyais pas. J'apprenais,
mais c'était un rôle. Il y avait Richard sur la scène, et Richard
tout court... — Il y a toujours Rico, dit-elle. — Oui et non, ma
pauvre petite, oui et non. Tu sais comme Joseph Quesnel dit
toujours... les hommes doubles... que nous sommes aujourd'hui
des hommes doubles... L'un qui a une fonction dans la société,
l'autre qui n'a rien à voir avec celui-ci, parfois qui le déteste,
qui est contradictoire avec lui... l'homme quoi! Eh bien,
comprends-tu, il y a des moments, et par exemple ce soir,
où je me sens terriblement s'effacer le second, et le premier
seul qui demeure... — Ce n'est pas vrai, Rico, on est là tous les
deux, dans le douillet, avec les esprits, regarde, le coupe-papier,
la lampe, la pendulette, la Lise, ses cheveux noirs, tous les
esprits du charbonnier... — Oh, Liseron, comme notre refuge
me paraît fragile, cette nuit! Probablement que c'est l'âge,
mais je ne peux plus cesser d'entendre les voix du dehors...
— Tu ne m'aimes plus! »

Il la serra contre lui sans répondre. On n'entendit plus que
l'aile métallique du temps. Puis il reprit :

« Il y a des mots, comme ça, auxquels j'avais, très jeune,
juré fidélité. Tu sais, Rimbaud : *J'ai horreur de tous les
métiers. Maîtres et ouvriers, tous paysans, ignobles. La main
à plume vaut la main à charrue. Quel siècle à mains! Je
n'aurai jamais ma main...* — Tu cites Rimbaud comme les
Écritures... — Tu sais bien qu'à moi, telles ont été mes
Écritures, et non pas Paul, et non pas le pasteur Monod...
Longtemps je me suis répété cette phrase, et je me disais que
la comédie se poursuivait, mais qu'en réalité *je n'aurais jamais
ma main...* Eh bien! »

Il éleva son poignet droit en l'air.

« Tu ne la vois pas, mais tiens; moi, je la sens, là, la menotte.
La vie m'a passé le cabriolet. La profession, crois-moi, Liseron,
la profession est plus forte que l'homme. Ça y est, le tour
est joué : j'ai été ce que j'ai été... — Un Rico méchant, un

Rico doux, un Rico aimé... — Liseron, ma petite, il y a des gens qui veulent la guerre... »

Il avait dit cela d'une voix creusée, soufflante. La femme se souleva tout entière dans les draps, et se pencha sur lui. Il avait la tête contre ses seins qu'il sentit haleter.

« Richard? Qu'est-ce que tu dis? Qui pourrait? Les Allemands, le Kaiser? »

Il sentait la chair soulevée. L'être vivant. La femme. Il passa sur elle longuement une main familière :

« Non, dit-il enfin. Un tas de gens. Beaucoup plus qu'on ne croit. Et pas des canailles. Des gens comme toi et moi. Des Français... Cela me paraît extraordinaire... — Mais quoi? Que s'est-il passé? — Oh, ça serait difficile à t'expliquer... Voilà des mois, que je refuse cette idée... que je me dis que c'est un système stupide... Et puis je suis bien forcé de constater. Non, ce n'est pas un fait plutôt qu'un autre. Rien que je puisse vraiment te raconter. Mais tout se passe comme si... Enfin cette idée de la guerre effraye de moins en moins certains cercles. Il y a même des gens qui parlent de la guerre comme d'une éventualité heureuse, tout au moins comme de quelque chose qu'il vaudrait mieux précipiter pour que ce ne soit pas trop terrible, pour mettre les chances de notre côté... — Mais Richard, qu'est-ce que tu racontes? C'est abominable, voyons... Qui? — Abominable... Je trouve aussi que c'est abominable. Pourtant, il est si difficile de trancher, de savoir. Pas de mauvaises gens, tu sais. Des gens très humains, très bons. Des gens que j'estime... Parfois on se demande que penser. C'est l'homme double, probable. L'homme social envisage froidement les catastrophes nécessaires. L'homme tout court, lui, ne s'y résout pas... C'est très étrange... — Richard, tu ne penses pas cela, toi? Non, pas toi. Écoute. La guerre! Voyons, imagine ce qu'il arrive des Lise et des Rico, de toutes les Lise et de tous les Rico, dans une guerre! Mon Dieu, tu as bien vu au cinéma, les Balkans? Cette horreur! Richard, là-dessus, tu ne peux pas être un homme double, toi? »

L'heure se balança, indifférente, dans sa porcelaine des Pays-Bas. Le souffle de Grésandage passa contre les seins d'Élise :

« Je ne sais plus... Je me dis que le mieux serait de ne rien voir, de ne pas entendre... Qu'est-ce que je puis? Toute ma défense est dans cette duplicité, dans ce maintien pour nous d'une oasis. Fuir! Ah, peut-on fuir vraiment? Regarde, Joseph Quesnel... Quelle bizarre aventure, n'est-ce pas? Cet amour qui le prend, maintenant, quand sa vie est finie, sa jeunesse... Moi, je trouve ça bouleversant, stupide et merveilleux. Ce n'est pas une mauvaise fille, tu sais. L'illusion! Quelle illusion peut-il avoir? Celle aussi d'une oasis, de quelque chose qui échappe à la règle de fer du monde. Il a volé cette femme, comprends-tu, comme nous avons tous volé notre bonheur... — Mais une guerre... », dit-elle. Richard la caressait. Richard était là, près d'elle, le mot *guerre* y perdait de son acuité, mais planait pourtant dans la chambre avec ce pouvoir sourd d'une menace prête à tomber des grands rideaux aussi bien que des reflets là-bas dans la glace, de l'armoire laquée Richard avait l'air de rêver à voix haute :

« Joseph Quesnel... Connais-tu quelqu'un de plus singulier? Cet homme dont toute la vie et la pensée ont toujours été partagées entre des forces si dissemblables : c'est l'amour, l'amour de sa femme qui a fait de lui ce qu'il est socialement. Elle le méprisait, tu sais, et lui voulait la vaincre, la convaincre. Il avait de l'amour une idée extrêmement haute. Alors il a fait des affaires... Les affaires ont été les plus fortes. L'amour ne tient pas, vois-tu, contre les affaires. Il est devenu le maître d'un monde, mais non pas de son cœur. Maintenant, le voilà repris, le voilà fou. Je t'assure, je le connais bien. Il aime Carlotta. Il se retrouve, le jeune homme qui se moquait de la banque et de la Bourse, le même qui a toute sa vie aimé la poésie et la peinture et la musique, cet ami, ce vieil ami qui a formé ma jeunesse, qui me lisait Baudelaire quand j'avais quatorze ans. — La guerre, Rico, la guerre... — Oui, la guerre. Je ne pense pas que Joseph Quesnel, par exemple, si on lui demandait s'il est pour la guerre, puisse répondre autrement qu'avec horreur, avec indignation. Oui... pourtant deux ou trois fois, j'ai senti qu'il n'était pas irréductiblement hostile à cette idée, et je ne sais pas, peut-être que je me trompe, que j'ai trop l'attention fixée sur certaines opérations de Bourse... *Je n'aurai jamais ma main...* Oui, tiens, dans un certain sens. Dans un certain sens... — Rico, la guerre... Oh! charbonnier? — Mon petit liseronnet, viens là, tout près, contre Rico... Il est bien fatigué le vieux méchant, il a trop pensé à des tas de choses pas jolies, il a sommeil... — Rico, la guerre... Dieu ne permettra pas la guerre. — Dieu? C'est déjà beaucoup si les hommes la permettent. — Rico, Rico, la religion défend de tuer. Il faut empêcher ça. Si tu sais quelque chose... Rico! — Mais non, enfant, je ne sais rien : je devine, et peut-être que je me trompe, je te dis. La religion n'a rien à faire là-dedans. — Rico, Dieu est toujours dans les affaires des hommes... — Dieu? Mon amour, je sens le sommeil qui me tombe dessus... Veux-tu éteindre? »

La nuit se fit. Les époux se glissèrent sous les draps. On n'entendit plus qu'une ou deux fois la voix de Mme Grésandage qui murmurait, angoissée, à l'oreille de M. le Directeur du mouvement général des fonds : « Oh! charbonnier... charbonnier... »

## XX

La sensualité des hommes très jeunes est très bornée. Le plaisir les retient à peine. Ils sont trop préoccupés de trop de choses nouvelles, et ils continuent à jouer. Ils sont encore possédés de chimères et quittent sans cesse la proie pour l'ombre. Ils rêvent. Avec cruauté.

L'ombre de Carlotta s'étendait sur la vie d'Edmond, mais il n'est pas sûr qu'elle puisât sa force de ténèbres dans la jeune Italienne. Elle était l'occasion pour Edmond de négliger, de rejeter tout ce à quoi il avait préalablement tenu. Elle lui faisait mieux que tout sentir la médiocrité de sa vie, et non pas seulement de l'hôpital, de l'étude, du bouillon Chartier, de sa chambre, mais de sa vie à venir, mais de ce lendemain pour lequel il esquintait sa jeunesse.

À supposer qu'il ait continué sa médecine, les concours, il serait à trente ans au mieux une espèce de Desplat, avec toutes ses capacités un simple courtisan, cette abominable déférence quand le professeur Beurdeley parlait! et trente ans plus tard, un Beurdeley. Jolie perspective. L'Académie de Médecine, un appartement somptueux, et une femme qui vous crie à travers les portes : « Ne te dérange pas, mon ami, je reviens pour dîner! »

Les livres sommeillaient dans la chambre d'hôtel, et le dégoût avait pris leur maître à la gorge. Il ne pouvait pas plus voir l'hôpital, il était maintenant à l'Hôtel-Dieu, que ses camarades. Et lui qui avait tant compté sur ses relations avec Jacques Schoelzer pour se pousser dans le monde, l'idée du polytechnicien l'aurait fait vomir. Un petit imbécile, ça se croit parce que ça a quatre sous. Un instant il avait songé à relancer l'héritier du fil SB pour joindre par lui Carlotta. Et puis, à quoi bon? Cette fille-là, on ne l'avait pas avec des clins d'yeux. Maîtresse du millionnaire Quesnel, elle ne le quitterait pas pour un carabin, vous pensez. Edmond ne voulait pas de partage. Il s'étonnait lui-même : lui qui avait toujours affecté le plus grand mépris des femmes, et la négation de l'amour. Il n'était pas amoureux. Il avait comme ça besoin d'une preuve. Preuve et acompte. Ou fallait-il si longtemps être dupe... Il n'était pas amoureux.

Tout de même on sentait sous soi grincer et craquer la vieille machine. À moins d'être un crétin, ou un aveugle. Comme son père, stupidement à calculer ses sous et ses années. L'avare tout de même. Deux cents francs par mois. Ça me servira vraiment quand j'en gagnerai que mon père ait mis de l'argent de côté pour moi. Pour moi, il faut s'entendre! Stupidité des calculs, et si tout casse d'ici là. La révolution, la guerre ou un Panama quelconque. Carlotta, c'était la revanche, l'immédiate victoire sur la vie. Il aurait fallu de l'argent. Et pas un peu.

Il en revenait toujours à la courte vue paternelle. Sa stupide inféodation à son parti. Comme s'il avait été d'une pièce, le parti radical! Lui qui avait soutenu Poincaré ministre, s'était bien arrangé de Poincaré président. Oui, Caillaux, Clemenceau avaient marché contre leur ancien collaborateur. Mais Perchot, Herriot, un tas ne les avaient pas suivis. Dans sa colère de l'élection présidentielle, le père Barbentane avait laissé échapper qu'évidemment Perchot avait trahi parce que Poincaré s'était entremis entre lui et le gouvernement russe pour faire régler son dû à une compagnie, présidée par Perchot, chargée de travaux quelque part dans un port de la mer Noire. Vrai ou pas vrai. Avec ça que Clemenceau était plus honnête! Il suffisait de se rappeler le Panama, Cornelius Hertz.

C'est trop joli d'être canaille quand on a déjà la situation d'un Poincaré, d'un Clemenceau, d'un Briand. Mais commencer... c'était là le plus dur. Edmond rêvait de vol, de pillage de banques, d'assassinat. Puis haussait les épaules. Et retrouvait l'image pas du tout effacée de Carlotta rieuse, éclatante. Ah, elle avait bien déchiré de ses quenottes de lionne toutes ses raisons de ne pas penser, de travailler comme une brute! Elle ne le quittait plus. Il n'était pas amoureux, bordel. D'ailleurs, qu'est-ce que c'était cette fille? Une putain, une putain et une putain. Comment étaient ses yeux? Cette question le troublait. Il aurait juré qu'ils étaient noirs. Mais une blonde. C'est justement. Il lui semblait maintenant qu'ils étaient, peut-être pas bleus, bleus, mais verts, gris, clairs enfin. Non pourtant... Se mettre la tête à l'envers pour une femme dont on n'a même pas bien remarqué les yeux? Mais d'où prenait-il qu'il se mît la tête à l'envers? Elle était comme toujours, sur ses épaules.

Oui, le monde n'était pas bien tranquille, et il y avait de la

sottise à ces projets d'avenir qu'Edmond voyait faire à chacun,
autour de lui. Il y avait comme des braises qui ne voulaient
pas s'éteindre. À Constantinople, les Turcs vaincus, pressés par
les puissances d'accepter les conditions qu'elles leur dictaient,
concernant les îles grecques, avec les peuples balkaniques
l'arme au pied, n'avaient cédé que pour quelques heures plus
tard se révolter, tuer leurs gouvernants et reprendre la guerre.
Simple étape de la rivalité russo-allemande pour la maîtrise des
Détroits. La France là-dedans suivait en renâclant la Russie,
non point tant que le gouvernement craignît de s'engager dans
une guerre qu'il préparait ouvertement avec bruit de bottes,
parades militaires et une littérature sans exemple d'Alsaciennes
et de petits soldats. Mais sans doute redoutait-il l'impopularité
de cette guerre, il était là composant avec les Turcs, jusqu'à
ce que la Russie se fâchât. Des intrigues bizarres présidaient
à des mouvements diplomatiques compliqués. Qu'y avait-il
par exemple sous le retrait de M. Georges Louis de Pétersbourg, où l'on envoyait Delcassé? Au début de mars le cabinet
Briand s'était prononcé pour les Trois Ans. Il était tombé
quinze jours plus tard au Sénat, sur une offensive radicale,
menée par Clemenceau. Dans le moment même où le roi de
Grèce était assassiné en pleine victoire. Et c'était Barthou
qui avait repris la suite, Trois Ans en tête. Un ministère
d'Union Républicaine. L'homme qui avait servi à toutes les
manigances d'argent avec la Russie, l'ineffable Klotz passait
des Finances à l'Intérieur, comme si les mêmes gens qui
avaient éprouvé sa fidélité ailleurs ne pouvaient compter que
sur lui pour liquider cette agitation socialiste qui débordait
par le pays contre les Trois Ans. Une campagne sans précédent.
Un des premiers actes du nouveau gouvernement avait été
de remplacer Lépine à la Préfecture de Police par un certain
Hennion, mis jadis par Clemenceau à la tête de la Sûreté,
et qui avait été le patron du provocateur Métivet récemment
démasqué. Tout comme si on préparait un grand nettoyage
pour faire place aux Trois Ans, aux patriotes qui venaient
d'empêcher Jaurès de parler à Nice, et en général pour laisser

les mains libres au gouvernement de faire les affaires qu'il entendait sans toutes ces criailleries au Parlement et dans le pays. La propagande commençait à pourrir l'armée. Adrien Arnaud, retourné à la caserne après la fin de la grève Wisner, avait raconté à Edmond que, dans son propre régiment, le 22ᵉ d'artillerie, dans la cour de la caserne, fin mars, on avait chanté l'*Internationale.*

Edmond avait une amère satisfaction à grouper ainsi tous les signes précurseurs d'une catastrophe dont il ne doutait plus : cela l'excusait à ses propres yeux de laisser dormir ses bouquins. À quoi bon? Il avait assisté à des défilés d'étudiants à la statue de Strasbourg, avec Déroulède pris dans sa cape et un taxi comme un vieil acteur dément. Il avait vu des retraites militaires suivies par un peuple qui hurlait de joie. Devant sa fenêtre, un matin, un joueur d'orgue de barbarie accompagnait un chanteur habillé en velours marron, avec des rouflaquettes, qui chantait :

> *Le Kaiser moustachu*
> *Déclar' qu'il est fichu :*
> *« C'est un gars blein d'mérites,*
> *Dit-il pas rassuré,*
> *S'il a les mains bédites,*
> *Il a les boings carrés! »*

Et les badauds, dirigés par le chanteur, reprenaient en chœur au comble de la plus niaise des joies :

> *Il a les boings, boings, boings,*
> *Il a les boings carrés!*

Edmond ferma sa fenêtre en ricanant, et se mit à se raser devant une petite glace pendue à l'espagnolette. S'il y avait la guerre, il savait déjà suffisamment de médecine pour flanquer de l'ipéca à tous ces imbéciles. Pas la peine de s'échiner. C'est alors qu'on lui apporta la lettre. Ce n'était pas l'écriture de la mère Beurdeley : « Cher monsieur, si mon nom vous dit encore quelque chose, si vous vous souvenez de

notre rencontre après Longchamp, voulez-vous me faire l'amitié de venir me voir demain dans l'après-midi chez moi? —
Carlotta Beneduce. »

Elle habitait près de la Jatte, boulevard Bineau. Elle avait
fait deux ou trois fautes d'orthographe, et l'écriture était
absolument celle d'un enfant.

## XXI

À Aix, la vie de l'internat coulait bête comme chou. En
fait de camarades, il y avait deux ou trois bons élèves, avec
qui Armand arpentait la cour, et l'un d'eux parlait de Wagner,
dont Armand n'avait jamais entendu qu'un disque de phonographe, mais dont il avait lu la tétralogie dans l'édition illustrée
d'Hachette. Puis il y avait le fils Cotin, de Sérianne. Pas une
relation bien chaude, mais enfin un pays. Tout de suite ce
qui avait retranché Armand des autres élèves, c'était son
histoire avec Yvonne, la laveuse de vaisselle. Son histoire, si
on peut dire. Il n'y avait pas d'histoire du tout : ça avait
commencé n'importe comment et ça continuait de même.
Ils ne se racontaient pas de menteries. Quand c'était pas trop
incommode.

Yvonne n'était pas du pays. Une fille de Douarnenez qui
avait fui l'industrie des sardines à dix-huit ans pour se placer.
Elle n'avait pas eu de chance. Elle avait quitté une bonne
place à Châtellerault pour un fainéant qui l'avait plaquée,
parce qu'elle ne le faisait pas vivre. Elle avait travaillé dans
un restaurant à Orléans, elle avait été fille de cuisine dans une
grande ferme beauceronne, où il fallait servir plus de cent
ouvriers agricoles. Un maçon, qui était aixois, l'avait ramenée
avec lui dans sa ville natale. Elle le quitta pour échouer au
lycée d'Aix. Elle avait trente ans, une grande femme saine,
avec les dents un peu abîmées, brune à la peau claire, les

hanches fortes, et un visage ni beau, ni laid, sous les mèches
qu'elle n'arrivait pas à ramasser. Depuis trois ans, chaque
année, elle s'était arrangée avec des élèves de philo ou de
taupe. Sans illusions, comme ça. Elle travaillait pour elle, et
elle n'attendait rien particulièrement de la vie. Des bêtises.
Barbentane, elle l'avait regardé deux, trois fois au réfectoire,
et lui, ça l'avait intrigué, flatté aussi, l'idiot. Il l'avait embrassée
dans un couloir. Il l'avait rejointe dans sa chambre. Ils
mangeaient du saucisson d'Arles et buvaient du vin rouge.
Les premières fois, il s'était un peu frappé de la pauvreté de
ses nippes, le linge. Aussi les seins déjà flétris. Il avait même,
à part lui, songé avec rage qu'il ne faisait plus le difficile,
maintenant. Après ce qu'il avait pensé de Pierre à propos
d'Angélique, et tout de même Angélique... La petite turne
avec son lit-cage et un calendrier des Postes et Télégraphes
était sinistre à la lueur d'une lampe pigeon. Ça fleurait des
restes de mangeaille, la fatigue de la journée. On se parlait
à peine, à voix basse, crainte du surveillant général, de tout
l'espionnage des copains, Yvonne n'était pas bavarde et elle
détestait les bobards.

Ça le tracassait, Armand, cette concession faite à son père.
Il avait voulu gagner du temps. Du moment qu'il ne prenait pas
l'argent des siens, de la main à la main, il s'endormait dans
ses scrupules, somme toute. Il n'allait pas s'en faire pour qui
payait le lycée. Pourtant quand il se figurait l'avenir d'étudiant, l'idée de cette dépendance financière prolongée le
mettait hors de lui. Mais quoi? Entrer quelque part comme
commis, et encore avec des protections... dans un bureau, une
affaire. Il en avait des suées paniques. Il n'imaginait rien, rien
de rien. Le théâtre, il savait bien que c'était de la blague,
bien que certains jours, en lisant des journaux, devant des
affiches, il prétendît encore devant lui-même qu'il allait s'y
lancer.

C'était sur ce sujet-là que pour la première fois Yvonne
s'était dégelée. Ils avaient risqué le cinéma un dimanche.
Il y avait un Max Linder, qui était marrant. À l'entr'acte, sur

une allusion d'Armand à la carrière dramatique, elle haussa les épaules : « Laisse donc. Ta famille, elle se fâcherait. — Et alors? — Et alors, les sous? »

Ainsi elle ne trouvait pas si mal, elle qui avait turbiné toute sa chienne de vie, qu'il se laissât entretenir? Il lui en sut gré, mais s'enferra davantage.

« Laisse, que je te dis. Tu seras un monsieur, quoi que tu foutes... — Et si je renonçais à être un monsieur? »

Elle le regarda avec curiosité, puis secoua la tête : « Ah, lala! des trucs comme ça... on dit ça et puis après... »

Quand ils furent dans un petit café à l'abri du vent, après le spectacle, avec devant eux, lui un rhum, elle une grenadine au kirsch (et ils avaient eu grand soin de choisir un endroit où il n'y avait pas de chance que des externes du lycée pussent les surprendre, dans un quartier populaire), Yvonne poursuivit sa pensée :

« Tu comprends, mon gros, c'est ça, la vie... Je m'exprime mal, j'ai pas d'instruction : tu seras bien avancé d'être un crève-la-faim. C'est pas rigolo, je te jure, de laver les assiettes et le parterre, et les chiottes. Cinquante francs par mois. Logée, nourrie, c'est vrai. Mais cinquante francs... »

Armand se rappela soudain le wattman du tramway de Villeneuve, et comme il parlait lui aussi de son salaire. Logée, fallait voir comment, et nourrie, il en savait quelque chose. Elle avait l'air résignée à ce sort.

« Si on faisait un piquet? » dit-elle. Ils demandèrent les cartes.

Les mois filaient comme ça, et le docteur son père se fortifiait dans l'idée que son fils serait avocat, puis sous-préfet peut-être si les élections étaient favorables. Il y avait eu l'entr'acte de Pâques à Sérianne, où Yvonne lui avait manqué. Quant à Edmond il n'avait pas décanillé de Paris, sous le prétexte de l'hôpital. Celui-là, ce n'était pas son frère qui l'avait regretté. Armand supportait de moins en moins la pensée que les siens disposaient de sa vie. Des maladresses dans leurs rares lettres remettaient périodiquement le feu aux poudres. Yvonne avait été malade, des trucs au ventre, comme toutes les femmes. Elle avait dû continuer à faire son service. En avril, il l'avait trouvée plusieurs fois pliée en deux, les poings sur les ovaires. Il commençait à la respecter, à se faire à sa conversation. D'abord il avait eu honte d'elle, maintenant il ne se cachait plus que par habitude, et même il se le reprochait. Oui, elle n'avait pas les mains soignées, et puis après? Et les femmes de son monde, la cousine Rinaldi d'Aix, par exemple, qu'est-ce qu'elle avait de soigné? La trombine, ça, oui. C'était drôle, mais dans la compagnie d'Yvonne, il perdait cette terreur qu'on lui avait insufflée toute l'enfance, la terreur de se déclasser. Sûr que dans les premiers temps il avait eu envers elle tous les abjects sentiments des fils de bourgeois qui prennent une maîtresse dans le peuple. D'une façon sommaire sans doute, faute de grande réflexion. Ça lui revenait maintenant, et il en rougissait. Il avait appris sans trop savoir comment qu'il avait affaire à un être humain. La situation même était un peu renversée, et à cause d'une réflexion qu'elle avait faite sur un type de cagne, il s'était senti jaloux. Au fond, elle ne lui était attachée par rien. Le plaisir. Est-ce qu'on sait jamais?

Quand ils furent surpris ensemble, ça fit un foin du diable. La scène avait été tout à fait ridicule, et le proviseur avec une voix roucoulante et nasale sous un haut-de-forme qui arrivait à l'épaule d'Armand, s'éloigna sous la voûte en agitant ses petits bras comiques. Yvonne ramassait ses affaires. Elle ne demandait pas son reste. Elle n'était pas en peine de gagner sa vie : là ou ailleurs. Elle laissait Armand, comme le lit-cage, comme une pièce mobilière du lycée. Est-ce cela qui agit sur lui avec une telle violence? Il avait déjà subi des sermons du censeur, du proto, du surpète. Une lettre de morale était revenue de Sérianne. Plus de sorties pour trois dimanches. Bon.

Mais quand Cotin et trois autres lui crièrent dans la cour : « La bonniche! Baiseur de bonniche! », il ne put plus supporter ça. De la part de Cotin, surtout, à cause de la rue Longue, à Sérianne, de toute cette famille bien assise, de comme on parlait encore des funérailles de Mme Cotin, la tante, et de l'évêque qui y était venu, enfin... Il serra le poing, et pan, dans la gueule de son concitoyen! Ils se jetèrent l'un sur l'autre.

Armand se croyait en général plutôt faible. Mais il flanqua une si belle raclée à Cotin que, malgré son propre nez en sang, qui lui pissait sur la chemise, il se releva dans un état d'exaltation. Il avait l'air sauvage et il est certain qu'il n'avait aucunement respecté les règles élémentaires de la boxe et de la savate contre son adversaire qui avait une oreille décollée, et gémissait en se tenant les couilles. Ça n'arrangea pas les affaires d'Armand, on le fit venir chez le Proviseur. Il était renvoyé. Il attendrait son père.

Le nez tout croûteux encore, il regarda le petit homme de haut en bas. Il se sentait un peu un héros. Il avait toujours été un excellent élève. Bonnes notes en philo, en physique et chimie, en sciences naturelles, un peu faible pour les math et le dessin, c'est vrai. Il avait une trentaine de francs sur lui.

Il déclara qu'il partirait sur-le-champ. Le proviseur nasilla qu'il le lui interdisait. Armand, laissant là ses fringues, tant pis on les ferait chercher! prit ses jambes à son cou, et sortit du lycée devant le concierge ébahi. Le soir, il arrivait à Sérianne. Il avait acheté en gare *L'Humanité* qu'il étalait avec affectation devant le nez de son père.

Celui-ci tempêta, hurla pendant toute une heure. Armand était ferme : il ne retournerait pas au lycée, il n'irait pas dans une autre boîte, il s'en tamponnait, du second bachot. Non, non et non.

Esther Barbentane disait des chapelets dans la pièce voisine, et ses sanglots se logeaient dans chaque silence du père et du fils. À la fin, le docteur posa la question qui ne lui était pas encore venue à l'idée : « Et qu'est-ce que tu comptes faire? »

Armand ne répondit pas tout de suite. Il allait dire : *Du théâtre*, et puis il entendait d'avance que ça sonnerait faux.

Alors autant avouer... mais pas sans insolence. Il désigna la porte par où les jérémiades prenaient cette scansion de la douleur qui est la même à Sérianne ou au Kamtchatka : « Fais d'abord taire ta femme, s'il te plaît », dit-il avec un calme intolérable.

Le docteur qui s'était assis, bondit sur ses pieds : « Blanc-bec, morveux, je t'apprendrai moi... »

À vrai dire, il ne savait pas ce qu'il lui apprendrait, mais cette arrogance à l'égard d'Esther, que tout justifiait après tout dans ce ménage divisé, avait fait jaillir en lui une rage féroce, celle de toute cette vie conjugale mal supportée pendant vingt ans qui trouvait dans son fils un objet propitiatoire. La main se leva, et la gifle s'inscrivit en rouge en travers du visage d'Armand, d'autant plus visible, foncée, que ce visage se mit à pâlir alentour.

Armand était plein d'une fureur blanche. Il y avait du meurtre dans ses yeux. Il fit un pas vers son père, qui recula. Sa voix, il l'entendit lui-même avec étonnement, comme un phonographe absolument autonome : « Lâche, disait-elle, cette voix, tu as *enfin* giflé quelqu'un pour une fois? Ton fils. Tu te venges sur lui de tous les coups de pied au cul reçus dans ta vie! »

C'est cette phrase assurément qui était l'irréparable. Le docteur hurla : « Hors d'ici! Chenapan! Chenapan! »

Le chien gueulait à l'unisson. La mère était apparue dans la porte. Son chapelet était simplement énorme. C'était celui-là même qu'elle avait rapporté dix ou douze ans plus tôt de Fourvières, en même temps qu'un petit en améthystes pour Armand.

Armand se retrouva dans la nuit avec son manteau, son chapeau mou, et un vieux rasoir qu'il avait été prendre dans sa chambre. Il lui restait en poche dix francs, et on était au mois de mai. Il descendit vers la gare, jouant dans sa poche avec la monnaie. Il dit à voix haute : « Six jours du salaire d'Yvonne », et rigola.

Il entrait enfin dans l'aventure.

## XXII

La nuit embaumait les amandiers en fleurs. Tout le printemps montait de la terre, et les cafés faiblement éclairés du faubourg retentissaient de rires et de chansons. Sur la grand' route qui mène à Villeneuve, sous les platanes, le tramway fit des zigzags avec sa perche battante et disparut avec ses lumières. La jeune fille frissonna. Le froid de la nuit était tombé tout à coup.

Elle avait marché longtemps pour chasser toutes ses pensées, pour chercher dans la fatigue une sorte d'apaisement, et maintenant ça la tenait au ventre. Elle ramena sur ses épaules les pans de la grande écharpe de velours qu'elle portait comme une fourrure. Elle avait légèrement tourné un de ses talons dans la campagne.

Jacqueline Barrel n'était plus cette rayonnante, cette insolente fille d'industriel dont rêvait naguère Armand Barbentane. En même temps qu'elle avait perdu de la gracilité, une sorte d'inquiétude et comme de remords avait modifié profondément son attitude et jusqu'à sa silhouette. Elle se sentait horriblement lasse de mentir. Surtout pour ce que c'était utile à présent... Ce qui la troublait le plus, ce n'était pas l'avenir immédiat, mais une humiliation si définitive qu'elle avait envie de courir quand elle y pensait, fuyant devant cette idée comme devant un troupeau de bœufs vers une barrière. Il n'y avait pas une solution qui se présentât à elle, et dont elle eût voulu, et pourtant ce n'était pas le moment de faire la difficile. Pour le lui rappeler, le brusque mouvement d'éviter une auto redéchaîna cette épouvantable nausée. Elle s'adossa contre un arbre. Allait-elle vomir? Ah, que s'était-elle garée à l'instant!

Quand elle avait cédé à Pierre Delobelle, l'été d'avant, elle avait pensé qu'elle en était éprise. L'amour excusait, expliquait tout. Mais pourtant, il avait bien fallu s'avouer ensuite qu'elle ne l'aimait pas. Alors, il y avait eu le sous-préfet Rateau, dont elle ne s'était jamais crue amoureuse, mais qui l'attendait dans les portes, derrière le dos de ses parents. Quand il lui parla mariage, elle en eut un sursaut de rage : femme du sous-préfet, voyez-vous ça... Elle n'avait jamais tout à fait rompu avec Pierre, une espèce de naïf. Elle avait besoin d'être embrassée, caressée. Elle allait le retrouver par le jardin, dans les ruines. Mais elle s'était mise à regarder les hommes, elle avait comme le feu à leur idée. Elle eut des rendez-vous avec dix jeunes gens de la ville. Elle ne pouvait pas s'en empêcher. Elle était folle Ça finirait pas se savoir. C'était cela qui lui mettait la tête à l'envers. Cette faiblesse. Cette effroyable faiblesse. Dès qu'un homme la regardait. Si ça continuait comme ça, qu'est-ce qui allait lui arriver? Une fois, un paysan. S'il lui avait parlé, elle l'aurait suivi. Un vigneron mal rasé, sale, mais jeune, avec des yeux forts et doux qui pesaient sur elle.

Quand elle craignit la première fois d'être enceinte, une idée absurde, d'ailleurs, elle vint à la dérobée chez Lamberdesc. Après ça, elle se le reprocha, s'accusant elle-même d'avoir imaginé cette grossesse pour consulter le jeune docteur. Elle devint sa maîtresse avant de savoir comment. Toujours, c'était comme une buée devant ses yeux, les tempes qui battaient. Elle se méprisait pour cela, et la lâcheté tout de même de cet homme qui en avait profité. Elle le haïssait : lui, ça l'amusait, il la faisait chanter pour qu'elle revînt le voir, et qu'elle fût à lui, encore une fois, encore. Il devait aussi, comme le sous-préfet, se faire une idée de mariage, la petite Barrel aurait une jolie dot. Elle savait ça, et elle le fuyait. Elle se laissa embrasser par d'autres.

Au début de mai, elle avait compris sans erreur possible que cette fois elle était prise. De qui? Pierre ou Lamberdesc? Cette alternative la jetait dans une sorte de démence. Elle avait vécu plusieurs jours absolument égarée. La vie de famille, ses sœurs, l'église, les regards de sa mère quand elle avait dû quitter brusquement la table, tout concourait à son affolement. Mais au milieu de ses peurs, de la terreur d'une honte rendue publique, des restes mal digérés d'une religion dans laquelle toute sa vie avait baigné, une pensée dominante l'étreignait, celle de cette facilité à laquelle elle ne pourrait se soustraire, de l'étrange pouvoir que *tous* les hommes, presque tous les hommes, avaient sur elle. Cela devait se sentir, se voir. Les hommes s'en apercevraient, en parleraient entre eux, peut-être, quelle abomination! Et ils joueraient à la faire défaillir. Jusqu'au moment où le péché avait pris réalité en elle et s'était mis à la mordre en son ventre, elle avait joué encore. Maintenant, le pire n'était pas cette chose en elle, mais cette déchéance inévitable, cet esclavage.

L'odeur des amandiers faiblissait par la nuit dans la senteur de chocolat qui s'exhalait dès les premières maisons de Sérianne. Ainsi, Jacqueline Barrel retrouvait au fond de l'air l'obsession de sa famille mêlée à celle du printemps. Ces gaillards qui rigolaient en la regardant étaient probablement des ouvriers de son père, et bizarrement elle avait l'envie qu'ils se jetassent sur elle, pour abuser d'elle, eux qui travaillaient pour les siens. Elle pressa le pas, elle approchait de la gare. Un phono nasillait derrière une fenêtre ouverte et on voyait à l'intérieur un buffet, une suspension, une femme qui cousait, et un homme en bras de chemise, qui promenait un enfant brailleur, avec ce pas énervé des jeunes pères qui casseraient bien le mioche trouble-fête.

Jacqueline savait très peu de la façon de se débarrasser d'un gosse. Elle avait vainement pris de la quinine. Elle ne voulait pas parler à Lamberdesc. Elle avait peur qu'il en profitât pour l'épouser. Elle avait tout à fait peur de lui, de son rire. Aussi de son corps, on ne sait pas pourquoi, qui la terrorisait. Il avait une espèce de méchanceté à faire l'amour. Une salive amère lui remonta à la bouche. À ce moment, elle se heurta contre un homme jeune et faillit tomber. Il s'était arrêté pile, il la retint dans ses bras. De tout son être, elle frémit. Elle éprouva cette présence comme un viol et devint toute froide.

« Jacqueline! »

C'était Armand Barbentane. Il n'avait rien vu, il n'avait pas compris ce mollissement de tout un être. Elle passa la main sur son front et dit : « Vous m'avez fait rudement peur... — Je m'excuse. J'avais la tête je ne sais où. Il faut vous dire que j'ai des circonstances atténuantes. Oui, j'ai quitté ma famille. Avec dix francs en poche. Voilà. »

Son rire sonna très clair dans l'avenue sombre. Elle regarda. Il reprenait : « Comme ça. Tout d'un coup. Je suis rentré aujourd'hui d'Aix, du lycée, à l'improviste. Alors je me suis disputé avec mon père... et voilà. »

Il rit encore.

Quel rapport est-ce que tout cela avait avec sa propre histoire? Aucun, pensa Jacqueline. Une rencontre. On se croise sur une route, et on s'en va chacun avec ses pensées. Qu'est-ce qu'il dirait, le fils Barbentane, s'il savait qu'elle était grosse? Il avait de la religion, jadis.

Lui se rappela soudain comme il avait rêvé d'elle l'année précédente et de la rencontrer dans cette soirée-là lui faisait un coup au cœur. Précisément ce soir-là. Mais il y avait Pierre Delobelle. Allons, il allait lui dire adieu. Et puis, c'est tout. La vie est absurdement riche de gens, de possibilités. Il ne savait pas trop ce qu'il allait devenir avec ses dix francs. Il dit simplement : « Vous savez, j'ai été très épris de vous, l'autre année, avant Pierre... Alors, excusez-moi, ce soir, mais avant de partir pour toujours, je voudrais une fois vous embrasser... Vous permettez? »

Il avait dit ça sans y penser, il n'avait pas pu faire autrement, il ne savait pas qu'il allait le dire. Et puis, malgré lui, sa voix était devenue très grave, chaude, avec un tremblement. Tout d'un coup, ce baiser demandé était devenu la chose la plus importante du monde. Bon, se dit-il encore, je me joue la comédie.

Jacqueline bondit en arrière comme si elle avait touché

un serpent. Armand aussi! Il lui demandait... comment savait-il? Il l'attrapa par le poignet : « Voyons, ne vous fâchez pas. Je vais partir, c'est simplement... »

Elle tremblait de tout son être. Elle avait peur qu'il l'attirât contre lui. S'il faisait cela, elle ne pourrait même pas feindre. Il la mépriserait comme elle se méprisait elle-même. Elle redoutait encore de s'abandonner. C'est alors qu'elle imagina une chose insensée : « Laissez-moi, Armand », dit-elle. Elle se mit à fouiller dans son sac. Il en resta tout interdit.

Un ivrogne passa près d'eux, oscillant, il avait son chapeau tout de travers et la chemise ouverte, et il faisait de grands gestes, et se chantait :

> *Que c'est comme un bousquet de fleurs...*
> *Que c'est comme un...*

Il hoqueta dans la nuit.

Jacqueline mit dans la main d'Armand quelque chose dont il ne comprit point la nature. Cela avait le toucher de la soie tricotée avec du dur à l'intérieur. Elle lui referma les doigts dessus, et elle s'écarta de lui de toute la longueur du bras.

« Prenez ça, dit-elle, je vous en prie. Puisque vous partez. Si, vous pouvez. C'est comme si je vous embrassais, Armand, je vous jure que c'est la même chose. Mais ne me demandez pas de le faire, je vous en supplie. »

Elle se rejeta en arrière d'une façon si soudaine qu'il la laissa s'échapper.

« Jacqueline! »

Elle s'enfonçait en courant dans une ruelle. Il songea à la poursuivre, puis s'avisa de ce qu'il tenait dans sa paume. C'était une petite bourse bleue que Jacqueline avait dû faire elle-même, il en écarta les cordons. Il y avait dedans cinq louis d'or. Il répéta, surpris, les paroles de la jeune fille : « C'est comme si je vous embrassais... » Il hocha la tête. Jacqueline avait disparu.

Il restait là, soupesant cet étrange cadeau. Accepter ça

d'une femme n'allait pas sans le choquer : pourtant, il avait dix francs sur lui... Pourquoi lui avait-elle donné de l'argent? Il aurait juré qu'elle avait envie de l'embrasser. L'idée de Pierre lui revint en tête : il était un joli coco, lui, Armand, avec la bonne amie de son meilleur ami... Oh puis, il haussa les épaules. Il fit sauter les pièces dans sa main. Et deux ou trois notions morales avec. Qu'est-ce que ça signifie, l'argent? Il pensa même avec une espèce d'ironie cynique que c'était le premier argent qu'il *gagnait* de sa vie.

Il referma sa main sur la bourse et la serra. C'était à lui, et puis il fallait bien regarder les choses en face. Il ne pouvait pas quitter Sérianne sans rien.

Il entra dans la gare et prit un billet de troisième classe pour Paris.

## XXIII

L'hôtel du boulevard Bineau était de ce style industriel qui avait fleuri sur la fin du XIXᵉ siècle, couvert de plâtres blancs qui faisaient des moulures aux fenêtres, avec son rez-de-chaussée surélevé où l'on accédait par un perron double à la grille duquel grimpait un rosier. Il avait un étage et des mansardes, et le soubassement de briques sombres s'ouvrait sur la cuisine et ses dépendances. Par devant, un jardin anglais avec une pelouse et des arbres, et une tonnelle dans un coin, quelques plates-bandes et des bordures de buis. Par derrière, une cour pavée menait aux communs, buanderie, garage, resserre à outils, écurie désaffectée : des bâtiments bas avec des portes de bois peintes en brun-rouge.

À l'intérieur, rien d'inattendu. Porte à droite, porte à gauche, corridor central coupé en deux. Et dans le fond l'escalier, une porte sur la cour. La salle à manger d'une part, de l'autre un salon et un petit salon. L'étage se compliquait un

peu, à peine, avec trois chambres et un débarras, la salle
de bains. En haut, la domesticité.

Il fallait voir comment tout cela était meublé. Cela s'était
fait d'un coup, évidemment, mais M. Joseph Quesnel avait
du goût. Il était fier surtout de la salle à manger, qui était
du dernier style : les tentures d'un violacé qui s'harmonisait
avec les bois coloniaux légèrement marbrés, si difficiles à
réassortir pour les petits fauteuils, pas de chaises, surtout
pas de chaises! la table et le buffet-desserte rond, large et
bas, avec son étage de glace. Des miroirs étaient pendus si
haut, mais penchés, qu'on ne s'y voyait qu'une fois assis
à table. Les coussins d'un bleu vif, comme le chemin de table
et les écuelles à fruits. Sur le tapis cloué, un peu plus clair
que les murs, il y avait une carpette où se mariaient, modernes,
et le bleu et l'amarante. Au-dessus du buffet un panneau
décoratif très propre à une salle à manger, puisqu'il était fait
d'une tapisserie où l'on discernait des vignes et des grappes,
avec un lointain de parc versaillais tirant au rose, et quelques
touches bleues sous les feuilles.

Pour le salon, Carlotta avait tenu au Louis XV doré, avec
Aubusson, un lustre à pendeloques et des stèles de marbre
où perchaient des grès flammés représentant des dames nues
dans leurs longs cheveux, agonisant dans des vagues ou sur-
gissant d'iris, dans des tons dégradés vert, bleu électrique et
pourpre, le tout du pur style métro. Puis elle s'était lassée
d'imposer ses vues à M. Joseph Quesnel pour le petit salon
aux boiseries d'un bleu soutenu, pannelées de soie souci, avec,
à la frise, un dessin moderne de myosotis. Un tapis, une
merveille! Marine, avec des bouquets réguliers jaunes et
rouges, du genre bulgare. Pas de lustre ici : dans les coins
des corbeilles de verre couronnées de fruits de cristal de
couleur, éclairées intérieurement. Mobilier de bois laqué bleu
décoré de petites roses, avec toutes sortes de fourre-tout,
liseuses, vide-poches, les chaises dans un mouvement un peu
Directoire, un peu Munich, enfin vous voyez. Il y avait au mur
un petit Bonnard, dans un cadre bleu, et un Odilon Redon,

des fleurs à fond d'or, bien entendu. Par une glace sans tain
de ce boudoir moderne, on plongeait dans le salon voisin
qui apparaissait avec tout son mauvais goût à l'italienne,
comme une sorte de paysage fantasque, une grotte dix-huitième
hantée de fantômes mil neuf cent. C'était sous cette glace
qu'il y avait un sofa profond dans lequel Edmond Barbentane
devint l'amant de Carlotta, sous le regard d'un petit chat
siamois beige-blanc, qui se léchait ses bottes noires.

Le piège avait été tendu sans malice. La maîtresse de maison
avait renvoyé ses domestiques après le déjeuner. M. Joseph
Quesnel était retenu par un conseil d'administration. Carlotta,
préparant sa chute, n'avait pas un instant douté de son
pouvoir. Dans le premier désordre des sentiments, cette idée
un instant frappa le jeune homme. Mais bah! qu'aurait-il
trouvé là qui ne fût pour lui flatteur? Elle avait donc rêvé
à lui, comme lui à elle. Et autour de tout cela, un parfum
du luxe, pour lui plus nouveau qu'un nouvel amour. Il se
sentait assez étourdi, à vrai dire, des marques de plaisir que
sa nouvelle amie lui donnait. Elle avait une façon franche
d'éprouver la volupté, une façon de petite fille ingénue qui
dit merci, qui lui tourneboulait la tête.

Ils jouèrent dans la grande maison vide comme des gosses en
l'absence des parents. Ils coururent à la cuisine, fouillèrent
le garde-manger. Elle installa la dînette dans l'escalier, sur
les marches, parce que c'était plus incommode. Un plateau
d'argent dégringola, rebondissant, avec vacarme. Du porto,
des biscuits, de la viande froide. Ils riaient. Elle passait ses
doigts menus dans les cheveux d'Edmond. Il voulait tout le
temps l'embrasser. Elle le traitait de licheur. Elle portait une
robe d'intérieur mauve avec du chantilly et des passementeries,
qui faisait toutes sortes de drapés, si bien qu'on ne s'y reconnaissait pas pour la défaire. Ils coururent jusqu'au second,
où les portes fermées du chauffeur et de la cuisinière inti-
midèrent un peu l'intrus, puis ils redescendirent, oubliant la
dînette, dès qu'ils virent le lit.

Un grand lit blanc, qu'on prétendait d'époque, à cause,

aux rubans Louis XVI, de la laque partout éraflée. Le linge
était d'une finesse et d'une beauté que n'avait jamais soup-
çonnées Edmond. La journée s'y épuisa dans une espèce de
fatigue étrange et douce, coupée de sommeils. Le jeune homme
faisait l'apprentissage enivrant du luxe, au point de perdre
un peu de sa curiosité de l'être vivant qu'il voyait de trop
près. La lumière décrut sur les oreillers, et par les fenêtres les
arbres bourgeonnants prirent un aspect de dieux hindous
avec leurs cent bras. Le poids très doux de Carlotta contre son
épaule, la richesse de ses cheveux où mouraient les derniers
reflets orange du couchant, inclinèrent Edmond à la parole.
Il ne songea point à demander à cette belle jeune femme
d'où elle venait, de quelle mer à l'écume sanglante elle
était née, Vénus vénitienne, non. Il palpait ce linge plus
surprenant à son corps nu que ce corps nu contre lui pressé,
avec ses seins petits mais lourds. Il s'entendit lui-même avec
étonnement dire, et les mots raclaient sa gorge, et ses lèvres
lassées de baisers marchaient d'elles-mêmes :

« Parle-moi un peu, Carlotta, de ce M. Joseph Quesnel... »

## XXIV

Bien que le temps fût couvert, le soir était d'une douceur
d'exception. Ils avaient pris un fiacre de l'Urbaine, avec son
caillebotis jaune à fond noir, et le drap de l'intérieur, d'un
rouge acide et déteint, portait à une grande mélancolie. La
houppelande du cocher, qu'ils apercevaient par la vitre, ondu-
lait par grands plis au trot du cheval, comme une image du
destin.

C'était un samedi, et déjà le printemps essayait sa foule du
dimanche. Le Bois de Boulogne, où des autos glissaient,
s'attardant, était, malgré l'heure, plein de gens nostalgiques,
de promeneurs aux mains désœuvrées. Du fiacre, le couple

regardait les amoureux dans les allées ombreuses et cela les
rejetait l'un vers l'autre, leurs doigts se nouaient. Pourtant,
Carlotta n'avait plus ce laisser-aller du plaisir, si profondément
différente qu'il semblait à Edmond qu'il avait rêvé, et que ce
terrible bonheur ne reviendrait jamais. C'est beaucoup, ce
n'est pourtant pas assez dire que de parler de la réserve
qui était née à Carlotta. Absolument maîtresse d'elle-même,
elle se prêtait maintenant à un jeu, où entrait un semblant
de protection. Edmond, habitué qu'il était de plaire et de
dominer, s'étonna. Elle ne le comprit point et lui caressa
les cheveux. Le fiacre cahotait quelque part vers le Tir aux
Pigeons.

Assez machinalement, Edmond tâtait dans la poche le porte-
monnaie où se trouvait l'argent de la promenade. Carlotta
n'avait évidemment pas coutume de compter. Elle avait dit :
*On prend un fiacre,* sans le moindre accent interrogatif.
L'ombre s'épaississait avec les nuances du tulle qui fait progres-
sivement la nuit dans les féeries du Châtelet. « J'ai faim! », dit
Carlotta, et ses quenottes dans l'ombre du véhicule n'appelaient plus les baisers. C'est ainsi que tout de suite la question
financière se posa entre eux. Edmond ne pouvait pas se
permettre de dîner à Armenonville et déjà, retour compris,
le fiacre montait dans les sept francs. Du petit sac en perles
d'acier, sortirent deux pièces d'or et un billet fin, bleu et
rose, cinquante francs. « Ne fais pas l'idiot, ne me gâche pas
ma soirée... »

L'ombre de M. Joseph Quesnel prenait corps pour l'étudiant
en médecine. Quand les maîtres d'hôtel s'empressèrent, que le
wagonnet d'argent où roulait le rosbif, les raviers des hors-
d'œuvre avec les mayonnaises, les crevettes, les salades, val-
sèrent autour d'eux, Edmond éprouva l'humiliation profonde
de n'être pas l'homme qui paie. « Alors, vas-tu te décider? »
Moqueuse, et plus zézayante que jamais, Carlotta le regardait,
perdu dans l'examen de la carte. Par-dessus lui, avec une autorité surprenante, elle commanda les vins. D'où savait-elle ces
choses? Le petit lobe de son oreille portait une perle pour

cacher le massacre véritable qu'avait fait un maladroit le
perçant.

Étrange chose que de sentir auprès de cette créature si
directement animale les mêmes sentiments qu'avec Mme Beurdeley. Était-il condamné au rôle de gigolo? Il soupira, s'assom-
brit. L'orchestre jouait un tango. « Tu danses? » Ils dansèrent.
Il ne pensa plus qu'à sa force.

Le dîner coûta ce qu'Edmond dépensait pour un mois de
chambre. Un peu d'orgueil s'empara de lui, le mépris de son
père, de Sérianne, de cette bourgeoisie économe d'où il était
issu. Carlotta, pourtant, avait pris son air sérieux pour dire :
« On ne boira pas de champagne. » C'était évidemment pour
elle un sacrifice, et pendant qu'on y était, Edmond trouva
même ça légèrement mesquin. Elle avait mis une robe noire,
toute soutachée, dans laquelle elle était adorable. Edmond
l'avait aidée à l'agrafer dans le dos, tandis que la maison de
Neuilly répercutait, immense et vide, la sonnerie du téléphone. « C'est Joseph Quesnel » avait dit Carlotta. « Il n'a pas
besoin de savoir à quelle heure je suis sortie. »

Il était dans l'entrée, le téléphone, et, passant devant lui,
Edmond avait eu l'impression qu'il tintait toujours. L'autre,
après leur départ, avait dû rappeler sans fin. Une fois, deux
fois. Edmond voyait la maison assombrie où palpitait de temps
en temps ce cœur sonore.

« Qu'est-ce que tu veux que je te dise de Joseph Quesnel? »

Carlotta chipotait des fraises de serre, presque blanches.
Elle dit aussi : « Fraises de Mai... Ça t'a l'air d'un titre de
romance. »

Sa robe avait des manches de dentelle noire, elle lui collait
au corps comme un maillot de bain.

« Joseph... Je suis sa première folie. Il a vécu trente ans
avec sa femme, dont il a une fille. Elle est morte l'autre année.
Et voilà, tout d'un coup, cet homme grave, ce protestant
qui entretient une poule... »

Le mot éclata, singulier. Edmond en remua, gêné, mais sa
voisine s'appuya contre lui : « Bien sûr, une poule... Veux-tu

me dire ce que c'est qu'une femme qui se fait entretenir par un type comme M. Quesnel? Ça n'y change rien, d'ailleurs. Lui, c'est sa vie qui finit, je suis sa gaîté, son soleil. Il a besoin de moi pour ne pas penser qu'il va mourir. Il a les reins très malades. Il m'aime... Et moi, je l'aime aussi... »

Elle était devenue rêveuse. Sur le visage d'Edmond le désagrément du dernier mot avait fait naître une sorte d'expression narquoise, assez canaille, et qu'évidemment elle trouva très basse. Avec une rage subite, elle lui flanqua par la figure le trognon de la fraise tranché par ses dents.

« Je te défends de rigoler. Je l'aime... à ma manière à moi... et je ne t'ai pas dit à toi que je t'aime, n'est-ce pas? alors... Joseph Quesnel, comprends-tu? je suis pour lui la jeunesse, il est pour moi la sécurité, la paix... Est-ce que tu sais ce que c'est de faire le trottoir à seize ans? Non. Alors tu rigoleras un autre jour. » Ils dansèrent.

Quand ils quittèrent Armenonville, le groom, officieux, s'empressait : « La voiture de madame... — Je suis à pied aujourd'hui. »

Ils s'en furent sous les arbres, et tout d'un coup, Carlotta mollit, il la retrouva sentimentale contre lui. Elle lui parla de son enfance.

Son père était de ces violoneux qui viennent d'Italie par les routes, dorment dans les granges et paient avec de la musique pour leur sommeil et leur manger. Elle ne se souvenait pas de sa mère, ni de l'Italie lointaine. Elle se revoyait trottinant dans les montagnes, et le père, un homme solide, qui la portait sur l'épaule quand elle était trop lasse. Nuits froides du Dauphiné, où les abris de pâtre accueillaient les deux voyageurs, nuits chaudes de la Riviera, où la petite dansait, pieds nus, devant les palaces. Elle parlait beaucoup pour elle-même, car comment eût-il vu, Edmond, dans ses paroles chantantes, Carlo Beneduce, beau gaillard, musicien et paresseux, qui n'avait pas voulu comme les siens être maçon dans l'Italie septentrionale, et qui cherchait des femmes, quand la petite dormait dans une botte de foin, des femmes qu'ensor-

celaient plus que son violon les muscles de ses bras, et ses
grands yeux lombards?

Il se louait parfois au temps des vendanges, près de Toulon,
ou dans l'Hérault. Il aimait boire et chanter. Sa voix était
comme le vin, mais plus noire. Carlotta, quand il était soûl,
avait très peur et pleurait. Quand avait-elle fini, cette vie
vagabonde? Sous les arbres du bois de Boulogne, la petite
danseuse d'autrefois ne le dit pas à son nouvel ami. Elle
triche évidemment dans son récit, dans ce qu'il a de romanesque, comme cette histoire de glycines qu'elle mélange au
récit de son premier baiser. Un jeune paysan qui était sorti
de la rivière, un torrent de montagne plutôt, tout brûlé du
soleil, et nu, et qui l'avait surprise dans les arbres, à regarder
de tous ses yeux de douze ans. « Les chansons de mon père,
plus on y parlait du soleil, et plus elles faisaient sombre dans
le cœur... » Elle passait ainsi par un jeu de défense, d'une
époque à l'autre de sa vie. Elle avait été malheureuse à
Marseille, à cause d'un homme, un forain. Il brisait le fer dans
ses dents. « Et les femmes entre ses cils... » Edmond se fit
répéter cette dernière phrase qu'il n'avait pas bien comprise.
Langage acide que celui de cette délicieuse et provocante
fille, où le lyrisme frisait perpétuellement les poncifs des
chansons de deux sous, mais que rompait soudain une expression vulgaire, amère, comme un mégot craché : « Ah! dit-elle,
les hommes, vous ne savez pas ce que c'est que d'avoir roulé
ses fesses... » Et puis un petit rire perlé de jeune fille mon-
daine, qui vient de risquer un mot dont elle n'est pas sûre.
Elle pliait sur le bras de son amant qui lui entourait la
taille.

Son amant. Il était son amant.

Ils traversèrent lentement Neuilly, et s'en furent errer dans
le Parc. Les avenues étaient tout à fait désertes, et si semblables
entre elles qu'ils s'y perdirent. Maintenant, c'était au tour
d'Edmond de parler de lui-même. Il voulait donner une haute
idée de sa vie, et ne retrouvait que les images de la mesquinerie familiale, la province, les petites bêtises, les préjugés.

Sotte vie, que la sienne. Rien à raconter. Qu'il jouait bien aux boules? Sa voix se précipitait, il mettait de l'étrange dans les choses les plus banales. Il se prêtait une vie intérieure, un cœur ravagé, des ambitions. Mme Beurdeley, dans cette affaire, devenait une aventure et une désillusion. Il se présentait comme un blasé, un écornifleur (l'adjectif lui venait d'avoir lu récemment Jules Renard), un romantique moderne, prêt à donner père et mère pour un peu de nouveau sous le soleil. Que croyait-elle de ses histoires? Il eût payé cher pour le savoir. Ils arrivaient devant la grille de la maison. Il voulut l'embrasser. « Tu n'es pas fou? Téléphone demain. » Il se retrouva seul sur le bitume.

Mécontent de lui. Quelle journée chaotique! Ne devait-il pas faire dix choses pour une? Il n'avait pas été à l'École de Médecine... ça, c'était le moins grave. Mais qu'avait-il appris de cette femme? Rien. À d'autres les histoires de violon, le genre la fille-à-l'ours, et tout ce bazar dans le style Alphonse Daudet, Hector Malot! D'où venait-elle? Qui était-elle? Et ce Joseph Quesnel? Celui-là, on savait au moins d'où sortait l'argent avec lequel il entretenait les femmes. Mais d'où était tombée cette femme? Quand on pense qu'ils couchent ensemble... Bon, la chose une fois établie! mais la première fois? Où ça? Comment? Ce vieux. Il marchait à travers les rues, avec la fureur de l'escalier. Il lui semblait que le repas d'Armenonville ne passait point. Il aurait fallu de l'argent, beaucoup d'argent. Il prit l'autobus à la Porte Maillot, aux accords ironiques de Luna Park.

Quand il décrocha sa clé du tableau, le garçon lui dit qu'un monsieur l'attendait depuis deux heures. Dans le hall de l'hôtel, quelqu'un se leva. C'était Armand, qu'il regarda sans plaisir.

# XXV

« Qu'est-ce que tu fiches ici, crapaud? »

Ce sobriquet d'enfance fit venir aux joues d'Armand un rouge sombre. D'une voix basse, il commença d'expliquer. Le lycée, Yvonne, et tout de suite : « ... J'ai foutu le camp après une engueulade avec Papa... »

Edmond eut un regard contrarié qui se porta sur le tableau des clés, le valet de chambre, les journaux sur la table du hall, la porte. Il mit sa clé dans sa poche et soupira : « Tout ça m'a l'air très stupide. Tu me raconteras au café... »

Merci, la famille continuait. Il avait d'abord pensé à faire grimper son frère dans sa chambre. Et puis, s'il allait s'incruster...

Ils firent quelques pas vers le carrefour Médicis. Il s'était mis à bruiner : « On entre là? » Edmond désignait le Café Mahieu. Armand eût préféré de l'autre côté de la rue, cet endroit mieux éclairé, mais n'osa rien dire. L'accueil était plutôt frisquet. Edmond avait choisi le Mahieu, parce qu'il était sûr de n'y rencontrer personne. Le crapaud n'était pas flatteur.

Glaces et banquettes démodées, vieux traînards du Quartier Latin, lecteurs assoupis des *Débats*, tout paraissait à Armand l'éclat même de la capitale; il jetait au dehors, vers ces allées d'arbres, ce grand parc derrière des grilles, dont il ne savait ce qu'elles étaient, les regards du premier étonnement. Et tant de femmes dans les rues. Qu'est-ce qu'on prenait, à Paris, au café, pour ne pas avoir l'air provincial : « Un maza-gran », dit-il, et il vit se plisser le front fraternel. Il avait gaffé.

Il recommença donc son histoire, avec des détails. Edmond s'assombrissait de plus en plus. Il ne suivait guère son cadet,

tout occupé qu'il était de ses propres pensées. Étrange enivre-
ment qu'il subissait. L'image de Carlotta flottait entre lui et
le monde. Elle ne pourrait s'asseoir là, sur la chaise, comme
n'importe qui. Il fallait encore faire violence à ce fantôme
pour le plier à des poses qu'on ne lui connaissait pas.

« Il faut te dire que le théâtre, c'était une idée comme ça
que j'avais inventée, histoire de faire pièce à la prêtrise...
Je ne peux pas prétendre que je n'y aie pas sérieusement
songé : c'était commode pour moi, tu comprends. Je me lais-
sais aller, j'imaginais l'avenir, ma vie... »

Dans l'ombre de Carlotta, il y avait tout de même un naufrage, un orgueil qui s'abat. C'était drôle. Aucune ivresse du
succès, rien de ces sentiments exaltés qui font gambader dans
les rues les jeunes hommes qui viennent de vaincre. Une
sorte d'abattement, de trouble, d'inquiétude. Est-ce que tout
ce qu'il s'était imaginé de l'existence, Edmond, n'était que
rêverie? Ce gosse-là, à côté, à lui parler d'avenir? Ah, lala!
Nous sommes loin de compte avec l'avenir. Pourrait-il jamais
devenir tout pour cette femme? Voilà bien la défaite, le faux
triomphe. Le luxe autour de l'Italienne laissait une amertume
singulière, comme celle de ce repas qu'Edmond n'avait pas
payé. Il pensait avec cynisme qu'il était un maquereau manqué.
Il ricana... Cela devait tomber n'importe comment dans la
confession fraternelle. Armand s'était arrêté, interdit : « Rien,
rien, va-z-y, une idée comme ça... »

Armand parlait du travail, de l'appréhension qu'il avait
de ces travaux forcés, sans lesquels il serait condamné à
dépendre de son père. Quelque chose qui était presque de la
sympathie s'éveilla dans le cœur d'Edmond à l'accent tout de
même émouvant du jeune garçon, quand il dit : « Est-ce que
vraiment, il faut travailler? Est-ce que nous sommes faits pour
ça? Est-ce qu'il n'y a pas moyen de tricher? »

Brusquement, l'angoisse des deux frères coïncidait. Mais
Edmond considérait ce qui venait de sa famille comme un
dû : est-ce que je ne les paie pas de la pension qu'ils me
font? et au delà! Toute ma jeunesse. Ils veulent que je sois

médecin. Ils n'ont qu'à y mettre le prix. Pourquoi le gosse n'accepterait-il pas un arrangement du même genre avec le père?

« Tu n'y es pas, tu n'y es pas. D'abord, tout est fini entre papa et moi... »

Ah, oui, cette scène racontée. Edmond haussa les épaules. Évidemment, il faudrait d'abord retourner en boîte, achever sa philo, le second bac. Armand ne voulait pas en entendre parler. Pas plus d'ailleurs que de ces années d'étudiant, malgré l'attrait de Paris, l'exemple fraternel. Edmond se prêtait assez mal à cette conversation. La pensée de Joseph Quesnel qu'il avait mal vu, ce jour-là, à la Cascade, le hantait. Il prenait de l'importance, ce monsieur. Il devenait un facteur du monde réel et de quoi avait-il bien l'air? impossible de se le rappeler. Parler de Carlotta, du grand lit Louis XVI, de cette blancheur des seins... Mais toujours pas à ce gamin qui mêlait à son insipide histoire de bonne de collège des considérations sur Kant et le socialisme. Tiens, c'était drôle : le père aussi parlait de Kant. Aux Folies-Bergère...

Armand n'avait jamais aimé son frère. Il n'avait pas attendu grand'chose de lui. Du moins le croyait-il. Mais à qui, dans le vaste monde, se fût-il pourtant adressé? Il y avait eu en lui le vague espoir d'une espèce de complicité commune contre la famille. Erreur. La famille, c'était ce qui envoyait chaque mois de quoi vivre et, sans aucune sentimentalité ni mensonge hypocrite, c'était là quelque chose avec quoi il était bon de ne pas se brouiller. Misérables sous, mais pourtant encore, les perdre, n'eût-ce pas été perdre Carlotta? Les silences, ou les « Continue... continue... » d'Edmond renseignaient peu à peu Armand sur sa méprise et levaient en lui le mépris de ce grand frère qui, d'un étranger, devenait apparemment un ennemi.

Pour l'instant, le grand est simplement enquiquiné. Ah, il pouvait se vanter de tomber dans la mare à un joli moment, le crapaud! S'il fallait s'en occuper, ça ne simplifierait pas la vie, avec la médecine déjà... Puis, enfin, aux yeux du père, il revêtirait une espèce de responsabilité, il allait falloir écrire à Sérianne. Pas d'argent avec lui, ce gosse? Naturellement.

Armand rougit, dit que tout de même il en avait un peu, voulut raconter l'histoire de Jacqueline, s'étrangla, s'interrompit et parla d'autre chose.

Enfin, tout ça n'était diablement pas sérieux, une escapade. Ça s'arrangerait. Seulement... Enfin, on était à la fin du mois. Edmond louchait sur les soucoupes. Il appela le garçon, paya, étala le pourboire. La rage montait doucement au cœur d'Armand. Quand ils furent dans la rue, l'aîné dit : « Où as-tu laissé tes bagages ? Est-ce que tu as une chambre ? »

Puis, après une pause, comme Armand tardait à répondre : « Parce que tu aurais pu en prendre une à mon hôtel... bien que ce soit peut-être un peu cher ; mais ils feraient bien crédit... à cause de moi. »

Le temps n'était pas vilain, mais frais après Sérianne, le trottoir humide encore d'une ondée. Le sordide de toute l'affaire faisait trembler Armand. Il avait pensé passer la nuit sur un fauteuil, chez son frère, pour ménager son pécule. Il n'avoua pas qu'il n'avait pas de bagages. Il dit : « Je te remercie, j'ai pris une chambre en ville... Je te verrai demain ? »

Edmond respira. Il n'avait pas du tout envie que le petit collât. Il voyait sans plaisir la possibilité d'une cohabitation. Surtout si Carlotta venait le voir rue Royer-Collard.

« Demain ? dit-il. Oui, bien entendu, demain. Mais quand ? Le matin, j'ai l'hôpital... » Il devait téléphoner à Carlotta. Si elle lui disait de venir déjeuner... ou pour le thé... Évidemment c'était dimanche, mais... Enfin. « J'ai une journée très chargée. Le mieux ce serait de nous rencontrer vers les sept heures du soir. Comme ça, tu auras pu un peu te promener, voir Paris. Puisque tu y es... »

Oui, Armand viendrait le prendre à l'hôtel.

Les deux ombres oscillèrent un peu dans la nuit, gênées, puis une voix dit : « Alors... au revoir. » Et l'autre répondit : « Alors, au revoir. »

Après quoi elles se séparèrent, cette scène fraternelle se termina très platement, sous le regard bigle des étoiles.

# XXVI

Paris nocturne s'ouvrait au provincial comme la main d'un inconnu. Armand s'avançait pourtant maussade au cœur des lumières. L'agitation du samedi soir dans ce quartier des écoles l'ahurissait à la fois et le décevait. Il avait imaginé Paris plus flambant et moins pauvre. La vulgarité des visages aux lueurs des cafés, et tant de boutiques closes, mortes derrière le fer ondulé, le chétif des becs de gaz, les trous de la cohue (un trottoir du boulevard Saint-Michel absurdement désert, tandis qu'on se pressait sur l'autre), les rues vides latéralement, comme si l'on avait manqué de figurants, tout le dépaysait de ses rêves, jusqu'à ce petit crachin de la fin mai qui avait repris. Il avait endossé son imperméable. Il descendait naturellement vers la Seine, sans le savoir, guidé par la pesanteur.

Il y avait plus de femmes désœuvrées qu'Armand ne l'attendait de la capitale. Ce fut presqu'aussitôt ce qui régla ses pas. Elles étaient attrayantes, de loin, et décevaient dès que l'on approchait d'elles; pas toujours. Il y avait là beaucoup de types très bruns, des Turcs peut-être, qui riaient avec elles. Tous portaient le veston bien plus court qu'Armand ne se fût permis, des étoffes chinées, des cravates voyantes et compliquées. Ça devait être toute une affaire que de choisir une femme ici, dans la rue. On s'y perdait.

Au passage, le jeune voyageur remarqua des plaques d'hôtels. Mais c'étaient de drôles d'hôtels, qui avaient l'air de maisons privées. Il n'eût jamais osé y entrer. Si on lui demandait des mille et des cents pour la chambre, qu'est-ce qu'il ferait? Il fallait ménager sa fortune. Il se promit de choisir un endroit minable, tant pis si c'était moche. Pour une nuit. Comme il était sans bagages, il avait le temps. Autant suivre sa curiosité des premières heures. Paris a tout de même un goût bien à soi, comme ça dans la soirée. Le fleuve surprit le promeneur par sa tristesse sous le pont blanc et, quand Armand se trouva

entre le Palais de Justice et la Préfecture, il éprouva le sentiment soudain que ces bâtiments sombres qui l'entouraient,
au milieu desquels passa, nostalgique et vide, le Montrouge-
Gare de l'Est, étaient les cratères d'une lune, les reliefs astraux
d'une vie ancienne. Il se hâta vers la rive droite où le nom
lumineux de Sarah Bernhardt le jeta dans de nouveaux songes.
Le théâtre! Tout ce qu'il y avait dans son cœur encore des
prestiges de la rampe, tout le jeu d'autrefois lui revenait dans
la nuit à ces pâles quinquets. En tournée à Marseille, elle avait
joué *La Sorcière*, la grande Sarah, et cela avait alors troublé
Armand qu'on ne lui ait point payé le voyage pour voir cela.
Là, il pouvait, s'il le voulait, encore entrer pour la fin du
dernier acte, il tâtait l'argent du billet dans ses poches, et il
arriverait à temps pour la voir mourir, pour entendre la voix
d'or dont les gens parlaient. Il savait pourtant que, cette fois,
il se refuserait lui-même ce plaisir. Il y avait quelque chose
de changé dans le monde. Il ne se jouait plus la même pièce.
Il était sorti de l'adolescence, puisqu'il se brimait aujourd'hui
tout seul. L'argent dans le petit porte-monnaie de cuir de
Russie lui semblait à la fois terriblement lourd, et léger, léger.
Qu'allait-il faire quand il n'en aurait plus? Il traversa la place,
une rue large, la rue de Rivoli, prit une rue oblique, parce qu'il
y avait là un encombrement de voitures, dont les chevaux à la
taille héroïque renâclaient, dans la gesticulation d'une humanité gigantesque et l'entassement de corbeilles, de caisses, de
légumes, de fruits au déballé qui faisaient pressentir les intes-
tins énormes de la bête. On ne pouvait plus avancer à son gré,
il fallait contourner les débardeurs et le convoiement, le fouillis
des denrées entre les maisons bourgeoises, aveugles, dont le
pied flambait de quelques mastroquets et de magasins au
rideau mi-baissé. Des hommes pesants et lestes semblaient dans
leurs bras nus et musclés traire les formidables mamelles d'une
nuit nourricière. Des tonnes de verdure se déversaient vers les
pavés luisants par ces anneaux de chair noueuse. Des man-
darines s'empilaient dans un gaz blafard. Une espèce de murmure hurlé emplissait le fond sombre des rues gonflées de

travail, l'appel continu des travailleurs les uns vers les autres, les jurons, les cris de ceux qui poussaient sur des diables des ballots monstrueux dans les pieds pressés des passants. Des camions en travers barraient la circulation aux disputes de leurs conducteurs debout, dont les silhouettes violentes dominaient des fuites d'êtres minables et haillonneux.

La ville avait pris le dessus sur les pensées d'Armand. *Bouchons, ventes de fonds de boulangerie.* Les lettres d'or aux balcons des commerces de gros, baroques et lyriques, achevaient de déconcerter ses yeux neufs qu'arrêtèrent les panonceaux d'un huissier, la réclame d'un chirurgien-dentiste. Des hercules en casque à mèche le bousculèrent. Il se sentait petit au milieu de ces chandails rayés, de ces torses de lutteurs asservis. L'instinct le conduisait vers les Halles, malgré les sollicitations des rues étroites, des tournants, et les arcades vers lesquelles il s'était un instant avancé, voyant grouiller à terre des sortes de sacs humains, dont la saleté repoussante et le degré d'abaissement le firent reculer. Devant lui, deux flics qui parlaient haut interpellèrent un de ces déchets misérables. C'était au pied d'une espèce d'entrepôt noir dont le rideau de fer s'enfonçait dans une rue sombre qui, sur la droite, gagnait les Halles. Sous la marquise de verre du magasin *(Spécialité d'œufs),* allongés dans des journaux, il y avait des paquets d'êtres roupillant la tête enfoncée dans les encoignures. En marge de toute cette nourriture verte et blanche, l'ombre ainsi crevait de faim et de sommeil. Les esclaves puissants du Paris qui mange semblaient ne pas voir leurs frères déchus à force de misère. Ils circulaient là-dedans, prenant seulement garde de ne pas mettre leurs pieds solides sur ces corps, comme ils eussent évité des excréments.

Ce que les agents de police avaient choisi, on ne sait pourquoi, au milieu de tout ce lot d'épaves, pour exercer leur goguenardise, car une espèce atroce et basse d'humour tintait leurs voix impératives, c'était une vieille femme, difficile à déchiffrer à première vue dans les oripeaux sales, et les cheveux gris défaits de folle mêlés à ses genoux où reposait la tête entre des bras qui serraient une sorte de sac de toile et un vieux parapluie aux baleines cassées. De ce magma de misère, un œil vieux, de terreur et de ruse, fit mine, à peine apparu, de se rendormir. Alors une godasse lourde se leva et vint frapper rigoureusement dans la tête. La chose roula dans la boue et les rires des hommes de l'autorité qui continuèrent leur chemin.

Cela avait été si subit, et cela n'avait à un tel point pas dérangé l'ombre peuplée ni les grandes figures qui allaient et venaient dans la lumière, qu'Armand n'avait ni crié ni bougé. L'horreur l'avait pris, l'horreur du machinal, de l'habituel évident de ce coup de botte. Les cheveux gris sur le macadam l'hypnotisèrent un instant comme si un concept naissait péniblement en lui. Il avait une espèce de panique qui le retenait de toucher à cette loque vagissante et frappée. Les pesantes statures des flics s'éloignaient dans le bout de la rue des Bourdonnais. Ainsi, c'était ainsi?... La vie, et non pas le théâtre, la vie, le travail et la faim. Le jeune homme s'écarta brusquement de cette grotte à clochards pour regagner les lumières, dépassant le grand magasin *Citrons — Primeurs*, pour gagner le carrefour qui abouche la rue des Halles, la rue du Pont-Neuf et la rue Berger. Ce n'était pas pleinement l'heure de la fièvre pour ce coin-là et l'on pouvait y circuler encore à son aise devant les grands hangars noirs troués d'avenues, où se fait la Bourse des denrées, dans une espèce de courant d'air de chariots.

Là, dans une odeur écœurante de laitage, des maisons peintes l'accueillirent, rouges et vertes, *Fromages, Fruits exotiques*, et le bizarre *Chien qui fume*, dont Armand avait entendu parler par Balzac et Dumas, l'entrepôt frigorifique, le bistro qui s'appelle *Au tambour*. Il en sortit un groupe de consommateurs à décrocher l'enseigne : bouchers vêtus de blanc et maculés d'un sang brunâtre, parlant fort, au-dessus de leurs épaules surhumaines. Des types en casquette se hâtaient en tous sens. Le long des Halles, dans le bout oriental de la rue Berger, au milieu des caisses à claire-voie, de la paille,

des papiers entassés, près d'un camion arrêté dont la bâche
amande pendait sur les têtes d'un rassemblement, un brouhaha
qui durait se transforma soudain en clameur. Il y eut aussitôt
comme un happement des passants à ce nœud sonore. De toutes
parts on se mit à courir vers ce point. Le groupe des bouchers
vira de bord, de petits coltineurs hâves lâchèrent leurs diables
chargés de boîtes et de navets. Au centre lointain du groupe,
quelque chose oscilla dans des sifflets stridents. Une lutte. On
vit accourir de la rue des Prouvaires cinq ou six agents roulant
sur leur bras leur pèlerine. Des cyclistes firent demi-tour
sous la voûte des Halles. Armand suivit cette brusque volte-
face et se trouva au coin de la rue des Halles, devant le
Café Jean-Bart, où luisait à l'intérieur le plomb du comptoir
et les verres auprès d'un petit escalier tournant qui plongeait
de l'étage dans la boutique.

Devant lui des femmes se plantèrent, dans leurs tabliers bleu
sombre qui leur faisaient la taille ronde, et leurs voix éraillées
traduisaient une inquiétude. Là-bas, près du camion, le groupe
énorme vacilla, s'ouvrit, se déchira dans une course : Armand
discerna des sergents de ville, tout un groupe emportant quelque chose, qui rampait à terre, et qui se secouait de tout son
long, un animal convulsif, hurlant, désespéré. C'était un
homme que les flics traînaient par les pieds, tandis que
d'autres lui tenaient les bras, et la tête allait ballant sur le
pavé dans une espèce de fureur perdue, où se mêlaient les
éclats de l'ivresse, la douleur, et le sentiment tragique du
lendemain. Un brigadier, fait comme un bloc, frappait là-
dessus. La foule protestait. Mais les agents cyclistes tournaient,
menaçants, leur roue libre au milieu des débardeurs, des
femmes en cheveux, des loqueteux. À terre, l'homme eut des
sursauts terribles et des protestations d'enfant. C'était un jeune
gaillard découplé à l'échelle de ce lieu gigantesque, mais ils
étaient bien sept à l'accabler, et lui faisait le plomb, freinant,
fou à l'idée sans doute de ce poste où on l'emportait, se tordant,
et sa veste noire était en morceaux, il avait perdu sa bâche,
on voyait ses yeux délirants, très clairs au-dessus de la chemise

beige, un teint enfiévré de rage. Une des femmes, près
d'Armand, dit avec compassion : « Il en a frappé un. Si c'est
pas malheureux! Pour un verre de trop. Il est foutu, ce mec-
là! »

Une autre acquiesça : « Il en a pour trois ans. »

Brusquement, la rage des flics, dont les voix sonnaient
impérieuses, sembla décupler, et la victime fut d'un à-coup
emportée de dix mètres, battant le sol; dans son effort pour
résister, les bretelles se déchirèrent, et le pantalon s'arracha.
D'un coup, les jambes et les cuisses furent dénudées, violentes,
convulsives, la chemise se rabattit, et la foule eut une espèce
de ricanement, parce qu'on voyait le sexe et les poils. Une
sorte de sanglot sortit de ce corps révélé qui sentit alors le
comble de sa déchéance. « Un homme foutu », répéta la femme,
tandis que tout cela s'éloignait dans la direction de la rue des
Prouvaires. Armand traversa les Halles vers la pointe Saint-
Eustache, et l'espèce de stupeur qu'avait fait naître la scène
précédente, ce mépris total de l'homme qui semblait habituel
au pavé de Paris, céda tout d'un coup sous les hautes voûtes
de fer, quand il aperçut les enfilades de bêtes écorchées, les
quartiers de bœufs pendus aux crocs à perte de vue; invinciblement l'homme aux mains des agents s'identifiait à cette
viande décapitée, qui parlait avec une éloquence sanglante de
l'anéantissement des cas individuels. La mort, la douleur, l'indi-
gnité, ces idées s'évanouissaient dans la brutalité impudique de
l'étal. Armand avait encore dans les oreilles le sanglot, exa-
cerbé en hurlements subits, du jeune géant vaincu par l'ivresse
et la flicaille. Il lui apparaissait maintenant comme la voix
anonyme de ces hécatombes en série. Il atteignit ce lieu surprenant où toute une population mange de la graisse chaude
et du pain au fourneau en plein vent du bistro qui fait
l'angle de la rue Montmartre et de la rue Montorgueil; entre
une église noire et sans dignité, et de l'autre côté de la rue
Turbigo, le formidable bastion peinturluré de sang de bœuf
du trottoir aux combles, qui ouvre sur deux rues une bouche
de fer où flambent plus de bêtes que n'en contiennent les

Halles, roses et jaunes, violacées, avec le sang à terre, et cette nudité terrible de la boucherie. Dans la rue Montmartre, la hantise des bêtes écorchées accompagna Armand d'étal en étal. Des voitures de messageries, de petits cafés, des filles fardées au sang de bœuf comme les maisons et les cadavres animaux, des négociants lourds aux moustaches épaisses, ventrus, redoutables, des caricatures de l'enfer, et toujours la circulation silencieuse des agents cyclistes aux casquettes plates, la nuit déchirée, la nuit à l'odeur fade des viandes, la nuit où des chevaux hennissaient entre des taxis et des charrettes à bras, la nuit monstrueuse et sale.

Devant la porte sordide d'un hôtel, Armand pressa le pas. Il atteignait le cœur nocturne de la ville, là où les maisons tremblent des rotatives, où le sang se transforme en une encre grasse, épaisse, qui coule jusqu'au ruisseau de la rue avec les feuilles fraîches des journaux. Ici, la population change. Les typos succèdent aux bouchers, comme une race née sous d'autres climats, et les lueurs des rédactions, des imprimeries et des débits de boisson tremblent d'une fièvre différente. Le quartier du Croissant sent le papier mouillé, l'encre, les vieux vêtements, et non plus le fromage et les abattis. Ici, les passions du lendemain prennent naissance et, dans ces rues, auprès des billards, des zincs, à la porte des maisons négligées et déchues, croissent des fleurs bizarres. Les hommes asservis aux jeux incompréhensibles des journaux sont payés pour connaître de quoi est fait le lyrisme de leurs maîtres. Ils ont à la bouche l'imprécation, l'obscénité, la plaisanterie. Ils ont au cœur la rage du travail nocturne. Parmi eux, les idéologies baroques croissent comme la mauvaise herbe, et leur quartier, à travers les senteurs de l'encre et du papier, respire l'odeur de l'anarchie. Que peut comprendre de tout cela un jeune provincial frais débarqué, que la nuit roule comme un galet à travers les maisons lépreuses de commerce? La fatigue le tenait, il entra dans un café étroit, plein d'hommes descendus à une halte du travail. Au comptoir, un garçon semblable à l'amoureux des cartes postales lavait les verres et les soucoupes.

Un public véhément parlait de choses incompréhensibles, au milieu desquelles monta l'accent méridional d'Armand, qui demandait un café et un sandwich. Un homme en longue blouse grise, les bras nus, sans col, pas rasé, rouge, les cheveux en mèches grasses sur une calvitie, s'agitait à une table voisine, parlant à un petit vieux maigre à lunettes, et à une espèce de rouquin hirsute en veston d'alpaga. Il disait :

« Ton Jaurès, ton Jaurès! J'en veux pas plus de son armée que de n'importe laquelle, d'armée. D'armée n'en faut plus, d'abord. On en a marre. Y aura toujours des généraux dans le truc! » Et il se mit à chanter :

*Ils verront bientôt que nos balles*
*Sont pour nos propres généraux...*

Le petit vieux étendit ses mains effrayées à travers la table et saisit le pied du bock du chanteur, comme il lui aurait pris les poignets : « Tais-toi... Voyons, tu ne connais pas tous ces gens... »

L'autre haussa les épaules. Les gens ne leur prêtaient guère attention, à boire et se chamailler. Il loucha pourtant sur Armand. Un mouchard? Il avait plutôt l'air empoté, ce copain-là. Il reprit : « Moi j'ai les pieds retournés. Pas plus de ces trucs-là que de leurs retraites militaires... Le gouvernement t'interdit d'aller au Mur, alors tu vas brailler au Pré-Saint-Gervais... Vous n'en avez pas, moi je vous dis, vous n'en avez pas! »

Le rouquin tout à coup se démena. Il avait du poil plein les joues, les mains. Les idées avaient l'air d'y coller, de s'y empêtrer. « Ah bien, ah bien! », dit-il, et apparemment qu'il était tout à fait colère. Mais rien d'autre ne sortit. C'est le petit vieux qui continua : « Des fois que tu pourrais avoir honte de t'exprimer comme ça, Mathieu, c'est moi qui te le dis, un prolétaire. »

L'autre rigolait doucement : « Prolétaire? Mouton, oui mouton, comme les autres. On vous tond, vous tendez le dos, et vous dites merci. De temps en temps, on vous mène paître,

et ça s'appelle manifester. La connerie. Alors allez-y l'écouter,
votre Jaurès de mes deux. Va faire des phrases... Les Trois
Ans? On s'en fout d'abord des Trois Ans. C'est vingt ans
qu'il y faudrait, aux gosses, histoire de les foutre en rogne une
bonne fois, et qu'ils prennent leurs flingues... — Mathieu,
Mathieu! »

Le petit vieux élevait ses mains protestataires. Alors le rouquin brusquement vida d'un trait son petit verre, et frappa
sur la table d'un poing énorme. « Vive Jaurès! », cria-t-il. Les
gens se retournèrent, et il y en eut pour rigoler.

Il y avait longtemps que la bruine avait tout à fait cessé.
Dans la rue, il faisait très doux, déjà l'on pressentait les
caresses de juin, malgré l'heure tardive. Quand il atteignit
les boulevards, Armand, qui avait recompté son argent avec
une certaine crainte, se dit qu'après tout il pourrait attendre
le matin dans les rues, pour une fois. Ça ferait l'économie de
l'hôtel.

## XXVII

La scie, devoir aller à la Bourse pour télégraphier au paternel à cause de ce jeune serin... De toutes façons, pas question
de s'appuyer cette trotte avant l'houstau. La journée commençait avec ce joli sujet d'énervement. D'abord le prix du télégramme. Et puis si ça donnait au docteur l'idée de rappliquer
à Paris? Maintenant avec Carlotta. C'est bien ma veine.

Comme un fait exprès : trois entrants dans le service. Les
stagiaires, eux, ils s'en battent l'œil, le dimanche. Alors c'était
à Edmond de s'appuyer les observations, sans compter les
pansements, et des piqûres. Ce néo de la face, c'était à chaque
fois une dégueulasserie. Faut avoir le cœur bien accroché pour
supporter l'odeur des cancers, sans parler de la vue. Et ce
vieil imbécile qui appelait cette énorme tumeur qui lui bouf-

fait tout du maxillaire inférieur à derrière l'oreille, et en
avant jusqu'à la pommette, *son petit bouton*. Ne pas comprendre qu'on ferait mieux de le flanquer à la Seine, ou une
bonne balle de revolver. Les gens.

Le téléphone, c'est une sacrée invention. On tourne la
manivelle, et la demoiselle ne réagit pas. Les faux numéros.
Pour, au bout du compte, que la voix de la femme de chambre
réponde que mademoiselle dort encore, mais si monsieur veut
rappeler dans une heure.

Alors à nouveau l'odeur de l'éther, les fils qu'on enlève à une
appendicite, un ventre blême et peureux, les pinces, l'iode.
Et les bocaux bleus de l'oxycyanure, Mlle Fanny sous son
ruban noir qui parle de l'ordinaire, d'une histoire survenue
chez les femmes; le garçon de salle avec sa blouse à plis,
et dans le vestiaire une conversation à propos d'un carnet qui
a disparu. Une heure est un monde. Qu'est-ce qui pourrait
me donner un tuyau sur le diagnostic des fractures du pied?
Ce charretier m'a l'air de n'avoir pas été immobilisé comme
il faut par le type de garde, hier soir. Oh, et puis, la barbe!
Qu'il ait le pied comme il veut. Il fait chaud.

Bon : mademoiselle était sortie, elle faisait dire à monsieur...
Barbentane qu'elle ne déjeunerait pas chez elle, mais que s'il
voulait passer à tout hasard vers trois heures, trois heures un
quart... À tout hasard? Ça devait être l'interprétation de la
domestique. En attendant, il y avait tout le temps d'aller à
la Bourse et de se faire chier. Edmond déjeuna au quartier,
repassa chez lui se changer.

L'été avait fait irruption tout d'un coup, avec une chaleur
surprenante. Edmond sortit son linge, tout était comme un
fait exprès : des boutons qui manquaient aux chemises, une
tache d'encre sur un caleçon, un des beaux en fileté, court,
qui couvrait à peine le genou. Et puis pas de bouton de col.
Une baleine du faux-col mou cassa. Les fixe-chaussettes
n'étaient plus très neufs, mauves. Ils n'allaient pas avec la
cravate choisie, noire à raies bleues. Enfin, Edmond ne se
trouva pas rasé d'assez près, il se redonna un coup de rasoir

dans le cou. Il se coupa au menton. Où ai-je fourré la pierre?
Il prit le 8 et descendit rue Réaumur. Quel temps splendide. Ça fait encore un bon bout jusqu'à la Bourse. Il retournait dans sa tête le texte du télégramme. Un vrai machin
diplomatique : « *Armand ici que faire... Armand avec moi,*
non : *Armand ici,* est mieux et moins cher... Et puis, si ça le
fait rappliquer? » Après bien des réflexions, il trouva un
biais : « *Armand ici coûte cher...* », même si cela faisait deux
mots de plus, c'était à dire et ça pouvait avoir sa compensation... Le télégramme envoyé, il faisait beau, Edmond s'en
fut à pied au Palais-Royal, où il prit l'autobus de la Porte
Maillot.

Sur la plate-forme, il sortit son paquet de cigarettes jaunes.
Il y avait un monsieur avec une barbe grise en éventail qui
lisait *Fantasio* en se marrant, une serviette de chagrin noir
sous le bras, et le conducteur avait l'air pressé aux stations.
À Pyramides, il tira la sonnette si vite qu'un type qui montait
faillit rater le marchepied qui fichait le camp. Instinctivement, Edmond l'avait attrapé par le bras, puis il s'en était
voulu. Il n'avait qu'à se casser la gueule, cet autre. L'autre,
hissé, remerciait, puis s'écriait : « Ah par exemple! ce
hasard! »

C'était encore un barbu, mais jeune, celui-là, châtain, tout
ce qu'on fait de mieux en fait de col de celluloïd, avec des
vêtements miteux et bien tenus. Du diable si... ah pourtant,
c'était le répétiteur du petit Beurdeley. On fit la causette.

« Vous avez lu les journaux, monsieur Barbentane? Non?
Ah vous ne direz plus maintenant ce que vous me disiez
l'autre jour, vous vous souvenez... Le danger monte, c'est une
vague, une houle. — De quoi parlez-vous? — Mais des antipatriotes! Aujourd'hui même ils mobilisent l'arrière-ban de la
pègre derrière les antéchrists de l'anarchie, et le socialisme
révolutionnaire déferle au Pré-Saint-Gervais... Ils veulent inti-
mider le gouvernement, ils protestent contre cette mesure de
salut public, le maintien sous les drapeaux de la classe en
octobre, la conscription à vingt ans... — Oui, alors? — Mon-

sieur Barbentane! Votre scepticisme m'épouvante. Littéralement. Songez donc que l'ennemi est aux portes, mais lisez
les journaux allemands. Si vous aviez vu le numéro récent de la
*Leipziger Illustrierte Zeitung!*... Il y a cette histoire du creux
entre les deux lois militaires... Une période dangereuse... »

Entre les phrases, les cahots jetaient les interlocuteurs l'un
sur l'autre. Villain était lancé : Edmond reconnaissait plusieurs de ses phrases. Il les avait lues quelque part, par-ci
par-là; un article récent de Maurice de Waleffe, des formules
de Maurras... ce sillonniste était éclectique. Il avait cet air
traqué des faibles, qui retiennent un peu tout ce qui les
inquiète sans trop se demander d'où ça vient. Edmond avait
un certain mépris de ce pion miteux, comme en général de
tous les velléitaires, et de tous les êtres sans muscles, sans
force. Qu'est-ce qu'il avait, celui-là, à le tanner toujours avec
ses trois ans, et le patriotisme? Il avait la tête à autre chose,
vraiment, aujourd'hui. Il fallait trouver des fleurs pour Carlotta. Lui parler de Sérianne, il avait oublié la veille, et aussi
de ce M. Quesnel. À l'Étoile, le raseur descendait : « Vous
verrez... l'intérêt de la France... »

Edmond ne résista pas à la démangeaison : « Vous savez, la
France... eh bien, qu'elle se débrouille! »

Le petit homme barbu sur la chaussée agitait ses bras derrière l'autobus qui s'éloignait.

Porte Maillot, cela criait de tous les côtés. Voitures pour les
courses. Luna-Park. Les journaux. Il y avait là sur la droite,
près de la station des trams de Saint-Germain, une baraque
en bois, une fleuriste. Edmond hésita. Et puis tout de même
il acheta des roses. Il y en avait bien dans le jardin de
l'avenue Bineau, mais tout de même les roses c'étaient des
roses. Dans les chaînes du tramway jaune, de l'autre côté de
l'octroi, il y avait un tas de jeunes gens, des sportifs, avec
des valises. Tout ça s'en allait à Colombes, des petits mecs
solides et rigoleurs. Edmond, avec ses fleurs, se sentit dépaysé,
d'autant plus qu'il les enviait, qu'il se sentait plus près de ces
gens-là que de tous les gens de la ville. Il aurait fallu prendre

un taxi, avec des roses dans du papier glacé, mais enfin tout ça
coûte. La boîte cahotante l'emporta par la route de la Révolte,
l'avenue du Roule.

Il n'était pas trois heures. Il y avait une buée de chaleur.
Il tourna dans les allées du Parc. Autour du grand couvent
où il y a une vierge noire. Puis jusqu'à la Seine. Puis revint.
C'était à peu près l'heure. Il sonna, avec son bouquet. Un pas
traînant. La femme de chambre. Elle sort des profondeurs.
Elle tient le destin sous son bonnet. Elle n'ouvre pas. De
derrière la grille, elle dit : « Mademoiselle s'excuse, elle a été
retenue, si monsieur veut laisser les fleurs, mademoiselle a dit
que si monsieur voulait laisser les fleurs... »
Elle a ouvert la grille et elle tend les mains. Edmond
éprouve une amère envie de rire. Carlotta était donc si certaine qu'il irait de son bouquet? Il le donne. Allons, bon.
Oui, peut-être vers cinq heures, mais si monsieur a autre chose
à faire... La grille s'est refermée sur le pas traînard et le
sous-sol mange la femme et les roses.

Non, monsieur n'a pas autre chose à faire. Il traîne dans ce
quartier de jardins et d'avenues et regarde à travers les grilles.
Des familles autour de tables vertes. Meubles en rotin, parasols rayés rouge, hamacs pendus aux arbres, dimanche d'une
bourgeoisie aisée, avec ses plates-bandes, ses massifs de géra-
niums, ses rhododendrons, ses rosiers. Des enfants à volants
de lingerie, d'Irlande, et à grandes ceintures de rubans. Petits
garçons et bouledogues, vieilles dames et colleys roux. De
rares promeneurs. Edmond suit une femme soudain sans s'en
rendre compte. Pas mal habillée : une bonne à son jour de
sortie, probable. Elle lit une lettre et elle zigzague, par le
trottoir, comme si elle avait bu, mais il est évident que tout
l'alcool vient de ce papier teinté beige qu'elle apprend par
cœur, ma parole. Elle le déchire tout à coup. Elle lève une
main qui va jeter les morceaux, puis se retient. Un débat
intérieur. Elle quitte le boulevard pour une rue déserte. Est-ce
que ce n'est pas là-bas au bout que la voiture est tombée
à la Seine avec les enfants d'Isadora Duncan? Cette histoire-là

encore. Extraordinaire ce que les gens sautent sur toutes les
occasions de s'attendrir. Ce n'est pas lui, Edmond, qui gémirait.
La main de la promeneuse s'est à nouveau balancée : de
petits morceaux de papier jonchent la chaussée, elle s'éloigne
là-bas, vers la Seine. Est-ce qu'elle va se tuer de désespoir?
Non, elle tourne sur le quai. Edmond ricane, regarde les petits
papiers épars et soudain se baisse, ramasse. Une curiosité.
Personne ne le voit, d'abord. Ça fera un puzzle.

Près du pont de la Jatte, il y a un café, un débit avec des
bosquets. Il s'assied à une table. Les bouts de papier sont dans
sa poche. Un phono joue un vieil air de Mayol. La serveuse
est une grande fille assez grasse, pas arrangée, mais appé-
tissante. Elle est encline à bavarder. Qu'est-ce que c'est que ce
dimanche? Ce n'est pas toujours comme ça, le dimanche? Ah
bien non, ah bien alors, si c'était comme ça, ça serait malheureux alors... alors, alors. D'habitude, il y a du monde? D'habitude. Le dimanche. Edmond touche les petits bouts de papier
dans sa poche. Il remarque qu'il ne pense pas du tout à
Carlotta. Mais ce qui s'appelle pas du tout. D'habitude, c'est
plein. Ou enfin, si c'est pas plein, c'est tout comme. Même
on danse. Est-ce que le patron trouverait mauvais que vous
preniez un verre avec moi? Le patron? Du moment qu'on
consomme. Oh, une limonade. Mais alors, il faut s'asseoir...
Elle rit, elle est gênée; quand on lui offre, c'est debout au
comptoir, sur le coin de la table. Elle est devenue coquette,
sa main vérifie son chignon. Alors, bon, ne vous asseyez pas.
Elle est un peu déçue. Se serait bien assise. Et puis voilà.
Drôle de client. La limonade : alors, à votre santé. À votre
santé. Alors. « Mélie! » Vous m'excuserez, le patron m'appelle.

Il s'est levé un peu de vent, très doux. Assez pour gêner le
puzzle. Les morceaux se joignent pourtant. Il y a un bout qui
manque. Elle a dû le garder dans sa main. C'était le bas où
il n'y avait rien d'écrit. Ou un post-scriptum. Edmond aplatit
comme il peut les fragments maculés de boue. chiffonnés. Il
lit : « Ma petite fille adorée, je n'ai pas dormi cette nuit,
j'ai pensé tout le temps aux mots que tu as dits, à ces affreux

mots qui font mal. Est-ce vrai que tout est fini, mais surtout, mais plus que tout, plus que la vie ou la mort, est-ce vrai que tu ne crois pas à mon amour? Même si demain, comme d'autres fois, vois-tu, tout s'arrangeait, s'aplanissait entre nous, et que j'aie, comme par le passé, ta main dans la mienne, ton corps auprès de moi, tes yeux, ta bouche... même alors, ma chérie, si je souris, si je te regarde avec cet air heureux et calme que tu sais, ce sera un mensonge, parce que rien, jamais rien ne pourra me faire oublier ce doute en toi. Un homme qui a eu les jambes écrasées rit parfois pourtant dans sa petite voiture, mais crois-tu que ce rire soit jamais le rire d'avant? Il y a aussi dans tout cela une idée épouvantable parce que trop révoltante : si j'étais un homme riche, mon amour, j'aurais eu le temps, la liberté d'esprit nécessaires pour m'occuper de toi, pour te persuader de mon amour. Ce sont tous ces ennuis, ces mesquineries journalières qui font si souvent que, dans les trop rares moments que nous avons ensemble, je suis généralement comme absent, distrait, incapable de faire l'effort d'attention nécessaire pour passer de cette horreur dont je suis tout imprégné, au bonheur de ta présence. Et puis la fatigue. Tu sais comme je m'endors, quand tu voudrais me parler. Cela fait des années pourtant que tu me connais. As-tu vu seulement ce qu'est devenu mon visage? Sais-tu ce qui a creusé ces rides, ce qui m'a fait ces yeux, ce qui m'a enlaidi au point que peut-être tu ne m'aimes plus pour cela aussi? Pas seulement l'argent, sans doute. Mais l'argent. La peur toujours, à cause de toi, de ce qui va manquer. Ces pauvres plaisirs qu'il faut te refuser, cette étroitesse de la vie. Je me dis qu'on a tort d'être honnête quand on aime, ou bien que c'est toi qui as raison, qu'on aime donc pas, alors. Il n'y a de place au soleil que pour les salauds, les vendus. Avec ça, que ce n'est pas si facile de se vendre : il y a trop de gens qui ne demanderaient pas mieux. Vois-tu où j'en suis! J'ai rencontré ta sœur, elle m'a parlé très gentiment. Comme je ne savais pas ce que tu avais dit, j'ai fait le type très heureux, comme si de rien n'était. Elle m'a regardé drôlement.

Je me suis mis à penser que tu lui avais parlé, alors j'ai éclaté en larmes. Elle n'y comprenait rien. J'ai dit que c'était le surmenage, le travail. Elle a dû croire que j'étais fou.

« Mon amour, je t'attendrai sans fin à partir de six heures, demain comme toujours, au métro Chaussée-d'Antin; ne m'écris pas, viens. Même si tu avais décidé de ne pas venir, et que vers sept ou huit heures, tout d'un coup, repensant à moi, tu sentais un peu de pitié, sache que je suis toujours là, devant les Galeries Lafayette, et que je t'attends, je t'attends. Viens. Comment veux-tu que je vive ainsi? Tu me défends de t'embrasser, mais pourtant, par lettre au moins... mon amour. — Ton Gustave. »

La servante repassait. Edmond leva la tête : « Et avec tout ça, vous ne m'avez pas dit pourquoi c'est vide aujourd'hui ici? — Oh, est-ce que je sais? Probablement un de ces matches. Les jeunes gens maintenant, ils ne pensent qu'au fouteballe! »

À nouveau, les allées d'arbres, les avenues larges où traînent de rares désœuvrés. Cinq heures moins le quart. Encore un quart d'heure à tourner, un quart d'heure à tuer. On compte ses pas, on règle ses pas sur les pierres qui font le bord du trottoir. Soixante, soixante et un, soixante-deux... il faut espérer qu'un pas fait bien deux secondes, alors la minute... Le petit hôtel du boulevard Bineau. Le cœur d'Edmond bat. Tout se passe comme s'il était l'homme de la lettre déchirée. Au fait, il l'a laissée sur la table, comme ça, cette lettre. Oh! et puis. Le vent s'en chargera. Le vent fait bien les choses. Allons. Il faut sonner. Le silence et l'odeur des roses. Les pas traînants. La bonne.

« Mademoiselle a téléphoné. Elle s'excuse auprès de monsieur. Si monsieur veut l'appeler demain matin à l'appareil... pas trop tôt... »

Au coin du boulevard de La Saussaye, il y a des courts de tennis à louer. Une fois, l'autre été, Edmond y est venu, jouer avec des amis, la petite aux nattes roulées du service Beurdeley. Peut-être qu'ils sont là, aujourd'hui dimanche... Il pousse la porte, traverse une espèce de terrain herbu, trop étroit pour

qu'on ait pu l'utiliser, tourne à droite entre les fusains. Le
terrain vague a été coupé en trois pour faire trois tennis, des
gens en blanc y courent, les balles volent, les raquettes battent
l'air. C'était le court du fond, près duquel il est resté un grand
marronnier devant l'espèce de cabane-vestiaire, et un banc.
Des jeunes gens rient très fort. Une grande fille laide, blondasse, coquette avec un monsieur mûr. Eux, Edmond ne les
connaît pas. On ne l'a pas remarqué. Edmond regagne la rue,
la poussière. Dimanche. À pied vers le ballon des Ternes,
il joue à oublier le temps, le temps ne le lui rend pas. Il
se donne un but dans la vie : place des Ternes, prendre un
bock, au grand café qui est là... Pourvu qu'il y ait de la brune!
Ce sentiment domine tout : pourvu qu'il y ait de la brune.

## XXVIII

Le jour avait donc retrouvé Armand, blême, errant dans
les parages de la gare de l'Est. Un Armand qui découvrait
l'aube et le mécanisme d'un dimanche matin, les promeneurs
hâtifs que les maisons jettent au pavé, les métiers d'aurore,
l'apprentissage de la journée citadine. Il avait erré parmi les
premiers cafés aux percolateurs embués encore de la nuit,
jusqu'à ce que la chaleur se fût enfin décidée, une chaleur
estivale, surprenante. Armand sentait la fatigue dans ses jambes et sa nuque. Il avait envie d'un bain. Mais un dimanche?
Un sergent de ville lui indiqua un établissement ouvert dans
le bout de la rue Lafayette.

C'est là qu'il ramassa sur une chaise l'exemplaire de *La
Bataille Syndicaliste* qui éclaira pour lui des propos entendus
la nuit. Klotz, craignant que la cérémonie annuelle du Mur
des Fédérés ne fût utilisée par les socialistes contre les Trois
Ans, l'avait interdite au Père-Lachaise, puis autorisée hors
de la ville, au Pré Saint-Gervais. Un article de Lucien Descaves

appelait le peuple de Paris à manifester contre les Trois
Ans en souvenir de la Commune. Armand le lut en se savon-
nant avec un petit parallélépipède rose, léger comme tout.
De Descaves, il connaissait un livre : *Sous-Offs.* Il s'étonna
pourtant de le retrouver là, dans *La Bataille.* Il passa la fin
de la matinée le long des quais de la Villette, puis aux Buttes-
Chaumont qui l'enchantèrent; après un casse-croûte rue de
Mouzaïa, il arriva vers les deux heures à la Porte du Pré
Saint-Gervais.

Cette partie de Paris a changé du tout au tout, avec les
fortifications comblées, et la cité champignon qui a poussé,
barrant la vue au nord. Au temps de ce récit, la ville s'arrêtait
tout net contre les remblais, avec leurs trois fortins, de la
Porte de Chaumont à l'embouchure de la rue Haxo. Les
fortifs dressaient ainsi leurs têtes herbues au-dessus des murs
beiges qui plongeaient à pic sur une sorte étrange de campagne.
Paris mourait par une province calme et pauvre, coupée de
terrains vagues qui déjà faisaient pressentir la zone, où, au
pied des maisons inégales et noircies, des êtres sombres car-
daient des matelas sur des constructions de rouille, auprès
d'une implorante charrette à bras. Des bouts de jardins et
des palissades, surgissaient, étroites comme des tours, des
maisons de quatre étages, jamais recrépies, enfumées. Tout
cela s'arrêtait devant le boulevard Sérurier, comme un chat
qui met soudain la patte dans l'eau d'une mare.

Armand débouchait ici avec tout un peuple filtrant des
rues, un peuple joyeux, étonné de la chaleur, dont les vestons
et les robes noires se tachaient des manches de chemises, des
cols et des mouchoirs blancs déjà sur les nuques, sous les
canotiers et les mous gris, marrons, noirs, des toquets des
femmes, de leurs cheveux, libres comme des broussailles, ou
des épis serrés; des insignes, où dominait le rouge et, là-bas,
dégainées de leurs étuis noirs, les bannières, au delà de la
grille de l'octroi, au delà des gardes municipaux l'arme au pied,
en bouquets près de la barrière, les bannières rouges et brodées
comme un échappement dans le soleil.

Une folle marmaille accourait de partout, glissant dans les jambes, entre les couples, des débuts de cortège, avec des cris, des rires et des petits noms glapis. Le soleil tapait dur, donnant un air de campagne à ce monde lépreux qui s'ouvrait aux manifestants. Le Pré Saint-Gervais commençait par une voie oblique qui continue la rue Haxo, et qui glissait sous les fortifs avec des marronniers lourds de fleurs, une espèce de berceaux à guinguettes, sentant les frites, l'absinthe et les lilas. Hangars et terrasses, étroits, biscornus, encombrés de bancs et de tables, où le fil de fer rafistole des grilles de fortune et s'empile un peuple rieur. De fortes filles rougeaudes claquaient les mains indiscrètes de terrassiers blagueurs, aux pantalons de velours à côtes. On entendait des chansons qui n'avaient rien à faire avec cette invasion de la ville. Des débris de fonte, des entassements de ferraille s'accoudaient au bord de la route, parmi des herbes folles et des fleurs de carotte. Un piano mécanique grinçait derrière une tonnelle. On avançait, porté par le flux de Paris, dans cette banlieue précoce comme un garçon vicieux, pour tomber tout de suite, après cent mètres, dans une bourgade de Seine-et-Marne, comme à cinquante kilomètres de la capitale, de petites maisons de notaires économes, de boutiquiers retraités. Mais la foule suivait une piste d'hommes à brassards écarlates, elle obliquait à gauche, à travers les fentes du paysage, dans des ruelles que des plaques appelaient *sentiers* et qui remontaient vers la ville, sur la butte du Chapeau-Rouge, une montagne de la zone qui s'élevait devant les fortifs pour dominer le grand champ quadrangulaire, au-dessus de la rue Émile-Augier, où le Parti socialiste avait convoqué le peuple à protester contre la loi militaire.

Là, sur la pente raide des sentiers, la misère et la pouillerie empruntaient au soleil un éclat qui ne trompa point Armand, habitué à la pauvreté méridionale de Sérianne : toute la lumière de l'été ne faisait, dans le désordre des cerisiers chargés de fruits, et des lilas blancs et mauves, qu'accuser la pagaïe pathétique de ces demeures d'hommes en papier

goudronné, en bois de rebut, en tôle prête à s'envoler, qu'en
guise de toit maintiennent de grosses pierres, une brique,
n'importe quoi de lourd, une girouette, par exemple, échouée
là, posée sur son ventre alphabétique. Petites baraques qui
prennent des airs sinistres de propriétés où sèchent des maillots
ramenés sur eux-mêmes, des langes violents comme le mal
de mer, des chaussettes nostalgiques, des chemises à fleurs.
Il y avait sur les portes des cartes de visites manuscrites qui
donnaient tournure de châteaux à ces cabanes dont l'une, à
louer, s'affirmait en *double-bois,* toute penchée, et défiant
la perspective. Elles se séparaient les unes des autres, et leurs
domaines, parfois cultivés de haricots verts et de pois chiches,
au moyen de remparts hasardeux, dressés avec des sommiers
aux ressorts claqués en guise de cloisons. L'effroyable senteur
des trous à tout faire se mêlait à celle des fleurs de la fin du
printemps. La boîte à ordures et la boîte à conserves commentaient cette idylle suburbaine où éclatait le chant des voix
jeunes, des corps grimpants, forts à craquer ces vêtements
moulés par l'habitude et le muscle, le chant inconnu d'Armand,
que complétait le geste, parfois théâtral, naturellement, à la
manière ouvrière :

> *Salut, salut à vous,*
> *Braves soldats du*
> *dix-*
> *sept*
> *iè-me... Salut...*

Que chantaient-ils donc là qu'ignorait le jeune bourgeois
sortant de sa province? Il entendait maudire le nom de
Klotz, et celui d'Étienne, de la Compagnie des Omnibus,
ministre de la guerre et des Trois Ans. De Klotz, qui avait
cru pouvoir interdire aux héritiers de Varlin, de Courbet,
de Flourens, d'aller au Père-Lachaise où l'on pleure en chantant, devant le mur sacré, le mur du courage aux bras nus, qui
rappelle le fol héroïsme des jours noirs, et Delescluze qui
mourut avec un chapeau haut de forme, et l'idéal ancien des

travailleurs, de ceux qui croyaient que le sang des maîtres vaut le sang des esclaves, et qui ne savaient pas encore que, pour un ouvrier qui tombe de l'échafaudage des jours, il faut demander toute la terre, et le sang pauvre des banquiers. Klotz, passé des Finances à l'Intérieur, Klotz, l'homme de confiance du tzar, Klotz, l'honnête, Klotz, le républicain, Klotz, qui devait mourir après qu'on eut tué quelques millions d'hommes, couvert par ses pareils pour de faux chèques émis, Klotz avait défendu au peuple de Paris de chanter l'*Internationale* au Père-Lachaise, puis, pris de peur, avait permis cette démonstration dans les fossés de la ville, hors de la ville, comme si son pouvoir se fût arrêté aux murs et qu'ici l'on pût, dans ces fossés, fusiller la gabegie et la honte, la cambriole et le profit.

> *... Salut à vous...*
> *... Chacun vous a-*
> *dmire et vous ai-me...*

Pigeonniers au sommet d'une tanière sans fenêtre, où croupit une famille hagarde aux gosses demi-nus, l'idylle des oiseaux blancs surplombant la crotte et la disette resplendit, incompréhensible, comme les ténèbres du cœur. Pourquoi ces miséreux qui crèvent la faim, fouillant à l'aurore les poubelles, n'égorgent-ils pas ces oiseaux qui volent au-dessus de leurs estomacs? Comme ils ne mangent pas leurs enfants, ils regardent voler sur leurs têtes ces hôtes ailés, ces bestioles du ciel, plus précieuses pour eux que leurs propres douleurs. Ils sortent, en attendant, ces habitants du cauchemar, de leurs fantastiques architectures, qui rappellent l'art des fous et les dessins d'enfants. Ils en sortent avec des yeux pleins de rires, parce que l'immense famille de Paris est venue leur rendre visite ce dimanche-là. Et des grappes noires s'accrochent à l'herbe des buttes, des journaux s'étalent noirs et blancs, des ombrelles grises, des litres de pinard cassés dégringolent, les mioches hurlent : il fait beau, beau à ne pas croire. On est entre soi. On a oublié ce bruit de crosses à la barrière. Ça

chante là-dedans, par delà la butte où, on ne sait comment,
sur d'étranges tables à bras, avec des camions débouchés
par des chemins impossibles, les commerçants du faubourg
ont hissé des tonneaux de bière et tendent des demis de mousse
aux manifestants émerveillés par la soif et le paysage qui
s'ouvre sur Saint-Denis, les châteaux forts industriels du nord,
les cheminées suppliantes au milieu des arbres des routes, la
plaine à n'en plus finir qui s'en va sur le chemin des Flandres
avec des souvenirs de marchands, de foires et de guerres.

## XXIX

> *... Vous auriez,*
> *en tirant sur nous,*
> *assassiné*
> *la*
> *Ré-*
> *pu-*
> *bli-*
> *que!*

Quelle chaleur! Parvenus au sommet, se hissant avec des
rires à pousser de grosses femmes qui glissaient dans les
pistes de la butte, les gens de Paris découvraient le panorama,
le champ de la manifestation où se dressaient sur la pente,
étagées, et jusqu'au fond de cet entonnoir ouvert, les estrades
drapées de rouge d'où les orateurs, il y en avait quatre-vingt-
dix d'inscrits, harangueraient la foule.

Pour l'instant, les pentes de la butte auraient eu l'air d'un
immense pique-nique parcouru par les marchands de journaux, des gosses avec des boîtes à oublies criant : « Le plaisir,
mesdames! », des groupes dans l'herbe affalés sur les feuilles
du jour, n'eussent été sous le soleil accablant de tout l'horizon
ces cheminements de fourmis noires d'où montaient par bouf-

fées des chants et des clameurs. En se retournant, on en apercevait derrière soi par colonnes qui débouchaient de la rue Haxo, et de toute la région voisine de Paris. Du Pré Saint-Gervais, il en grimpait par toutes les voies à travers les maisons, les cabanes, les murs. De la porte de Chaumont, au loin, et de la Porte d'Allemagne, c'était une marée grouillante, avec des vagues d'enthousiasme, et toute une écume rouge de drapeaux. Des musiques éclataient. Il se faisait des mouvements au passage de grands groupes de femmes, d'un bataillon de gymnastes ouvriers dont les maillots clairs et les bras nus trouèrent un instant le déferlement du flot humain.

Et cela se poursuivait vers les cheminées de Pantin, tandis qu'au-dessus de la ville flambait, blanche, écœurante comme un fromage, l'énorme provocation du Sacré-Cœur de Montmartre. De partout, des cris maintenant prenaient corps : *Hou, hou, les Trois Ans! — Hou, hou, les Trois Ans!* scandés comme des vers pentasyllabiques.

Ce même hymne qu'Armand ignorait, et qui semblait s'adresser à des soldats, alternait avec l'*Internationale*. L'immense creuset d'herbe pauvre, de terre battue et de murs bouillonnait comme une eau qui n'a pas encore bouilli, mais qui déjà chasse ses bulles d'air. Des fanfares cuivrées hurlèrent au soleil dans le bas de la côte, des gens se levèrent, des enfants coururent. Dans les pieds d'Armand, un couple de jeunes chiens se culbuta, jouant. L'espace diminuait sous le poids des hommes. Des tables dressées sur la butte avec des parasols de fortune, abritaient de petits commerces de cartes postales, de saucisson, de limonade. Il y avait là des filles fraîches aux voix peuple, qui tendaient à la foule des insignes, des briquets estampillés, du vin rouge. Les drapeaux flottaient sur tout cela, avec des bribes de paroles, autour d'Armand, ballotté. Non loin de lui, le jeune homme vit passer une bannière verte frangée d'or. Un vieil homme en casquette, avec des lunettes noires, et une pipe, surprit l'étonnement de son regard. Il s'appuya sur l'épaule d'Armand, il avait failli tomber, trébuchant sur une grosse pierre, il expliqua :

« C'est le drapeau des anti-alcooliques... » Il tira du jus de sa pipe, et cracha : « Si c'est pas malheureux! » dit-il encore, avec un petit rire sénile.

La poussée des arrivants les avait déjà rejetés à mi-pente entre les tribunes. En arrière, au-dessus d'eux, près de la crête, la tribune la plus haute, déjà décorée par les bannières groupées, portait au centre des emblèmes pourpres une sorte étrange de voile noir. Le vieux eut un geste de la main dans cette direction, l'autre épaule quêtant l'attention d'Armand : « Et là, le drapeau noir... les anars! » Une voix d'enfant demanda : « On est combien? Dix mille? » Un rire général se répandit autour de cette ingénuité. Cinquante, cent mille qu'on était! Peut-être plus, peut-être un million! Alors ça, tu charries... Parce que ça ne sert à rien de bluffer... Si tu comptes que par mètre carré on peut tenir quatre... Combien qu'il y a de tribunes? Attends, je vais te dire. Une, deux, trois... Tu es lourd, dis donc. Laisse, je compte. Quinze, qu'il y en a...

*Vous auriez, en tirant sur nous...*

Armand se risqua, rejoignant le vieux, dont une poussée l'avait séparé : « Qu'est-ce que c'est qu'ils chantent? » L'autre le regarda de derrière les verres noirs : « Tu n'as pas chaud, lui dit-il, avec ton imperméable? »

Puis il reluqua le fourneau vide de sa pipe, et répondit : « C'est l'Hymne au 17ᵉ. Ça ne te dit rien? De Montéhus. Parce qu'il y a six ans, le 17ᵉ de ligne... » Et, au milieu de la foule, un ébéniste du quartier Saint-Fargeau expliqua le sens profond de la chanson à son jeune ignorant de voisin. Dans la bousculade, la presse, la chaleur, le coude à coude d'une humanité pauvre et robuste, étrangère à cet Armand plein de rêves, échappé de la Provence et des souvenirs des troubadours, le vieil ouvrier disait la légende d'hier, l'histoire, simple comme l'Épinal, de la révolte des soldats qui n'ont pas voulu tirer sur le peuple, il chantonnait en parlant les mots directs et romantiques de l'hymne, il disait le nom des

gens, les dates, les villes. Il racontait l'incendie de la préfecture... les troupes campées dans les rues... Les soldats... « Comment savez-vous tout cela? » demandait Armand.

Le vieux tourna vers lui ses lunettes noires. Son regard
s'appuya fortement à celui du jeune homme, dans cette
pénombre : « C'est, dit-il, qu'à nous, c'est ça, notre histoire... »
Une monstrueuse rumeur, une poussée plus forte qui balança
tout le champ, la foule, cent cinquante mille hommes amassés
et tassés déjà autour des tribunes, surmontés des pancartes
des syndicats, des métiers, des groupes, des partis, des espoirs,
avec leurs étendards de révolte et d'ordre, brodés d'or contre
l'or lui-même, une rumeur et une poussée qui firent osciller
avec des cris la craquante masse lyrique au cri centuplé de :
*Hou, hou, les Trois Ans!* révélèrent à l'autre bout de l'espace
l'arrivée d'un chef aimé, d'un héros. Jaurès, Jaurès! Le nom
se propageait, enflait, mourait, pour renaître, comme le blanc
frisson d'un champ de blé. Jaurès venait d'arriver par cette
porte d'Allemagne, cette avenue d'Allemagne qui devaient,
quelques années plus tard, par une dérision de grandeur,
perdre leur nom, pour prendre le sien à la faveur de la
guerre qu'il avait voulu prévenir. À la descente de la vieille
auto qui l'avait amené, le tribun, avec son melon, et sa poitrine
barrée de l'écharpe tricolore des parlementaires, avait été
emporté par la foule dans une espèce d'élan qui le plaçait au
sommet de l'histoire, à ce poste qu'il n'a quitté que pour mourir, et d'où il domine ces années de l'avant-guerre, ces derniers
jours de l'illusion : dix mille hommes comme un seul s'étaient
emparés de lui et le charriaient à la façon des fleuves, ils le
portaient au pavois de la lutte contre la guerre, à cette minute
où le poing levé de l'orateur, qu'immortalise une photographie, marque de la grandeur de son geste, de la dignité de sa
protestation, une époque entière, sauvegarde l'honneur d'un
parti pourrissant où s'entendent déjà les paroles lassées des
traîtres, les *à quoi bon* qui, Jaurès mort, emporteront le bateau
à la dérive. Jaurès Jaurès! La clameur bat la terre dure, et
remonte jusqu'aux tonneaux de bière sur les hauteurs. Le

Sacré-Cœur, dans le lointain, luit avec l'éclat menaçant des
dents serrées. Sur des routes éloignées, les pas martelants
d'une troupe à l'exercice, derrière les grilles de Paris et dans
les rues avoisinantes embossées, les cuirassiers, les fantassins,
la garde sur le pied d'alerte, et vers l'ouest, souvenir de la
guerre d'autrefois, le Mont-Valérien qui regarde avec étonnement la Tour Eiffel, tout cela semble, avec le recul des
années, n'être plus que le fond d'un décor, l'accessoire d'un
portrait, dont l'essentiel est cette figure de Jaurès, un homme
gros, vieilli, déjà poussif, sanguin, avec sa barbe sel et moutarde, son torse de lutteur, et son ventre de bourgeois, son
écharpe tricolore et son cœur rouge, ses erreurs et sa grande
inspiration populaire, Jaurès, qui ne serait rien seul, mais
que porte la force ouvrière, au-dessus des têtes, au milieu
des chapeaux brandis, entre les bras levés, comme un drapeau
vivant, le drapeau de la vie, contre la guerre. Il est trois heures.
Jaurès atteint la tribune sur la pente de la butte qui est
au-dessous de celle de la Fédération communiste anarchiste.
Armand, comme le veut le hasard, est tout près de cette tribune, mais il n'entend pas d'abord, devant le pavois des
drapeaux rouges, le premier orateur, un certain Renaudel,
auquel il ne trouve pas grande allure, parce que les chants
venus de partout mettent du temps à s'éteindre, et déjà l'on
voit, aux autres estrades, s'agiter des hommes qui doivent
parler; et de plus bas, à la tribune numéro deux, quelque
chose de grand comme l'enthousiasme reflue, autour d'un
groupe serré sur les planches, où paraît un vieillard : « Vive
la Commune! » On dit, auprès d'Armand, que c'est Vaillant,
le Communard, qui parle là-bas, et il vaudrait mieux le voir,
et il ne sait pas que, plus loin, cette tache sur une déclivité
de terrain auprès d'une autre tribune, ce sont les ouvriers
de l'usine Lebaudy, avec leurs femmes et leurs gosses, qui
écoutent Bourderon, de la Fédération du Tonneau ni que,
sous le drapeau des anars, s'agite le citoyen Dumoulin : « Nous
sommes contre toute armée, contre toute idée de patrie! »
Et là-bas, les parlementaires du parti socialiste, et là-bas,

Camélinat, qui tint dans ses mains la Monnaie aux jours de
la Commune.

Il est perdu, l'ignorant Armand, au milieu de ces morceaux
vivants de l'histoire. Il ne comprend rien du drame qui se
joue, avec sa vie et celle de millions d'hommes. Ces personnages
surgis, pathétiques orateurs d'idées qu'il distingue mal, sont
encore pour lui des marionnettes. Plus qu'à eux, il donne
attention à des visages dans la foule, marqués par le travail
et la faim, à ces jeunes de la Section de la Goutte d'Or qui sont
non loin de lui avec leurs emblèmes, à la force et à la jeunesse
dont il sent confusément la fraternité. À Renaudel a succédé,
au milieu des hourras, le délégué du parti socialiste de Suisse,
le citoyen Brustlein, de Berne, conseiller fédéral de la République helvétique. Sous son panama, rabattu sur les yeux,
c'est un solide gaillard, épais comme un paysan, tout rasé,
le veston ballant, avec son gilet trop haut montant, un col
cassé qu'enserre mal une cravate fantaisie. Ses bras s'élèvent
devant le nez d'un brun à fortes moustaches, en chapeau
mou, qui les évite de justesse. Armand fixe Jaurès qui converse
avec un homme à barbe blanche phénoménale. Il ne voit que
Jaurès, et en même temps, il se demande si Lucien Descaves
est là. Les mouvements de la foule l'ont repoussé vers le haut,
vers le drapeau noir d'où il saisit les paroles volantes de
Dumoulin : « Sommes-nous de ceux qui sauront sacrifier notre
peau comme ceux de 1871? On en est réduit aujourd'hui
d'aller exprimer ses sentiments sur un terrain écarté! Nous
sommes donc mûrs pour l'abattoir, et non pas pour la révolution? Les anarchistes ne le pensent pas, et en toutes circonstances ils sauront prendre leurs responsabilités! »

Le délire autour de ces paroles déchire quelque chose dans
la foule. On sent obscurément qu'il y a là-dessous quelque
dispute, et une profonde désunion. De jeunes types, près
d'Armand, haussent les épaules : « Cause toujours, mon bonhomme! » Armand aperçoit, devant lui, toute une famille
qui se tient par le bras, en un rang de fête, et au milieu il y a
une fille de douze ans en première communiante. Sa robe

et son voile blancs ont déjà fait rire, on n'y prend plus
garde. La petite a très chaud, et de temps en temps porte à
l'empiècement montant de la robe une main de sueur.

La barbe blanche de Groussier s'arrête à la tribune inférieure. D'en bas, des bouffées de chants, des cris : *À bas les
Trois Ans!* viennent de tous ces nœuds de révolte où s'agitent
les orateurs, des femmes, ici Louise Saumonneau, plus loin
Maria Vérone. Mais un halètement profond, une marée,
ramène les yeux d'Armand sur Jaurès, sur Jaurès qui va
parler.

Sur Jaurès qui parle. Les bras dressés, le melon, la barbe.
La véhémence. Sur Jaurès qui, dès le premier souffle, ne se
ménage pas. Du premier souffle, il atteint ce qui est le
paroxysme des autres, de Toulouse, des chemins de fer, qui
parlait avant lui, de tous ces tribuns qui décorent le champ
de colère sous un soleil de plomb. Du premier souffle, il les
dépasse, et nous transporte dans une région où il y a encore
une place pour le rire, et l'on rit, de ce rire fort et puissant
des foules, qui a des épaules de forgeron. Qu'a-t-il dit? Armand
n'en sait rien, qui écoute, et rit avec les autres de confiance.
Il suit mal des allusions à ce qui est respirer pour ce peuple.
Mais un nom le frappe, qui tombe de Jaurès, comme une
infamie, le nom de Poincaré. «Hou, hou, Poincaré! Hou,
hou, Poincaré! » La foule grondante ne se calme plus, malgré
le geste de la main qui demande le silence, le nom hué
s'étend au delà de la zone d'influence de Jaurès, fait se retourner les têtes autour des autres tribunes, y réveille la haine et
l'opprobre, et revient de partout, comme un écho répercuté
par d'invisibles murs. «Hou, hou, Poincaré! » Quand enfin
la huée s'est tue, la voix profonde et chaude, où Armand
retrouve le vin de son Midi chanteur, s'élève avec une netteté
surprenante : «Poincaré! Comme le voyageur égaré dans le
désert, il devra se retourner vers le peuple comme vers la
fontaine d'eau vive, s'il veut échapper à la mort! »

Langage surprenant où Armand s'égare. Il s'étonne encore
des eaux de cette fontaine, que l'orateur déjà dans un large

geste ouvre le cœur des casernes et parle avec maîtrise de la
révolte des soldats. Toute la France ici palpite, ses casernes
du Nord et de l'Est, et celles du Midi, de Paris, les ports, les
arsenaux. Jaurès est un instant la voix de la jeunesse armée.
À ses poings brandis brillent les fusils qui, demain, ne parti-
ront pas contre nos frères d'Allemagne. Toutes les insubordi-
nations de la veille et celles de l'avenir. Les fusillés de
Salonique et ceux du Chemin des Dames. Dans l'emphase
provençale retentit quelque chose de l'accent de Liebknecht,
qui mourra comme Jaurès, assassiné. Il y a dans ces mots de
feu, de plomb et de rafale, les fureurs de la classe qu'on
ne veut pas libérer à cause des années creuses, les fureurs
devant la gamelle ignoble et la vioque puante, les fureurs
du ventre déçu, de l'homme qui veut s'arracher à la boue et
au massacre, de celui qui crie : Frères! au petit poste avancé
vers les Fritz, des comme nous sous leur panier à salade, de
ceux qui se sont assez aplatis sous la menace affolante des
mines, de ceux qui, Dumoulin, tiennent pour une piètre
chose l'affirmation que vous êtes contre toute armée, car
ils sont une armée, eux, une armée comme la Garde Nationale
de 1871, avec des armes, des canons, des bras, et leur peau à
défendre, l'armée du peuple, faite pour abattre l'armée des
puissants. Et avec toutes ses erreurs, tous ses flottements,
Jaurès, le grand Jaurès, l'utopiste de *L'Armée nouvelle,* les
pressent dans la chaleur prodigieuse de ce jour de mai 1913,
il pressent la grande armée rouge des peuples qui se donneront
la main et fusilleront leurs maîtres. Il pressent l'Octobre qu'il
ne verra point, il pressent la Mer Noire et le *Waldeck-
Rousseau,* il pressent les mutins de Kiel, et ceux de Calvi;
il pressent, ô Hollande, tes *Sept-Provinces!* les armées héroï-
ques des Soviets de Chine, les soldats de la Catalogne et des
Asturies, les Schutzbündlers de Vienne, et le Chevalier de
l'Espérance, le Brésilien Luis Carlos Prestes, et le métallo
Vorochilov, et tous ceux qui n'ont pas encore de nom, il
pressent notre sanglant avenir, qui metta fin aux hémorragies
du monde. Oui, Jaurès, comme toi, nous ne sommes pas

contre toutes les armées, fils et frères de Kléber, de Flourens,
de Galan, de Marty!

Armand, dans la foule où l'on chante, écoute les mots
mélodieux. Il ne peut détacher ses yeux de la petite communiante. Il est emporté par une force qu'il ne juge pas. Il
est au sommet de quelque chose, dont il n'a point connu la
base, parce qu'il n'y a plus de temps, en ces jours de folie,
à ceux du toit pour étudier la cave. Et si cent cinquante mille
hommes le croient à ce point, Armand va-t-il en douter, dont
le cœur bat avec le cœur de la foule? La guerre! Ce spectre
dormait avec les loups-garous. Est-elle donc là qui se pare,
qui s'attife pour la prochaine tragédie? *À bas les Trois Ans!*
*À bas les Trois Ans!* La clameur prolonge le discours et
peuple le ciel implacable. Cent cinquante mille hommes iden-
tifient les Trois Ans et la guerre. Ils savent que ce vote des
hommes qui se donnent pour ses mandants, qui va envoyer
pour trois ans les jeunes dans les casernes, sera le signal de la
course, le signal du massacre prochain. Ils n'ont d'espoir
qu'en eux-mêmes, ils se savent trahis de toutes parts. Ils
refusent d'être le troupeau expiatoire des jeux incompréhensibles des riches. *À bas les Trois Ans!* Leur imprécation fait
trembler Paris sans nuages, et cette campagne qui va vers les
dunes du Nord. Ils crient contre ces parades dérisoires qui
se termineront un jour dans un célèbre communiqué : «*Nous
tenons solidement de la Somme aux Vosges...* » Ils crient :
*À bas les Trois Ans!* devant les maquignons du fer, de la
dynamite et du pétrole. Devant ces Clemenceau dont l'un
les conduira jusqu'au bout de la tuerie, tandis que l'autre,
le frère, administre benoîtement la Société Nobel, ô ironie
d'un nom paisible! pour la fabrication des explosifs. Devant
les de Wendel de France et les von Wendel d'Allemagne.
Devant la pègre sans visage dont les crimes défraient la cote
des Bourses, et non pas la chronique des tribunaux. Ils
crient : *À bas les Trois Ans!* Parce que c'est encore tout ce
qu'ils savent dire, eux qui n'ont pas compris l'exemple de
1905, et la grande leçon des jours de la guerre russo-japonaise.

*À bas les Trois Ans!* pourtant résume à merveille la grande
volonté pacifique du peuple de France, et son désir fou de
vivre, et de vaincre ses maîtres, les faiseurs de tempête,
qu'il ne craint pas moins que ses ancêtres gaulois, les dieux
manieurs du tonnerre. Armand, le malléable Armand, pour
qui n'existe ici que le sentiment qui le porte, et qui se dégage
à grand'peine des ténèbres, n'a pas à se forcer pour reprendre
ce cri qui ravage les airs : *À bas les Trois Ans!* Et il chante.
Une chanson qu'il connaît mal, une chanson chargée de
légende, une chanson qui fait monter au front le sang généreux
de la jeunesse :

*Braves soldats du dix-septième... Salut, salut à vous!*

## XXX

Quand Edmond, triste et maussade, demanda sa clef, le
garçon lui dit très vite : « Une dame attend Monsieur dans sa
chambre... » et d'un geste de la tête : « Il y a aussi quelqu'un
dans le hall... »

Le cœur d'Edmond battit. Carlotta! Il avait eu tort de
douter d'elle. N'importe quoi l'avait retenue, et elle était venue.
Elle était là-haut. Le garçon s'excusait : cette dame avait peur
d'être vue attendant Monsieur, il avait cru bien faire, et puis,
elle avait tellement insisté... Carlotta lui avait évidemment
refilé un bon pourboire. Bah, il avait bien fait, pour une fois.
Il y avait un télégramme que le garçon lui tendit. Edmond
le déchirait, la tête à autre chose. Une exaltation subite rendait
le monde entier semblable à des fumées. Il lut mal, c'était de
son père, il était question de pardon et de mandat. Carlotta!
Il allait vers l'escalier quand le garçon le rappela, l'index
pointé : « Le monsieur dans le hall... »

Armand. Il avait oublié Armand. Comment s'en débarrasser?

Il n'allait pas coller, des fois. Après tout, c'était déjà un homme, Armand. Il comprenait : l'amour! Qu'y a-t-il de plus sacré? L'amour. Armand sortait d'un fauteuil, à demi assoupi. Edmond lui prit la main : « Tu m'excuses... Je suis sûr que tu comprendras. Elle est là-haut, mon vieux. C'est pour moi d'une importance capitale... Comprends-tu? Elle est là-haut, chez moi, dans ma chambre... Mon vieux, je suis si heureux... Tiens, voilà dix francs, va dîner tout seul... Ne me dis pas merci... »

Armand était ahuri. Il n'avait jamais vu son frère dans un semblable état. Jamais l'intimité n'avait été entre eux assez grande pour qu'il pût suspecter Edmond d'un sentiment humain. Il avait pris la petite pièce d'or sans bien comprendre et, quand Edmond le serra dans ses bras et posa sur sa joue mal rasée des lèvres gonflées d'allégresse, il eut l'impression de la pure folie. Déjà, son frère le quittait comme ça, sans dire à demain, rien, avec un détachement extraordinaire au milieu de ce délire de sincérité et d'affection. Armand regarda ses dix francs et hocha la tête. Il était affreusement fatigué.

Edmond, dans l'escalier, grimpait quatre à quatre. Carlotta! Oh, la jeunesse et la vie! Quel sentiment de puissance sur toute chose! Par exemple, les marches si souvent montées, épuisantes, elles n'étaient à franchir, ce soir-là, qu'une occasion d'éprouver sa force. Edmond pourtant se dit qu'il aurait pu ne donner qu'une thune à son frère. Mais n'était-il pas question de mandat dans le télégramme paternel? Au deuxième, sous la lampe, il déplia le message mal lu :

*Attendons Armand pardonné mandat suit Barbentane.*

Edmond eut une seconde un mouvement pour redescendre, puis se reprit. Rien ne pressait. Il fallait toujours voir venir le mandat. D'autant qu'Armand, comment prendrait-il ce *pardonné*? Et puis, Carlotta qui attendait. Les dix francs, ce serait sur le mandat. L'amour l'emportant, le jeune homme, d'un trait, atteignit le quatrième palier, sa porte : « Ma chérie... »

Il s'arrêta court. Ce n'était pas Carlotta. Mme Beurdeley,

sans chapeau, s'était dressée à côté du lit. La tête de mort,
avec la toque de la dame à côté d'elle, ricanait sur la table
de nuit. Quel imbécile, ce garçon. Et ce pauvre Armand, tout
seul, maintenant! Le visage de Mme Beurdeley s'était trans-
figuré à l'entrée d'Edmond. Cette hâte qu'il avait mise à
monter, la sachant là, ce cri du cœur à l'entrée... Mais il avait
jeté son chapeau sur le lit, et il ne se défaisait pas, et son
expression s'était rembrunie, tandis qu'il reprenait sa respiration. Sur une chaise, un renard argenté dormait, ironique.

« Edmond, je suis venue... Je ne pouvais plus t'attendre...
Tu excuseras le garçon : je ne pouvais pas risquer d'être
vue t'attendant en bas... Je ne pouvais plus t'attendre. Non, tais-
toi, écoute : tu ne sais pas ce que tu es pour moi, ce qu'est devenue ma vie depuis que tu y es entré, comme ça, un jour que tu
n'avais rien à faire de mieux... Je sais, j'ai quinze ans de plus
que toi, un fils, et tout le reste, et ces rides qui commencent... »
Sa voix se brisait.

« Assieds-toi », dit sèchement Edmond. Ce sont là des mots
qui passent comme des nuages. Elle resta debout, s'approcha
de lui avec inquiétude et porta sa main d'où pendait le gant
demi-long, serré au poignet, sur le front du jeune homme
comme pour en chasser un fantôme épouvantable.

« Écoute, Edmond, il faut que tu saches... Je n'en peux
plus de ces mensonges. Je ne te demande rien, aucune garantie
pour l'avenir, cela durera ce que cela durera... Je mets ma
vie dans la balance avec mon rêve... Mon petit garçon, fais
de moi ce que tu voudras... »

Edmond se débattait dans un cauchemar : qu'est-ce qu'elle
lui voulait? Il y avait deux mois au moins qu'ils couchaient
ensemble. Puisqu'elle ne s'asseyait pas, eh bien, lui, il était
essoufflé, alors... Il s'installa dans le fauteuil. Elle le suivit :
« Je sais que je suis folle, mais qu'est-ce que cela fait? Ma
vie, ma misérable vie. L'horreur de tous les jours : ce vieillard
à côté de moi, ses manies, son indifférence, et son fils. Mon
enfant! » Elle eut une espèce de rire douloureux : « Je suis
pourtant encore une femme, mon sang bat, et quand je te

regarde, je sens combien je suis encore une femme... Les domestiques autour de moi, se surveiller... les gens... J'ai peur la nuit de rêver à voix haute... »

Il l'interrompit brutalement : « Où veux-tu en venir? »

Elle le regarda, et elle comprit. Il ne l'aimait pas. Elle eut un geste de noyée. Elle montra quelque chose à terre. Une valise. Voilà. Cela fit une sorte de silence furieux, où monta d'une chambre voisine la voix nasillarde, étouffée, d'un phonographe qui chantait une romance pleine de lune et de baisers. Edmond, la voix soûle de rage, interrogea : « Qu'est-ce que ça veut dire? Tu t'installes ici, peut-être? Tu as perdu la boule, chez un étudiant... Et ton mari? ta réputation? Sans compter que tu ne t'es pas encore préoccupée de mon avis... Je n'ai pas la berlue? » Ses yeux à elles avouaient. Il poursuivit : « Ah non, alors, par exemple! Tu as ta vie et j'ai la mienne. Mes études. Mon avenir. Tu ne penses pas que je vais laisser mon père se saigner aux quatre veines pour me permettre de faire une carrière, et briser, moi, celle-ci dans l'œuf, sur un coup de tête? Et il faudrait encore que je sois un fichu égoïste pour ne pas penser à toi et aux tiens. »

Elle l'écoutait avec horreur. Elle enfonçait dans des profondeurs d'algues flottantes, une mer glauque montait vertigineusement au-dessus de sa tête, les idées dérivaient dans tout cela comme des épaves. Elle asphyxiait. Elle refusa encore de croire à l'irréparable erreur.

« Edmond... Comprends bien, j'ai tout quitté aujourd'hui... tout... pour toujours. Je ne pouvais plus mentir. Est-ce que tu sais... Tu ne m'as jamais rien demandé... Tu es mon premier amant... »

Il ricana.

« Je te jure! Le premier, le seul. Oh, dans le passé, il n'y a que cet homme, mon mari, pour qui je n'ai jamais eu que la plus froide soumission, et l'atroce histoire de cet enfantement qui m'a fait cette cicatrice au ventre, tu sais... Je sors de ce songe de clinique, dont je ne me suis jamais remise... Cet homme qui vieillit à côté de moi, lentement, que je subis de moins en moins, qu'il faut pourtant que j'aide... »

L'idée de Carlotta revenait maintenant dans tout ce grotesque comme un insupportable martyre. Cette femme qui parlait,
que rien n'arrêterait de parler, ma parole, se rendait-elle
compte de l'odieux de la scène? Carlotta! Elle n'était pas au
rendez-vous, et au retour à l'hôtel, quand il avait cru qu'elle
l'avait malgré tout rejoint, cette femme... La rage se mêlait
ainsi à une douleur à grincer qui s'élevait d'entre les côtes.
Il n'allait tout de même pas pleurer?

« J'ai là, disait la femme, un peu d'argent, mes bijoux.
Nous pourrons vivre. Je te dis que cela durera ce que cela
durera. Puis, tu me rejetteras pour faire ta vie, je le sais.
Mais en attendant, tu m'auras donné des semaines, peut-être
des mois, un an? un an de bonheur... »

La supplication, la mendicité éclairaient ces yeux vagues et
fous. Elle se raccrochait, la malheureuse, à la modicité de ses
espoirs. Edmond avait entendu les mots d'argent, de bijoux,
au milieu de ces phrases qu'il ne suivait plus. Eux seuls
pouvaient encore l'atteindre. Elle eût sans fin parlé d'amour.

« Alors, tu veux m'acheter? Ton argent, tes bijoux. Parce
que je suis pauvre, qu'entre l'amour et moi, il y a l'argent...
L'argent? Tu es venue ici pour m'insulter? — Ne te fâche pas.
Ce n'est pas ce que j'ai voulu dire. J'ai là des diamants qui
viennent de ma famille, qui ne doivent rien au professeur,
et j'avais pensé... Nous aurions vécu tous les deux sans penser...
Une sorte d'entr'acte dans la vie... Mon Dieu, l'existence est
si abominable, tu ne vas pas me désespérer tout à fait?
— L'argent? Vous êtes toutes les mêmes. Il n'y a que lui.
Vous êtes prêtes à tout pour lui. Vous vous vendez à un homme
et puis vous le regrettez. Il est bien temps. Vous voulez alors tricher, tromper, gagner sur tous les tableaux. Ils vous faut encore
l'amour. Et nous, nous devons nous contenter des miettes?
Nous, nous! Qu'est-ce que nous devenons dans tout ça? »

Elle se méprit à cette colère. Il l'aimait peut-être un peu,
alors. Elle voulut s'expliquer : « Mais puisque j'ai tout brisé,
je viens à toi, je suis là... — Avec tes bijoux! » rigola-t-il.

Il s'était dressé et il la repoussait. Et, tout d'un coup, ces bijoux prirent une importance désordonnée. Ils lui ruisselaient dans le crâne. Il aurait voulu les donner à Carlotta. Ce n'était pas Carlotta qui les portait. Est-ce qu'un seul être en dehors de Carlotta avait droit aux bijoux? Il avait tout à coup la révolte du pauvre devant la richesse. Et comme un désir souterrain... « Tu les as ici, tes bijoux? » demanda-t-il avec une voix changée qui lui fit peur à lui-même.

Elle allait ouvrir la valise. Il l'arrêta : « Tu es une garce, tout de même... — Edmond! — M'acheter, tu voulais m'acheter... Il y en a pour cher, au moins, de tes cailloux? — Ne m'injurie pas, Edmond... Je ne sais pas au juste : trente, quarante mille francs. On perd toujours quand on veut réaliser des pierres... »

Trente, quarante mille... Avec moins que ça, on aurait arraché Carlotta à ce M. Quesnel. L'emportement de tout à l'heure cédait devant un nouveau vertige. Au milieu de tout ça, l'idée irritante des dix francs donnés à son frère revenait d'une façon absurde.

« Je n'ai pas voulu t'acheter, Edmond, j'ai voulu tout te donner, ma vie, mon amour, ce que j'ai encore à moi... Est-ce que tu ne comprends pas que je t'aime? Que je ne peux pas vivre sans toi? — Ni sans argent. »

Il l'avait coupée d'une façon mauvaise. Il était possédé par ces diamants qui brillaient pour lui à travers le cuir de la valise. Les diamants qu'elle avait au cou le soir d'*Alsace*. S'il avait été dîner avec Armand, il s'en serait tiré pour cinq francs, cinq francs cinquante, avec le cinéma.

« Tu ne voudrais pas que je débarque ici, chez toi, les mains vides... bouleverser ta vie... — Bouleverser ma vie? D'abord, qu'est-ce qui te donne le droit de bouleverser ma vie? — L'amour... »

Comme elle avait mal dit ça! Ah, si Carlotta!... Les diamants reprirent leur éclat ténébreux : « Et tu vendrais tes bijoux, pour me domestiquer de leur prix... Tu m'achèterais des cigarettes tous les jours, hein?... L'amour, c'est vite dit. Tu

fais un marché : tu changes d'homme pour trente ou quarante
mille francs, voilà tout. Si je t'aime, tu ne te l'es pas demandé,
ça non. Tu es venue ici. L'amour... »

D'un geste lent, les bras de la femme remontèrent et ses
mains se portèrent à ses tempes, où les cheveux blonds bouf-
faient, et s'écrasèrent. Son visage, toujours sans couleur sous
la poudre, blêmit encore. Son tailleur bleu-marine était rudement bien fait.

« Et tu ne t'es pas demandé, poursuivit Edmond, si je
n'en aimais pas une autre? Non? Parce que j'ai couché
avec toi? Et alors? Si toutes les femmes s'imaginaient... —
Ce n'est pas vrai! » cria-t-elle. L'horreur l'avait prise. Non,
cette idée ne l'avait jamais effleurée. L'amour! Elle en avait
une idée de petite fille, intacte, pure. Dans les livres qu'elle
avait lus, les baisers signifiaient l'amour. Des images se pressaient dans sa tête : cet Edmond-là n'était-il pas celui qui
l'avait serrée dans ses bras nus? qui l'avait fait gémir, heureuse? Alors, si ce n'est pas cela, l'amour...

Edmond, lui, était en proie à un tout autre démon. Les
bijoux. Il y avait le garçon en bas, qui avait fait monter
la femme. On pouvait s'en aller ailleurs. Bon, qu'est-ce qu'il
se mettait à penser? Rien de très précis. Une pente. Une
fuite des idées.

« J'ai tout quitté pour toi, dit-elle. C'est fait, comprends-tu?
Si tu me chasses, il ne me reste qu'à me tuer... »

Il frissonna du mot. Non pas qu'il crût à ces suicides-là.
Ah lala, ce chantage, c'était encore le comble! Non. Il étendit
la main vers la valise : « Fais les voir, ces diamants... » Déjà,
elle se baissait. Il vit le cou ployé. Elle n'était pas pitoyable :
trop bien habillée pour cela. Elle eut brusquement une sorte de
révélation d'un danger. Elle se retourna vers lui et rencontra ses
yeux. La peur la prit. Il sentit que le danger était dans cette
peur. Il n'avait rien décidé, il n'avait rien voulu. Si elle allait
s'imaginer, c'était elle qui allait le précipiter à des gestes dictés,
à des brutalités stupides. Il fallait parler. Il parla : « Non, ne
me les montre pas, tes diamants. Je n'en ai pas besoin, de tes

diamants. **Ni de ta vie! Garde-la. Garde tes diamants...** »

Les larmes prêtes à jaillir avaient été gelées par la terreur. Elle connaissait sa force, et le poids de son corps. Elle entendait le battement de son cœur. Elle sentait son souffle. L'expérience de la volupté avec lui la rendait alerte à connaître l'imminence du péril, la bête prête à sauter sur elle avant même de le savoir. Elle s'affolait de cette proximité animale. Elle avait peur, elle regardait l'homme, et vit le lit. Son lit. Il aurait fait bon y dormir pour une morte.

Elle était agenouillée près de la valise sur laquelle ses mains s'étaient resserrées. La ruse s'éveilla en elle. Il ne l'aimait pas, le monstre. Elle mentit : « J'ai laissé sur la table un mot pour le professeur. Il sait que je suis partie avec toi... »

Le silence, toujours troué du phono lointain, s'embua d'un marchandage sourd. Ainsi, il n'y avait pas que le garçon qui savait qu'elle était venue... Tout à coup, Edmond sentit dans quel abîme il avait failli tomber. Cela pouvait revenir. Il ouvrit la porte :

« Fous le camp! » cria-t-il.

Elle se sauva, traînant le renard repris sur la chaise, et la valise, et son chapeau contre son cœur. Son sein se soulevait. Elle avait les yeux fous de peur et de désir déçu. Elle murmurait : « Edmond! », mais déjà ça n'était plus l'amour, elle ne se retournait pas. Elle savait qu'il s'agissait de sa peau. Elle s'engouffra dans l'escalier.

La porte refermée, Edmond soupira : « L'imprudente! »

Il cherchait, à force de cynisme, à se rassurer sur ses propres mouvements secrets.

## XXXI

Armand ne savait que penser. Cela faisait deux jours que l'indifférence de son frère le frappait, mais pourtant aussi, n'était-il pas tombé dans la vie d'Edmond sans crier gare? Que son aîné fût amoureux expliquait l'extravagance de sa conduite.

Armand décida de ne pas continuer à se comporter avec désordre. Il se coucherait tôt, il dînerait d'abord. Il ne recommencerait pas la folie des vingt-quatre heures précédentes. L'argent qu'il avait dans sa poche après tout, à quoi bon en être si ménager? Edmond ne lui avait-il pas très facilement donné dix francs? Il dînerait pour deux francs cinquante, c'est-à-dire luxueusement.

Il faisait un temps d'une douceur épaisse où l'on enfonçait comme dans du coton. Les jeunes gens avaient des dents éclatantes dans l'ombre. Des filles passaient par bandes, et leurs jaquettes s'ouvraient, et l'on sentait quelque chose d'entêté dans leurs seins.

Armand glissait comme la veille, vers la Seine. Il mangea, tout compte fait, une choucroute au bas du boulevard Saint-Michel. Il allait prendre une chambre sur la rive droite. Sa tête était pleine des images de la journée. Moins Jaurès, qu'un groupe d'ouvriers, et sous un parasol, une fille qui vendait des cartes postales et des insignes. Une brune, très blanche. Il n'aurait pas pu dire pourquoi. Il se chantait l'*Internationale,* un air prenant, à la façon de quelqu'un qui, en 1913, aurait brusquement entendu *Faust* comme une nouveauté.

Il était neuf heures un quart, quand, à déambuler par le boulevard Sébastopol, pas loin de Damoy, il vit que les traînards tout à coup pressaient le pas, se mettaient à courir. Des types aux souliers pointus. Des hommes en casquette, aux épaules énormes. Des femmes du trottoir, boudinées et les cheveux beurrés, l'œil peint. Il s'arrêta.

De loin s'avançait une ligne sombre. Quelqu'un, près d'Armand, expliqua : « La rafle! » Armand avait sommeil. Dans quoi tombait-il? Il ne connaissait pas trop ses droits, mais il n'ignorait pas que, sans papiers et sans domicile, il n'était qu'un vagabond pour la police. Il se vit déjà appréhendé, l'interrogatoire, l'obligation d'en appeler à son père, le rapa-

triement honteux, la soumission obligatoire. Ah, alors!
Quelqu'un l'avait pris par le bras, l'entraînait. Une femme.
Il suivait l'impulsion réalisant à peine que ça devait être
une professionnelle. Elle soufflait, d'une voix rauque, éraillée :
« Marche, petit, t'arrête pas... À gauche... » Elle avait un
corsage écossais et un grand chapeau. Les agents arrivaient sur
eux, arrêtant les gens. Cela sifflait. Des voix menaçantes. Elle
murmura encore : « Ils ne touchent pas les couples... là...
l'hôtel! »

Devant eux, presque au coin du boulevard, dans une ruelle,
l'enseigne lumineuse flambait. Hôtel... Ils obliquèrent donc.
Derrière eux, les hommes de la Préfecture passèrent. Armand
sentit le danger dans son dos. Dans l'entrée mal éclairée,
le garçon avec son tablier blanc. Une sorte de gros rat blême.
L'escalier. La chambre.

Quand la porte se fut refermée, ils se regardèrent, la femme,
lui, Armand. Elle vit que c'était un gosse. Elle lui avait donné
vingt ans, dans la rue. Il n'était pas rasé. Elle, c'était une brune
assez épaisse, ni laide ni jolie. Avec les cheveux collés, les
mains dans un manchon à queues.

Il dit tout de suite : « Vous savez, je n'ai pas le sou, et je
meurs de sommeil... C'est seulement parce que... » Elle l'interrompit.

« Pas question, mon petit gars. À ton âge, c'est gratis... Et
puis, je m'en fous. J'ai pas envie. Ils m'auraient ramassée.
Assieds-toi, toujours. Fais pas des mirettes. On va causer.
Puis, on foutra le camp. Camarades, quoi. »

Elle avait jeté sur le lit son chapeau, son manchon, sa
jaquette, elle gardait au poignet son sac passé par la bride.
« Défais-toi, je te dis. » Elle avait le nez assez plat, droit jusqu'au front. Les cheveux en bandeaux, avec une frange, et
le décolleté gras de cold-cream. Elle était plus jeune qu'on
aurait pensé. Le corsage vert, rouge et bleu et une jupe
noire. Une espèce de chaîne en faux or vert au cou.

Bon. Qu'est-ce que c'était encore que ça? Armand pestait à
part lui-même. Pris au piège. Il allait falloir coucher avec cette

courtaude? Il n'imaginait pas de s'enfuir. Elle avait des paupières bleuies, où les cils faisaient éventail. Elle parlait.
Des mots mal à l'aise, qu'il suivait à peine, tout à sa fureur.
Probable qu'elle disait ce qu'on dit alors : « Alors, ce par-
deusse... »

Il sentit qu'il fallait mettre son pardessus à la patère, sur
la porte. La politesse; une drôle d'idée de la politesse, l'y
força. Et ils se trouvèrent assis, séparés par une table, dans
la chambre de reps rouge, où le lit et un bidet pliant dressaient
un double reproche d'éloquence.

« Alors, dit-elle, pas question de baiser? Comme ça te
chante, fiston. On est là par hasard. Je voudrais surtout pas
abuser. Ça fait gentleman comme tu m'as sortie de là. Tu
pourras payer la chambre? c'est parfait. Parce que, pour
l'instant, je ne suis pas très au pèze. Ce soir, la ville, c'est à
ne pas s'y reconnaître. Partout où tu radines, des roussins.
La faute aux socialistes. Oui, oui. Des gâcheurs de métier.
Je te demande un peu ce que ça nous regarde, nous, sur le
macadam, les socialistes. Des dégoûtants, d'abord... »

Le tapis à ramages sur la table s'était encombré de tout ce
que la femme avait tiré de son sac, poudre, rouge, un mouchoir, des lettres pliées, un paquet de cartes à jouer. Elle
s'était installée là devant, et machinalement, elle battait les
cartes. Elle surprit le regard d'Armand :

« Je fais des patiences, ça distrait... Allons, dégèle-toi, tu as
l'air empoté... Puisqu'on a pris une chambre, on peut causer...
on s'emmerde assez dans la vie... Tout ce que j'aime, moi,
c'est des gens nouveaux... comme ils disent... des fois ils ont
vu du pays... un l'autre jour, il avait été en Chine : c'est là
qu'on rigole. Moi, ça ne me plairait pas, les hommes jaunes.
Et puis, le riz avec les petits bâtons... »

Les cartes se disposaient en croix, une au centre, en paquets.
La tireuse faisait la grimace au roi de pique : l'homme de la
loi, c'est un flic; ses yeux s'agrandirent avec l'as de trèfle,
devinrent rêveurs sur le sept de cœur; le bras de force, mon
mignon. « J'appelle ça des patiences... À vrai dire, je me tire

plutôt les cartes... Quand le jeu est bon, ça me requinque, et quand il est mauvais, eh bien, je dis que c'est des foutaises... »

La table les séparait sous cette lumière anémique, rougeoyante, des ampoules électriques, jamais lavées, des hôtels, qu'on croirait choisies exprès pour épargner le courant. Après tout, il était aussi bien là qu'ailleurs. Il était éreinté. Dans la rue, il aurait pu retomber dans une de ces opérations policières que le gouvernement avait plus ou moins fait prévoir dans les journaux du soir. On nettoyait Paris de ses antimilitaristes, parmi lesquels il s'agissait de retrouver la main de l'étranger. Et cela sans parler d'autres mesures qui ne tarderaient guère.

Et puis Armand avait enfin ici une chambre : pas besoin d'en chercher une autre. Celle-ci ne devait pas coûter des mille et des cents. Alors : « Comment t'appelles-tu? » demandat-il. Elle releva la tête, et le regarda : « Ils m'appellent Carmen, mais c'est pas mon nom... »

Elle avait tout à coup baissé des paupières de pudeur et le visage fardé retrouva une douceur de petite fille.

« Et ton vrai nom? » dit Armand, plus par désir de dire quelque chose que par une curiosité véritable. Il se sentait si fatigué...

Carmen avait posé ses cartes, étalé ses bras sur la table. Elle rêvait : « Mon vrai nom? tu voudrais savoir mon vrai petit nom? Comment que ma maman m'appelait? Je ne le dis à personne, tu sais, et alors à un type que j'ai ramassé il y a cinq minutes sur le Sébasto... Ah bien, ah bien, tu ne manques pas de toupet!... »

Il fit un geste d'excuse, se méprenant, car elle allait le lui dire, son vrai nom, et ce geste l'arrêta pile. Puisqu'il faisait le discret, ça aurait paru moche de se déshabiller comme ça d'un tel secret. Carmen reprit donc les cartes en les brouillant : « Tiens, dit-elle, je vais te faire le grand jeu. Tire une carte... » L'absurde de sa position, cette sensation d'égarement dans un monde compliqué que lui avait déjà donnée l'après-midi la foule au Pré Saint-Gervais, le silence de la chambre d'hôtel

la lui rendait avec le claquement des cartes tachées de fard.
Il se mit à se demander ce que pense une aiguille dans une
botte de foin : « Oh, dit Carmen, tu es d'une bonne famille... »
Ce qui le fit sourire avec amertume.

Il écoutait avec un certain détachement les lieux communs
de la bonne aventure : « Une lettre... chez toi... un petit
ennui... »

Et sa tête s'en allait ailleurs, vers Sérianne, vers son enfance.
Qu'il y avait loin de cette chambre de passage à la maison de
Marguerite de Provence! Le monde des chevaliers, des Maures
et des cours d'amour, le monde des chansons, des jardins
enchantés et des jets d'eau qui pleurent dans les bassins
s'était évanoui à jamais; Armand, de Sérianne, n'était pas
parti pour les Iles d'Or, et voici qu'il repensait au forgeron
Avril : « À ta place, je me méfierais de cet homme blond, là...
le roi de carreau... Tu ne vois pas qui c'est?... Il m'a l'air
de ne pas te blairer, c'est moi qui te le dis... »

Avril, le grand Avril, avec ses moustaches à la gauloise et
son nez court... Il le revoyait comme si ç'avait été la veille.
Son regard rêveur au milieu du travail. Sa voix : « Monsieur
Armand, sans vous commander... » Syllabes chantantes et nostalgiques, où le feu de la forge restait suspendu comme ces
lueurs après qu'on s'est frotté les yeux. Qu'était-il advenu
d'Avril, qui partit pour savoir si la mer... « Un, deux, trois,
quatre, cinq..., un, deux, trois, quatre, cinq... On peut pas dire
que tu sois un veinard... Ça non : regarde-moi ce pique... »

Il rêvait au Mexique, Avril. Un rêve à la façon de celui
d'Armand. Et on n'avait jamais plus entendu parler de lui.
Dans quels garnis avait-il roulé, dans quels taudis? Avait-il
seulement dépassé Pantin? Peut-être avait-il échoué dans quelque usine, happé par la loi sans pitié du travail... Peut-être
s'était-il trouvé cet après-midi-là dans la foule du Pré Saint-
Gervais... Mon Dieu, quelle fatigue, tout de même!

« Ce qu'y a de moche alors, mon petit, dans ton jeu, c'est
que, tiens, je blague pas : pas une femme... pas la plus petite
gonzesse... Les voilà : dans le talon, toutes les quatre... Ça,

j'ai jamais vu ça dans le jeu d'un gosse... Pas une femme...
Pas même ta mère... Tu m'excuses? J'ai pas voulu te froisser...
Mais ça fait drôle, tout de même... »

Eh bien, tout d'un coup, cette injustice des cartes lui avait
fait quelque chose, à lui qui écoutait avec un dédain supérieur,
les boniments de Carmen. Pourquoi pas de femme? Il avait
beau ne pas y croire : cela, ça l'affectait.

Carmen avait posé les cartes, et elle les brassait doucement
en grand tas : « Tu ne te fais pas idée, chéri, ce qu'on peut se
faire chier dans cette putain d'existence... Y en a, ils croient
que c'est rigolo de faire le tapin. Va-z-y voir. Moi, je dis que
pour du pain gagné, c'est du pain gagné. Si tu reluquais mes
semelles, après huit, dix jours. Et il faut avoir des bas à peu
près. Les hommes, ça vous déchire, ça vous saligote une robe,
ça vous jette des cigarettes dans les pattes, et allez donc!
Faut encore rigoler, et dire merci. Je parle pas du truc, bien
qu'il y en ait! Alors, pas ragoûtants, je te prie de le croire.
Enfin, c'est pas ça le pire. Mais le matin, tu sais, quand tu
attends depuis des heures et que ça commence à grelotter...
J'en connais, elles se feraient plutôt enlever le ballon que de
baisser le tarif... Mais qu'est-ce que tu veux? Quand l'heure
est passée, faudrait se mettre la ceinture, si on rabattait pas
sur les prétentions. Comme ça, sur le coup de cinq heures,
il y a des mecs que ça tente de faire la chose à des prix
d'amis... »

On entendit dans une chambre voisine un bruit de conduite
d'eau. Carmen cligna de l'œil : « Alors... et nous? » Armand
eut un sourire pâle. Il y avait au mur une reproduction du
tableau *Les dernières cartouches*, d'Alphonse de Neuville. Carmen avait repris son monologue.

« Non, on peut pas s'imaginer... La police, remarque, il en
faut... Je ne dis pas, non, j'ai vu trop de choses... Tu comprends
ici, avec les Halles, c'est pas tous les mois qu'on en ramasse un
dans un coin, zigouillé... Bon, si n'y avait pas de flic, je ne dis
pas... Mais tout de même, dis-moi, est-ce qu'ils ne pourraient
pas nous foutre la paix? Quel mal est-ce qu'on fait? On est

là, on a chacune ses dix, ses vingt mètres... Et remarque, y en
a qui manquent de savoir-vivre, alors, mais moi, j'ai jamais
racolé un homme que ça gêne... qui aurait un gosse avec lui,
comme j'en ai vu... Pour ça, tiens, il y en a, alors ceux-là! Ils
envoient le môme au café pendant qu'ils tirent leur cram-
pette... Le comble, mais ça, c'est Marcelle qui raconte, moi,
je ne l'ai pas vu, et quand j'ai pas vu, je me méfie... Elle
dit, Marcelle, qu'elle a eu un client qu'avait un bébé sur les
bras, un petit môme encore tout plissé, tu crois pas? Ils l'ont
pris dans la chambre, et il hurlait, Marcelle l'a promené en
lui chantant, et le père, eh bien, le père, il gueulait qu'il ne la
payait pas pour faire la nourrice, et qu'elle le foute dans la
cheminée s'il chialait, le lardon, ce n'était pas le moment de
rigoler... »

Armand avait regardé sa montre à son poignet. Il bâillait
légèrement à la dérobée.

« Tu sais, dit-elle, si tu veux pioncer, faut pas te gêner...
Mets-toi au pieu... Moi, j'en écraserais bien, je te promets...
On peut se pagnoter ensemble, ça n'engage à rien... Frère et
sœur, quoi. »

Armand avait vraiment tout à fait sommeil, une espèce
d'invincible poids lui pesait à la fois sur les yeux et sur les
épaules. Il enleva ses chaussures. Ses pieds libérés souffrirent.
Il remarqua à peine qu'elle aussi se déshabillait, Carmen, et
ses dessous pas compliqués, la ceinture baleinée rose qui se
balança au dos d'une chaise. Le lit était mou, enfonçant, mais
mal équilibré, rompu par la gymnastique des passants. Carmen,
en chemise, se glissait à côté de lui. Il sentit le parfum fort de
ses épaules rondes. Déjà, il était prêt à tomber dans le sommeil noir. Il se souleva encore pour poser sur la table de nuit
sa montre-bracelet qui laissa une trace rouge à son poignet.
Carmen étendit le bras et la lumière s'éteignit.

Tout à coup le silence se fit pesant. La présence de la femme
devint gênante. Armand entendait sa respiration, le bruit
heurté du cœur, avec le tic-tac de la montre, tant ses oreilles
soudain étaient devenues sensibles à tout. Une chaise craqua.

La voix de Carmen, toute changée, profonde, dit : « Ah, ce que j'ai envie de faire l'amour... »

Quand il se réveilla, il faisait grand jour. Il se retourna dans ce lit inconnu avec un tourniquet de souvenirs et de rêves en lambeaux dans sa tête. L'atmosphère était lourde, parce qu'on n'avait pas ouvert la fenêtre. Il aperçut ses souliers, terriblement humains, comme des pieds abandonnés devant le fauteuil. Il était seul. Il étendit la main pour voir l'heure. Il ne trouva plus sa montre.

Inquiet, il se leva. Tout son argent avait proprement disparu, ses économies inutiles sur deux jours de Paris, et le restant des dix francs d'Edmond. Il était fait, mais alors là, rasibus. Il hocha la tête, son pantalon à la main, il se vit, ridicule, en déshabillé dans la glace de l'armoire. Ce qui le vexait, c'était la montre. Un cadeau de sa grand'mère. Ce type qui n'avait rien de rien était encore rattaché à son passé, à la vie de famille par cet objet qui venait de disparaître. Il en eut le cœur gros. Il se sentit en même temps allégé. Ce vol était pourtant comme un symbole. L'embêtant, après tout, c'était la chambre : qu'est-ce qu'ils diraient en bas ?

Carmen, en partant, avait réglé l'hôtel.

## XXXII

« Qu'est-ce que c'est ?... Ah ! c'est toi ? »

Edmond, maussade, ahuri, écarquillait les yeux. À travers les rideaux mal fermés, le soleil entrait. Armand débarquait chez son frère, il était sept heures et demie. Il traînait depuis une heure par les rues. Il s'excusa.

Dans le désordre des vêtements, Edmond, surgi du lit, cherchait le peigne abandonné n'importe où. Il tira les rideaux, s'ébroua dans l'eau de la cuvette, se lava les dents, passa ses pantalons, puis grinça : « Qu'est-ce qu'il y a de cassé ? — Oh,

rien, dit Armand, qui s'était promis de raconter immédiatement l'entôlage dont il avait été victime. Je craignais de te
manquer. L'hôpital... et puis nous n'avions pas pris de rendez-
vous... — De rendez-vous? Ce n'est pas obligatoire, je pense?
Paris n'est pas Sérianne et tu es assez grand pour ne pas
pendre à mes bottes. »

Charmant accueil. L'aîné avait le réveil hargneux. Ça se
passerait sans doute avec un café. « Et puis, je voulais te
demander... si ce n'est pas impossible... de prendre un bain
dans ton hôtel... — Un bain? Tu crois que je les ai à l'œil,
par hasard? — Non, mais... — Est-ce que je ne t'ai pas donné
de l'argent hier soir? Qu'est-ce que tu imagines? Un bain
ici sera sur ma note dans cinq jours. Je paie le premier, pas
le deux... Tu aurais pu en prendre un à ton hôtel tout aussi
bien... »

Il reniflait du savon, sa chemise enlevée, il frottait au gant de
crin son jeune corps musclé. Armand le détesta, humilié.
Comment allait-il lui demander de quoi bouffer maintenant?
Il aurait dû suivre son inspiration, raconter tout de suite
l'entôlage... La vieille zizanie entre les frères renaissait.
Armand sentit son infériorité : il n'avait pas les moyens de
faire le fier. Il fallait ruser : « Tu as passé une bonne soirée? »
dit-il, et tout aussitôt se troubla.

Edmond avait commencé à se raser. Il s'arrêta. Un certain
culot, le crapaud, tout de même! Au ton du « Merci » très sec
qui répondit, Armand comprit qu'il avait gaffé. Les amours,
ça ne devait pas marcher sur des roulettes. D'où cette humeur
de dogue.

L'autre avait soudain retrouvé ses déceptions de la veille.
Il se coupa au menton et jura. Dans le miroir, il regardait
son frère sans tendresse. Alors, celui-là, comme crampon! Au
fait, mieux valait l'envoyer au bain : ça serait encore moins
cher. Avec le mandat... « Tu n'as pas de nouvelles de...? »

Tandis qu'Edmond se tamponnait le menton à la pierre
d'alun, il répondit : « Sérianne? Si, un télégramme. Où j'ai-t-il
pu le mettre? Enfin. Je l'ai peut-être jeté? Ça ne fait rien :

Papa exige que tu rentres et te pardonne. — Me pardonne? Ah! mince alors. Me pardonne... Tu es sûr qu'il dit ça? — Certain. Dommage que je l'ai égaré, ce papelard. — Il peut courir, le paternel, avec son pardon. Je ne retournerai pas à Sérianne. Et il me pardonne! C'est trop farce. Non, tu te figures pas? »

Il étranglait, Armand. Le frère aîné se rinçait la gueule. Le sang coulait encore au menton. Un petit filet qui s'écrase. Edmond s'interrompit, passa sa main sur le sang et reprit la pierre.

« Et qu'est-ce que tu vas faire ici, je te prie, si tu ne rentres pas à la maison? — Travailler. — Ah, oui. À quoi? — N'importe! Garçon de café, receveur d'omnibus, balayeur, je m'en fous. — Ne dis donc pas de blagues. Garçon de café, n'est pas garçon de café qui veut! Un métier, ça s'apprend. Puis qui t'embauchera à ton âge, sans papiers, et pas présenté? »

Ça, Armand n'y avait pas songé. Mais enfin, c'était bien le diable... « Le diable, quand tu l'auras un peu tiré par la queue, on en reparlera... Ma parole, ça tombe de sa province, prêt à conquérir la capitale! Comment crois-tu que je vis, moi? Est-ce que je pourrais sans mon père? — Tu ne travailles pas... — Merci, oui, je sais : je bosse. Oh, je fais la distinction. Charmant pays, charmantes mœurs. Deux cents francs qu'il m'envoie, notre père qui est à Sérianne. — Tu gagnes à l'hôpital... — Oui, quatre-vingts balles, à titre d'indemnité de déplacement. Sans ça, je serais fait. Tiens, mon budget, il est pas compliqué : l'hôtel, soixante balles. Avec le blanchissage qui va chercher dans les cinq, six francs la semaine, disons vingt-cinq francs par mois, et les pourboires, ça fait quatre-vingt-onze, quatre-vingt-douze... Et les repas : vingt-cinq sous à la popote, ce qui fait dans le mois, *grosso modo*, avec les petits tapages de la salle de garde, une quarantaine de francs. Ça nous mène rien que les déjeuners à, je disais, quatre-vingt-douze, cent trente-deux; dîner, trente sous, et il n'y a pas de dimanche qui tienne, quarante-cinq francs, nous voilà tout

de suite à cent soixante-dix-sept... on peut dire cent quatre-
vingt-dix... Les cigarettes, deux paquets de maryland par jour,
trois pour quarante-huit heures, et je suis au-dessous de la
vérité. À treize sous le paquet, comptons vingt sous par jour,
trente francs par mois. Je disais combien? Deux cents passés,
pas vrai? Il me reste les quatre-vingts de l'housteau, c'est
entendu que la famille me fringue : mais s'il y a un resseme-
lage de souliers, des mouchoirs à acheter, une chemise, des
fixe-chaussettes, tu ne penses pas que j'attends les vacances?
Même les souliers, tiens j'ai dû y aller ce mois-ci d'une paire
à l'*Incroyable* : ce qu'on fait de meilleur marché, c'est pas
du chenu. Eh bien! neuf francs tout de même. Enfin, il faut
compter, pour s'entretenir, vingt francs. Et encore la teinturière. Ça monte vite, la teinturière. L'un dans l'autre, s'il me
reste cinquante, quarante-cinq francs, c'est-à-dire un franc cinquante par jour pour mon petit déjeuner, dix sous, au bar,
debout, mes déplacements, et les femmes, tu te rends compte...
Ça veut dire que dix francs à moi, comme argent de poche,
ça ne me fait pas moins d'une semaine, soit dit sans
reproche... »

Tout ce petit discours pour en venir là. Il les lui faisait
payer cher, ses dix francs, à Armand. Celui-ci était hors de
lui. L'envie de prendre ses cliques et ses claques ne lui manquait pas. Mais manger... À ce moment, on frappa à la porte :
« Veux-tu voir ce que c'est... »

Un pneumatique. Edmond l'arracha des mains de son cadet.
Il se mit brusquement dans un état d'exaltation analogue à
celui de la veille au soir. Ça devait être encore sa petite amie.
Il se promenait par la pièce, mal désavonné, le rasoir à la
main. Il s'habilla en hâte. Il avait changé d'humeur.

« Après tout, prends-le, ce bain, si ça te fait plaisir... Écoute...
je donnerai l'ordre au garçon. Viens d'abord avec moi, on va
prendre un café et un croissant au coin... Tu ne t'imagines
pas... »

Armand ne se fit pas prier. Ils descendirent donc jusqu'au
Biard de la rue Cujas qu'Edmond avait pris en affection. Là,

ils jouèrent à l'appareil à sous, et gagnèrent. Pour six sous, ils eurent leurs deux cafés, leurs croissants et même Edmond remit un jeton de deux sous dans sa poche. Il était tout souriant, il chantonnait.

« Écoute, crapaud... il n'y a qu'une chose au monde qui compte, c'est l'amour. Tu ne sais pas ce que c'est pour moi que cette femme. Elle me dirait, tu comprends, de me jeter sous un autobus, eh bien, je le ferais sans hésiter. Je l'ai vue deux fois dans ma vie. Mais je sais, je sais que cette fois... c'est l'amour. Cette fois. Assez souvent, je l'ai cru, comme ça, plus ou moins. Je me disais : est-ce bien ça? Cette fois, je ne me demande rien : je sais. L'amour. C'est comme si... tu ne sais pas ce que c'est, naturellement, la démence précoce? Eh bien, c'est une folie, voilà : quand tu tires un coup de revolver à l'oreille d'un dément précoce, il rigole... il trouve tout charmant. Du moins, il le dit. On ne sait pas ce qu'il y a au fond, de cette désaffection du dément par rapport aux choses de la vie qui ont pour tout le monde un sens tragique... L'amour, c'est comme ça : sauf que tout ce qui la concerne, elle, est une tragédie... Tu as été amoureux? »

Il était devenu charmant. Il fit parler son frère. Il écouta avec une bonne volonté inlassable les histoires de Sérianne, Mme Respellière, Jacqueline, Yvonne et le lycée d'Aix. Il nageait dans le bonheur. Il se sentait une telle indulgence pour Armand qu'il pensa même que ça aurait bien arrangé les choses de le faire se coller avec la mère Beurdeley.

« Une femme m'a proposé hier soir quarante billets, mon vieux, et j'ai refusé... »

Il n'avait pas pu se retenir de cette vantardise. Tout d'un coup, il perdit les avantages qu'il venait de prendre. Tout le bénéfice de la camaraderie. D'un mot, il s'était coulé auprès d'Armand, comme leur père avait le chic pour le faire auprès d'eux. Il n'était pas pour rien Barbentane.

« Huit heures et demie! Je file à l'hôpital. Va prendre ton bain... »

Armand restait seul, avec le luxe de se laver quand on n'a

pas un sou en poche. Encore une fois, son frère l'avait quitté comme ça, sans projets. Il fallait le jour même aller chercher du travail. Sérianne n'entrait pas un instant en question. Quant à Edmond, c'était un incroyable saligaud.

## XXXIII

Carlotta avait une main dans le petit bol d'eau chaude, et l'autre sur le coussin. Dans ce déshabillé crème, sous lequel on apercevait la chemise de nuit avec ses incrustations de dentelle, elle avait l'air tout à fait enfant d'une pensionnaire déguisée en cocotte. Elle jouait, sous le guéridon laqué, avec ses mules. Le chat siamois bondit silencieusement et se frotta contre l'un des pieds nus. Babette, la manucure, changeait de lime, de repoussoir, de vernis, se perdait dans un arsenal de poupée, s'esclaffant, soupirant, se reprenant dans un bavardage de boîte à musique, à la voix aiguë, vulgaire, parisienne. C'était une petite brune dont les yeux si malheureusement de travers avaient déterminé la vocation : « Ils ne me croyaient pas, expliqua-t-elle, quand j'y disais : Je t'aime! » En noir et blanc, bien entendu, toujours très couture, avec son petit bavolet de tulle brodé : « Ça fait curé, et, pas, je vous les confesse? Alors... »

Annette, la femme de chambre, pendant ce temps-là, retapait le lit. Elle avait introduit M. Alexandre, un grand brun, presque laid, avec son nez trop vite parti dans le ciseau noir des sourcils, un mouchoir rose à la pochette, et son costume bien Deauville, perle, pour Paris. Il avait approché une chaise à la gauche de Carlotta, il y ouvrait ses écrins. Des broches de diamant, un pendentif fait de deux saphirs, des gouttes de ciel qu'il disait, ce qui fit crier à Babette que, mince, il y aurait de l'orage. Et cœtera. Un amour de petit sac du soir. Carlotta n'avait en rien l'idée d'acheter, mais pendant qu'on lui faisait

les ongles, autant regarder de jolies choses. D'autant que
M. Alexandre jadis avait été gentil pour elle, dans des temps
plus durs. Maintenant il croyait qu'avec Joseph Quesnel, il
avait fait fortune. Il se mettait le doigt dans l'œil. Mais il
faut savoir vivre. Carlotta ne dédaignait pas les bijoux. Le
soleil du boulevard Bineau jouait dans les brillants comme un
plumage de perroquet.

Babette jacassait : « Moi, les hommes, si c'était moi, bien
entendu, parce qu'avec cet œil qui dit zut à l'autre, et j'ai
jamais su lequel entre parenthèses, enfin ça n'a rien à voir,
donc les hommes, je ne dis pas ça pour vous, monsieur
Alexandre, c'est des dégoûtants, vous n'êtes pas un homme...
Oh, vous fâchez pas. Je dis que vous en êtes pas un, et puis
je ne le dis pas, enfin ce sont des pas grand'chose, alors,
j'hésiterais pas, mais alors là, pas du tout, à les faire raquer,
chaque fois que l'occasion, par exemple, monsieur Alexandre
qui vient : Vous auriez-t-il pas envie de ce bracelet de rien du
tout? et tout de suite, mille balles, ou encore tu passes dans
la rue, oh, la jolie montre! et on entre dans le magasin, tu te
l'épingles au corsage, tu fais ta mutine, il ne peut pas te
l'enlever, ou alors c'est un mufle, et les mufles, tu sais ce que
j'en pense. Bref, quand ce serait pas des boucles d'oreille,
ce serait un petit crayon de fantaisie, des parfums, du linge...
Oh, ça, le linge, je ferais des folies pour du linge. Tiens,
même avec un nègre. Oui, oui, je l'ai dit, je le reprends pas :
même avec un vilain nègre, parce que les nègres, il y en a,
ça ne serait pas un sacrifice... Oh, je ne suis pas coucheuse,
coucheuse... Il y a pire que moi, j'en connais, je fais les mains
à des, faut voir... Carlotta, ne t'agite pas comme ça, je vais te
faire saigner... D'ailleurs, elles auraient bien tort de se priver,
pour ce que ça rapporte! Oh, lalala... Il y en a de drôles, tiens,
je ne t'ai pas raconté! Je me demande où c'est que j'ai la
tête... L'autre jour, avenue du Bois... Je t'ai pourtant vue
après... et je ne t'ai rien dit. Ça, c'est un peu fort de café! La
distraction, tu sais, pas la discrétion, enfin c'est vrai que j'avais
eu des ennuis avec Gérard... Oh, tu sais, tu sais! Au bout du

compte, c'est un poisson, celui-là, un vrai barbot... qu'il m'a
jamais rendu les trois louis... Si je le laisse encore me faire
l'amour! Tiens j'aimerais mieux un bouchon de champagne.
Oh, pardon, monsieur Alexandre, j'oubliais que vous êtes là!...
Il n'est pas mal du tout, votre diadème... ça moi j'aurais aimé
porter des diadèmes... Tu n'en voudrais pas, Carlotta? Tout lui
va à cette Carlotta, monsieur Alexandre, et si vous la voyiez
toute nue... ah, moi, je suis franche comme l'or, tant pis,
tant pis... elle fait bien cette lime, pas? C'est un cadeau...
qu'est-ce que je disais? Ah, oui, avenue du Bois... tu t'imagines,
cette cliente, une poétesse qu'il paraît, chez elle c'est rien que
des lys noirs, des trucmuches, de l'argenterie partout, du
velours... eh bien, elle s'habille en page, enfin c'est comment
te dire, en petit pâtissier du Moyen Âge, et moi je pensais
bien qu'elle était un peu toquée, mais pas à ce point-là, ah!
non, et puis pas comme ça! Paraît qu'elle n'aime pas les
hommes, c'est son affaire, mais elle me regardait drôlement...
j'ai d'abord cru que c'était son œil à elle, comme le mien,
mais dans un autre sens... Elle me dit avec une voix, ça t'aurait
retournée : « J'adore les yeux qui louchent, moi... » Eh bien!
je sais qu'elles sont un peu de travers, mes mirettes, mais de là
à dire que je louche... je lui ai pas envoyé par la poste,
d'autant que c'est pas une raison parce que je fais la manucure pour me fourrer la main dans les seins comme un voyou,
quand on est comtesse... j'ai pas dit, qu'elle était comtesse?
Elle est comtesse, et poétesse. Tiens, moi aussi... »

Quand M. Alexandre eut replié ses écrins, et qu'il fut parti
avec son rire de biais, Babette attaqua la seconde main de
Carlotta rêveuse. Entendait-elle ce qu'on lui disait, Carlotta?
Il faut croire, puisque lorsque la manucure demanda : « Et
alors, le Roméo? », elle soupira, sourit et dit avec une voix
profonde : « Je me l'aime... »

Polissoir, lime, repoussoir dansèrent sur un rythme accéléré.
Carlotta amoureuse! Il ne manquait plus que ça. Tous les
hommes sont des salauds. Et qu'est-ce qu'il dirait, le vieux,
s'il savait? Une femme comme Carlotta doit songer à son ave-

nir. Elle n'avait pas encore de château : « Tu sais, un château avec des fossés, des tours, et une passerelle pour entrer, tu la lèves quand tu ne veux pas recevoir le monde. C'est alors que tu es chez toi... Et puis tout ce qu'il faut pour la chasse, les chiens, les piqueurs... Des mecs en rouge avec des boutons d'or... »

Carlotta répéta, chantante : « Je me l'aime... »

Babette fit reluire frénétiquement les ongles, et les inclina dans la lumière. Elle gémit. Voilà Carlotta prise pour de bon. Encore des embêtements en perspective. Elle l'aimait bien, Carlotta, elles avaient crevé la faim ensemble, au temps de la rue Taitbout. Des moments qu'on n'était pas près d'oublier, peut-être. Alors Carlotta se mit sur le sujet d'Edmond. Avec cette crudité, cette indécence des femmes entre elles. Les quenottes luisaient sur les mots propres. Babette en bavait.

Les femmes parlent des choses du lit, ça n'a que rarement ce ton de blague des hommes. Mais, pour la précision, elles leur rendraient des points. Pour la trahison aussi. Elles déshabillent leur amant pour leurs amies, comme elles exhiberaient leur trousseau. Elles répètent ce qu'il dit de plus secret, ce qui lui échappe, les mots les plus fous dans lesquels il se perd, l'incontrôlable de sa tête. Elles rient de lui entre elles. Il y a bien peu de chance que les images de l'amour les grisent au point d'oublier un tic, une défaillance. L'homme se monte le coup. Il idéalise la femme. Mais, elle, ne le lui rend pas. Elle apporte aux choses de l'amour un sens forcené du réalisme. On ne la trompe pas avec des mots. C'est au moins là ce que pensait Babette en jouant du chiffon.

## XXXIV

« En plus de ta mensualité, tu trouveras donc ci-jointe la somme de deux cents francs pour te dédommager des frais causés par le séjour d'Armand à Paris et lui permettre de revenir à Sérianne... » C'était la première fois que le docteur était en avance sur le calendrier. Le crapaud avait eu ça de bon que la mensualité de juin dégringolait le 26 mai.

La lettre était arrivée au courrier du soir. Le mandat ne pouvait être touché que le lendemain matin. Toute la journée avec Carlotta avait été empoisonnée par le fait qu'elle payait pour deux : c'était la fin du mois. Ils n'avaient pu faire l'amour chez elle à cause des domestiques. Ils avaient donc été dans un luxueux hôtel de la rue Godot-de-Mauroy, ou plutôt une maison de garnis qui avait paru à Edmond le comble du luxe. Il l'avait vu annoncer dans *Le Sourire* : Dalles chauffées... Une chambre à six francs. Ils s'étaient fait monter un petit repas. On leur avait compté deux francs rien que des fraises. Ça file vite. Avec tout ça que Carlotta aussi la sentait passer, la fin du mois. Elle avait fait là-dessus une remarque. Edmond s'était fâché, la prenant pour lui. Elle l'avait trouvé trop bête, tiens. Quelques mots aigres-doux sur Joseph Quesnel avaient encore envenimé les choses : « Après tout, c'est son argent à cet homme, tu pourrais en parler autrement, tu en profites... »

Il était parti en claquant la porte. Est-ce qu'ils étaient fâchés?

Il ne s'en tirerait pas à moins de dix francs de fleurs. Et dix francs qu'il avait donnés à Armand : « Cent francs lui suffiront pour rentrer à Sérianne... » La petite différence de mensualité allait être la bienvenue. Dans sa chambre, il se mit en bras de chemise, versa de l'eau et plongea sa tête dans la cuvette. Un brin de toilette n'était pas de trop. Puisqu'il avait sa soirée libre, tant pis pour la conférence d'internat! on le barbait à la fin. Il irait au cinéma, tout seul. Il emprunterait au garçon de l'hôtel... On frappa à la porte.

C'était Armand. Un Armand fatigué, rouge, assez sale. Il se négligeait vraiment. Il se laissa tomber sur le fauteuil. Pour un soir qu'Edmond aurait pu être seul. Et avec l'humeur de chien de toute cette histoire de Carlotta. « Alors crapaud, quoi de neuf? Qu'est-ce que tu as fichu toute la journée? »

Il soufflait de l'eau par ses narines. Armand ne répondit pas tout de suite, puis il se décida : « Voilà, j'ai cherché du travail. Tout le jour. J'ai marché par la ville. J'avais regardé les petites annonces... J'ai été jusqu'à La Villette, du côté de la Trinité aussi, et puis aux Ternes, et puis... Et puis je n'ai rien trouvé. Je me demande pourquoi ils mettent des annonces à tant la ligne ces gens-là. Tu arrives, ils te disent : Ah, non! pas de travail... Il y en avait, oui, on l'a donné... Toi, tu as couru à l'autre bout de Paris... Un libraire, je m'étais dit, ça, c'est dans mes cordes. Va te faire fiche! pour du coltinage... Chez un notaire, comme saute-ruisseau, il aurait fallu être présenté par ses parents... — Je te l'avais bien dit. — ... Et dans une boutique de musique, c'était pour trimbaler des pianos, ils se sont payés ma gueule, une grosse femme qui gloussait : « Le petit gringalet, non, mais voyez-moi ça! » Tu rigoles?... Il y avait bien dans le Sentier une maison qui m'aurait donné des enveloppes à faire chez soi, un métier bien propre, disait le patron, commission-exportation, mais il aurait fallu que je donne mon adresse... Alors, comme je n'en ai pas... »

Edmond s'arrêta de se laver les dents : « Comment, tu n'en as pas? — Non, je n'en ai pas. Pas de chambre, pas de bagage. Qu'est-ce que tu as à faire les yeux ronds? Et je n'ai pas boulotté d'aujourd'hui. Mes deux derniers sous ont été pour des journaux à cause des annonces... — Et les dix francs que je t'ai donnés? — Ils sont loin, tes dix francs, si tu veux savoir. Je n'ai pas boulotté, je te dis. »

La brosse en l'air, Edmond regardait son frère. Ah, ça, c'était un peu fort, par exemple! Et cette insistance sur ce qu'il n'avait pas boulotté! Il venait exiger, maintenant, celui-là. Soyez gentil avec la famille. Quand on pensait que lui-même, Edmond, il allait lui falloir taper le garçon...

« Si tu crois que tu es drôle, mon cher, tu te fourres le doigt dans l'œil, et dans les grandes largeurs. Moi, je travaille, je fais mes études. Je n'ai pas bouclé mon mois à cause de toi, des frais que tu m'as causés. Oui. Et toi, l'argent, allez donc, par la fenêtre! Hier soir dix francs, ce soir plus le sou. Non, mais tu ne m'as pas regardé. Pour qui tu me prends? Pour un micheton? »

Armand ignorait ce que c'était qu'un micheton, mais le sens général du discours ne lui échappait pas. « Je n'ai pas boulotté, » répéta-t-il avec l'insistance de la faim, d'une faim de dix-sept ans. « Moi non plus, dit de la meilleure foi du monde Edmond, qui n'avait pas fait de repas traditionnel depuis la dînette de la rue Godot-de-Mauroy. Non, mais, qu'est-ce qui m'a foutu un pareil galapiat! Ça vous tombe sur la citrouille le 25 du mois, ça vous tond comme une brebis, et puis encore... Alors, tu t'attends à ce que je t'entretienne? Te payer ta chambre? Et à briffer? Parce que je suis ton frère? Jolie obligation. C'est pas de ma faute si tu es né, tu sais... »

Il était pâle de rage. Il arpentait la pièce. Armand, les dents serrées, le suivait des yeux : « J'ai faim », dit-il. Cela mit le comble à la fureur d'Edmond. « Tu as faim, tu as faim? Le beau malheur. Tu n'es pas le seul, tu sais, en ce bas monde. Il y en a d'autres. Et qui te valent bien! D'ailleurs, ce n'est pas une mauvaise chose que tu restes sur ta faim, un soir. Probable, au foin que tu en fais, que c'est la première fois que ça t'arrive. On ne crève pas de se coucher le ventre creux... Ça t'apprendras la vie... — J'ai faim », répéta Armand. Il avait toute l'âpreté de cette journée épuisante. Comme on l'avait reçu, partout où il venait quêter du travail! Il n'avait pas parlé de cette « jolie situation » promise sur une annonce, et où il suffisait de mettre vingt mille francs pour devenir copropriétaire d'un bar tout à fait florissant, derrière la République. « J'ai faim. »

Il disait cela parce qu'il ne trouvait rien de plus persuasif, de plus sûr et de plus intolérable que sa fringale. Il regardait par la pièce dans l'espoir de voir traîner même un vieux croûton. Mais rien.

« Eh bien, si tu as faim, pour autant qu'il tient à moi, tu continueras à avoir faim, cela te dressera! Qu'est-ce que tu en as fait d'abord, de ces dix francs? »

Armand balbutia légèrement : « Je les ai *donnés* à une femme... — Alors, ça, c'est le comble! Monsieur donne *mon* argent à des femmes. C'est moi qui paye les frasques de Monsieur. Monsieur débarque de sa province et c'est tout de suite la grande vie, les femmes... Pourquoi pas une écurie de courses, hein? Tu t'offres ma bobine, peut-être? D'abord, à ton âge, on ne flanque pas de l'argent aux femmes, on en reçoit... »

Sur cet axiome moralisateur, Edmond se frotta énergiquement les gencives. Un peu trop énergiquement, même. « Je t'ai dit que je n'ai rien mangé d'aujourd'hui... J'ai faim et je n'ai pas où dormir... »

Edmond maintenant se récurait la mâchoire avec un luxe impatientant de petits gestes. Le silence était insupportable. La haine y montait. Une haine qui avait ses profondes racines dans le passé de l'enfance. Une haine qui croissait à chaque mimique d'Edmond. Celui-ci dit enfin : « Où veux-tu en venir? »

Armand se leva, marcha vers son frère, et prononça d'une voix soufflante : « Je veux manger ce soir, et coucher quelque part. Et puis, je ne veux plus jamais te revoir de ma vie... »

Le ton surprit le frère aîné, il regarda son cadet dont il reçut le dernier mot de très près, en plein visage : « Canaille! »

Edmond ne s'attendait pas à celle-là. Lui prendre son argent, le déranger à longueur de journée, et puis l'injurier. D'un revers de main, il gifla le gosse. « Tiens, ça t'apprendra! »

Ça faisait deux fois en quelques jours qu'il recevait une gifle, Armand. Il se jeta sur son frère qui le repoussa. Il faillit tomber. Alors, les deux poings levés...

Les frères roulèrent à terre comme des chiffonniers. Une chaise entraînée fit un vacarme du diable : les voisins frappèrent au mur. Edmond, un genou sur la poitrine d'Armand, lui cinglait le visage. Il disait dans ses dents : « Chien... chien... » Il était le plus fort, de beaucoup. En se relevant, il repoussa le crapaud du pied.

L'autre se ramassa. Ils se turent. Puis Edmond ouvrit la

porte et, par les épaules, il poussa son frère dans le couloir.
Il dit alors, à mi-voix : « Va crever où tu veux, petite fri-
pouille. Si, demain, tu as envie de rentrer à Sérianne, tu
trouveras cinquante francs pour ton billet de troisième... dans
le casier, en bas, sous enveloppe à ton nom. »

<h1 style="text-align:center">XXXV</h1>

En se réveillant, Edmond éprouva comme un poids sur la
poitrine. Il pouvait être six heures et demie : il faisait grand
jour. Il se retourna et ne parvint pas à se rendormir. Qu'est-ce
qu'il avait? Quelque chose le dérangeait, ce n'était pas le drap,
peut-être un vestige d'un rêve. Il se fait comme ça, entre les
rêves et la conscience éveillée, des échanges mal définis : une
sorte d'osmose, peut-être, on ne reconnaît pas que cette pensée
vient encore du sommeil... elle a traversé la membrane...

Il se sentait mal à l'aise d'Armand. Où avait-il été traîner,
Armand? Bah, c'était bien de la bonté pour ce galvaudeux qui
s'était jeté sur lui... Toute une nuit, pourtant, sans argent...
Il ne pouvait rien lui être arrivé de diablement grave, au plus
il s'était fait ramasser, et du quart on viendrait chercher des
renseignements rue Royer-Collard... Une tête de bois, ce gosse :
combien de temps est-ce que ça durerait? Inutile de se mettre
la ciboule à l'envers pour une telle bêtise. Le crapaud, quand
il aurait suffisamment tiré la langue, viendrait chercher ses
cinquante balles, et en route chez papa.

... Ses cinquante balles... Évidemment, sur deux cents. La
lettre de Sérianne disait bien que c'était aussi pour dédommager des frais... Tout d'abord, ces frais, il les avait, lui, Edmond,
évalués, somme toute, à cent francs... Et puis l'inspiration, la
colère, au moment où il avait vidé le petit, il avait dit cinquante... Il avait dit cinquante pour le billet de chemin de fer,
d'abord... Il n'avait pas dit qu'il n'y en aurait pas d'autres...

Puis, aller flanquer d'un coup l'argent du paternel à un mioche qui vous dépensait comme on respire : il aurait été dans un boxon quelconque, et ça se serait envolé en fumée. Petit imbécile! Avec la difficulté qu'il y a de gagner les sous. Mais, naturellement, il n'y pense pas une seconde, l'étourneau. Trop facile, vrai. Un parasite.

Cinquante francs.

C'était déjà plus que le billet de troisième. De troisième, bien sûr : on n'allait pas lui payer des premières encore? Avec cinquante francs, il se sentirait obligé de prendre tout de suite son billet... Avec deux cents... De deux cents, d'ailleurs, pas question : tout de même, il y en avait eu de réels, des frais... Enfin, avec cent cinquante ou cent, même, aucune garantie. Il serait toujours temps de renvoyer quelque chose à Sérianne, quand le petit y serait de retour. Dommage.

De toute façon, pas tout. Vous ne voudriez pas, non, alors. On est gogo, mais pas à ce point. Cinquante francs. Sous enveloppe, dans le casier, en bas. Et puis c'est tout. Si pourtant le docteur interrogeait le prodigue à son retour... Encore une fois, il y avait les frais, et la possibilité de renvoyer quelque chose, et l'explication des dix francs donnés à une femme le premier soir. Je la vois d'ici, la femme. Encore heureux s'il n'a pas attrapé la chtouille.

Cinquante francs.

Il viendrait les chercher pour manger, et après ça... Si, ça suffirait encore pour les troisièmes. Tout de même, Armand faisait bien le fier : il méprisait son père, mais l'argent de son père... Oh, c'est toujours la même chose! Il s'était conduit avec le docteur exactement comme avec Edmond la veille au soir.

Ainsi l'étudiant retournait dans sa tête des idées contradictoires, auxquelles il était facile de répondre. Mais soudain, son sang se glaça. Sous les couvertures il se cramponna à l'oreiller. Il gémit. Il venait de penser à Carlotta... Quelle étrange chose! Il l'avait oubliée au réveil, il ne s'était réveillé à elle que maintenant... Et pour se souvenir... Comme ils s'étaient quittés! Hier soir, il se disait qu'avec des fleurs... Et si les fleurs n'arrangeaient rien? Sa peur fut si grande qu'il mesura son amour. Carlotta, ma vie.

De quoi tout cela était-il parti? Un mot sur ce Quesnel... Nom de Dieu de nom de Dieu! Le trouverait-on toujours dans les pattes, celui-là? Comment s'en débarrasser? Il aurait fallu de l'argent. De l'argent, de l'argent, et toujours de l'argent. Le monde est ignoble. Il n'y a pas un sentiment qui ne soit maculé par l'argent. C'était comme avec Armand... Tout ça, des histoires d'argent...

Pourtant, l'amour aurait dû être au-dessus de ça. L'amour. Maintenant, dans ses pensées secrètes, Edmond reconnaissait la place de l'amour. Il ne l'avait niée auparavant que par une sorte de défense, parce qu'il n'avait jamais rencontré l'amour, qu'il en avait peur même. Il était là, plein, entier, l'amour. Fallait-il que l'amour fût mêlé à toutes ces saletés?

Allons bon, il ne s'agissait pas non plus d'être godiche, parce qu'on était amoureux. Mettre toutes les chances de son côté. L'argent. Comment faire pour trouver de l'argent? Cinquante francs... Il s'agissait bien de cinquante francs... L'argent, tout l'argent du monde... L'osmose se refaisait dans une lumière d'argent... Edmond repassait par l'argent dans les songes... L'amour...

Il fut réveillé par un pneumatique de Carlotta : « Ne fais pas l'imbécile, veux-tu? Je t'attends vers dix heures du matin. J'ai envie d'aller à la campagne. Je n'étais pas libre. J'ai demandé ma liberté : je voulais être seule, j'ai dit. Il ne me comprenait pas. J'ai trépigné, cassé un petit objet d'art, pas trop cher. Il a pris peur. Voilà. Ne fais pas l'imbécile. Je t'aime. Je t'attends. — Carlotta. »

Et il y avait un post-scriptum de cette ravissante écriture d'écolière maladroite : « Je connais un petit lac avec des grosses fleurs blanches qui poussent sur l'eau, un petit canot, et un hôtel. Je ne suis jamais entrée dans l'hôtel, parce que je t'attendais. Viens. »

Le cœur d'Edmond battait la chamade. Assis sur son lit,

les jambes nues, les cheveux ébouriffés, encore sale de sommeil, le jeune homme se mit à rire avec l'ivresse de l'émerveillement. Il faisait un temps superbe. Mai finissant entrait par la fenêtre ouverte avec une inexprimable douceur : on sentait dans l'air quelque chose de touffu et de tendre à la fois. La lumière était celle des pêches et des jeunes filles.

C'est alors que se dressa le souvenir de l'hôpital. « Bah, se dit Edmond, pour une fois ! »

Un saut jusqu'à la poste. L'argent familial bien compté, il échangea un billet de cent francs pour deux de cinquante, s'en fut au café, où il se cala les joues avec des croissants, et demanda de quoi écrire. Dans une enveloppe jaune, il glissa l'un des billets de cinquante : allait-il ajouter un mot? Non, ça aurait pu être blessant pour le petit, après ce qui s'était passé entre eux. Il reporta l'enveloppe rue Royer-Collard : « Si le jeune homme, mon frère, vient chercher ceci, vous lui direz, n'est-ce pas, Gaston? de laisser son adresse. »

## XXXVI

Sur la couverture du magazine américain, la jeune femme blonde jonglait avec les cuillers en argent, tandis que dans le rocking-chair se balançait un homme chauve qui ressemblait... à qui ressemblait-il? La jeune femme était là, près de la fenêtre, à faire ses malles. Fallait-il lui montrer le magazine?

Une angoisse absurde, et la soif, réveillèrent Edmond. Comment pourrait-il atteindre le verre d'eau sans que Carlotta... Il se sentit vaciller à cause de la disposition oubliée d'une pièce où il n'avait jamais dormi. Un petit hôtel de Ville-d'Avray, où ils avaient échoué après cette promenade interrompue par une averse. Les rideaux baissés sur le grand jour faisaient une frange de pompons à la vie réelle. Les draps étaient lourds, de ces draps humides des hôtels bon marché.

Carlotta dormait ferme, avec le désespoir des enfants qui
savent qu'on les dérangera. Elle avait gardé de l'amour une
expression suppliante, et un sourire qu'on aurait aimé effacer
du doigt, à ce coin des lèvres, tant il survivait à des pensées
enfuies. Elle avait ramené sous la même joue ses deux poings
serrés, comme si elle se fût tenue à une corde, et l'un de
ses coudes débordait le drap, objet trop fin, trop délicat, qu'elle
eût craint d'emmener avec elle dans le voyage hasardeux du
sommeil. Edmond suivait cette courbe pliée que soulevait la
palpitation du sein gauche. Tout ce qui passait de jour dans
la pièce venait mourir dans les nacrures de cette chair, où
l'embu des sueurs légères rendait plus vivante la matière même
de la dormeuse. La narine se soulevait d'un souffle lent, qui
n'était pas synchrone avec les battements du cœur. Les cheveux
défaits s'enroulaient au bonheur du linge en des volutes lourdes
comme une fumée d'orage. Ils formaient d'étranges constructions irréelles, une coiffure légendaire qu'on eût désiré voir
se mouvoir dans la vie. Le jeune homme sentait dans ses
jambes l'étreinte des jambes de sa compagne, et il lui sembla
qu'il était un plongeur pris par mégarde aux membres enla-
çants d'une noyée. Une idée du corail, et la peur du varech,
régnaient sur tout cela. Ce n'était plus pourtant qu'Edmond
dormît, mais il flottait encore quelque chose du rêve, dans
cette chaleur vivante du lit. La conscience de l'heure le prit,
l'angoisse de devoir défaire ce bizarre nœud de l'amour formé
dans les ténèbres d'un garni suburbain. Il eut le sentiment
soudain qu'il pouvait s'arracher de ces chaînes de chair, se
lever, se laver, retrouver les vêtements sur la chaise, corrects,
pliés, les revêtir, s'en aller. Au dehors, il y aurait à nouveau
des rues à traverser, des maisons aveugles, des arbres, des
mannequins qui évitent des voitures. Il avait formé d'autres
fois, dans des lits de rencontre, de ces projets délirants avec
leurs prolongements d'étoiles, où on se laisse aller avec une
inconnue, qui prend soudain pour elle tout l'avenir, votre
avenir, comme une botte de fleurs dans ses bras. Il avait
d'autres fois joué ainsi une atroce partie d'illusions, à laquelle

on se demande qui est dupe, qui voudrait vraiment mentir. Il avait menti aux femmes avec toute la gloutonnerie de sa jeunesse. Elles s'abandonnaient à la dérive de ses paroles, elles s'accrochaient à des phrases folles qu'il laissait tomber comme des barques à la mer. Elles en poursuivaient le dessin fantasque à travers les caresses, les brutalités brusques de ce nouvel amant qui les envahissait comme une romance. Il connaissait une fois pour toutes le pouvoir de ses paroles. Il était riche d'imaginations absurdes et tentantes. Il ne se répétait jamais. Il mettait le plaisir de cette débauche secrète à ne jamais se répéter, à être pour chaque femme un autre homme, avec une vie pour elle inventée, où elle entrait comme dans un piège, où elle s'installait sans méfiance, sans savoir que les murs étaient des nuages, et les meubles des ombres, et la patère où elle pendait son manteau une dérision sentimentale.

Il avait bien menti aux femmes.

Il n'avait pas menti à Carlotta. Ou si peu. Seulement pour masquer la pauvreté, la mesquinerie de son existence. Seulement par trac. Seulement à cause de cette inégalité pour lui nouvelle, cette infériorité qu'il ressentait ici dans l'amour. Ah, quand il l'accablait de sa force, il eût juré qu'il était le maître, le tout-puissant! Et puis cela passait avec une vitesse incroyable : jamais il n'avait rencontré ainsi chez une femme à la fois cette faculté de défaillir, de tomber dans la volupté comme une pierre dans un puits, tout droit, et en même temps ce ressaisissement immédiat de soi-même, cette légèreté, ce retour à comme si de rien n'était, cette aliénation soudaine dans ses bras d'une statue, ce ton détaché, cet oubli de l'abîme. Quand il se lançait alors à parler de l'avenir, avec le sentiment de la perdre et, pour lutter contre l'atroce de cette certitude, il entendait ses propres mots sonner avec la fausseté d'une moquerie, il se désespérait comme peut-être avait fait dans ses bras quelqu'une de ses maîtresses de passage, qui eût tant voulu croire qu'il viendrait vraiment au prochain rendez-vous.

Pourtant, Carlotta ne le contredisait point dans ses songeries à voix haute. Peut-être était-ce là ce qui l'inquiétait. Peut-être était-ce la différence des yeux italiens à leur ordinaire et dans le moment prodigieux du plaisir. Peut-être était-ce tout autre chose. Il la regardait maintenant dormir et il se passa les doigts sur sa bouche. Ses lèvres étaient toutes blessées. Il sentit que sa barbe poussait, ce qui lui fut désagréable. La dormeuse remua doucement et se pelotonna contre le ventre de l'homme. Une épouvantable tendresse s'empara d'Edmond, avec la peur de bouger. Dire qu'elle rouvrirait ses yeux, qu'elle reprendrait son assurance et son détachement. Peut-être bien qu'elle ne l'aimait pas, mais au plus profond du sommeil ce mouvement vers lui de confiance, cet abandon tranquille, ce voisinage qui prend ses aises, n'était-ce pas après tout l'amour? Il voulait s'en persuader. Il se pencha sur cette gorge dont la naissance l'enivra comme s'il l'eût pour la première fois découverte. Adorable trésor de la féminité... Oh, qu'elle ne s'éveille pas surtout, qu'elle continue ainsi ce sommeil où son amant peut croire encore à la passion réciproque, où il retrouve sans peine le reflet de son propre délire, où chaque petit mouvement des cils, un battement des paupières, ponctue les divagations de son cœur!

Comment, pense-t-il dans la déraison de l'insomnie, se pourrait-il qu'elle ne m'aimât point? Il ne peut en trouver le pourquoi. Il ne voit en lui-même rien que de l'aimable. Il se persuade que ses craintes sont insanes, qu'il est aimé. Il se le redit sans fin, il recommence ses raisonnements, lumineux mais enchevêtrés. Il s'y perd, il les reprend comme un écheveau que mêle une patte de chat. Ses pensées s'en vont à la débandade. Elles se renouent sur un souvenir de la volupté. Naguère, dans les bras d'une autre... Si elle lui mentait, pourtant, comme il a su, lui, mentir? Il se rassure très vite, avec des arguments de violoniste. Mais d'où lui vient cette folie nouvelle? Il regarde sans fin Carlotta dormir. Carlotta dormir. Carlotta. Dormir.

## XXXVII

Trois nuits sans qu'Armand fût venu chercher l'enveloppe
jaune, qui stagnait dans le casier, comme un remords. Edmond
reçut ce matin-là une nouvelle lettre de Sérianne. La famille
s'inquiétait. Pas tellement d'Armand. Mais on n'avait pas reçu
d'accusé-réception de l'argent.

Edmond commençait à se troubler pour de bon. Qu'est-ce
qu'il lui était arrivé, au gosse? Oh, et puis il avait dû mentir,
sans ça il serait venu chercher l'argent, tout bonnement. Il
devait avoir encore quelques sous qu'il dissimulait. D'ailleurs,
c'était plus vraisemblable. S'il était arrivé quelque chose, ça se
saurait.

L'hôtel payé, la note du blanchissage, deux ou trois petites
dettes, le mois de juin se trouvait bien entamé. Surtout qu'à
Ville-d'Avray, fier de sa poche garnie, Edmond avait fait les
frais de la journée, ce qui avait écarté agréablement des amoureux le fantôme de Joseph Quesnel. S'il fallait tout de même
dépenser comme ça, soyons raisonnable, mettons dix fois dans
le mois, eh bien! il lui manquerait environ deux cents à deux
cent cinquante francs. Sans parler...

Il sentait dans son veston le petit portefeuille rouge sombre
où dormait l'argent familial. Les cent cinquante francs supplémentaires, il n'y avait pas encore touché, il n'y toucherait pas
de sitôt. Mais enfin il y pensait souvent. Cela aurait presque
arrangé les choses.

La lettre de Sérianne impliquait la nécessité d'une réponse.
Edmond écrivit qu'il avait bien reçu l'argent, que cet hurluberlu d'Armand se conduisait d'une façon bizarre, que cela
faisait quatre jours qu'il ne reparaissait plus. Qu'il lui avait
lavé la tête, lui, Edmond, et que le petit avait pris ça très
mal, ne voulant rien entendre de son père et de sa mère,

enfin une ingratitude renversante, aucun sens de la famille, etc. Pas l'air de vouloir rentrer à Sérianne, mais Edmond saisirait la première occasion, etc.

Ce soir-là, ils avaient été dîner dans un bistro démocratique, près de la Bastille. Carlotta en connaissait un tas, de restaurants. Celui-ci, qui le lui avait montré? Joseph Quesnel, probablement. Ou M. Alexandre? M. Alexandre, rencontré boulevard Bineau, était devenu un dérivatif comique des colères d'Edmond. Le vin était excellent, le temps à l'orage. Il y avait une noce à l'étage, et des rires et des chansons. Qu'allait-on faire après dîner? Le Bois était loin, le ciel menaçant. Aucune envie d'aller au cinéma. Médrano? Ça t'amuse, toi, les clowneries?

« J'aime, dit-elle, les acrobates. »

Et elle ferma les yeux. Edmond sentit alors tout ce qu'est la jalousie. On n'irait pas à Médrano, décidément. Pourquoi? À cause des acrobates? Tu sais, quand ils sont tout là-haut, là-haut, sur les appareils, prêts à faire un numéro très difficile, mais alors, très difficile... et on leur a jeté un mouchoir, et ils s'essuient les mains, et ils se balancent, assis négligemment sur une barre d'acier, et ils s'élancent, l'orchestre s'arrête. « Ça, quand l'orchestre s'arrête, ça me donne un coup... »

Edmond faisait la tête. Pourquoi? Stupide. Bêta. Chéri. Ils sont beaux, tu sais, les acrobates. Un peu monstrueux, parfois : les muscles du dos. Ceux qui travaillent sans filet, c'est très horrible. Mais c'est plus crâne. Maintenant, quand ils se laissent tomber dans le filet, ceux qui travaillent avec un filet, naturellement, c'est toujours très extraordinaire, comme des balles, et ce sont pourtant des hommes. De beaux hommes. Bon, chéri, je n'en parlerai plus. Non, ne te fâche pas. Tu prendras une petite liqueur avec le café... Oh, bien, ne boude pas! Une petite liqueur.

Edmond se rembrunit, pensant à l'addition. Carlotta déjà le devinait : « Écoute, ce soir, c'est mon tour. C'est moi qui paye le dîner... Si, si... Qu'est-ce que ça peut faire? On n'ira pas au cirque, c'est promis. Mais je payerai... »

Alors, si c'était comme ça, un marché. Donnant donnant. Edmond commanda un kümmel. Ce soir, Carlotta était particulièrement jolie. Tout le monde avait l'air de s'en apercevoir, le garçon, les gens des tables voisines. Une petite rosée sur sa chair, le décolleté du cou et l'approche des épaules; elle avait une robe vert sombre, tout cela se teintait de reflets d'or qui semblaient venir des cheveux. Ses cheveux étaient à leur plus lourd.

« Alors, dit-elle, c'est le kümmel, décidément, ta liqueur? Moi, j'aime la grappa. Je te ferai boire de la grappa. »

Elle avait ouvert son sac et, dans le désordre, à même, avec la poudre et le rouge, il y avait des billets de banque, des tas. Elle avait bien deux ou trois mille francs sur elle, au bas mot. Il avala son kümmel d'un coup.

« Alors, si on ne va pas au cirque... Où va-t-on aller? »

Elle devait avoir quelque idée de derrière la tête. Elle tournait autour du pot. Elle se mettait de la poudre. Il regarda sa nuque. Il était assis à côté d'elle sur la banquette. Quelle étrange force dans cette nuque! Cela l'avait frappé dès le premier jour et, d'une façon invincible, il imaginait qu'elle avait dû, elle aussi, être acrobate, comme ces femmes qui se suspendent dans les airs par les dents... Ses jolies petites dents!

« Tu ne proposes rien? En voilà un amant! »

Ce mot qui lui rappelait ses prérogatives déclencha le geste auquel, sous les cheveux, l'éclatante blancheur du dos naissant le conviait. Avec une brutalité soudaine, il appliqua ses lèvres à la nuque convoitée. Elle plia. Tout le corps de la femme tourna sur lui-même, et vlan! Edmond reçut une gifle, en plein visage, et pas de la plaisanterie. Les gens rigolèrent doucement tout autour.

Edmond se redressa et saisit le poignet de Carlotta. Il était plus surpris que fâché : qu'est-ce que ça signifiait? Elle lui dit sur un ton tout à fait naturel : « Tu m'excuseras, mais je n'aime pas ces manières. C'est un peu trop le genre homme... »

Elle vit qu'il ne la comprenait pas, elle articula :

« Le-gen-re-hom-me... Je veux dire que ça me rappelle trop

le sans-façon des hommes qui se croient tout permis parce
qu'ils payent... Vois-tu, quand on me baise la bouche, et
n'importe comment, ça m'est égal, même si je n'en ai pas
envie, c'est fait pour ça. Mais comme ça, dans le cou, ça me
met en rogne... Je n'ai jamais supporté ni permis ça à personne, et pas même à toi, comprends-tu, parce que tu rede-
viens alors un homme comme tous les hommes, un ennemi,
un de ces types qui nous humilient, un de ces salauds... Tu
ne sais pas ce que je peux détester les hommes... »

Elle proférait ça d'une façon abominablement câline, en lui
caressant maintenant la joue giflée. Les gens avaient repris
leurs conversations et jetaient peut-être des regards en dessous
sur le couple, mais c'est tout.

« Tout ça ne nous dit pas où on va aller... Pas d'idée? Où
menez-vous vos maîtresses, monsieur? Au cinéma? Tu ne m'as
pas regardée. Garçon! »

Tandis que le garçon comptait et recomptait son addition,
sous la table, elle avait passé un billet froissé à Edmond.
Il eut toutes sortes de peine à faire celui qui le sort du veston,
et à lui donner l'aspect d'un honnête billet qui a séjourné
dans une poche et non dans un sac. Le garçon en pensa ce qu'il
voulut. Il ne s'agissait que d'en finir et de sortir de là.

« Edmond, dit Carlotta, on va aller jouer... Tu as déjà joué
au baccara? J'adore jouer. On oublie. Pourquoi pas? J'ai
envie de jouer. Bien, si tu ne veux pas, je jouerai seule. Je
veux jouer. J'ai pensé à jouer. Maintenant, il faut que je joue.
Je connais un petit cercle sur les boulevards... »

On ne pouvait rien refuser à Carlotta.

## XXXVIII

Armand avait dormi sur des bancs. On l'en avait chassé. Il
en avait retrouvé d'autres. Tout d'abord, la première nuit, le

premier jour, cela, malgré la faim, avait encore l'aspect d'un
jeu. Il était peu vraisemblable que cela se poursuivît. Armand
trouverait du travail, je ne sais pas, moi : un truc. En attendant, il se jouait une histoire comme les autres, comme celle
du grand acteur en tournée, comme celle de Raimbaud
d'Orange aux Iles d'Or. Il y avait la beauté de la capitale,
ces nuits chaudes, les jets d'eau sur les places et, dans le jour,
des découvertes de quartiers nouveaux, sans fin, une impression
d'égarement, de mirage. La faim pourtant commençait à rendre
inquiétante l'aventure. Le mardi, errant par les rues, regardant
avec fringale la nourriture des magasins, il avait pu jouer à
l'ouvreur de voitures. Au Bois, le matin, malgré la fatigue,
et les observations d'hommes bien habillés : « Si ce n'est pas
malheureux, à ton âge! Tu ferais mieux de travailler! » Cela
avait fait quelques sous vers midi : il avait dévoré du pain et
du chocolat, beaucoup de chocolat, à une boulangerie, près
de la porte Dauphine. Des croquettes *La Savoyarde*, du chocolat Barrel. Cela faisait partie du jeu, pour le petit rire
intérieur qui permettait encore de supporter de ne pas s'être
lavé, d'avoir mal aux pieds, et de ne rien savoir de l'heure
suivante.

Mais le mardi n'avait pas apporté de travail ni l'argent d'une
chambre et la faim était revenue avec le soir, la faim jamais
vaincue, l'ennemie qu'il retrouverait matin et soir dans son
ventre. Il y avait d'autres types que lui qui se précipitaient
sur les portières, plus mal habillés, plus hâves, plus sales,
plus pitoyables. L'un d'eux le bouscula, quelque part du
côté de la Madeleine, devant un grand restaurant : « Des
fois que ça serait chez toi, ici, pour prendre le boulot des
autres? »

Ainsi, il y avait des hommes pour qui ceci n'était pas un jeu
passager, mais un boulot. Remontant vers Montmartre, il eut
la chance d'atteindre une belle voiture qui laissait descendre
une femme splendide : il en resta la bouche ouverte, la main
sur la portière. Le chauffeur la poussa pour lui, qui demeura la
main tendue.

La beauté n'est pas nourrissante. Il pensait, ayant ramassé quelques sous vers deux heures du matin, et redescendu de Pigalle aux Halles, à ce réchaud de la pointe Saint-Eustache où il bouffa des saucisses dans du pain, il pensait à la longueur de la nuit avec terreur. Et aux nuits suivantes. Un sou lui restait qu'il regarda longuement. Il se souvint qu'à Sérianne ses parents lui gardaient les sous neufs qui sont tout dorés, et qu'on les mettait dans une tirelire en forme de tête de chat, avec un col et une cravate papillon d'un beau rouge. En même temps, il était fier d'avoir mangé, même de façon insuffisante. Pour la première fois de sa vie, il avait gagné son pain. Une vieille voix profonde lui disait bien qu'ouvrir des portières n'était pas reluisant, pas vraiment un travail... Au fond, qu'est-ce que c'était que cette religion du travail? Il aurait bien mangé (et dormi) à ne rien faire.

La deuxième nuit fut plus dure que la première; et le mercredi se passa mal. Pas de portières, le rabrouement partout où il allait mendier un emploi; à ces pancartes d'embauche, par-ci par-là, correspondaient toujours des exigences d'une qualification quelconque. Et où avez-vous travaillé, mon garçon? Il apprit à mentir : il venait d'Aix où il avait fait des écritures, dans une grosse brasserie... Et votre certificat? La fois suivante, la fable s'allongea : en arrivant à Paris, Armand s'était fait détrousser de ses papiers, il avait écrit à Aix, il recevrait le double du certificat. Bon, repassez quand vous l'aurez reçu. Ou encore : laissez votre adresse, on vous fera signe...

La faim devenait épouvantable après deux jours de sous-alimentation. Ça commençait à faire du brouillard dans la tête. Ça commençait aussi à devenir une idée fixe. Las des bancs, à Saint-Germain-l'Auxerrois vers les midi, Armand était entré dans l'église. Il y avait un service mortuaire avec l'orgue et tout le tremblement. L'odeur de l'encens terriblement entêtante. Tout de même, une chaise, ça faisait plaisir. Les mains d'Armand caressaient la paille. Dire qu'il y avait des cérémonies où on donnait pour rien du pain bénit! Pas aux enterrements. Armand se rappelait le pain bénit de Sérianne. D'ailleurs, ce n'était pas du pain : une espèce de gâteau de Savoie, blond, mou, encore chaud, un peu sucré. Les choses dansaient dans les accords déchirants de l'orgue. Soudain Armand vit devant lui une petite vieille qui tendait la main. Une mendiante? Non, la chaisière. Il feignit de se fouiller, sans trouver. L'autre ne bougeait pas. Il se leva donc, murmurant quelque chose. L'odeur de l'encens avait failli le faire vomir, mais il n'avait rien à vomir, qu'un goût aigre. Il chassa cela avec l'eau d'une fontaine Wallace.

Un bouton avait sauté de son veston. Bien devant. Le premier. C'était le commencement d'une longue disgrâce. Il traînait sur son bras son imperméable qu'il aurait voulu laisser quelque part avec cette chaleur. Sa seule richesse, pourtant. S'il avait pris les cinquante francs dont avait parlé Edmond, il aurait eu une chambre quelque part. Du côté de Clignancourt, il en avait vu annoncer à vingt francs par mois. Il y aurait laissé l'imperméable. Pas question. Ne rien devoir à ces gens, à cette ordure... C'était une résolution bien ferme qu'il avait prise le lundi soir et on n'était que le mercredi après-midi. La faim croissait, ne laissant plus de place à rien qu'à elle-même. Les petites charrettes de fruits et de légumes au bord des trottoirs tournaient au supplice. Il doit bien y avoir des soupes populaires quelque part, mais quand on ne sait pas... À qui demander? Les sergents de ville étaient déjà devenus les gens qui le faisaient, la nuit, filer des bancs. Une faim noire. La bouche qui sèche, puis salive, puis sèche. L'eau des fontaines ne trompait plus rien. Les jambes molles. Le truc des portières ne marchait plus, mais alors, là, plus du tout. Mendier? Près d'une gargote, dans l'île Saint-Louis, il resta longtemps à humer l'odeur des graisses et des sauces. Il songeait à la campagne où tout de même on peut chiper des figues ou des raisins. Et puis, il y a la chasse et la pêche. Cette dernière idée le fit rire : il y a la chasse et la pêche.

Cette nuit-là fut une nuit qui succéda à un jour, un long

jour sans manger. Les cinquante francs d'Edmond revenaient
dans cette tête butée avec une insistance douloureuse. Et puis,
non, je ne mangerai pas de ce pain-là! Je ne mangerai pas?
Il y a des choses comme ça, qu'on dit bien facilement. Manger.
La nuit ne fut pas moins longue que le jour. Armand dormit
sous le Pont-Neuf, du côté de la Samaritaine, par terre, dans
une demi-terreur de l'ombre, et des ombres, ses pareilles. Ses
rêves agités par la réalité toujours présente le firent retrouver
le forgeron Avril qui faisait des adresses, qui faisait des
adresses sans fin, et toujours la même adresse : Madame Sarah
Bernhardt, villa Pain-Bénit, aux Iles d'Or... Madame Sarah
Bernhardt, villa Pain-Bénit... Mais où donc avait-on mis la
colle pour les timbres? C'est-à-dire que ce n'était pas la colle
qui manquait : une récente invention a permis de mettre la
colle toute prête sur les timbres... Vous léchez... Armand avait
tant collé de timbres qu'il sentait dans sa bouche un goût
bizarre, un goût de mort... Ce n'était pas la colle qui manquait,
mais il manquait quelque chose à propos de timbres... Armand
avait fait collection de timbres, il se souvenait du tête-bêche
de la deuxième République; ah, cette gueule qu'elle avait, la
deuxième République! Et puis Christophe Colomb découvrant
l'Amérique en violet carminé... L'argent! Voilà ce qui manquait, à propos de timbres! Sarah Bernhardt avec sa voix d'or
glapissait : Cinquante francs! Il aurait fallu payer cinquante
francs pour un timbre de deux sous... Un timbre de cinquante
francs, pour deux sous, c'est évidemment une affaire... Cinquante francs... « Allez, oust, là-dedans, décampez, si vous ne
voulez pas qu'on vous ramasse... »

La brigade fluviale passait et les dormeurs feignaient de
s'enfuir pour revenir sans doute. Cinquante francs! Armand
s'était réveillé avec la faim et l'idée du billet bien proprement plié dans une enveloppe qui l'attendait rue Royer-Collard. Non, par exemple, non.

Même avec le beau temps, le petit matin est le pire moment
pour la crever. Déjà la ville reprenait cette allure de précipitation des hommes vers le travail. Tous levés cinq minutes

trop tard. L'affairement des autres, cette extraordinaire connaissance de leur place stricte dans la machine, qu'ils rejoignaient avec l'aube, le geste même des balayeurs, la sérénité des boueux à enlever les ordures, tout parlait à l'affamé le langage du travail. Il se sentait une exception monstrueuse. Dix-sept ans. Comment allait-il faire? Travailler? Il y avait deux jours, il se demandait s'il fallait ou non travailler. Maintenant, les données du problème avaient varié. Il aurait bien voulu travailler. Comme les autres. Comme ceux du Pré-Saint-Gervais. Il était prêt à s'évanouir. Cela mordait à l'estomac, il devait appuyer ses mains contre son ventre pour adoucir ça. Et même ce système-là était usé... Il se sentait sale, ignoble, avec sa chemise de six jours. Se laver... une chemise. Ah, du pain d'abord! Et du café. Il rêvait d'un café bien noir et bien chaud. Il avait des mouches devant les yeux, et des points d'or. La crampe gastrique s'accentuait.

Cinquante francs! Au bout du compte, il était un imbécile. Ces cinquante francs, il n'y avait aucun déshonneur à les prendre. Et quand il y aurait eu du déshonneur. Manger d'abord. C'est fou, les idées qu'on se met en tête. Des histoires de Marguerite de Provence, ma parole. Ou le théâtre qui continue... Ruy Blas : « *Bon appétit, messieurs!* » Tu parles. La faim a raison des foutaises. J'irai prendre ces cinquante francs. Et tout de suite.

Non... pas tout de suite. Parce qu'il y a Edmond. Et qu'il faut attendre qu'Edmond soit à l'hôpital. Pas la peine de le rencontrer pour lui donner l'occasion d'un triomphe. S'exposer à sa pitié peut-être. Car c'est encore capable de se payer le luxe de la pitié, qui sait? Du café. Nom de Dieu, que c'est difficile de ne pas courir rue Royer-Collard, quand on voit dans les bars les gens qui se brûlent à boire trop vite leur café. *Leur* café. Est-ce qu'il est à eux?

Ce que ça peut être blond, un croissant!

À neuf heures tapant, son imperméable sur le bras, Armand réclamait son enveloppe au garçon d'hôtel. À travers l'enveloppe, il sentit craquer le billet. Le garçon disait : « M. Barbentane m'a bien recommandé de dire à Monsieur de laisser son adresse... »

Armand leva la tête et ricana : « Mon adresse? Vous lui direz de faire suivre la correspondance au Ritz, place Vendôme! »

# TROISIÈME PARTIE

# Passage-Club

I

Le *Passage-Club* tenait son nom de ce qu'il avait une sortie
sur le passage de l'Opéra par une porte aboutissant en haut
d'un escalier droit, sur lequel s'ouvrait à gauche un hôtel
meublé. Il occupait l'entresol de l'immeuble donnant sur le
boulevard des Italiens, et prenait jour par de longues fenêtres
basses sur ce boulevard. Sa principale entrée était à l'autre bout
du local, débouchant dans le couloir du théâtre Robert-Houdin.
Quand on arrivait par ce bout-là, on était reçu par une sorte
de valet en habit assez élimé, et qui n'avait jamais l'air très
bien rasé par nature, parce qu'il avait *le bleu*, vous savez, ce
genre de barbe qui laisse un reflet; et avec ça une tignasse de
marchand de marrons faisant une pointe malheureuse sur le
front presque jusqu'aux yeux. On l'appelait Pedro par plaisanterie.

Pedro donc, derrière une table, rétrécissant l'entrée du
cercle, devant le vestiaire carré, tenait le double emploi de pré-
posé aux pardessus et de contrôleur des entrées. Sur la table,
il y avait des chemises cartonnées à dos vert et plat noir, et le
registre des membres du *Passage-Club*. Registre alphabétique
où l'ongle carré de Pedro se promenait : « Monsieur Harry?
C'est par un H? ou un A? » Il avait des loisirs, Pedro, et il
les occupait. On le voyait écrire avec un mouvement de l'œil
gauche écarquillé, la paupière droite légèrement tombante,
et il se mordait la lèvre inférieure. Il consultait ses dossiers

cartonnés et semblait s'appliquer. À quel travail s'adon-
nait-il ainsi? On avait remarqué souvent qu'il cachait à
l'approche de quelqu'un *la Vie Parisienne* ou une page
d'annonces de journal. Il semblait rédiger un assez volumineux
courrier.

En réalité, Pedro répondait avec ponctualité à la petite
correspondance des publications spéciales. Non point qu'il
cherchât à se faire des relations mondaines ou exotiques, ou
même que l'on pût expliquer cette manie par des motifs
intéressés. Il ne répondait pas pour lui-même, mais pour recevoir des lettres. Il écrivait aux femmes et aux hommes indis-
tinctement. Pour chaque correspondant, il prenait une écriture nouvelle, car il avait un joli talent dans ce domaine-là,
et ce qu'il consultait à main gauche, ce long carnet noir à
étiquette rouge, c'était un répertoire des écritures employées,
avec la référence qui lui permettait de s'y retrouver. Il faisait
de la psychologie dans le choix de la bâtarde, de la cursive, de
l'anglaise. Il n'avait pas son pareil pour les écritures de jeunes
filles. Il vous faisait à volonté une missive qui, transmise à un
graphologue, trahissait un homme d'affaires, riche, volontaire,
mais au fond un cœur d'or, généreux avec les dames; ou un
timide employé de banque, sentimental, prêt à tout croire,
épris de petite fleur bleue. Et c'est ainsi que tour à tour il
fabriquait pour Blackeyes, Col Bleu, Un qui ne s'en fait pas,
Mariette, Vieil Anglais mélancolique, Inconnue gantée, Sapho,
Mélusine ou Paul-de-Kock, toute une littérature où, sous des
signatures à l'avenant, il se prêtait cent existences désen-
chantées, troubles ou naïves, petite pensionnaire, collégien,
Haroun-al-Rachid des cœurs, prince balkanique en tournée,
femme incomprise, veuve à consoler, Satan d'hôtel ou tols-
toïen en mal de rédemptions.

Derrière Pedro, il y avait le premier salon, où on ne jouait
pas, avec de petits fauteuils et des tables d'acajou, et un bar,
et le barman. C'était le barman qui servait dans les grandes
occasions, quand il fallait vider quelqu'un. Sur le fond de
l'étagère à bouteilles, sous le plafond bas de l'entresol qui

donnait à toutes les pièces du cercle l'aspect d'une tache d'encre étalée, le barman, qu'on appelait barman, et jamais autrement, semblait un orang-outang en veste blanche. Il était un peu chauve, et probablement turc. La lèvre supérieure fendue à gauche, et ça lui donnait l'air de toujours se fâcher. Il était un peu plus grand qu'on ne le remarquait tout d'abord. Il jouait tout seul aux dés, sans arrêt, quand il n'avait rien à faire, ou il jouait aux dés avec qui voulait, sur le bar. Il prêtait de l'argent à ceux qui lui en demandaient. Très discrètement. Suivant les gens, sur signature ou sur une garantie. Vous l'auriez vu élever en l'air une montre en or, par exemple. Comme s'il n'en avait jamais tenu de sa vie. Puis il haussait les épaules, ses épaules bombées en avant et en arrière de la tête inexpressive. « Cinquante francs », disait-il, en faisant disparaître l'objet au milieu des verres et des bouteilles.

Le salon de gauche, sur le boulevard, formait le bout de l'appartement. On ne jouait là que les grandes parties, rarement, ou tard la nuit. On l'appelait *la rotonde*, bien que ce fût une pièce quadrangulaire comme toutes les pièces, avec du papier en faux cuir repoussé marron à fleurs d'or. Sur la table verte, un râteau et des boîtes. Généralement, dans un fauteuil, quelqu'un des joueurs venu somnoler dans cette pièce vide, la barbe cassée sur le plastron, et un léger ronflottis dans la moustache.

À droite du bar, s'ouvraient les salles proprement dites, les trois salles. Dans la première, le salon jaune, d'un vieux jaune sombre, on jouait au baccara, trois grandes tables; dans la deuxième, qui était rouge, au trente-et-quarante; et dans la troisième, la verte, au poker. C'est dans cette dernière que s'ouvrait le guichet du caissier, dans une espèce de baraque peinte en gris Trianon; et on tapait à ce guichet assez longuement avant qu'on vous ouvrît. De la pièce médiane, une porte donnait accès au bureau du directeur.

Il fallait deux parrains pour être inscrit au cercle, et payer un louis. Le premier soir, Carlotta avait eu la chance de trouver là M. Alexandre, qui lui avait permis de faire admettre Edmond. Le premier soir, car ils revinrent souvent.

Carlotta, au jeu, s'animait d'une façon étrange. Elle retrouvait ses airs de petite fille et ses manières de pendant l'amour. Le sang circulait à fleur de peau, se retirait soudain comme chez une morte, le sein gonflé s'arrêtait, puis d'un coup la gaîté, le rire revenaient, une vie folle, et les soupirs désordonnés de la perte, si gentils que tout le monde lui souriait, que des messieurs graves à travers la table lui donnaient des conseils : « Laissez passer un coup », ou : « Doublez, cette fois. » Elle jouait très peu d'abord, se fâchait avec le baccara, pour passer au poker. Elle n'aimait guère le trente-et-quarante, une volerie, disait-elle. Puis, elle revenait, prenait la banque à n'importe quel prix, d'un coup de tête, après avoir perdu deux cents francs par dix francs. Quand elle s'asseyait à la main, sa beauté faisait un remous d'intérêt. Edmond sentait alors la jalousie. Il regardait le public.

Une majorité d'hommes, quelques femmes peintes, la plupart passé la trentaine. On ne s'habillait pas nécessairement pour venir jouer, mais tout de même. L'éclairage était au-dessus des tables, avec de fausses bougies électriques dans des espèces de suspensions à abat-jour métalliques verts au-dehors, beiges en dedans. Tout le local avait je ne sais quoi de poussiéreux et de mesquin, qui tenait sans doute à son caractère d'entresol, mais qui déteignait sur les gens. Les gens avaient tous un peu l'air déplacés, trop grands, pour le *Passage-Club*. Sauf les employés glissant entre les tables, les surveillants, les changeurs, une dizaine au moins, la plupart des hommes d'âge avec des moustaches, les uns en habit, les autres avec une espèce d'uniforme brun à boutons d'or qui tenait du livreur et de l'employé de banque. De temps en temps passait un homme à teint bistre, avec de petites taches bleues aux tempes et les cheveux presque blancs, qui regardait si tout se passait correctement. Il avait toutes les dents en or, et des mains étroites et petites. Des yeux trop hauts, remontés dans le front. C'était M. de Cérésolles, qu'on appelait M. le baron, le directeur du *Passage-Club*, dont on savait qu'il avait fait

jadis le même métier dans un casino de la Côte. Il connaissait tout le monde par son nom, tout de suite. Le premier soir,
il appela Edmond *docteur.*

Les clients, en smoking, ou en veston foncé (rarement, et
comme par tolérance, après des chuchotements, des pourparlers, quelques grands gaillards en gris clair entraient, rieurs,
des Marseillais, particulièrement), les femmes décolletées, ou
avec des guimpes de tulle que c'était tout comme, des écharpes,
et de petits sacs du soir posés au bord des tables, semblaient à
Edmond une espèce humaine plus réelle que celle qu'il avait
jusqu'ici rencontrée, fût-ce à l'hôpital. Était-ce le feu qui leur
enlevait de leur vernis, malgré poudre, maquillage, vêtements?
Ils avaient cet air hors série, un peu défraîchi, des mannequins d'une autre époque. Même ceux qui ne manquaient pas
d'une certaine beauté, toujours marquée de quelque tare indé-
chiffrable. Les femmes les plus soignées trahissaient pourtant
leurs rides, l'inquiétude de la perte et du gain probablement
leur retirait la liberté d'éblouir. Les hommes âgés gardaient
dans leur air respectable quelque chose de pas net, comme
une rousseur de fumée dans la barbe. Des manchettes sortaient
trop des manches, ou s'y dissimulaient, douteuses, quand on
avançait dans la nuit. Tout prenait un parfum de province,
jusqu'à l'abondance des étrangers. Levantins gras, aux pattes
boudinées, écrasant leurs cartes sous des mascottes, une grosse
turquoise, un petit objet de peluche, une lettre d'amour.
Polonais qui se soûlaient au bar dès qu'ils avaient gagné, et
dont on allait discrètement chercher le vestiaire. Un vieil
homme rasé, à la figure de fouine apeurée, dont les mains
tremblaient trop pour qu'il pût tenir lui-même son jeu, et
qui faisait s'asseoir près de lui une femme pour cela, une de
ces extraordinaires quêteuses, éprises de systèmes, qui jouent la
poussette sur les gros pontes avec des yeux pleins de pleurs.
De faux notaires qui ne quittent pas des yeux la porte, comme
s'ils attendaient la police. Et puis des types très élégants, irré-
prochables, avec des airs d'officiers ou de danseurs : têtes de
concours hippique, et de Montmartre. Qu'est-ce que c'était

dans la journée que tous ces gens-là? Il y avait plusieurs femmes dont la présence ici était purement incompréhensible : des grosses mères, qui auraient pu tenir un magasin de confection ou un pensionnat, une vieille fille en crème qu'on aurait imaginée faisant tapisserie dans un bal de sous-préfecture. Il y en avait, par contre, de classiques : chargées de diamants, lourdes, aussi nues que possible, avec des rires dans les bourrelets de graisse, fumant la cigarette vers les hommes, l'argent bien en évidence devant elles. Dans tout ça, Carlotta faisait comme une flamme. Et quand elle taillait, il y avait des vieux qui poussaient cinq francs dans sa main avec des yeux suppliants, des femmes qui s'en allaient dans la pièce suivante, des hommes qui regardaient la joueuse à la façon des marchands de bestiaux. Edmond éprouvait une morsure affreuse, une angoisse de tout cela. Mais, il n'eût su dire pourquoi, en même temps, il aimait cette jalousie.

Le premier soir, il avait joué lui aussi, prudemment. Et gagné. Pas des tas, mais tout de même : une quarantaine de francs. Presque ce qu'il avait mis dans l'enveloppe pour Armand. À son retour, il en avait constaté la disparition, de cette enveloppe. La plaisanterie du crapaud touchant le Ritz lui avait paru de mauvais goût. Enfin, il ne devait pas être embarrassé, ce petit, puisqu'il rigolait encore. Carlotta avait perdu près de mille francs, elle.

La fièvre du jeu avait donné à Carlotta plus d'emportement et de pathétique dans les caresses, que même l'ardeur des premiers jours. Il y eut de cela, tacitement, pour ramener le couple au *Passage-Club*. Il y eut aussi, chez Edmond, la découverte du hasard. La disqualification de l'argent, de cet argent haï et aimé, dont il sentait le besoin et la dépendance. Ce perpétuel pile ou face, l'engagement sur une carte de sommes pour lesquelles, la veille encore, il se sentait une rapacité sordide, tout cela le libérait, lui donnait le sentiment que le large donne aux terriens qui vont pour la première fois sur la mer.

En même temps, il y avait l'espoir fabuleux du gain. On

connaît cette chance immanquable des novices aux tables de
jeu. Elle ne fit pas défaut à Edmond. Il gagna plusieurs jours
de suite d'assez petites sommes peut-être, mais, au fur et à
mesure qu'il se risquait, il lui passa jusqu'à mille et deux mille
francs dans les doigts. Le lendemain, peut-être, pourrait-il les
retenir. Là-dessus, Carlotta se trouva prisonnière de Quesnel,
qui l'avait laissée libre quelques jours, allant dans l'Est pour
le conseil d'administration du fil SB, auquel il appartenait.
Edmond, seul, désœuvré, incapable d'accorder à la médecine, à
la préparation du concours, une attention ailleurs accaparée, se
persuada qu'il ne pourrait dormir, pensant son amour dans
les bras du vieil homme d'affaires. L'amour avait décidément
bon dos. Ce fut donc lui qui ramena Edmond au *Passage-Club*,
pour se distraire, tromper sa nervosité.

Tout se passait comme si les familiers du cercle eussent
compris ce qui animait ce nouveau joueur, ce jeune homme
très beau, qui cherchait vainement à cacher son inexpérience
et qu'on avait vu venir là avec l'Italienne au chapeau de velours
noir, la rousse si gentille avec les malchanceux, qu'on avait
surprise à glisser un louis à la vieille folle, vous savez, celle
qu'on appelle la marquise? et qui tire toujours à six, c'est
bien connu. Au fait, elle n'était pas là, la belle rousse, et son
chevalier servant jouait comme un fou. Il devait être jaloux.
Il gagnait. Malheureux en amour? Ce sont des bourdes, mais
ça suffit à vous déchirer le cœur.

Edmond passait d'une table à l'autre, avec folie et calcul;
sa trouille de perdre qui lui faisait abandonner une main, il la
déguisait en romantisme. Il portait l'argent gagné à la banque
voisine, la gorge asséchée, laissant passer un coup pour inau-
gurer un nouveau sabot, on ne peut pas jouer sur un en-cartes,
ou n'importe, et sa voix jeune faisait lever les têtes : *Banco!*
Le vieil homme qui taillait, avec un visage tout grêlé, et des
poches lourdes sous les yeux, faisait glisser ses regards de
plomb dans la chair usée. Ah, le petit? Il souriait. Les cartes.
Edmond ramassait : un neuf, le cœur lui en bat. Il y a cinq
cents francs en banque, vingt-cinq louis, c'est-à-dire... Le dos

rayé rose et gris de la deuxième carte, bien glacée, s'embue
sous le doigt du joueur. Que ne donnerait-il pour un brave
petit valet! C'est un cinq. Ses cils battent. Cartes? Non. Il
est resté à quatre. Le banquier a vu le battement des cils, il
découvre son jeu : valet de carreau, cinq de pique. Il a gagné.
Il n'en sait rien. Il tire. Edmond s'est fait un sourire. Il
s'aperçoit dans la glace, là-bas. Il rectifie son sourire. Le
banquier a amené un huit. Edmond a gagné.

Il y a des hauts et des bas, mais il gagne. Encore. Des joueurs
qui ont perdu sur lui commencent à le poursuivre. On dirait,
absurdement, qu'ils courent après leur argent. « Changeur! »
Une dame au henné a levé un billet de mille. Le changeur
accourt. Les plaques tombent sur la table. Edmond est à la
main. Il gagne, trois fois, quatre fois. Sur les deux tableaux.
Va-t-il se retirer? Il y a une espèce de défi des gens d'alentour.
Des femmes sont debout derrière lui. Le vieux de tout à l'heure,
de l'autre côté de la table, le provoque avec ses yeux de plomb.
Edmond donne. On abat huit à droite, à gauche on demande
des cartes. Le jeune homme file ses cartes, comme il a vu faire
à d'autres. Cinq de trèfle, et... quatre de trèfle. La banque a
gagné. Il repousse le sabot, se lève. Le croupier le regarde. La
main passe. Une rumeur. Il y avait près de trois mille francs
en banque. Edmond gagne environ quatre mille cinq cents
francs à cette heure. Il s'arrêtera à cinq mille.

Il a reperdu, évidemment. Mais il s'est retiré vers les deux
heures du matin avec deux mille francs. Au bar, il a pris du
champagne, une bouteille à cinquante francs, avec un de ses
adversaires de jeu, auquel il doit bien ça. C'est un homme
assez considérable, que M. Charles, le croupier de la table 3,
salue toujours très bas, et avec lequel M. de Cérésolles, le
baron, vient bavarder de temps en temps. Le barman fait
confiance sur parole à ce client-là. Il a un petit accent, comme
ça, mal définissable, cet homme important. Il connaît
M. Alexandre, aussi, qu'il salue de la main, protecteur. Il a
des bagues, des manchettes molles; il est en smoking. C'est
un gaillard très brun, qui marche sur la quarantaine, avec des

dents brillantes. Il raconte des histoires de Monte-Carlo, un meurtre dans le couloir qui rejoint l'hôtel de Paris au Sporting. Ces histoires-là ne sont jamais dans les journaux, vous comprenez : ça ferait du tort au Casino... Si on allait à Montmartre? Il reste à Edmond juste assez de raison pour regagner la rue Royer-Collard.

Il se lance dans des plans d'avenir, de richesse, de voyages, Edmond. La nuit est splendide, toutes étoiles dehors. Quel cadeau va-t-il faire à Carlotta, demain? Il a peur de se tromper, d'acheter une sottise... Il repense furtivement à Armand. Qu'est-ce qu'il en advient du gosse? Maintenant qu'il est riche, il pourrait rattraper sa mesquinerie... Sans compter. Il n'attendra pas le lendemain matin : en rentrant, il glisse dans une enveloppe les cent cinquante francs qui, avec les cinquante donnés, font les deux cents envoyés. Sans compter. Qu'est-ce que c'est que les dix francs par-ci par-là dépensés pour son frère? L'enveloppe reprend la place vide où Armand est venu chercher les cinquante francs, à son nom. Allons, le crapaud repasserait sûrement.

L'enveloppe fait maintenant chaque jour une coche blanche dans le casier. Pas d'Armand. Une lettre de Sérianne apprend au frère qu'il n'y a pas de nouvelles de son cadet. Edmond n'a rien à se reprocher. L'enveloppe est là qui en témoigne. Remarquez que le lendemain, il a presque tout reperdu, et il ne l'a pas reprise. Enfin pas tout. Il lui est resté quelques centaines de francs. Il s'est fait engueuler à l'hôpital, pour une histoire idiote, des agrafes enlevées trop tôt, un éventrement. Ça a fait une péritonite. Le type a passé pendant qu'on l'opérait d'urgence. Edmond ne supporte plus l'hôpital. Ce n'est pas par trop de sensibilité, mais à la fin ça vous écœure, toujours des mourants. Puis Carlotta déteste quand il a les mains qui sentent l'éther. Elle dit que ça fait grue. L'éther pour elle est lié à des représentations biens précises. À Marseille, quand elle avait un maquereau... Edmond n'aime pas qu'elle lui parle de ça. Elle hausse ses belles épaules.

Ils sont au cercle tous les deux, Carlotta a pris une banque de moitié avec le type de l'autre jour, celui à qui Edmond a offert le champagne. Ça énerve Edmond. Il va jouer à une autre table. Il a de la chance. Oh pas énorme, rien d'extraordinaire... Il passe au trente-et-quarante. De loin, il voit qu'on se groupe autour de Carlotta. La banque doit grimper. Le jeu le prend, il ne pense plus qu'à lui-même. Une femme maigre avec des tas de perles, et un chapeau à aigrettes, un turban, pose sa main sur celle d'Edmond. « Excusez, dit-elle, c'est pour la veine... L'autre soir, je vous ai touché par hasard, j'ai gagné... » Il fait le coquet avec elle, ils passent au poker... Il a perdu. Oh! raisonnablement. Il s'était juré de ne pas entamer son gain de la veille. Il revient au baccara. Où est Carlotta? Il ne la trouve à aucune des trois tables. Elle est au bar. Avec le type de l'autre jour. Évidemment, c'est son droit. Mais ça l'agace, Edmond. Il s'approche : « Nous avons perdu », dit-elle. *Nous* ne fait pas plaisir à Edmond. L'autre personnage rigole doucement : « On n'en mourra pas. » On ne lui dit pas de s'asseoir. Il y a du champagne dans les verres. Il fronce le sourcil. Carlotta le regarde. Longuement. Elle comprend ce qui se passe en lui, et elle est décidée à ne pas se laisser faire. Elle va, sans paroles, avec un petit défi de la lèvre retroussée, lui apprendre à vivre. Il faut le mater tout de suite, il deviendrait insupportable. Elle a le genre de regard qu'il lui a vu, le soir qu'elle l'a giflé au restaurant. Il sent ça, on ne sait comment, inutile d'insister. Il enfonce ses mains dans ses poches. Il retourne aux tables.

## II

Quand, affolé par le silence d'Armand et les lettres d'Edmond, le Dr Barbentane débarqua à Paris, il trouva son fils aîné très réservé, abominablement préoccupé de ses exa-

mens, plus studieux que jamais, mais fort élégant. Il avait
un costume neuf, fait sur ses économies, ce qui prouvait qu'il
ne faut jamais écouter les enfants qui sont toujours à crier
misère. Qu'avait pu devenir ce sale gosse d'Armand? Évidemment, il avait mérité la maison de correction, mais enfin c'était
son fils : le docteur se sentait des responsabilités vagues, en
fait il ne se sentait dans tout ça aucune responsabilité, n'empêche. Les explications d'Edmond n'éclairaient rien. Une
démarche à la préfecture. Par Clemenceau. Puis il avait été
reçu par le préfet en personne. M. Hennion avait l'air d'un
homme très sérieux, un peu une tête de brute, mais de
brute sérieuse. Il avait déjà fait le nécessaire. La police des
meublés était sur les dents. Jusqu'à présent, pas de nouvelles.
Mais pas de nouvelles, n'est-ce pas? bonnes nouvelles. Alors.
Que ne ferait-on pas pour M. le maire de Sérianne? Ces fugues
sont fréquentes. Ça se termine classiquement par une rentrée
au bercail, l'oreille basse. La police arrive d'ailleurs toujours
à retrouver les gens. Les journaux disent ce qu'ils veulent.
Ainsi, cette femme assassinée près du canal Saint-Martin,
on allait sûrement l'identifier, et de là aux assassins, il n'y
avait qu'un pas.

Edmond, avec ce costume gris clair qui avait fait sensation
sur le docteur, s'était commandé un habit, et un nouveau
smoking. Celui de Marseille étant un peu, enfin, tranchons
le mot, province, Carlotta l'avait mené chez O'Rossen. C'était
elle qui avait choisi les étoffes, conseillé le coupeur.
Puis on était passé chez Charvet pour les chemises, chez
Doucet pour les cravates. Le linge avait été un sujet de dispute, des journées avaient filé à ce nouveau jeu. Edmond
s'était rasé la moustache, il donnait aux coiffeurs un temps
extraordinaire. Il avait tout à fait cessé de suivre les cours,
les conférences. Par convenance, il poursuivait son service
d'hôpital, et c'était tout. La veine, la veine extraordinaire
le suivait au *Passage-Club*. Il y avait fait la connaissance
de M. Lenoir, du *Journal*, qui l'avait aussi introduit au *Haussmann*; là, d'ailleurs, il n'allait que lorsque Carlotta était occu-

pée, et cela valait mieux, car il y avait rencontré Jacques
Schoelzer, duquel il ignorait qu'il fût un joueur, et qui était
un garçon gentil, certes, mais trop du monde de Joseph
Quesnel pour qu'une indiscrétion ne fût pas à craindre. Ils
avaient été ensemble au *Rat Mort*. Une nuit très drôle.

Heureusement d'ailleurs qu'il avait pris le système très
sage de verser des arrhes importantes, ou de payer comptant,
parce que l'argent fondait et, un soir, il perdit solidement.
Il se retrouvait bien nippé, mais avec tout juste son mois.
Quelques dettes chez O'Rossen. Le docteur ne pouvait se
décider à repartir : il avait voulu passer au moins une soirée
avec son fils, impatient, attendu au cercle par Carlotta. Le
docteur interrompit ses lamentations sur l'incompréhensible
disparition d'Armand par des propos sur l'affaire politique
du moment, la loi de trois ans, entrée en discussion à la
Chambre depuis le début du mois. Le docteur était en principe hostile à cette mesure qui sentait son revanchard. Mais,
tout de même, Caillaux, au banquet du parti, le mois précédent, malgré sa position contre la loi, avait reconnu la menace
allemande, parlé de rallonge à la loi militaire. Barthou avait
été très fort à la Chambre. Et il faut dire que les *autres*
ne s'embarrassaient pas du tout de scrupules. Le Reichstag
venait de voter les premiers articles du projet allemand. Au
delà du Rhin, il y aurait 876 000 hommes en armes sur le
pied de paix. Les journaux allemands présentaient cela comme
une réponse à l'ovation du Palais-Bourbon à Barthou, dix
jours auparavant. En attendant...

En attendant, Edmond n'avait plus en poche de quoi mener
grand jeu. Il perdit dès le début de la soirée jusqu'à son dernier sou. Carlotta gagnait. Il lui emprunta mille francs, fit
un banco de trente louis, ramassa un point, demanda une
carte, et obtint un cheval. Il fallait s'arrêter. Il s'en fut au
bar. Il y trouva M. Alexandre, qui était un peu gris, et qui
sortit de sa poche un écrin avec des airs de conspirateur,
faisant marcher ses sourcils noirs au-dessus de son grand
nez : « Je vais vous montrer une petite merveille, et qui

pour vous, docteur... » (tout le monde l'appelait docteur, au cercle, maintenant) « ...serait une bouchée de pain... » Edmond ricana : il faisait sauter dans ses doigts les dernières plaques de cent francs dues à Carlotta. « Vous voulez du Mumm? » Edmond préférait une fine.

C'était un collier d'un genre un peu ancien, avec des diamants comme des gouttes au bout d'une série de fils de platine. Edmond posa son verre, avec un battement de cœur. Il reconnaissait ce bijou. Il le connaissait bien. Il l'avait vu souvent au cou de Mme Beurdeley. L'écrin même lui en était familier. Pas de doute possible. Il avait dû dormir dans la valise qu'un soir sa maîtresse avait portée avec elle à l'hôtel Royer-Collard. Elle l'avait donc vendu? Rien d'étonnant, d'ailleurs. Mais à cette minute où il se sentait misérable, Edmond regardait cette rencontre comme le signe même de sa détresse, et il avait envie de crier, de frapper au visage cet homme ivre, et de réclamer son bien. Il n'en fit rien. Il demanda : « D'où avez-vous ça? — D'un client, dit Alexandre, qui était un peu gêné. Il avait perdu gros ce soir. Alors tout à l'heure... »

Voilà donc ce qu'il venait de faire là, M. Alexandre Il jouait très peu, et il était tout le temps autour des tables. Dans le taxi du retour, suivant ses pensées, Edmond dit à haute voix : « Je me demande bien pourquoi la Beurdeley a vendu son collier... » Carlotta l'interrogea. L'histoire ne lui plut guère : « Si j'ai un conseil à te donner, ne te mêle pas des affaires d'Alexandre. Il a de drôles d'amis, et pas patients... » Pour les mille francs, dont il lui restait trois louis, elle en refusa la monnaie, et consola Edmond : il aurait plus de chance un autre soir.

Elle ne s'en faisait pas, Carlotta. Quesnel était revenu d'Alsace on ne peut plus généreux. Des bénéfices inattendus. Mais jaloux. Oh, enfin, il ne faut rien exagérer : soupçonneux. C'était un homme très correct, très fin. Il ne parlait jamais directement de ces choses à son amie. Cela évitait de mentir, mais cela laissait des doutes. Qu'est-ce qu'il savait, qu'est-ce qu'il devinait tout au moins? Et ton père? Carlotta

s'intéressait énormément à la présence du docteur à Paris.
C'était même agaçant! Avec tout ça, comment allait-il faire
avec trois louis, le chéri? Tiens, voilà cent francs, mais, ceux-
là, tu ne les joueras pas? C'est promis? Tu payeras le taxi.
Elle était descendue au coin du boulevard Bineau. Il la
suivait des yeux. Il gardait l'odeur de ses cheveux et le goût
de son rouge à lèvres. Il faisait un temps chaud, intense,
au cœur de la nuit qui sentait fort les seringas. La voiture
le ramena à son hôtel et, de Neuilly au Quartier, il passa par
tout un long rêve entrecoupé d'inquiétudes et de folies où
l'amour tenait la première place, l'amour comme chez les
poètes, l'amour tyrannique et souverain, au-dessus de toutes
les contingences, des morales périmées, des préjugés bourgeois.

Dans le petit salon du rez-de-chaussée, il y avait de la
lumière : Joseph Quesnel attendait. Il était trois heures du
matin. Allait-il faire une scène? Carlotta, en robe de soirée,
avec son chapeau de velours, des fleurs, sa petite cape blanche
et noire à la main, rejeta le tulle qu'elle avait sur ses épaules
et prit l'offensive : « Qu'est-ce que tu viens faire ici à cette
heure? Tu n'es pas fou? Au lieu de dormir? Et tes reins? »

Il la regardait avec tristesse. Qu'elle était belle! Ses reins :
il les sentait, il sentait sa vieillesse. D'où venait-elle? À quoi
bon le lui demander?

III

« Non, mon cher, malgré l'amitié que j'ai pour vous, et
les fréquents services que vos amis de la *Deutsche Bank*,
grâce à vous, nous ont rendus, je ne ferai pas cette démarche. »
Joseph Quesnel déjeunait au Racing avec Joris de Houten. Sous les arbres clairs, à côté du grand chalet, les petites
tables faisaient papillons de chou. Dans le soleil, les joueurs

de tennis, peu nombreux, bondissaient avec la grâce de
la force. Il y avait là un monde jeune, aux traits reposés; on
se pressait autour de Suzanne Lenglen, l'étoile montante
des courts; il y avait de très jolies filles dans les fauteuils de
paille, coiffées comme Suzanne, avec un ruban tenant les
cheveux. L'une d'elles... Quesnel changea de ton, et par-dessus
la table, offrant en même temps les hors-d'œuvre à son interlocuteur, il la désigna à Joris : « Regardez, il pousse comme cela
près de nous, sans que nous nous en rendions compte, une
jeunesse entièrement différente de ce que nous avons été.
Le sport, peut-être. Et aussi autre chose. Regardez ce joli
animal, libre, musclé, précis. Ah! nous sommes loin des petites
frôleuses du temps de Marcel Prévost... C'était hier, pourtant. Notre jeunesse... »

Houten prit cette diversion pour ce qu'elle était : une diversion. Il se servit de roll-mops et repiqua au truc : « Vous
savez, dit-il, qu'aucune animosité ne règne chez ces messieurs
à l'égard des affaires françaises. Faut-il vous rappeler que
c'est par eux que j'ai pu vous fournir à l'avance les projets
de lois militaires, qui vous ont permis d'éclairer diverses
personnes sur les desseins du gouvernement de Sa Majesté
Impériale? Et, n'est-ce pas? de diriger M. Wisner vers les
fabrications nouvelles, qui, avec les trois ans, les nouveaux
armements, lui permettront à la fois d'assurer son industrie
et de servir sa patrie... — Vous savez, mon cher Houten,
que je ne vous avais rien demandé, et que le seul souci de
la France m'a poussé à utiliser des renseignements dont je
vous sais gré, bien entendu. Mais, de là à insister auprès
de Wisner pour cette affaire balkanique... N'oubliez pas que,
si j'ai à me louer de vous pour certaines choses, par ailleurs,
à en croire Lenoir, qui prétend vous avoir prévenu sur les
avatars des Port-de-Touapsé, il ne semble pas qu'en toute
occasion je puisse indéfectiblement compter sur vous. »

Houten cilla. Ce rappel lui était désagréable. Il dit que
Lenoir était un hurluberlu qui prétendait aussi avoir Poincaré dans sa poche, et puis après... « Et, d'ailleurs, ce n'est

pas de cela qu'il s'agit cette fois. Il s'agit pourtant ici de la
paix : on juge fort inamicales, outre-Rhin, les fournitures
de guerre à la Serbie, qui peut toujours être le brandon
d'un incendie européen... M. Wisner... — Wisner, c'est certain, a de gros intérêts en Serbie, et cela ne date pas d'hier.
Plus en automobiles qu'en autre chose, d'ailleurs. Mais les
Balkans, c'est la bouteille à l'encre. Personne ne s'y reconnaît.
Pour l'instant, les hostilités sont heureusement suspendues.
Les peuples européens vainqueurs se partagent la dépouille
ottomane. Serbes, Roumains, Bulgares ou Grecs, qui peut dire
lesquels seront demain avec Guillaume II ou avec la Russie?
Non, je ne me mêlerai pas de cette histoire : les débouchés
français en Serbie sont utiles à l'industrie de notre nation...
et si l'Allemagne... eh bien, il y a le Quai d'Orsay à qui faire
des représentations! Et puis, vous connaissez Wisner, allez
donc lui parler directement! — Tout d'abord, il ne s'agit
pas de l'Allemagne, mais de quelques financiers qui ont
besoin de la paix balkanique pour poursuivre leurs affaires
et, enfin, vous savez bien qu'une bonne entente commerciale
facilite les rapports diplomatiques de deux pays... »

Une guêpe bourdonna dans les fleurs du petit cornet d'argent sur la table. Comme un trait, elle vint soudain se heurter
au front de Joseph Quesnel, qui s'écarta vivement de la
table, et de sa serviette fit le geste de chasser la bestiole.
Il était évident, dans le ton même, que Quesnel avait perdu
confiance en son homme d'affaires. Il ne lui avait guère
confié d'opérations dans les derniers temps.

« Je comprends d'autant moins votre demande, mon cher
Joris, que, suivant une conversation que j'ai eue avec M. Doumer, qui est bien renseigné, je pense, la paix balkanique est
assez précaire... Et tout de même, Doumer, par sa situation
même, a lui aussi à considérer certains intérêts allemands...
Voyez-vous, aujourd'hui que les affaires ont brisé les cadres
nationaux, nous sommes, nous autres industriels, les vrais
internationalistes, et non pas ces braillards du Pré Saint-
Gervais, qui voudraient armer le peuple tout entier... C'est

pourquoi j'avoue ne pas comprendre qu'on prétende, au nom d'un pays quelconque, limiter l'expansion des capitaux français, gage véritable de la paix européenne... — Permettez... — Mais oui, de la paix européenne... Si les capitaux d'un pays se mêlent étroitement à ceux de ses voisins dans toutes les affaires du monde, qui ne voit que la guerre, par là même, devient impossible? Nous tirerions contre nous-mêmes... »

La jeune fille qui avait attiré l'attention de Quesnel s'était levée. C'était une blonde dont la peau cendrée par le hâle avait des reflets de nacre. Elle n'avait presque pas de hanches, et pour ses dix-sept ans une poitrine insolente, comme ces fruits qui vont faire éclater leur enveloppe. Elle se balançait d'un pied sur l'autre, sa raquette à la main; il y avait près d'elle trois jeunes garçons, aux yeux brillants, aux lèvres tremblantes. Quesnel les montra à Joris.

« Tenez, dit-il, la paix : la voilà. Nos fils, nos filles. À quoi pensent-ils? À des conquêtes, peut-être? Mais devons-nous nous désintéresser, nous, les aînés, de l'avenir de ces enfants, de leur confort, de leur luxe, de leur vie? C'est cette beauté, la beauté française qu'il nous faut avant tout défendre. Dites-moi, où y a-t-il d'aussi jolies filles? »

M. de Houten baissa les yeux, puis les releva et prononça avec une certaine lenteur : « Je vous le concède. Tout le monde sait que tout mon goût va aux Françaises. Elles seules ont ce chic, ce chien. Mais, pourtant, ne trouvez-vous pas que les Italiennes ont du charme? »

Quesnel fronça les sourcils. Pourquoi cette allusion? Sa liaison avec Carlotta n'était pas un mystère. Le sourire de Houten avait pris une teinte respectueuse, et vraiment amicale. C'était peut-être simplement de la flatterie, ou de la gentillesse. Il se parlait comme à lui-même, le Hollandais : « L'inconvénient des Italiennes, c'est qu'elles sont joueuses, terriblement... »

Joueuses? Où voulait-il en venir? « Oh! je disais ça, à cause d'une amie que j'ai eue, étant jeune, une Florentine... Une créature adorable... Mais joueuse! »

Il reprit très vivement l'histoire balkanique... Wisner... Au delà des mots, une sorte de nuage flottait. Joseph Quesnel avait quitté le Racing. Carlotta, le rayonnement de Carlotta l'entourait. Comme elle avait l'autre nuit mis ses beaux bras autour de sa tête! Ses bras... Oh, la jeunesse est un alcool et un baume à ces plaies mal fermées qu'on porte en soi partout, dans les ténèbres de la chair! Que lui importait, au fond, que Carlotta fût joueuse ou non? J'ai de quoi payer. Mais le gênant, l'inquiétant était que Joris en sût quelque chose, et semblât insinuer quelque danger obscur... On aurait pu l'interroger. À quoi bon? Quand elle défaisait ses cheveux, Carlotta, ses cheveux épais et légers, sur les épaules nues, alors on oubliait la maladie, et l'âge, et ces vagues menaces à l'horizon du monde, et les scrupules paniques qu'on avait certains jours.

Il n'aurait jamais dû prendre des ris de veau, Quesnel, c'était contraire à son régime. Mais il faisait si beau, et puis avec des épinards... La chaleur tombait sur les parasols rayés des tables comme si on avait été au mois d'août.

Houten était fort préoccupé : cette histoire de Touapsé avait été d'un certain rapport, mais évidemment Quesnel lui en voulait.

## IV

« Je vous remercie, Élise, dit Joseph Quesnel, c'est très chic ce que vous faites là. »

On passait dans la salle à manger du boulevard Bineau. Les Grésandage étaient les hôtes de Carlotta. Quesnel, après une explication avec son amie, avait éprouvé combien il la laissait seule, et en proie à des dangers imprévisibles. Il ne pouvait forcer son monde à accepter Carlotta : on l'imaginait mal chez les Schoelzer, par exemple, ou recevant les

Millerand. Il fallait faire appel à des gens plus jeunes et moins mondains. Il pensa aux Grésandage. Il pouvait s'ouvrir à Richard, et quelle femme plus qu'Élise, dans un large esprit chrétien, se serait pliée de bonne grâce à la situation? Peut-être qu'ainsi Carlotta se sentirait plus unie à lui, moins reléguée en marge d'une société contre laquelle il ne fallait pas s'étonner si elle avait des préventions...

Il est certain que Carlotta s'était donné du mal pour faire maîtresse de maison. Elle avait mis les petits plats dans les grands, disait-elle. À vrai dire, ça l'avait amusée, d'abord, de jouer à la dînette. Mais elle n'était pas très sûre de son cordon bleu et elle avait tout fait venir de chez Potel et Chabot. Elle mentait un peu, prétendant que le turbot sauce mousseline lui avait causé du tintouin et qu'elle avait bien craint pour la tarte. Tout cela plutôt pour avoir des sujets de conversation que pour se vanter, parce qu'elle n'avait rien à leur dire, à ces Grésandage, dont Quesnel lui avait parlé sans fin. Ce haut fonctionnaire, si honnête que c'en était ridicule, elle l'avait déjà rencontré deux ou trois fois. Un peu petit, et puis agaçant avec sa façon de se passer le doigt sous la moustache. Il la regardait en dessous. Il devait assez aimer les femmes

La sienne, en tout cas, il l'avait drôlement choisie. Elle n'était pas belle, cette grande bringue lourde. Et puis mal soignée. Carlotta avait quelque appréhension devant Élise, et une certaine répugnance : Mme Grésandage symbolisait pour elle la femme légitime dans toute son horreur. Elle n'était pas très mal habillée, malgré tout. Elle aussi, s'était donné du mal : elle avait fait des frais pour Carlotta. Étrange rapprochement de deux mondes entre ces femmes, comme une chienne et une chatte en coquetterie. Élise portait une robe de lingerie garnie de rose. Le corsage, orné de broderies de soie rose au point noué, s'ouvrait en pointe, et la berthe de fine Malines qui couvrait les épaules formait collerette à l'échancrure. La manche courte, au-dessus du coude, se complétait d'un petit volant de même dentelle. L'invention était dans la jupe : froncée à la taille sous trois gros gansés roses, elle remontait en épanouissant ses fronces sur le corsage, formant une sorte de corolle dentelée aux seins. Un petit galon rose finissait joliment son bord supérieur. Assez lâche sur les hanches, la jupe à la mode du moment se rattrapait vers les genoux, au bas d'un empiècement à boutons roses descendant de la taille, au milieu, par devant. Elle était tout à fait étroite aux chevilles : trois plis creux donnaient l'ampleur pour marcher. Avec cela, Élise portait une charlotte rose à grand nœud laitonné blanc, des gants de suède blancs et des souliers découverts blancs. Malheureusement, la robe avait dû être faite par une petite couturière, les souliers n'étaient pas très nets, le chapeau dans une paille à bon marché. Le tout faisait paraître Mme Grésandage légèrement pruneau.

Élise se dépensait inutilement à des miracles de gentillesse. Carlotta le sentait et elle en éprouvait une espèce d'humiliation. Elle parla de la santé de Joseph Quesnel, du séjour qu'ils avaient fait ensemble à Biarritz, du besoin qu'il aurait eu d'une saison à Vittel. On était tout de suite au bout de la conversation. Alors Carlotta imagina de raconter son enfance. À mi-voix, à sa nouvelle amie, comme des confidences. Elle avait un grand talent romanesque à propos des moindres choses. On peut être d'une famille tout à fait humble, du peuple, n'est-ce pas? et avoir de l'esprit.

Dès le rôti, d'ailleurs, l'entretien avait cessé d'être général. Comme il se doit dans la bonne société française, les hommes parlaient entre eux.

« Sincèrement, disait Richard, la voie dans laquelle on s'engage me paraît dangereuse... — Tu oublies, mon cher enfant, que nous avons des alliés, et qu'Isvolsky nous talonne. Nous ne sommes pas libres de ne pas nous armer. — Il me semble que c'est surtout depuis que Georges Louis a été rappelé et que Delcassé est à Pétersbourg... — Oui, je sais bien : Delcassé est un homme assez excité, mais enfin il est l'homme de l'entente cordiale. Si l'Angleterre voyait donc d'un mauvais œil... —

L'Angleterre! C'est le grand inconnu. Par exemple, dans les affaires balkaniques... »

Mme Grésandage était devenue toute triste à une question de Carlotta. Non, elle n'avait pas d'enfants. D'abord, dans les premières années du mariage, elle n'avait pas voulu à cause de Richard... Il travaillait tant. Ne pas trouver le repos en rentrant chez soi... Et puis, probablement qu'il était trop tard. Mon Dieu, comme cela semblait étrange à Carlotta! Vous comprenez, chez elle, dans les masures où habitaient les siens, on n'avait pas les moyens de faire attention. Et les hommes travaillaient dur, et les femmes donc, tout le jour, dès l'aube, dès la collation préparée pour le départ du père : moi, j'aimerais avoir un enfant, mais je crois qu'on m'a abîmée une fois pour toutes avec ce curetage. C'est si drôle les petits, c'est mystérieux comme on les aime. Mystérieux? Mme Grésandage pensait que du moment qu'on aimait le père...

« Oh! dit Carlotta, le père... Vous savez, moi, si j'avais un gosse, je préférerais ne plus me rappeler qui était le père. Les hommes, ils prennent leur plaisir, puis ils se retirent... Est-ce que c'est à eux cette chose qu'on a portée, qui vous a fait mal? Tenez, hier soir, je ne sais pas pourquoi je vous parle de ça, mais probablement que c'est ce qui fait que j'ai les mioches en tête... j'étais allée jouer dans un petit cercle. Oh, pas gros jeu! »

Et là, en effet, comme elle tenait la banque, une femme était venue à côté d'elle, une femme d'une quarantaine d'années, pas riche, mais propre, avec d'assez beaux yeux, qui avait supplié Carlotta de mettre dix francs dans sa main. Ce n'était pas une habituée. On l'apercevait pourtant, parfois, qui ne jouait pas. Elle n'osait pas, elle était la femme d'un des croupiers. Elle montait l'attendre. Ce soir-là, le spectacle du jeu l'avait absolument grisée, il fallait qu'elle misât quelque part. Tout bas, honteusement... Mais ce n'était pas ça l'important : elle avait sorti de son sac une photo qu'elle avait posée sur le bord de la table, à l'envers, comme porte-bonheur, entre les jetons de Carlotta. Sa main avait tenu trois coups, et sauté au quatrième. « Mon Dieu, dit la femme épouvantée, il va mourir ! » Elle avait repris la photo et Carlotta la vit dans ses mains. C'était un gosse tout nu, avec des bourrelets, qui se suçait le pouce. Dix-huit mois, peut-être. Un garçon.

« Alors, vous comprenez, je lui ai payé un verre. Elle était bouleversée. Pas pour les dix francs. Mais le petit est constamment malade. Il s'en est sorti une fois, quelque part, en nourrice. Elle avait mis toute sa superstition dans cette histoire de jeu. Elle ne tenait plus debout. Un joli gosse, mais faible. Quand je lui ai demandé si c'était M. Charles, le croupier, qui était le père, elle a répondu très vite : Vous ne voudriez pas ! Il est à moi... »

Il y avait dans chaque mot de Carlotta une haine des hommes qui surprenait Élise. Elle n'avait qu'à se louer de Richard. Elle n'avait jamais eu d'aventures. Elle regardait son hôtesse avec étonnement. Ces femmes-là savent bien des choses que nous ignorons. Carlotta comprenait ce sentiment, et en éprouvait un dépit mêlé de supériorité. Ces femmes d'un seul homme, c'était incroyable. D'ailleurs, sûr qu'elles mentaient, ce n'était pas possible...

Quand M. Charles, au *Passage-Club*, vers deux heures, avait quitté la table, fait ses comptes, il s'était dirigé vers le bar où Jeanne Cartuywels l'attendait. Il l'avait trouvée buvant avec la belle fille au chapeau de velours que l'inspecteur Colombin lui avait demandé d'avoir à l'œil. Jeanne avait l'air ému, elle avait quitté Carlotta, elle était partie avec son ami. M. Charles avait justement rendez-vous avec l'inspecteur, en bas, chez Pousset. Devant une choucroute, il raconta comment Jeanne se faisait des relations au cercle maintenant. Jeanne, très émue, montra un cadeau de la belle dame, comme elle disait. C'était pour le petit. Pour la rassurer. À cause de la perte, et du pari qu'elle s'était fait : la dame avait fouillé dans son sac et en avait sorti une médaille de saint Christophe, en argent : d'un côté, le patron des accidentés avec l'Enfant

Jésus sur l'épaule, traversant un fleuve, de l'autre une route avec un soleil couchant et une automobile qui se heurte contre un arbre. Cela porterait bonheur à Bébé. La prochaine fois qu'elle irait dans les Charentes... M. Charles la regarda avec un peu d'étonnement. Elle parlait du moutard devant Colombin : il était donc au courant? Les femmes sont bavardes. En attendant, celle-là avec son chapeau de velours, qu'est-ce que c'était, en général? Une poule, évidemment. Elle avait un jeune gigolo qui jouait bon train. Où prenait-il l'argent? Cette idée! L'inspecteur rit très fort, et regarda Mme Cartuywels qui pâlit.

« Et comment l'appelez-vous, ce gigolo? » Charles Leroy redemandait de la brune, de la Munich. Il avait regardé sur le registre : un étudiant en médecine, Barbentane, domicilié à l'hôtel Royer-Collard. Colombin inscrivit le nom sur un carnet. Il tenait à dire à M. Charles qu'il était spécialement utile qu'il n'y eût pas de pet pour l'instant au *Passage-Club* : le gouvernement, à cause des Trois Ans, de l'agitation dans l'armée, etc., prenait des mesures d'épurement de Paris, alors les cercles tolérés, n'est-ce pas? au moindre signe, pour donner satisfaction à certaine opinion...

« Oh! dit M. Charles, nous avons évidemment des étrangers chez nous, mais ceux-là ne font pas d'antimilitarisme... — On ne sait jamais, répliqua M. Colombin, et puis il y a l'espionnage... »

## V

Sur un point, le préfet de Police n'avait pas menti au Dr Barbentane. On avait identifié la femme en morceaux du canal Saint-Martin : c'était l'épouse d'un professeur de la Faculté de Médecine, le professeur Beurdeley. Celle-ci avait récemment quitté son mari, dans un état qui ne semblait pas être normal. Elle avait emporté des bijoux et de l'argent qu'on n'avait pas retrouvés. Le vol semblait donc le mobile du crime. On imagine la tristesse de toute cette histoire : le mari, un grand savant, avec déjà un fils de quatorze ans, le foyer dévasté, pour enfin apprendre l'atroce chose. La fugitive retrouvée dans du papier de journal. Et les premiers jours, les détails n'avaient pas manqué sur ce crime crapuleux : on ne se doutait pas, n'est-ce pas? de la personnalité de la victime.

C'était à l'hôpital qu'Edmond avait appris la nouvelle. Lui, il ne lisait pas les journaux. Il en avait éprouvé un sentiment étrange. Un sentiment de culpabilité. Il la revoyait, chez lui, les larmes aux yeux. Il se rappelait cette impulsion meurtrière à laquelle il avait pourtant résisté. Où était-elle tombée, entre quelles mains? Elle n'était donc pas retournée chez son mari? Ou peut-être si. Mais pour repartir. Une folle évidemment. Elle devait s'embarquer dans une histoire de ce genre. Qui était-ce? Un maquereau quelconque. Elle avait pris le goût de l'amour.

Au milieu de tout ça, il y avait la lueur des diamants. Des diamants achetés par M. Alexandre, le recéleur. Étrange chose pourtant que d'avoir revu ces pierres volées. Qu'allait-il faire, Edmond, de sa découverte? La police? Prévenir M. Alexandre? Ah, zut. Pour se compromettre. Il se disait, un peu ironiquement, que le respect dû à la morte lui interdisait de se mêler de tout ça. Elle était crevée, alors. Paix à la femme coupée en morceaux!

Pourtant l'éclat de ces larmes précieuses le poursuivait tout le jour. Il écouta mal son père à l'apéritif, ses histoires sur les rapports de police. Toujours pas de traces du crapaud? Bon. Le reste était littérature. À propos... Edmond s'était remis à repenser à ce poème qu'il aimait tant : « *La très chère était nue, et connaissant mon cœur, — Elle n'avait gardé que ses bijoux sonores...* » Bigre, ça sonnait bizarre aujourd'hui. De plus en plus, il pensait à ces bijoux qu'il aurait pu avoir. Maintenant qu'il était sans le sou. Le docteur, qu'il voulut taper, ne marcha que d'un louis. Avec ça, il irait loin vraiment! Il avait

reçu la note d'O'Rossen. Au téléphone, Carlotta, très réservée.
Une explication avec Joseph Quesnel. Non, rien de grave. Mais
elle dînerait avec lui. Pas le moment de l'agacer. Il ne coucherait pas boulevard Bineau, il n'était pas très bien. Ses reins
toujours. Qu'est-ce que tu dis? Ah, je t'assure que je n'ai pas
la tête à la rigolade? Tu seras jaloux un autre jour. Ne fais pas
l'idiot. Chéri. Je tâcherai de te rejoindre au Cercle vers
minuit, minuit un quart. Comment? On entend mal dans cet
appareil, tu me téléphones d'un café, au moins. La femme
coupée en morceaux? Je n'ai pas la tête à la plaisanterie. Le
petit bruit du raccrochage.

Comme on est seul dans la vie. Carlotta était tout pour
Edmond, vraiment. Et voilà : l'évènement était un peu surprenant, alors elle ne voulait pas le croire. Il aurait aimé lui
donner ces diamants sanglants et froids, ces diamants qui brillaient naguère dans l'ombre de la loge à la répétition d'*Alsace.*
Comme un débutant, il s'était vu distancer par un homme
inconnu, qui avait de la lutte pour la vie une idée plus saine,
plus robuste. Ah, il ne s'était pas embarrassé de petites histoires, celui-là! Edmond ressentait quelque admiration de la
sauvagerie de l'assassin. Il s'était acharné sur le cadavre,
disait-on. Pauvre Mme Beurdeley! Elle avait voulu jouer un
jeu qui n'était plus de son âge. Bon Dieu, au milieu de ce
monde veule et calculateur, il y avait encore des êtres neufs,
vibrants, pas sentimentaux pour un sou, et qui se faisaient leur
chemin autrement que ce politicien de province qui sirotait
un pernod à la terrasse du *Soufflet,* avec son fils, en marmon-
nant des âneries sur les Trois Ans et le maintien de la classe
sous les drapeaux. Les bouts de glace dans les verres prenaient
des airs de diamants. Il allait repartir, le paternel. Armand
demeurait introuvable. Que va dire sa mère? On est très
inquiet de ce qui se passe dans les Balkans. Mais dis-moi
donc, c'est la femme de ton ancien patron, qu'on a retrouvée
là, en capilotade? Qu'est-ce que tu en dis? Ça doit faire un
foin, à la Faculté! Paraît que Poincaré va se promener en
Angleterre. Il s'en paye. Enfin pour le prestige de la France.

Edmond quitta son père, et s'en fut s'habiller. Il n'avait rien à faire de la soirée. En smoking, il se mit à potasser de la pathologie externe. Impossible de s'y intéresser. Tout le ramenait à une image unique : fractures, traumatismes, opérations. Il voyait près du canal, la nuit, le corps mutilé, démembré, et l'homme qui s'enfuit, les diamants. Après un essai pour se remettre à l'anatomie, il repoussa ses livres et se prit la tête dans les mains. Qu'est-ce qu'il lui arrivait donc dans la vie, en général? Il n'était pas un rêveur. Il voulait manger tous les jours. Et avoir la paix. Il s'était jeté dans la médecine et puis, maintenant, il laissait tout partir à vau-l'eau. À quoi tout cela le mènerait-il? Carlotta!

Il était possédé par elle. Rien ne le touchait plus qui n'était pas Carlotta. Et en même temps il se sentait pris d'une fièvre de frayeur. Sans argent, il allait la perdre. Des diamants dansaient dans sa tête, et une confuse peur de l'avenir. Comme il quittait l'hôtel, il aperçut l'enveloppe dans le casier. Le crapaud avait décidément renoncé à venir la chercher... C'était stupide de laisser cet argent dormir quand, lui, Edmond, en avait un tel besoin. Il prit l'enveloppe.

Il s'en fut doucement à pied au cercle. Mais il y arriva trop tôt tout de même. Il se promena autour des tables, prudemment. Comme il repassait pour la dixième fois près de lui, M. Charles, le croupier, l'interpella. «Vous ne jouez pas, ce soir, docteur? Il y a une place, si vous voulez?» Il déclina l'offre. M. Alexandre était au bar.

Il passa au poker. Quel jeu passionnant! Une femme contre laquelle il avait gagné pas mal un soir, une vieille avec des perles et une transformation noire dans les cheveux blancs, bluffait et gagnait avec des petits rires. M. de Cérésolles salua Edmond. C'était assez irritant de regarder jouer sans jouer. Comme le manque de cigarettes. Cela aurait été beau de jeter sur la table des diamants, en criant : *Banco!* Par trois fois, dans la salle jaune, Edmond devina juste : il aurait gagné au moins quinze cents francs. Une poisse. Les diamants lui roulaient dans la tête. La veine avait dû revenir. Tant pis. Les

cent francs de Carlotta tombèrent sur le tapis. Le râteau de
M. Charles les fit aussitôt disparaître. Un coup n'est pas une
preuve : par cinquante francs l'argent d'Armand s'évanouit.
Cela ne signifiait rien encore. Edmond savait qu'il gagnerait
ce soir-là. Et fauché. Tout d'un coup, il se décida.

M. Alexandre, long et maigre, jouait aux dés avec le barman.
On apercevait le dos de Pedro, couchant sa joue, d'application,
sur le papier, dans l'entrée de la salle. « Monsieur Alexandre! »
Il se retourna. Ah, le gigolo de Carlotta! À la demande
d'Edmond, ils s'en furent dans la Rotonde qui était vide. Le
barman continua à vider ses dés sans fin sur son bar. Sa lèvre
fendue semblait poursuivre une idée ironique. Pedro poussa
une exclamation de dépit : il avait fait une tache d'encre sur
sa lettre à un colonial qui cherche petite âme sœur.

Quand Carlotta arriva, sur le coup de minuit et demi, elle
trouva Alexandre qui était retourné au bar, et qui jouait avec
le barman. Il avait l'air sombre. Il l'appela. « Madame Carlotta! — Mon gosse est là? dit-elle. — Il joue. — Ah? Il
m'avait promis... — Il gagne, je crois. »

Elle voulait y aller voir. Alexandre baissa la voix : « Où
l'avez-vous pris, ce type-là, madame Carlotta? — Qu'est-ce que
ça peut vous fiche? — Il ira loin, madame Carlotta, s'il n'a
pas d'accident en route. C'est un homme. — Je m'en étais
aperçue », dit-elle en s'éloignant, un peu inquiète de la sourde
menace qu'il y avait sous ces mots-là.

Edmond jouait à une table. Il avait les poches pleines de
jetons et de plaques. Il faisait un petit banco, qu'il rafla.
Il gagnait dix mille francs. Elle le regarda avec admiration,
et aussi avec une certaine peur. « Tu prends trop goût à tout
cela, tu m'oublies... — Est-ce que tu ne sais pas que c'est pour
toi que je joue? Je te devais mille balles. » Il les lui rendait.
Elle se sentit injuste envers lui. Elle avait un peu pensé à lui
comme à un poisson ces derniers jours. Son petit amant. « Par-
tons, veux-tu? » Il se laissa faire. Montmartre. Boire. La danse.
Les serpentins. Au sortir d'une boîte, ils virent un hôtel si
accueillant, si clair, avec les lumières du vestibule, et ils étaient

si voisins l'un de l'autre qu'ils montèrent. C'est là, dans le lit, qu'il raconta Mme Beurdeley. Elle dit : « Ce n'est pas toi? » Il rit très fort. Mais il garda pour lui le petit emprunt qu'il avait fait à M. Alexandre pour prix de son silence. Est-ce qu'on sait avec les femmes. Pourtant ils n'eurent jamais plus d'abandon qu'à ces minutes-là, dans cet hôtel de passe, où on entendait dans le couloir une bande avec des mirlitons, ivre, qui allait s'empiler dans une chambre voisine.

Vers le matin, ils soupèrent au Capitole. Edmond était devenu tout à fait sentimental devant un homard Thermidor. Il parla d'Armand avec une certaine douceur. « Où courait-il, ce petit chenapan? — Et ton père, il ne s'en va pas? — Je m'aperçois, Carlotta, que tu me demandes tout le temps des nouvelles de mon père... Si tu veux le connaître... — Merci, je le connais déjà. »

La fourchette en l'air, Edmond s'était arrêté. Mais c'est vrai! Le premier jour, à la Cascade, elle avait dit quelque chose comme ça, Carlotta. Chaque fois qu'il avait voulu parler avec elle de Sérianne, elle avait fait dévier la conversation : « J'y ai été autrefois », avait-elle avoué un jour. Mais oui, elle avait même parlé la première du docteur, le jour de la Cascade. Elle était un peu soûle, et il y avait de la musique au premier. Ils mangeaient dans la salle du bas. Une valse. Et l'histoire de Carlotta, tandis qu'une grosse femme en face chantonne en tapotant la table de doigts lourds de bagues, et que déjà quelqu'un braille près de la portière des toilettes, l'histoire de Carlotta, un peu par hasard, un peu par griserie, prend le rythme de cette valse.

Quand sa fille avait eu treize ans, et cette année-là était une année chaude et pleine d'orages, Carlo Beneduce, si souvent ivre maintenant, avait conçu une sorte de timidité de sa fille, précocement femme : elle le gênait dans les villages pour courir après des jeunesses qui auraient presque pu jouer avec elle. Il avait imaginé de la mener à sa sœur, mariée à un terrassier travaillant dans le Midi de la France. Il avait écrit, et Zio Giuseppe avait accepté de prendre l'enfant. Carlo avait

donc mené sa fille à Sérianne, où elle avait été élevée avec les
autres gosses de Giuseppe Orsi. Lui, le père, il avait repris la
route et, dans le même été, quelque part, du côté de La Ciotat,
il avait été tué dans une rixe. Il aimait trop les femmes des
autres et il était trop beau, ça se paye ces choses-là un jour
ou l'autre. « Écoute, cette valse... Mon père valsait, tu sais,
comme un dieu. Il était beau, mon père. Et il me trouvait belle.
Je crois que c'est même pour ça qu'il m'a laissée à sa sœur.
Il avait peur de lui, et de moi. Je me souviens qu'il me caressait
les bras. Oh, cette valse, mon petit! Une nuit qu'il y avait de
l'orage, et moi, je ne suis pas très craintive, mais déjà... alors,
enfant, je ne pouvais pas supporter les éclairs... Tu sais, les
grands éclairs, la nuit, à travers les feuillages mouillés... Donne-
moi du champagne! »

Il devait y avoir au premier des gens qui l'aimaient, cette
valse, et qui la bissaient sans fin. « Ah, par exemple, ça,
Sérianne, ça n'était pas la romance. La tante Orsi faisait
des ménages. Il fallait laver, torcher, moucher les mioches,
le linge, le plancher. L'oncle se louait pour les vendanges.
On vivait du côté de Villeneuve, dans ces baraques misérables,
qui recevaient la poussière de la route et dont on voyait du
tram les moutards haillonneux, les langes et les tonneaux où
l'on entassait sous le soleil, avec un simple couvercle et une
grosse pierre, les excréments et les ordures ménagères. Écoute
la valse! Les femmes de chez nous, tu les as vues quand elles
dansent dans votre faubourg, à Sérianne? Avec le fichu et les
jupes larges, et une grande croix sur la poitrine? Elles sèchent
très vite. Le travail! Mais les yeux restent comme du feu
noir. Et puis les jeunes... Tu en as eu peut-être, mon petit
salaud? C'est à ça que j'ai pensé tout d'abord le premier jour,
à la Cascade... Je me disais... On aurait pu se connaître, qui
sait? Il m'aurait laissé tomber; comme les autres... Est-ce que
tu m'aurais regardée même? Oh, cette valse... Tiens, il y en
avait un, de Villeneuve, François qu'il s'appelait, un monsieur
de quelque chose; je me souviens, il en a aimé une des nôtres,
une amie à moi, Maria, Maria Pallatini, un beau nom, qui

vaut tous vos noms nobles, et une jeune fille... tiens, je ne te
parlerai pas de ses seins, je serais jalouse... et puis laissons
Maria... C'est drôle comme je me souviens de chaque pierre,
de chaque arbre brûlé, Sérianne... Mon Sérianne, à moi, n'est
pas le tien... là-haut, où vous habitiez, la ville, la ville de ton
père... Oui, je le connais ton père, je le connais et mieux
que toi... Tu ne sais pas de quoi il a l'air, à certains moments.
Moi, je le sais. »

Donc, à quinze ans, Carlotta, à rouler dans les vignes, par
la route, dans les champs de maïs, avec les jeunes gaillards
du faubourg, des chansons, des raclées, et le travail ménager,
les mioches derrière comme une nuée de misère et la jeunesse,
des rêves et des gifles, à force, Carlotta avait fini par savoir
qu'elle était belle. « Il y a des jeunes garçons qui s'en aper-
çoivent dans le fond du peuple sans avoir besoin des trucs qu'il
vous faut à vous, qui n'aimez que nos nippes, la crème et la
poudre et le parfum. Je t'aime, comprends-tu, mais jamais,
jamais, je ne t'aimerai, je n'aimerai plus comme je pouvais
les aimer, n'importe lequel, ces noirauds, avec leurs dents
blanches, eux que je n'aimais pas. Cette valse ne se taira
jamais. Et leurs bras forts. Ils me battaient, et me tiraient les
cheveux. Ils me mordaient les lèvres. Je passais de l'un à
l'autre. On était en famille. Ça ne tirait pas à conséquence.
Un jour... Nous ne sommes pas des petites oies comme vos
sœurs, vos cousines : quand j'ai senti que j'étais enceinte, et je
savais que Zio Giuseppe ne ferait ni une ni deux qu'il me
tuerait, parce qu'il avait des idées sur l'honneur et qu'il avait
le vin mauvais, je n'ai pas pleurniché, mais j'ai fait comme
Anita, comme Felicia, comme d'autres avaient fait avant moi.
Avec une épingle à chapeau. Une belle, une forte, une longue.
Qui portait une tête en filigrane d'or, comme les boucles
d'oreille que mettent les femmes italiennes. Après ça, j'ai
failli mourir. On m'a portée à l'hôpital. Tu le connais, l'hôpital? C'est ton père qui m'a soignée.

« Alors quoi, quand j'ai été guérie... Qu'est-ce que tu crois?
Ton père, c'est un homme comme un autre. Faut penser que

ces saloperies-là, ça ne suffit pas à vous dégoûter, vous les
hommes. J'avais peur de lui, tu comprends, le maire et le
docteur. Alors.... Qu'est-ce que tu as? Tu es soûl? Bien oui, il
m'a forcée. Je ne pouvais pas dire non, peut-être? Tu pleures?
Alors, ça, c'est à mourir de rire! J'ai couché avec, je ne sais
pas, quelques centaines de types, mais ton papa, ça, ça te fait
de l'effet? Tiens, reprends à boire. Bêta. Bébé. Après ça...
mais rien, je t'assure. J'ai filé à Marseille. Le trottoir. Bien
entendu... Qu'est-ce que ça peut faire? Non, je ne lui en veux
pas à ton père... J'avais peur de Zio Giuseppe. C'est tout...
Idiot. Mon petit. Mon amour. Mon coco. Tu comprends, tu
ne comprends rien. Quand je t'ai vu, la valse, ah, la valse, ah,
c'est forcé que j'adore les valses. Quand je t'ai vu à la Cascade...
Comme j'ai voulu te plaire! Jamais de ma vie je n'ai tant
voulu plaire à un homme. Et pourtant, tu sais, il y a eu des
soirs, où c'était affaire de manger. Oh mon petit, ma valse!
J'ai voulu te plaire à cause de ton père... Ne fais pas cette
gueule-là, sot, c'est parce que... Écoute ça bien, écoute ça,
tiens : comme une valse. J'ai voulu te plaire à cause de ton
père, parce que ton père c'est ce qu'il y a pour nous autres,
au coin des rues... pour nous autres quand on a faim, ou
qu'on a peur, ou qu'on ne sait pas... des messieurs comme
ton père, avec de l'argent, un peu honteux, pressés, avec leurs
ventres, leur âge, leur amour qui est comme un souvenir très
triste de ce qu'ils ont été pour des femmes pas comme nous...
Ton père, vos pères... Je te dis que c'est une valse... Je ne
suis pas soûle, c'est toi qui es soûl... Alors toi... Toi, tu comprends, c'était l'interdit, les beaux jeunes gens de la ville... la
revanche, et tu ne savais pas... tu me retrouvais... à la Cascade...
Oh, j'ai tout de suite voulu t'avoir, mon amant, je me disais...
Tu ne lui ressembles pas, tu sais, tu es son fils... et puis je t'ai
eu... et tu lui ressembles encore moins quand tu fais l'amour...
oh ça, il n'est pas beau, quand il fait l'amour, ton père! Je
t'assure... Et toi, dis-moi donc qu'on valsera longtemps encore
ensemble, nous deux... Toi, ta jeunesse, ta force, ta beauté...
Ne pleure pas, ça t'enlaidit... Mon ivresse, mon chou, *piccolo*

*mio...* Du champagne, du champagne, toujours du champagne, toi mon champagne, mon amour... »

La valse s'était tue au premier et, dans la rue blafarde, les voitures de laitiers passaient déjà.

## VI

Plus un radis. Edmond avait été refait comme au coin d'un bois. Il eut à nouveau recours à M. Alexandre. Celui-ci tout d'abord refusa. Il avait déjà payé : le coup était régulier. Edmond dit négligemment que son père connaissait M. Hennion. Mentait-il? Ce petit maître-chanteur ne devait pas être bien dangereux, mais sait-on jamais? Mieux vaudrait s'en débarrasser. Alexandre n'avait pas d'argent. Il en emprunta au barman. Edmond retourna aux tables.

Le barman, en faisant courir les dés, regarda M. Alexandre : « Si j'étais vous, monsieur Alexandre, je sais bien ce que je ferais. » C'était déjà un long discours que les épaules et la gueule rendaient assez menaçant. Alexandre soupira : « Ça m'ennuie, dit-il, à cause de Carlotta... Je l'aime bien, cette fille, et ça pourrait lui faire de la peine. »

Pedro entra dans le bar, tout à fait affairé. Il avait laissé en vrac tout son matériel, *le Sourire,* des registres, un pot de colle, des ciseaux, tant l'importance du visiteur qu'il introduisait le troublait. Ce n'était pas l'habitude que Pedro accompagnât les arrivants. Quand Pedro était debout, on s'apercevait de ce qu'il avait un pied bot. Le barman jeta un coup d'œil sur le monsieur qui le suivait. Il siffla entre ses dents : « Le patron! » Alexandre se retourna. Il n'avait jamais vu celui qu'on appelait le patron au *Passage-Club,* et dont le baron de Cérésolles n'était que le gérant. C'était un homme assez élégant. Il n'avait pas enlevé son léger pardessus gris clair d'où bouffait un foulard de soie blanche, malgré la

chaleur de la soirée. Il était grand, avec le visage plus jeune
que les cheveux, la moustache en brosse, les pommettes assez
rouges. Une sorte de clubman, avec la Légion d'honneur.
Il traversa le bar, la première salle et disparut dans le bureau
du baron.

Alexandre réfléchissait. Il se tourna vers le barman et dit :
« Barman! » L'autre le regarda, et amena un double-six. Il
eut un rire silencieux, retroussant sa lèvre fendue sur des
dents blanches comme un double-blanc. « Barman, répéta
Alexandre, qui me conseilles-tu? » Le barman se tut avec la
profondeur de la pensée, puis il répondit : « Ou Paulot, ou
Maurice...

— Non, dit Alexandre, pas ce genre-là de travail. »

Pedro retraversait la salle. Revenu à son poste, il demeura
longuement rêveur. La vue du patron le troublait. Elle ne
présageait rien de bon, en général. La dernière fois... C'était
le soir du Brésilien. Pedro jeta un coup d'œil sur son travail :
il fit la grimace, jamais on ne ferait croire à personne que
c'était là l'écriture d'un abbé qui cherche jolie pécheresse
de quarante-cinq ans.

Dans le petit bureau Empire, M. de Cérésolles parle avec le
véritable propriétaire du cercle qui est aussi mêlé à diverses
maisons de jeu, par personnes interposées, ou par association,
à Paris et en province, dans des villes d'eau et des plages à
la mode. C'est un homme qui a une écurie de courses et des
parts importantes de diverses grandes affaires. Il venait rarement au *Passage-Club*, un de ses plus petits établissements.
Mais l'avertissement qu'il avait reçu avait nécessité cette visite.
Des mesures gouvernementales allaient être prises contre les
cercles. Depuis le ministère Clemenceau, les maisons de jeu
n'avaient plus connu de semblable alerte. On voyait mal de
quoi il s'agissait, quelle était la partie jouée. Parce que supposer que c'était là un mouvement de la vertu, à d'autres!
Cela devait être simplement la phase suivante de la lutte
pour l'hégémonie des jeux entre des groupes adverses qui
avaient leurs représentants au gouvernement, dans la police

et dans les partis politiques. Cette fois, c'était tout à fait la
bouteille à l'encre, parce que, semblait-il, l'affaire était liée
avec le gain de la majorité parlementaire sur la question de
la loi de Trois Ans. Il y avait des hésitants parmi les radicaux
et, d'une façon ou d'une autre, on allait les détacher de leur
parti, en donnant satisfaction à des amis à eux. Le marché des
jeux, basé sur la tolérance policière, était le champ ouvert
aux compensations faciles. En attendant, il ne fallait donner
aucune occasion à la police d'intervenir. Arroser la brigade
des jeux. Se tenir coi. Et puis voir : peut-être pouvait-on
avoir sur quelques personnalités importantes des renseignements précieux. Par exemple, M. de Cérésolles avait-il entre
les mains quelques reconnaissances de dettes?

M. de Cérésolles regrettait. Une maison si tranquille, d'ailleurs, quelles complications pouvait-on y craindre? M. de Cérésolles ne disait rien des ouvertures qui lui avaient été faites
récemment par un des membres du cercle. Si la maison était
fermée par la police, il avait à peu près l'assurance qu'elle
serait rapidement rouverte, dans des conditions nouvelles. Mais
cela ne regardait pas le propriétaire, n'est-ce pas? Oui, il
s'agissait bien d'une bataille pour le trust des jeux. Les
mystérieuses personnes du groupe adverse cherchaient à élimi-
ner quelques industriels déjà trop puissants. Dans leur ombre,
on apercevait une puissance supérieure. Il était certain que
ni M. de Cérésolles, ni l'homme dont il était le prête-nom,
ni cet individu brun qui avait rendu Edmond jaloux l'autre
soir, ni même le préfet de Police qui avait son rôle dans la
comédie, n'étaient les véritables manœuvriers de l'affaire. Il
venait de se former un *syndicat*, et le mot prenait une valeur
légèrement snob dans la bouche de ce grand homme élégant,
un syndicat qui unissait déjà plusieurs personnalités désireuses
de résister à cette espèce d'expropriation légale, dont on redoutait les prochains débuts et qui avait pour but de faire passer
l'ensemble des cercles, comme d'ailleurs de tous les jeux
en France, depuis le turf jusqu'aux humbles appareils à sous
des cafés, sous le contrôle d'un consortium étroitement lié

au monde militaire. Au monde militaire? M. de Cérésolles
s'étonnait. Il ne lisait donc pas les journaux? Qu'est-ce qu'il
croyait, par exemple, que ça signifiait les campagnes d'un
Daudet dans *L'Action Française?* M. de Cérésolles était roya-
liste, il défendit Daudet. L'autre haussa les épaules : « Tenez,
mon cher, ce que vous ne voyez pas, c'est que vos gens sont
comme les autres, ils défendent des intérêts. Eh bien, lesquels?
Ils utilisent des renseignements qu'ils reçoivent vous demandez-
vous de qui? C'est comme au *Figaro*... »

Là-dessus, il se lança dans toute une histoire où M. de Cérésolles se perdit. Toujours était-il qu'on n'était pas d'accord à
droite sur les concessions à faire à gauche et que, dans l'industrie des jeux en particulier, les intérêts n'étaient pas simples.
« Je fais partie, vous dirais-je, d'un consortium d'une tout
autre espèce... Et j'y ai entendu un homme de grande enver-
gure soutenir ce point de vue que l'industrie pour survivre
devait aujourd'hui se placer au-dessus de la loi... Eh bien! dans
ce même consortium, je suis le collègue de Wisner, qui est
contre nous dans l'affaire des jeux... Et s'il y a une industrie
qui est au-dessus de la loi, c'est bien la nôtre... La raison d'État
de nos jours a pris des masques divers. Ce qui se débat sous
nos yeux, c'est un grand schisme, dont notre pays n'a pas
conscience. Il s'agit de savoir comment on gouvernera. Depuis
toujours, il n'y a que deux méthodes : la force ou la ruse.
Pour l'instant c'est la bagarre entre les marchands de force
et les marchands de ruse... Malvy ou Clemenceau? Pour
vaincre, il faut avoir l'argent. Or, où est-il, l'argent? Là, mon
cher baron, là, dans nos salles! »

L'homme avait brusquement enlevé son manteau, son foulard blanc. Il s'installa dans un fauteuil, les jambes écartées :
« L'argent, dit-il, dans certains systèmes monétaires, chez les
Peaux-Rouges, augmentait de valeur à chaque fois qu'on s'en
servait. C'est-à-dire qu'une pièce de cent sous permettrait
après avoir passé d'acheteur en marchand, à chaque fois,
d'acheter pour dix, pour vingt francs, pour cent, pour mille!
Nous avons de la peine à nous représenter cela, et pourtant

c'est ce qui se passe sous nos yeux. L'argent change en argent tout ce qu'il touche, les mains par lesquelles il coule... Nous sommes ici, nous autres, les canalisateurs heureux de ce flot incessant, magique. Nous nous enrichissons de ce que l'argent passe d'une poche à une autre, sans être pour rien pourtant dans cela. Les maisons de jeu sont les formes les plus élevées d'un système qui les condamne hypocritement, mais qui ne vit que de la Bourse. Est-ce qu'on ne peut pas avoir du whisky, chez vous, mon cher baron? Si... Merci bien. »

Par le petit téléphone intérieur, M. de Cérésolles appela le barman. Celui-ci prit la commande, reposa le récepteur, et commença de préparer le whisky. De l'irlandais, c'était de l'irlandais pour M. de Cérésolles. Une idée lui était venue, et il se tourna vers M. Alexandre, tout en mettant de la glace dans un seau : « Et si vous demandiez, dit-il, à l'inspecteur Colombin? — Ça, dit l'autre, c'est une idée. »

## VII

De cette visite boulevard Bineau, Grésandage avait ramené une bizarre nostalgie. Il songeait tout le temps à Joseph Quesnel et Carlotta, pour s'en étonner. Cette disproportion de l'âge avait quelque chose d'insolite. Mais quoi, il aimait bien Quesnel, il aurait dû s'en réjouir. Il se persuadait aussitôt que son amitié lui faisait un devoir de parler à Carlotta : car assurément toute cette histoire un jour ou l'autre tournerait mal, et peut-être faudrait-il expliquer à la jeune Italienne ce que c'était que son protecteur, le rôle qu'elle avait à jouer près de lui. Richard s'était arrêté, la main sur le téléphone, comme il allait demander rendez-vous à Carlotta : ne pensait-il à elle avec une fréquence inquiétante? Était-il sûr que l'amitié pour Quesnel, seule, le poussât? Il haussa les épaules, et ne téléphona point : avec quelle facilité! Il s'était prouvé l'innocence de ses rêveries.

Comme par un fait exprès, Élise remettait ça tout le temps sur le boulevard Bineau. Elle avait remporté de ce déjeuner une sorte de gêne. Qu'est-ce que ça voulait dire? Cette jeune femme avait été très gentille, mais, mais... C'est drôle comme, au fond, nous avons plus que nous ne le croyons les idées mêmes de nos parents sur ces choses-là. Nous n'aimons pas ce qui est en marge, instinctivement. « Qu'en penses-tu, toi, Rico, de cette Carlotta? Elle est jolie, ça, elle est jolie. » Richard explosa. « On ne peut plus parler d'autre chose et puis je m'en fiche si elle est laide ou pas, cette fille. » Élise le regarda, tout étonnée. « Ne te fâche pas, charbonnier. »

La nervosité de Grésandage s'expliquait. D'inquiétants événements rallumaient le brûlot des Balkans. Serbes, Grecs et Bulgares victorieux des Turcs à Andrinople, venaient de se jeter les uns sur les autres. Les renseignements les plus contradictoires arrivaient à Paris des sources serbes et bulgares. Dans la nuit du 29 au 30 juin, les Bulgares auraient à l'improviste attaqué les Serbes le long de la Zletovska. Tout au moins était-ce ainsi que les Serbes légitimaient l'offensive qu'ils avaient prise le 30 contre leurs alliés. À cette nouvelle, à Salonique, les Grecs avaient chassé à coups de canon le petit détachement bulgare qui y campait. Les Roumains manifestaient dans les rues de leur pays, acclamant la guerre.

« Je ne te comprends pas, mon Rico, c'est si loin, et puis on n'y comprend rien et, là-bas, il y a tout le temps la guerre... Tu crois que ça peut nous amener du vilain?... »

Ce qu'il y avait de clair, c'était que la France et la Russie avaient voulu barrer la route vers l'est à l'Allemagne, alliée des Bulgares. À moins que ce ne fût l'Allemagne qui avait essayé de percer à l'est, jusqu'à la mer, grâce aux Bulgares. De toute façon, il avait fallu encore une petite guerre pour éviter le partage égal entre les vainqueurs. L'étrange histoire était qu'en Grèce régnât une Hohenzollern, mais c'était là un tour de l'Angleterre qui avait négocié l'affaire. Les journaux étaient pleins des massacres du 30 juin.

Il eût été bon tout de même de lui parler, à cette Carlotta...

Savait-elle à quel point Joseph Quesnel l'aimait? Richard, lui, pouvait en disserter savamment, il connaissait celui qui avait été pour lui presqu'un père. Une hantise. Il se souvenait des dents de l'Italienne, régulières et petites, avec un bord légèrement festonné. Avec quelle netteté, il revoyait ces dents, leur sourire... Il allait téléphoner quand le téléphone sonna.

C'était le valet de chambre de Quesnel. « Monsieur est malade. Il vous demande de venir. — Rien de grave? » Raccroché. Mon Dieu! Élise joignait les mains. Richard avait un sentiment étrange de culpabilité. Cela se traduisait dans le fait qu'il prit un taxi. Il trouva Joseph Quesnel alité, se tordant de douleur. Coliques néphrétiques. Le médecin disait à voix basse que ce sont les souffrances les plus grandes que l'être humain connaisse. Joseph criait, gémissait, se roulait dans les draps. Sa moustache toute défaite et la sueur au visage, il avait l'air si vieux que Richard repensa à Carlotta, avec frayeur.

Il y pensait aussi, lui, le vieil homme. Il avait pris la main de Richard. Il pouvait à peine parler. Oh lala, oh lala. C'était à cause de Carlotta qu'il avait appelé Grésandage. Elle l'attendait boulevard Bineau. Il ne voulait pas, oh lala, lui faire téléphoner, et puis elle allait être seule... Richard avait compris. Il donnerait un coup de téléphone à Élise. Il dînerait à Neuilly... ou ailleurs.

Ainsi la fatalité le ramenait à Carlotta. À quoi bon s'insurger? Le dîner fut ce qu'il devait être. Tout d'abord assez guindé. Carlotta portait un déshabillé blanc moulé au corps, qui formait tunique sous les seins. Et là-dessus, des bijoux noirs. Cela venait de chez Roussel. Quand avait-elle eu plus d'éclat qu'à cette lueur de juillet qui caressait encore par en dessous les feuilles du jardin? On dînait sur une table de fer sous la tonnelle. Il y avait des roses partout, et le pas de la domestique criait sur le gravier.

« Il souffre horriblement... Je l'ai vu se tordre de douleur... Il ne pense qu'à vous... — Reprenez une côtelette, elles sont si petites. »

Elle avait montré à l'égard de Quesnel une extraordinaire sensibilité. Sans affectation. Elle avait un peu déchiré son mouchoir. Puis s'était maîtrisée. Elle surveillait son hôte avec curiosité. Quelle espèce d'homme était-ce au juste? Lui, supportait mal cette insistance dans l'odeur des roses. Le soir tombait, et ils parlaient de choses et d'autres. Lui, de sa jeunesse. Oh, une jeunesse comme celle de tout le monde! Il avait cru aimer une fois... « Tenez, c'est drôle, l'autre jour, je l'ai rencontrée. Dans un café, au téléphone. Oh, elle ne m'a pas vu. Je l'avais entendue d'abord. Puis... imaginez-vous que c'est une femme de mon âge et je l'avais laissée à vingt ans. » Pourquoi lui racontait-il ça? Est-ce qu'on sait? Dans l'herbe de la pelouse, il y avait un ver luisant. Comme à la vraie campagne.

Il parlait énormément, et elle le regardait en dessous. Évidemment elle lui plaisait, à cet homme, qui avait peur de se l'avouer. Jusqu'où allait la fidélité de Grésandage dans l'amitié? Elle n'avait pas nettement l'idée d'en agir ainsi, mais elle s'était mise à l'aguicher. Est-ce qu'on peut faire autrement, seule avec un homme quand la nuit tombe? Elle s'en fichait, de ce petit brun, qui se caressait la brosse à dent, comme de son premier jupon, mais il faut bien passer le temps. Et puis, c'est irritant, quelqu'un qui vous résiste. Il ne résistait pas, d'ailleurs. Il était amoureux perdu et il croyait que ça ne se voyait pas. Carlotta pensait à Élise avec un sourire rêveur.

Ils se promenaient sous les arbres, il lui prit la main qu'elle retira avec lenteur. C'est alors qu'il se remit à parler de la guerre, et de Wisner qui avait de l'argent en Serbie, et de Joseph Quesnel qui se mêlait à tout ce mic-mac, probablement à cause d'une affaire de pétrole, et de ses taxis. Il n'aurait pas dû, vraiment, il n'aurait pas dû. La veille, les socialistes avaient déposé à la Chambre une pétition contre les Trois Ans... « Voulez-vous cette rose? » Carlotta l'avait cueillie en se hissant sur la pointe des pieds à ce rosier grimpant qui enserrait un charme à la peau de lézard vert. Elle se tordit le

talon et faillit tomber : il la soutint contre lui, et il sentit
sa jeunesse voisine, l'ambre dont elle était parfumée. Il se
fit un de ces silences où on ne sait plus de quel côté vient le
tic-tac de la pendule. Il n'y avait pas de pendule. Un jardin.
Mais il y avait le battement affolé d'un cœur.

Ils rentrèrent dans la maison. Dans le petit salon, elle dit :
« N'allumons pas les lumières... » Il restait juste assez de jour
pour que cela fût très scabreux. Ils s'étaient assis sur le divan.
Elle pensait : « Que va-t-il faire? » Elle voulait être sûre qu'il
était à sa merci.

Quelle étrange manière il avait de faire sa cour! Avec une
voix haletante, précipitée, coupée de pauses, il s'était remis
sur le sujet de la guerre. Vous parlez d'une rengaine, alors.
Carlotta pourtant sentait bien que peu importaient les mots.
Plus ils étaient lointains et plus ils impliquaient une préoc-
cupation voisine. Ce qu'elle devinait assez confusément aussi,
c'était qu'il y avait dans cette tête d'administrateur une liaison
obscure entre l'idée de la guerre et Quesnel, une liaison qui
était une charge contre Quesnel, et qui innocentait en quelque
sorte son interlocuteur à l'égard de Quesnel, pour ce qu'il
faisait là. Quelque chose de vivant bondit soudain dans l'obscurité, qui fut entre eux, le chat siamois dont les yeux brillèrent
comme tout à l'heure le ver luisant. Leurs mains se joignirent
sur ce cadeau de Joseph Quesnel. Celle de Richard tremblait.
Ils sentirent en même temps les coups du petit cœur félin,
et le ronronnement qui fit un silence. C'est alors que le poids
de ce silence l'emporta sur la raison et que les deux têtes se
rapprochèrent.

Baiser bizarre et long comme les années oubliées de la fidélité conjugale. L'homme avait de la sueur sur le visage et
sa moustache piquait. Ses mains, comme celles d'un collégien,
cherchèrent à tâtons les seins, et cela rompit l'enchantement.
La lumière se fit, Carlotta avait encore le bras étendu vers le
commutateur. Grésandage battit en retraite. Ce n'était point
le désordre, et l'idée de ce dont il devait avoir l'air, qui ne
s'était plus surveillé dans l'ombre, mais la honte. Honte de

la surprise, du laisser-aller. Honte du refus aussi, car Carlotta s'était levée, l'écartant avec une force peu commune chez une femme, et debout, dans une magnifique indifférence, arrangeait sa chevelure avec ses deux grands bras blancs parfaits. Honte de l'amitié trahie. Quesnel, l'homme qu'il respectait plus qu'aucun autre. Quesnel qu'il avait été jusqu'à impliquer dans ses propos de responsabilité dans la guerre menaçante et qu'est-ce qu'il en savait, après tout? Quesnel, presque son père. Celui qui avait été le guide généreux de sa jeunesse... Tout à coup, il se souvint d'Élise, et cela lui mordit le cœur. Élise. L'avait-il oubliée? Élise qui dirait tout à l'heure, quand il rentrerait, avec cette voix de l'angoisse et de la confiance qui lui remuait les tripes : *Rico?* Ah! il était joli, le charbonnier...

« Ce n'est rien, mon *ami*, dit avec beaucoup de calme Carlotta, qui s'était retournée vers lui. Ne faites pas cette pauvre bouille : est-ce que ça ne vous est jamais arrivé? — Jamais », murmura-t-il.

Elle le regarda avec intérêt. Il disait vrai. « Eh bien! reprit-elle, ça me touche, mais vous savez, nous ne coucherons pas ensemble... — Je vous supplie d'oublier... — Allons! Ne vous mettez pas la tête à l'envers. Oui, ce n'est pas très bien, à cause de Joseph... et aussi de votre femme. Mais que voulez-vous? Les hommes sont ainsi. Vous ne le saviez pas? Vous êtes tous prêts à trahir. Toujours. La première fois qu'on s'en aperçoit, on crie, on pleure. Et puis ça se tasse. Je crois à la fidélité des femmes. À celle des hommes, pas une minute. Probablement que ce n'est pas leur faute. Leur constitution. Ils ne sont pas très bien arrangés pour ça... comme nous pour d'autres choses d'ailleurs. Ce n'est pas grand'chose, un homme. »

Le chat avait filé sous un guéridon. Par la fenêtre ouverte, une grosse mouche bleue était entrée avec la chaleur du soir, plus étouffante que celle de la journée, à cause de l'ombre. Carlotta avait approché un petit fauteuil et s'assit devant Richard. Elle lui prit les deux mains.

« Vous me dites d'oublier... Je n'ai rien à oublier, vous savez.

Mes lèvres, je n'en suis pas avare, ça n'a jamais signifié grand'chose pour moi. Mais, malgré tout, je suis très seule dans la vie. J'ai besoin de gens auprès de moi, de conseils, d'amitié... Voulez-vous qu'on soit des amis, dites? »

Il se sentit éperdu de reconnaissance. Des amis. Oui, rien que des amis. Mais elle pouvait compter sur lui. Qu'avait-il failli faire? Elle aimait Quesnel...

« Oui, j'aime Joseph. À ma manière. Je lui suis très attachée. Et pas que pour l'argent, mon cher. Vous a-t-il dit comment tout ceci a commencé? Non? Je vous raconterai cela, un jour. Mais il me laisse effroyablement seule. J'aime la présence d'un homme près de moi. Vous savez les femmes, je me sens toujours leur alliée, et vous ne pourriez pas compter sur moi contre la vôtre, par exemple. Malgré... Cependant je ne peux pas avoir d'amie femme. Vous comprenez, les femmes, comment vous expliquer? Ce sont des victimes, pas des égales. Enfin, tout cela... je m'y perds aussi. »

Il était transporté, il ne savait comment se tenir. Quand il pensait à la cochonnerie qu'il avait failli faire : Élise, Élise! Quelle femme supérieure, cette Carlotta. Et belle, avec ça! Il lui jurait une amitié indéfectible. Il était à jamais à sa disposition. Il reviendrait la voir quand elle voudrait. Que pouvait-il : « Un peu de chaleur », dit-elle. Et aussitôt : « Ce n'est pourtant pas ce qui manque, ce soir. » Avec un rire clair : « Alors, quand? Demain. Déjeuner. Maintenant, allez-vous-en. »

Elle le raccompagna jusqu'à la porte de la rue. Il partait, elle se pencha vers lui, et posa ses lèvres sur les siennes, très vite, avec une espèce de ferveur. Il en resta éberlué, elle le chassa et dit à travers la grille : « Amis, rien qu'amis! »

Des gens chantaient au loin dans les avenues du Parc.

## VIII

Dans les jours qui suivirent, Richard revint assidûment boulevard Bineau. Il escorta Carlotta dans les magasins, chez les couturiers. Ils déjeunèrent chez Prunier, dans un petit restaurant près de l'Élysée que M. Caillaux avait indiqué un jour à Grésandage. Il rendait compte de tout cela à Joseph Quesnel, qui allait mieux, les coliques passées, mais que diverses complications tenaient encore à la chambre. Carlotta se trouvait d'ailleurs doublement désœuvrée parce qu'Edmond avait peu de temps à lui en raison des examens. Il piochait vite son programme, ne faisait que de brèves apparitions au *Passage-Club,* dans l'espoir de se rattraper. La chance allait couci-couça.

Ce samedi-là, Edmond avait pu voir passer, boulevard Saint-Michel, la retraite militaire hebdomadaire, il y avait encore eu des incidents sur la rive droite, disait-on, et il venait de s'asseoir pour prendre un verre à la *Source,* quand son voisin de table, un grand nez sous un canotier, l'interpella : «Barbentane! Quelle surprise! Comment ça va? » C'était un condisciple de la Charité, l'interne Lavanaz. On parla médecine, puis : «Cette pauvre Mme Beurdeley! croyez-vous! » Edmond biaisa sur autre chose. Les Trois Ans. C'était un thème qui lui éviterait les frais d'une conversation difficile. Les débats se poursuivaient à la Chambre. La veille, Sixte-Quenin avait mis en cause l'honorabilité du ministre de la Guerre, pour sa participation à diverses Sociétés industrielles, l'*Ouamé-Nana;* les *Tréfileries du Havre;* Jaurès... « Mon pauvre Barbentane, ce Jaurès! Il prend ouvertement la défense des meneurs syndicaux qu'on a jetés en prison pour propagande antimilitariste dans l'armée! Et il crie qu'on veut le tuer, l'assassiner! » Il fallait dire quelque chose : «C'est stupide, répondit Edmond, d'ailleurs Barthou lui a très bien répondu, vous avez vu... Ce n'est pas à Barthou qu'on fera croire qu'on assassine les gens comme ça... » Ces mots prononcés lui rappelèrent Mme Beurdeley, et il frissonna malgré lui. Il se leva : « Je dois aller bûcher mes examens... »

Joseph Quesnel avait été sérieusement touché. Mais privé de Carlotta (car il ne pouvait la faire venir chez lui au parc Monceau, parce que sa fille qui avait été absente depuis plusieurs mois venait de revenir d'Amérique où elle avait été invitée par les Morgan), privé de Carlotta, Quesnel avait la tête bourrée d'appréhensions et de chimères. Qu'allait-il advenir de cette aventure, de ce beau conte de fées, si la maladie mettait entre elle et lui des barrières? Tout le reste du monde, et sa fortune, et ces luttes de titan contre les concerns rivaux, la politique, les grèves, la concurrence pour la maîtrise du marché dans le Proche-Orient, est-ce que cela comptait encore au prix de cette jeunesse éclatante, de l'aisance admirable de Carlotta quand elle marchait nue par la chambre sans se préoccuper des regards? Il songeait sérieusement au mariage. Il suffisait de parler avec Blanche... sa fille, un être si lointain. Wisner avait été très gentil, il était venu lui rendre visite plusieurs fois. Il avait au fond un faible pour son vieux complice, comme il disait. On n'aurait jamais cru Wisner sentimental, et puis voilà. Quesnel se reprochait de l'avoir un peu négligé, les mois précédents. Vers le soir, venait Grésandage.

Ils parlaient des événements extérieurs, la nouvelle guerre balkanique... mais surtout des séances de la Chambre. La multiplicité des affaires de trahison et de propagande antimilitariste nécessitait qu'on en finît une bonne fois avec la loi militaire. Le principe des Trois Ans venait d'être voté, le lundi, par 339 voix contre 223, après deux heures de discours de Jaurès. Le mardi, le généralissime Joffre avait fort bien parlé, et on avait expédié une série d'articles. Le jeudi, sur l'incorporation à vingt ans, l'inévitable Jaurès avait encore fait de la démagogie. «Celui-là, dit Wisner, j'ai eu un faible pour lui : j'aime l'éloquence. Mais qui donc nous en débarrassera? » Le lendemain, il avait été à la Chambre écouter leur ami Millerand, il vint donner à Quesnel toutes chaudes des nouvelles de ce qu'ils appelaient les *Folies-Bourbon.*

Edmond rentrait chez lui, vers cinq heures, assez découragé, ce même jour. Il faisait très lourd, il y avait eu du tonnerre dans l'air. La Roumanie avait déclaré la guerre à la Bulgarie. À la Faculté, le jeune homme n'avait pas été heureux. L'examinateur lui avait posé des questions incroyables. Une brute d'ailleurs, célèbre pour ça. Cela n'arrangeait rien : Edmond avait été recalé. À peine était-il dans sa chambre qu'on frappa à la porte, qui s'ouvrit avant qu'il eût le temps de répondre. Un homme entra, qui avait un costume gris clair, assez plage, et un panama rabattu par-devant avec un ruban rayé rouge et vert. Une espèce de colosse roux, désinvolte, aux joues couperosées, à la moustache désordonnée, qui clignait assez continuellement d'un œil. « Bonjour », dit-il.

Edmond s'apprêtait à être assez désagréable, mais l'autre, sans qu'on l'en priât, s'était assis : « Préfecture de Police », expliqua-t-il très jovialement. Et de la main, il indiquait à Edmond un siège.

« Je comprends mal la plaisanterie... — Or, monsieur Barbentane, un mot, un seul vous expliquera ma présence! » Le policier se penchait vers Edmond d'un simple report du buste, le doigt en l'air, courtaud, spatulé. Au fond de la bouche béante, l'éclair de chicots d'or : « Affaire Beurdeley! » Cela fit un silence, qu'Edmond rompit : « Je ne vous comprends pas. — Vous allez me comprendre. »

Cela avait l'air sérieux. Il fallait donc réagir : « Qu'est-ce qui me prouve d'abord, monsieur, votre identité? » L'autre ricana : « On se présente? Inspecteur Colombin, voici ma carte. » Le coup avait l'air régulier. « Je vous écoute, inspecteur : je vous serais seulement obligé de me dire ce que j'ai à voir dans l'affaire dont vous me parlez... — Oh, nature! Vous ferai pas griller. Simple. Savez-vous que la femme du professeur Beurdeley a été assassinée? Oui? — Comme tout le

monde. Le professeur a été mon maître. — Déjà noté. Et la
dame votre maîtresse... — Monsieur! Je vous défends... c'est
parfaitement faux... — Bien entendu. Vaut mieux épargner
votre salive et passer tout de suite à autre chose : vous
êtes un galant homme, mais la dame a laissé une petite lettre
qu'on a retrouvée... — Il y a erreur... — Bon, je vous chica-
nerai pas. Enfin, vous ne niez pas avoir connu Mme Beurdeley?
Non? ça c'est raisonnable. Nous avons entre les mains la
petite lettre dont je parlais. *Primo*. Et, *deusio*, j'ai montré au
garçon d'en bas une petite photo que voilà et il a reconnu
la personne qu'il a fait monter chez vous, moyennant une
thune, le soir du dimanche 26 mai, il se rappelle que c'était
le jour de la manifestation socialiste. Or, c'est ce jour-là qu'on
a vu pour la dernière fois cette pauvre dame, qui venait
de quitter son époux et son bébé... — Son bébé? » Edmond
rigola pour reprendre haleine. Nom de Dieu ça sentait mauvais. « Il a pas loin de quinze ans, le bébé, inspecteur. J'ai
l'impression que vous n'êtes pas aussi au courant que vous
le prétendez. — Possible, possible, il y a des bébés de tous les
âges, par exemple, vous, Barbentane : quand vous répondez à
côté, comme ça... »

Il fallait inventer un système. Nier. On pouvait toujours
après ça invoquer l'honneur de la morte. Ça ferait bien : « Le
garçon se trompe ou il ment... Je ne sais pas de quoi vous voulez parler : Mme Beurdeley était, je crois, une fort honnête
femme, que je connaissais à peine... » Colombin renversa la
tête, et s'en paya une tranche : « Vous la connaissiez à peine?
Mais vous connaissez fort bien ses bijoux... — Que voulez-vous
dire? Je commence à en avoir assez... — Allons, faites pas
les gros yeux, mon poulet! Vous êtes cuit. Mme Beurdeley
est partie de chez elle avec une petite valise où étaient ses
bijoux. Le garçon confirme qu'elle l'avait en venant ici.
On n'a plus revu la valise ni les bijoux par la suite. Le
garçon n'a pas vu ressortir la dame, avec ou sans vous. Il
pense qu'elle a passé la nuit ici et que le matin elle a filé
inaperçue. On a retrouvé la dame en petits morceaux, ça,

vous le savez. Et vous savez aussi que les bijoux ont été vendus
au *Passage-Club*, dont vous êtes un habitué, à un recéleur qui
vous a donné à plusieurs reprises de l'argent devant témoins...
Le garçon du bar. Faut-il vous en dire davantage? »

Eh bien! Ça n'allait pas du tout. Mais alors pas du tout.
Dans quel guêpier Edmond s'était-il fourré? Il fallait porter
beau : « Si c'est comme cela, pourquoi ne m'arrêtez-vous pas
tout simplement? Vous avez un mandat? » L'autre prit un
air bon enfant. Allons, l'affaire n'était peut-être pas si mauvaise : des suppositions.

« Mon cher monsieur Barbentane, je ne veux pas la mort
du pécheur. Les apparences sont fâcheuses, très fâcheuses.
Mais vous êtes d'une bonne famille. Je n'aime pas les scandales. Il y a toujours des journalistes pour sauter sur des
histoires comme ça. Et moi, je n'aime pas les journalistes.
Parole d'honneur! On peut s'entendre... — Un chantage?
— Pfft! Quel vilain mot! Si vous m'insultez, jeune homme,
je fais aveuglément mon devoir... tout mon devoir... — Je
raconterai ailleurs votre singulière démarche... — Allons, qui
vous croirait? Vous n'êtes pas assermenté, vous... — Canaille!
— Ah! s'il te plaît, le greluchon, tais ta gueule ou je fais monter mes hommes! »

Il avait des hommes en bas, ce flic? Il fallait être sage.
Edmond s'assit, et dit : « Alors, vite. Où voulez-vous en venir? »
L'autre se claqua les cuisses : « Voilà qui est plus raisonnable!
Je déteste quand les entretiens sont grossiers. J'ai été élevé
chez les Pères, moi, mon jeune ami. Ne vous impatientez
pas, que diable! De deux choses l'une : ou les diamants qui
sont entre les mains de ce brave Alexandre sont ceux de
la victime, et alors vous êtes l'assassin parce qu'Alexandre
témoignera que c'est vous qui lui avez vendus, vous jouez
gros jeu, les présomptions morales ne manquent pas... ou
bien, mais tenez-vous donc tranquille! ou bien vous ne connaissiez pas les bijoux d'Alexandre qui viennent de n'importe
où, et vous êtes parfaitement innocent... mais, alors, vous
me ferez le plaisir de foutre la paix à mon ami Alexandre

et de lui rendre les sommes qu'il n'a fait que vous prêter par pure obligeance... »

Edmond respira. Ah, c'était donc ça? La police n'est pas mal faite dans notre pays. On pourrait s'arranger. Il regarda d'un tout autre œil l'inspecteur Colombin : « Causons... », dit-il.

## IX

Qu'est-ce qu'il avait donc, ce soir, M. Charles? Lenoir qui taillait au *Passage-Club* regarda avec reproche le croupier. Par deux fois, celui-ci avait oublié de ratisser les cartes, il avait fallu lui faire signe.

Sur sa chaise haute, Charles Leroy s'assombrissait. Depuis le début de la soirée, il n'avait pas une seule fois songé à vérifier sa raie dans sa glace de poche. Il y avait quelque chose qui lui trottait par la tête : l'intimité de Jeanne avec l'inspecteur Colombin. Ce n'était pourtant Dieu pas possible. Qu'elle se fût laissée aller à lui parler du petit, passe encore. Mais de là... « Les jeux sont faits... rien ne va plus... »

*Rien ne va plus*, cette expression lui apparaissait aujourd'hui sinistre, un présage. Avec ça, que dans un métier pareil comment voulez-vous surveiller une femme? Jeanne était tout de même si gentille avec lui. Un peu nerveuse peut-être. Est-ce qu'on sait jamais? Il faisait chaud, terrible, dans cet entresol, malgré les fenêtres ouvertes par où venait le vacarme du boulevard. Lenoir s'était levé, perdant ferme. Mme Beneduce reprenait la main. Cela fit autour de la table une ruée d'hommes, comme toujours. Et aussi de vieilles joueuses, les habituées, dont les robes étaient plus que jamais extraordinaires avec l'été, les audaces de décolleté, les dentelles noires sur des peaux ridées, les plumes dans les cheveux, les jeux d'éventail, les petits nécessaires, les mains baguées.

M. Charles aurait voulu qu'elle gagnât, cette femme. D'abord elle était très jolie, et puis elle lui souriait toujours, et puis elle avait été si gentille un soir avec Jeanne. Celle-ci portait la médaille de Saint Christophe, don de Carlotta, en attendant de faire un tour dans les Charentes. L'image de Colombin revint jeter son ombre queue de vache au milieu des pensées du croupier. La soirée se traînait. Au bar, quelques joueurs prenaient du whisky avec de la glace. Pedro faisait de la bâtarde avec application. Le train-train. M. de Cérésolles avait quelqu'un dans son bureau.

Où donc était-il, son gigolo, à Mme Carlotta? pensait M. Charles. Ces jours-ci, on ne le voyait presque plus. Peutêtre qu'il y avait du flottement dans le ménage. Non, pourtant. Elle était bien trop tranquille pour ça. Elle gagnait. Soudain Jeanne parut dans la porte. Leroy fronça le sourcil. Il n'aimait pas ça. Il le lui avait dit. Elle venait encore le déranger dans son boulot. Enfin, le bon de l'histoire, c'était que pour l'instant au moins elle n'était pas avec l'inspecteur.

Jeanne s'avançait vers la table, elle avait sa robe noire. Mais ce n'était pas au croupier qu'elle en avait. Elle s'approcha de Mme Beneduce, avec assez d'agitation, et lui dit quelques mots. Carlotta releva la tête, l'air interrogateur. Elle allait donner un coup. Les deux femmes échangèrent encore quelques paroles et Carlotta se releva, repoussant le sabot : « La main passe! » Qu'est-ce que ça voulait dire? Impossible d'interroger Jeanne. Elle était partie avec Mme Beneduce. Charles Leroy se perdait en conjectures. Au fond de ses pensées flottait une jalousie confuse. Un jeune Hindou, à la douce figure de cendre, s'était assis à la main.

Ce soir-là, Carlotta avait sa voiture. Elle y monta avec Jeanne Cartuywels. « Chez Langer! » dit celle-ci au chauffeur. Carlotta avait une robe claire, avec une tunique feuille morte, et autour du cou un boa de plumes de coq tout à fait fantastique. Elle avait l'air inquiet. Jeanne, au comble de la nervosité, expliquait : « Je vais vous dire... Il a tellement insisté... Je ne sais pas, moi, de quoi il s'agit... Il dit que votre jeune

homme court un danger... Bien sûr, ce n'est pas un homme
en qui avoir toute confiance. Il me fait peur... Je ne voudrais
pas vous entraîner dans une sale affaire. Qu'est-ce qu'il a
imaginé? Et vous avez été si bonne, si gentille avec moi.
Vous savez, votre médaille... »

Carlotta était inquiète. Qu'est-ce que tout cela voulait dire?
Un danger pour Edmond? De qui venait cet avis? Un type
de la police. Drôle. Elle avait suivi Jeanne Cartuywels d'instinct, de confiance. Oh, et puis, qu'est-ce que vous voulez
qu'il arrive chez Langer? aux Champs-Élysées! Mais l'inquiétude de Jeanne la troublait. Elle avait dit entre autres : « Il
fallait que je vous ramène... je ne peux rien lui refuser. »

Chez Langer, il y avait pas mal de monde, et on jouait
un tango. L'inspecteur Colombin, en habit, avec le plastron qui bâillait sur son poil roux, se versait du champagne
derrière un souper finissant. Il se leva, très galant, et fit
s'installer ces dames. Carlotta le regarda bien en face. Une
belle garce, pensa-t-il, et ça le fit sourire. Elle connaissait
ce genre d'hommes. De toutes façons, il fallait qu'il lui dît très
vite de quoi il retournait. Elle accepta la coupe tendue et
dit : « Veuillez me dire, monsieur, de quoi il s'agit? »

Colombin n'était pas pressé. Il s'agissait de quelque chose
de délicat. Il ne savait pas s'il pouvait parler devant Mme Cartuywels... Si. Pourtant... Carlotta insistait. Alors? Est-ce qu'il
était un peu soûl? Possible. Ses yeux brillaient. Il se tourna
soudain vers Jeanne : « Laisse-nous, toi... » L'autre, très pâle,
s'était levée. Pourquoi toute cette mise en scène?

Jeanne Cartuywels demanda son vestiaire. Elle obéissait
à cet homme dans le plus petit détail. Elle le laissa avec
Mme Beneduce, le cœur serré, mais qu'y faire? Que pouvait-il
lui vouloir? Il ne la mettait pas dans ses secrets. Simplement
quand il avait la tête à ça, d'habitude, il lui faisait signe, ils
allaient à l'hôtel. Elle devait faire toutes ses fantaisies et
il en avait, l'inspecteur Colombin. Jamais un homme ne l'avait
pliée à des choses si ignobles. Jeanne, parfois, en y repensant,
avait des nausées épouvantables. Et puis il la menaçait de tout

raconter à Charles. Elle vivait dans une espèce de tumulte, d'effroi et de dégoût d'elle-même. Tout cela à cause de cette vieille histoire oubliée. Peut-être encore Charles l'aurait-il pardonnée, si elle avait été la lui raconter, tout de suite. Mais d'abord elle s'était affolée, elle avait cédé à l'inspecteur pour ne pas avoir à se confesser. Quelle idiotie. Maintenant elle était prise dans cet engrenage de mensonges et d'ignominies. Elle marchait sous les marronniers des Champs-Élysées. Ceux qui avaient des fleurs rouges, lourdes, et déjà croulantes à la chaleur de juillet, semblaient saigner sur Jeanne. Le long des allées, près des petites baraques, des gens se parlaient de près. Il y avait des putains très peintes. Un homme assez misérable, et vieux, suivait Jeanne. Elle s'éloigna de lui d'un coup, réalisant, pour aller dans la lumière vive des réverbères. Paris était beau, langoureux et lassé, et la traînée de lumière, des chevaux de Marly à l'Étoile, avait un caractère équivoque d'appel à la chair. Jeanne, malgré l'été lourd, frissonnait... Place de la Concorde, elle hésita. Puis, en traînant, elle regagna les boulevards. Le *Passage-Club* l'attirait. Qu'advenait-il de Carlotta avec l'inspecteur? Elle avait peur de se le demander. Elle se sentait coupable de s'être entremise dans cette histoire. Il était méchant, Colombin, quand il avait bu.

Tout cela parce que, l'autre hiver, quand elle était enceinte, elle avait volé aux Galeries Lafayette. Une histoire imbécile. Elle n'avait plus d'argent, et une envie épouvantable d'un sac à main. L'idée que ça serait nuisible au gosse qu'elle portait de ne pas satisfaire cette envie. Elle était seule, alors, abandonnée. On l'avait menée au poste de la rue de la Chaussée-d'Antin : une histoire banale, parce que ce qu'il avait pu en voir de voleuses à l'étalage, le commissariat de la rue de la Chaussée-d'Antin! Une spécialité. La visiteuse l'avait fouillée. Rien d'autre que ce sac à main. Mais, à l'interrogatoire, il y avait là le type qui l'avait ramassée, Colombin. Il n'avait jamais couché avec une femme enceinte. Ça l'intéressait. Quelle ordure vivante, ce type! Il l'avait fait relâcher après avoir signé un petit papier. C'était comme ça qu'on faisait d'habitude. On n'envoie en justice que les récidivistes, ou bien les tribunaux n'y suffiraient pas. Quand elle l'avait reconnu, un soir, au restaurant, avec Charles, elle avait su que tout allait recommencer. Et combien est-ce qu'il avait de femmes qu'il faisait marcher comme ça? Il se vantait d'en avoir dix. Il aimait battre aussi. Ce n'était pas ça le pire. Mon Dieu, pourquoi avoir accepté d'amener cette femme chez Langer? Jeanne s'était assise chez Pousset pour attendre Charles. Par le décolleté de sa robe, elle sentait, au bout de sa fine chaîne d'or, la petite médaille de saint Christophe, ainsi qu'un remords dérisoire.

## X

Juillet avait l'éclat d'une bête amoureuse, et la ville encore endolorie des circulations tapageuses du jour semblait hocher la tête sous le faix profond des feuillages. Les lumières tachaient l'eau comme des erreurs. Il faisait lourd. Une mendiante accroupie dans une toile à sac où restaient pris les souvenirs de la paille, et la poussière sèche de sa vieille peau, tendait le squelette atroce de ses doigts intolérables. De temps en temps, un passant se fouillait avec impatience, et une sorte de mélopée sortait du tas humain, jeté contre le parapet.

Elle était là, cette vieille, avec le même naturel que le Palais du Louvre, et plus de dignité qu'une vespasienne. Combien pouvait-elle se faire par jour à ce curieux, cet abominable travail? Le mot travail tourna dans la tête de l'homme avec une légèreté de mouche dans quelqu'un qui n'a pas mangé. On croit que c'est facile de mendier, et puis cela ne s'apprend pas en un jour. L'indifférence ne vient qu'à force, par la répétition, tout comme l'habileté du coiffeur à faire virevolter son fer à friser; comme à force de gammes au ténor la note

filée... La nuit prenait un velouté d'épaule. Il y avait une langueur absurde au fond de l'air, et le pont tremblait au poids
illuminé des autobus. La mendiante devait être aveugle, elle
eut l'aspect de quelqu'un qui s'étonne. La pièce tombée d'un
jeune homme furtif et hagard demeurait dans la main tendue,
qui dut se recroqueviller longtemps autour d'elle, parce qu'elle
était de cinquante centimes. L'observateur avait sur lui sept
sous, pas un de plus. Ce diminutif du soleil dans une paume
tremblante lui fit tourner la tête, et l'idée du meurtre apparut
avec son cortège de raisons valables.

C'était drôle, et bien simple pourtant. On n'a pas l'idée
d'assassiner un homme riche, mais une pauvresse qui fait si
facilement sa matérielle, c'est tentant comme de balayer. Les
bruits des voix croisaient la Seine, des gens, encore des gens,
et puis de longs silences. Là-bas, sur l'ombre des eaux, des
papiers gras, et sans doute une foule de noyés.

Il y eut une paire lente de ménagères bavardes qui fit à
travers la gravité du soir tout un froufroutement de *ma chère*
et leurs robes étaient un peu du moyen âge. Y avait-il des
chiens au moyen âge et, sur les murs, des interdictions à lever
la patte, dont ils se foutaient déjà?

Tout simplement Armand n'avait plus aucune envie de vivre.
Comme si le jour tombé, il se fût vidé peu à peu de son achar-
nement à faire les gestes nécessaires, les simagrées machinales
de l'existence. Qu'est-ce qu'il avait à se débattre? Personne ne
le lui demandait. L'argent comme un monstre accroupi...
cela commençait comme des vers latins. Toujours il avait pensé
qu'on pouvait une bonne fois en finir. En même temps, cela
n'avait pas une réalité bien grande, c'était plutôt une teinte,
une inclinaison de pensées. L'argent comme un monstre...
C'est très difficile de mendier, mais ne pas manger, non
plus, n'est pas commode. Il faudrait attendre encore ce soir
l'heure des Halles. Il faudrait attendre les choux, les carottes,
les fraises qui se déversent sur le cœur de Paris avec des hommes solides et impitoyables, et une queue de miséreux sales,
et avides. Il regarda la mendiante et se souvint du coin,

près des boucheries, où il s'était réveillé le matin sur le
trottoir tandis que s'épouillait un Polonais pâle comme l'aurore.

Avoir faim l'hiver, je ne sais pas, c'est tout naturel. Mais
par ces temps d'orage et de sueur, cela dépasse l'entendement
de l'estomac. Armand se déplaçait vers la rive gauche, avec
ses dix-sept ans, sa rage et, au milieu de tout ça, le sentiment
de sa force. Une femme qui se hâtait vers la Comédie-Française
le regarda. Il se souvint qu'il n'était pas rasé de plusieurs jours.
Il avait le sentiment que ses cheveux faisaient des pointes
sur ses oreilles. Il pressa le pas. Il avait envie tout à coup
de regarder l'École des Beaux-Arts. Il l'atteignit comme un
homme qui va manquer un rendez-vous d'affaire. Eh bien,
elle était toujours à sa place. Allait-il poursuivre vers la gare
d'Orsay? ou remonter le fleuve comme une pensée? Il sentait
dans sa poche le trésor de ses sept sous entre ses doigts. Il
rêvait à l'emploi de cette fortune. Dix fois, il avait fait et
défait des projets; pareil à une femme qui dénatte ses cheveux...
Cette comparaison le fit ricaner, et les sous dans ses phalanges
sautèrent. C'est triste, cette façon d'être percés qu'ils ont, les
sous.

Cette partie de Paris a une grandeur bizarre, qui tient du
cadavre. Les êtres humains s'y promènent un peu comme les
asticots sur une jambe. Des véhicules rapides emportent des
gens dont on ne voit pas la figure, mais qui ont des attitudes
entre eux. Des amoureux parfois, ou des militaires. La diversité
des vivants, si on avait le temps d'y réfléchir, étonnerait comme
leurs odeurs, du reste, ou l'inélégance des dos qui s'en vont
devant vous sur le trottoir.

Une conversation dans l'ombre :

« Trois ans... c'est comme si je te perdais pour toujours...
— Ne sois pas folle, mon amour, il y a les permissions, et puis
quoi, Nancy, ce n'est pas le bout du monde! — Je te dis que je
sens que c'est la fin entre nous... —Tu ne m'aimes plus? — Oh!
mon grand, mon grand! »

Dans un départ d'escalier, vers les quais où dorment des
hommes en loques, dans des journaux, pieds nus, le couple

était accroché comme une ancre à la terre incertaine d'une
crique. Armand vit qu'ils avaient tous deux un peu plus de
son âge. Elle balbutiait : « Trois ans... trois ans... »

Pour ceux-là, la loi de Trois Ans ce n'était pas la politique.
Il songea, brusquement, à la caserne; il pensa : *« Engage-toi! »*
Aucune femme, lui, ne le retenait. Alors à quoi bon lutter?
Il eut honte aussitôt, et essuya la sueur à sa lèvre où perlait
une moustache naissante. Il frôla le couple au passage, eux
se serrèrent, et l'amoureux fixa durement ce rôdeur.

Il traînait maintenant sur la berge. Les ponts vus d'en bas,
ça ressemble à des hommes en chemise, ça a quitté sa dignité.
Et là-dessous règne une flâne désespérée. Vieillards, déchets
d'un monde, hommes jeunes et tragiques à la façon des forces
inemployées, ombres équivoques de la prostitution la plus
basse, une petite vieille soudain, méticuleuse comme la province, avec son chapeau noir et un pliant... chacune de
ces figures est l'aboutissant d'une longue histoire vulgaire
qui prend l'accent de la grandeur au moment même où elle
tombe à son dernier degré. Comme des mains de fer, les arches
des ponts joignent leurs doigts de ténèbres au-dessus de l'eau
pour tous si tentante. Armand faillit marcher sur un homme
qui avait l'air d'un terrassier, les bras nus et noueux sortant
d'un tricot rayé, la moustache ronflant sur le pavé; était-il
ivre, ou vaincu de fatigue? La Seine, elle, divisait devant lui
ses mamelles autour de la Cité, un remorqueur souffla très fort
du côté de la Samaritaine. L'idée de la caserne revint dans la
tête d'Armand. Ne valait-il pas mieux y vider les goguenots
que de se battre aux Halles pour des poireaux et des feuilles
de choux? Une nuit, au bois de Boulogne, il avait failli
être ramassé par les gardes, et quand il avait dormi dans les
fossés des fortifs, l'autre fois, près des bastions, à la limite de
Levallois, il avait été réveillé par des clameurs, des cris de
femme, et il s'était enfui sans oser regarder seulement ce
qui se passait là, qui on tuait. Alors, il avait déjà tourné ses
yeux vers ce refuge militaire qui se dressait tout noir au-dessus d'une bataille de souteneurs.

Avec sept sous, ou peut tout de même avoir du pain et du café. Et puis après? Armand tournait dans ses doigts sa fortune, comme un avare. Il ne voulait ni l'entamer, ni ne la dépenser qu'incomplètement. Il serait bien avancé s'il lui restait un sou, par exemple. Il chiffrait. Il aurait voulu se laver les dents, offrir des fleurs à une fille quelconque pour la voir sourire. Son chapeau mou le faisait remarquer : c'était tout ce qu'il lui restait d'un monde. Près de Saint-Michel, une grande bringue en cheveux, un corsage clair et un petit sac, s'avança vers lui d'un arbre où elle s'était adossée. Elle pouvait avoir cinquante ans passés, avec le velours qui ramassait les débris du cou, et la robe fendue sous laquelle la jambe noire était peut-être prometteuse. Il la laissa venir, elle avait une voix rauque et basse, qui se faisait douce comme une porte qu'on prend soin d'ouvrir sans bruit.

« Alors, beau brun, tu ne veux pas que je te soulage? »

Il était à un moment tel qu'il aurait probablement fait l'amour par terre avec cette créature qui ne s'était pas démaquillée depuis Fachoda. « Je suis fauché », avoua-t-il.

Elle eut tout le recul de la faim devant la misère. « Merde », murmura-t-elle simplement pour s'éloigner.

Il vit alors qu'elle avait les dents de devant brisées. Elle était dégoûtante et terrible à voir, l'œil sans cils, charbonné, les bras tremblants. Il éprouva tout d'un coup un déchirement absurde à l'idée qu'elle s'en allait, le seul être qui lui eût adressé la parole depuis il ne savait plus combien de temps, le seul être qui l'avait regardé comme un mâle et il eut un geste pour la retenir. Elle gronda : « Touche pas! C'est pas pour ton bec! » Elle emmenait ses fesses avec une majesté monstrueuse.

La nuit s'étirait sans étoiles. Il faisait lourd comme si l'orage allait se mettre de la partie. Un flic passa, soupçonneux. Un chien eut peur d'Armand comme il allongeait vers lui une caresse et se sauva en grognant. Le jeune homme portait maintenant avec lui une obsession. Des seins comme des fraises éclatantes, la blancheur d'un ventre, et ce fléchissement féminin de l'abandon... Est-ce qu'il n'aurait pas dû, tant pis, courir après la vieille putain? Il lui aurait dit, il aurait insisté, pour ce que ça lui coûtait, à elle! Elle pouvait bien faire la charité. Et il n'était pas si mal, avec ses dix-sept ans, malgré la barbe... D'habitude, elle ne devait pas prendre plus de dix sous.

Il revint sur ses pas, avec un vague espoir, scrutant les ombres. Il dérangea un couple d'hommes qui s'entretinrent de la pluie et du beau temps, une cigarette s'alluma dans l'ombre. Plus loin, il crut reconnaître son interlocutrice, elle parlait à un gros homme aux épaules rondes, qui avait des airs de policier. Il remonta sur le quai, quelque part, près de la rue Saint-Jacques.

## XI

La brute se retourna dans les draps lourds, tandis que Carlotta sautait à terre. C'était la chambre d'hôtel classique. L'inspecteur Colombin n'était pas beau dans l'intimité. Sur ses épaules nues, il y avait une toison fauve qui se continuait en pointes sur les omoplates. La chair blafarde, affalée, apaisée, dans le linge s'écroulait malgré les muscles et le nez de l'homme s'écrasait dans l'oreiller, avec cette particulière opiniâtreté de la bête qui a fait l'amour.

Carlotta, dans sa chemise, les seins libres, ramassait les affaires tombées, et elle eut un frisson du pantalon laissé sur une chaise qui était tout guindé encore des fesses du policier. Un ronflement s'élevait et l'odeur animale flottait sur tout, malgré la fenêtre ouverte, insuffisante avec les persiennes. Carlotta avait une abominable impression de salissure qui ne la quittait pas. C'était trop bête : elle n'en était pas à un homme près. Mais celui-là, et ses exigences! Elle se rinça la bouche avec un sentiment étrange envers l'eau fraîche. De

l'oreiller, une voix sortit : « Tu mets les bouts, ma cocotte? »
Elle ne répondit pas, elle avait payé, pas vrai? Ça suffit.

Comme elle était dans la porte ouverte, Colombin, du lit,
cria quelque chose. C'était une atroce cochonnerie, toute mêlée
à ce qui venait de se passer. Carlotta se retourna avec haine :
« Ah ça va! — De quoi, de quoi? » dit l'autre. Et, dressé, avec
son corps de taureau vieillissant, il tourna vers la femme une
gueule ricaneuse.

« À la prochaine, mon chou! Et rappelle-toi que ton mec,
si tu fais ta mariole, je l'envoie à Deibler! »

Comment? Cette ordure prétendait faire durer le chantage?
Une nuit ne suffirait pas? Elle se sentit défaillir. Elle avait
claqué la porte. Elle regagnait la nuit, Paris et ses pensées.
Elle marcha longtemps, avant de se décider. De chez Langer,
elle avait congédié sa voiture. Elle se rappela un petit bar,
pas loin, vers Pigalle, où jadis elle allait quand elle faisait le
trottoir. Elle avait l'envie d'une bonne fine. Elle grimpa donc
à ce vieux refuge des mauvais jours. Il y avait là des inconnus,
mais la caissière s'écria : Tiens, Charlotte! et elle s'attabla
avec les hommes d'anciennes copines. Boire. L'eau du robinet
n'avait pas chassé cette odeur de chacal. Où était-il, Edmond,
à cette heure?

Edmond était arrivé au cercle après le départ de Carlotta.
Pedro lui avait dit qu'elle était partie avec la femme du
croupier. M. Charles ne savait rien, Jeanne ne l'avait pas prévenu. Elle serait en bas, tout à l'heure, chez Pousset. Edmond
joua, et perdit. Il était venu pour demander des sous à
Carlotta : sans elle, comment se débarrasserait-il de Colombin
et d'Alexandre? Celui-ci, avec son vilain nez qui lui sortait
des sourcils, le regardait jouer, l'air ironique. Le joueur,
nerveux, faisait celui qui ne remarque personne. Quand il
quitta la table, Edmond se cogna dans le recéleur qui, avec
un air tout à fait affable, lui serra la main : « Deux mille
balles demain, docteur, ou je bavarde! » Sa main gauche faisait
un geste de couperet. Le chantage était renversé, voilà
tout. Carlotta ne revenait pas. Il en avait des sueurs. Il n'y

tint plus : il descendit chez Pousset. Mme Cartuywels était là
qui attendait. Quand elle vit entrer Edmond, elle eut un soupir
malaisé. Qu'allait-elle lui dire? Quelle horreur! Elle était
sentimentale : elle voyait dans Edmond et Carlotta le couple
idéal, l'amour heureux. Qu'avait-elle fait contre ce beau garçon
en menant sa maîtresse à ce monstre? Elle se disait que peut-
être rien de mauvais n'était sorti de tout ça... Mais mentir...
« Non, dit-elle, je ne sais pas. Elle a dû rentrer chez elle.
Je l'avais emmenée pour avoir quelqu'un à qui parler de mon
petit... » Ces mots échappés, elle se sentit malheureuse.
Qu'avait-elle fait? Mêler Bébé à cette saloperie? Pourvu que
ça ne lui porte pas malheur!

Le lendemain matin, Edmond se précipitait boulevard
Bineau. Sans égard pour les convenances, Carlotta le fit entrer
dans la chambre. Il était onze heures, il y avait là Babette,
la manucure, qu'elle renvoya au rez-de-chaussée. Carlotta avait
passé un kimono rose sur sa longue robe de nuit; les cheveux
défaits, les yeux battus, elle était plus belle que jamais.
Mais il s'agissait d'autre chose. Il allait parler, elle lui coupa
la parole.

« Ne dis rien, je sais déjà... Qu'est-ce que tu vas faire?
Il faut t'en aller. En Belgique... J'ai vu l'inspecteur Colombin.
— Ah! oui? Toi aussi? Et alors? — D'abord ta peau, mon
petit... On pensera au reste ensuite... — Mais jamais de la vie!
Avec deux mille francs... »

Pendant un instant, il jouèrent ainsi à cache-cache. Enfin
il comprit : Colombin l'avait persuadée que lui, Edmond,
avait vraiment assassiné la mère Beurdeley, pour payer ses
dettes de jeu... Il lui expliqua la nature du chantage, Alexandre, et ce qui s'ensuit. Ah bon! Soudain Carlotta grinça des
dents de rage : elle se ressouvenait de sa nuit. Il l'avait roulée,
le fumier. Elle raconta la chose à Edmond, très vite, en des
termes d'une crudité qui l'atteignirent, lui le cynique. Carlotta! Avec ce flic! C'était pire qu'avec son père... Il gémit.
Il était atteint dans sa dignité d'homme. Il le dit. Elle lui
éclata de rire au nez. « Je m'en fous, de ta dignité... mais lui,

il puait l'acétylène, tu comprends? Je l'aurais bien tué... »
En attendant, avec ses larmes aux yeux, Edmond avait failli
oublier l'essentiel. Les deux mille francs d'Alexandre. Que
faire? Carlotta ne les avait pas. Bien vrai? Tu te rends compte
de ce que ça signifie pour moi? Si je me rends compte? Pour
qui, alors, est-ce que je me suis roulée dans le purin? Monsieur voudrait que j'aille demander deux billets à Joseph
Quesnel? Et pourquoi pas? Parce qu'il est malade, que je ne
peux pas le voir au parc Monceau, qu'il faudrait lui expliquer...
et que je ne veux pas lui faire de la peine, tiens. Edmond
râlait : qu'est-ce qu'il fait de ses sous, ce vieil avare? Je te
défends de parler comme ça. Et si on m'arrête? Il pleurait.
Une chiffe, comme les autres. Les hommes, ce sont des pas
grand'chose. Celui-ci avait un avantage. Au lit. C'est toujours
ça.

## XII

Edmond parti (il avait eu l'idée d'emprunter à Jacques Schoelzer, avec un bobard quelconque), Carlotta se sentit soudain
prise de panique. Elle congédia Babette, pour mieux réfléchir.
Elle ferait ses ongles un autre jour. Elle avait oublié dans tout
ça que les menaces de Colombin la concernaient aussi : il
avait parlé d'avertir Quesnel. Comment allait-elle s'en sortir?
Faudrait-il supporter, subir ce flic pour éviter la catastrophe?
Elle avait des idées de meurtre. Soudain, elle songea à Grésandage : elle ne pouvait pas compter sur Edmond, alors.
Elle eut Élise au téléphone. Non, Richard n'est pas là.
Comment allez-vous, chère madame? Ah ça! pardon. Je crois
qu'il rentre. Tenez, je vous le passe. Allô! Oui, c'est moi. Immédiatement? Ce n'est pas très commode. Élise pour la première
fois de sa vie était jalouse. Alors, si c'est comme ça, alors, c'est
différent. Voyons, Rico, le déjeuner qui est prêt. Laisse donc,

c'est pour Joseph Quesnel... Comment? Je ne te crois pas. Vous disiez, chère amie? Non, non, je vous assure, ma femme me dit de m'en aller... Rico, je te supplie. Alors, quoi, une scène? Chère madame, j'arrive. Entre le téléphone et la porte claquée, il n'y eut pas trois paroles. Mais les années de mariage se déchirèrent comme un voile et Élise comprit qu'elle avait perdu ce qui était plus précieux que la vie. Le charbonnier! Elle cherchait des prières et elle ne trouvait que des mots bêtes et familiers. Elle vint appuyer à la vitre son gros front pensif. Elle le vit en bas, Richard, qui hésitait entre les véhicules. « Il va se faire écraser! » pensa-t-elle. Il hélait un taxi.

Quand Grésandage sonna à la grille, c'est Carlotta qui vint lui ouvrir, prévenant la bonne. Elle l'entraîna dans le jardin. Elle était mise à la diable : une robe à deux volants, verte à taches blanches, ouverte sur le pied, chaussée de cothurnes, et des manches mi-longues de mousseline blanche, un ruban vert dans les cheveux mal noués. Elle avait les yeux cernés et la bouche tremblante. Elle prit la main de Richard et la serra contre son sein palpitant. Il pensa tout voir tourner. Mais qu'avait-elle? On sentait ce cœur galopant... Sous la tonnelle, elle lui dit tout d'un seul coup. Il sentait sous lui la terre qui se dérobait. Il ne savait rien d'elle, au fond. Il l'avait placée si haut. Elle avait un amant! Pas Quesnel. Un amant! À travers le reste, il y avait d'abord cette révélation. Elle ne lui avait pas précisément menti, mais caché la vérité. Et elle l'aimait? Enfin ce n'était pas de ça qu'il était question. Carlotta, vous ne me racontez pas des craques? L'intrigue était trop compliquée pour que Richard s'y reconnût d'un coup. Edmond, Colombin, Mme Beurdeley... Qu'est-ce que je peux faire là dedans, moi?

« Il faut me sauver », dit-elle, et elle avait noué ses deux bras blancs autour du cou de Richard, et elle le regarda de ses yeux les plus fous, les plus près de chavirer. Il se sentait si parfaitement démoralisé de toute cette boue, et de la jalousie folle qui le mordait, où se mêlaient Edmond et la jeunesse, Quesnel et l'argent, et l'inspecteur Colombin et des ignomi-

nies, il se sentait si totalement désorienté qu'il serra contre lui
cette femme dont il était ivre comme il eût fait d'une petite
fille, et ses doigts se prirent dans ses cheveux, et il réalisa
qu'il venait de lui mordre les lèvres quand elle cria légèrement : « Richard, que faites-vous? » Ils étaient sous la tonnelle.

« Il n'y a, dit-il, que la préfecture de police pour vous sortir
de là. Mais alors, il faut prévenir Quesnel, parce que sans ça
qu'est-ce qui vous défendrait contre la délation, vous? Quant
à ce jeune homme... » Il ferma des yeux amers. « Je me
demande, en ce moment-ci, si ce ne serait pas le tuer, Quesnel...
Carlotta, comment prendra-t-il la chose? » Elle ne savait pas,
elle secouait la tête, elle était fatiguée de tout ça. Si Richard
non plus ne pouvait pas la défendre... Là-dessus, la bonne parut
sur le perron... On demandait Madame au téléphone. Elle
courut dans l'allée. Il restait seul, Grésandage, avec tout le
désemparé de l'histoire, et la confuse image d'Élise abandonnée, et comprenant d'un coup l'amour qu'il avait d'une autre.
Quelle horreur! Tout s'en allait en morceaux pour tout le
monde...

Au téléphone, c'était Colombin. Déjà, il la relançait. Il
venait de se réveiller, il ne lui laissait pas le temps de souffler.
Il s'était fait dans cette tête apparemment l'idée de devenir
le maquereau de cette femme qui avait pour entreteneur l'un
des hommes les plus riches de France. Il fallait la gagner de
vitesse. Il allait venir. Elle sortait? Alors, si elle ne voulait
pas qu'il advînt malheur au greluchon... Elle eut la force de
raccrocher.

Vers trois heures de l'après-midi, comme tous les jours,
l'inspecteur Colombin passait au *Brise-bise's Bar*, rue Fontaine,
où Jeanne Cartuywels l'attendait à tout hasard. Jeanne était
dans une espèce de folie. Le temps était encore à l'orage.
Et puis Mme Cartuywels s'était reproché toute la nuit d'avoir
commis un crime contre l'amour. Elle avait peur d'apprendre
ce que Colombin avait fait de Carlotta. Par un étrange mélange
de sentiments, elle avait aussi un certain dépit, elle qui haïssait
l'inspecteur et pleurait chaque fois qu'elle le quittait, à cause

de Charles, du pauvre Charles qui ne se doutait de rien. Elle se sentait humiliée, vieillie, bafouée. Et coupable. Elle avait demandé un stout, qui était là devant elle, noir comme du café.

Quand l'inspecteur entra, très conquérant, le panama en bataille, avec cette espèce d'insolence des cuisses dans le pantalon rayé, plein à craquer, une chaîne d'or de la pochette à la boutonnière du revers, elle vit tout de suite que rien ne lui avait été épargné. Il s'assit près d'elle sur la banquette, et la pinça très fort au sein. Elle ne cria pas et tourna ses grands yeux étranges : « Alors, dit-elle, cette Carlotta ? » Il rigola, fit claquer sa langue, se pencha sur la table et dit : « Qu'est-ce que tu bois ? Du stout. Fait soif. » Et lampa la moitié du verre. « Une absinthe ! » commanda-t-il. Le silence se mêla à la chaleur.

« Eh bien ! reprit-il après un temps... Pour une affaire, c'est une affaire. Elle a de l'expérience, et un pétard, enfin tout ce qu'on fait de bien comme fesses. Pas du plissé, comme chez toi. »

Il se dépassa dans le récit, avec une sorte de génie vantard pour la grivoiserie et la saleté. Il aimait se faire valoir aux yeux des femmes. Cela l'entraînait. Il prit une seconde absinthe. Il se lança dans ses projets. Ce qu'il ferait de Carlotta, comme il jouerait avec elle de la crainte de Quesnel, etc... Jeanne demanda : « Et le jeune homme ? » Il eut un gros rire : « Le jeune homme ! Dès ce soir, je l'abandonne à la bande à Alexandre. Je dis qu'il n'a pas marché et on le supprime. Avec eux, ça ne traîne pas. Tu sais bien, quand il y a eu ces coups de feu dans le passage de l'Opéra, à la sortie de derrière du cercle ? C'était un Brésilien qui avait triché sur des bijoux avec Alexandre... Oh, faut pas nous la faire à la morale ! S'il avait été régulier, on l'aurait pas refroidi, et puis ça fait la rue Michel... Il ne me gênera pas longtemps, le beau merle. »

Mon Dieu ! Jeanne Cartuywels était épouvantée. Et c'était elle, elle qui avait, par sa lâcheté, mis tout ça en branle.

Elle trouvait Edmond si beau. Si Bébé pouvait devenir comme
ça plus tard! C'était le chevalier des contes, le héros amoureux,
le prince charmant. On allait le tuer le soir même, qui sait,
comme ça, à la sortie du cercle. Il ne fallait pas qu'il vînt.
Comment le prévenir?

« Tu me diras, Jeanneton, que j'ai la main heureuse. Il
y a longtemps que je la guettais, la Carlotta. Oh, c'était une
petite filature qu'on m'avait demandée. Un vieux client, avec
qui j'ai eu à faire dans une histoire de drogues, il y a quelques
années. Un homme de bourse. Il est en affaires avec le miché
de la donzelle, et leurs relations se sont un peu refroidies.
Je crois qu'il compte tirer de quelques révélations un certain
effet sur le vieux richard. Je lui ai envoyé des renseignements
touchant le petit mec. Si on le rate par un bout, on le retrouvera par l'autre... »

Jeanne Cartuywels ne se sentait pas bien, pas bien du tout,
il faisait étouffant. Elle allait rentrer chez elle. Peut-être
était-ce son mois qui venait... Ça lui valut encore une bonne
plaisanterie bien salée. Quand elle se leva, il lui flanqua une
bourrade dans les reins. Pure amitié : c'était la cordialité du
triomphe.

# XIII

Le soir déjà tombait. Grésandage n'avait pas quitté le
boulevard Bineau. Depuis des heures, il jouait le rôle de
confident, étrangement coupé de baisers, furtifs comme des
remords. Les roses s'effeuillaient presque toutes maintenant.
Le quartier était d'un calme. Quand il entendit la voix de
Jeanne, Richard crut rêver. Elle parlait avec exaltation à la
bonne, et, de la grille, ils la virent venir dans sa robe grise,
à pas pressés, sous le chapeau bonnet d'âne à la nouvelle mode,
velours et paille.

Elle ne reconnut pas Grésandage : elle comprit tout de suite qu'on pouvait parler devant lui. Elle avait eu les adresses au cercle par Pedro. M. Barbentane n'était pas à son hôtel, elle était venue... À tout prix, il fallait l'empêcher de retourner au cercle, on allait le tuer. Comment? Carlotta la prit par le bras et la secoua. Le rôle joué la veille par Jeanne ne la disposait guère en faveur de cette femme secouée d'hystérie. Pourtant, l'expression d'égarement de Jeanne la frappa, elle la fit asseoir. C'est alors que Mme Cartuywels éclata en sanglots.

Elle avait la face dans ses mains, son chapeau de travers. On ne pouvait plus rien tirer d'elle. Le mot *Bébé* fusait entre les doigts. « Je n'y comprends rien, dit Carlotta. — Laissez-moi faire, souffla Richard, je vais lui parler. »

Avec une douceur qu'on n'eût pas attendue de lui, M. le directeur du mouvement général des fonds écarta les mains de ce visage dévasté par les larmes : « Jeanne, dit-il, ne me reconnaissez-vous pas? C'est moi, Richard, vous rappelez-vous, Richard, Richard... »

Jeanne s'immobilisa : elle semblait entendre des voix lointaines. Richard? Elle regarda Carlotta d'abord, puis l'inconnu. C'était comme un papier qu'on défripe. Sous les traits du quadragénaire, elle retrouvait avec peine le garçon de vingt ans : « Oh, dit-elle, Richard! » Et pendant un instant au cœur du drame, actuel, le drame ancien fut plus fort que le temps. « Richard, dit-elle, quels fous nous avons été! » Puis elle se rappela la vie et le monde, et cette chose atroce dans son cœur, et elle se mit à petits sanglots à gémir, les coudes au corps, les mains montant et descendant, tremblantes, pour frapper en mesure ses genoux, comme les très vieilles femmes dans les veillées mortuaires.

« Oh, gémissait-elle, c'est moi, c'est moi qui l'ai tué! J'aurais dû lui porter la médaille, et je l'avais là, dans mes seins. Elle le protégeait. Hier soir, c'est moi, en cédant à l'autre, je vous ai trahie, madame, je vous ai trahie! Alors saint Christophe a laissé tomber l'enfant! »

Était-elle devenue folle? Carlotta et Richard se regardaient. Lui murmura : « Jeanne, Jeannette, souviens-toi... Que s'est-il passé? Nous sommes des amis! » Elle ne les voyait plus, évidemment. Le chapeau, avec ses grandes oreilles, oscillait burlesquement sur ses cheveux : « Saint Christophe a jeté l'enfant par la fenêtre dans la rivière! J'ai tué mon enfant! Bébé, mon petit Bébé! » Carlotta, inquiète, s'était agenouillée près d'elle : « Votre enfant est en bonne santé, madame, voyons... Pourquoi? » Jeanne fouillait dans son sac, elle en sortit, avec un mouchoir trempé, un télégramme qui n'était déjà presque plus lisible, un chiffon de pleurs. Grésandage déchiffra avec peine : *Bébé mort cette nuit que faire enterrement Dufour.*

« Saint Christophe, pleurait la mère, saint Christophe nous a abandonnés, par ma faute, par ma très grande faute. C'est moi qui ai tué Bébé cette nuit, comme ils vont maintenant tuer votre jeune homme. Richard! Qu'est-ce que vous faites ici, Richard? Bébé est mort. Bébé! »

Elle reprenait, les emmêlant, trois thèmes disparates, l'enfant mort par sa faute, là-bas dans les Charentes, et l'amour d'il y avait vingt ans, Richard retrouvé et le traquenard du passage de l'Opéra, le Brésilien, Colombin, Edmond, Alexandre. On s'y perdait à force de pathétique. Richard et Carlotta se concertèrent. Il fallait qu'elle parlât, à cause de cette menace obscure. Ils la prirent entre eux, cherchèrent à la calmer. Mais à peine tiraient-ils d'elle un bout de l'histoire, qu'elle repensait au gosse : Bébé, Bébé! et elle se secouait d'eux comme s'ils l'eussent empêchée de se jeter à la mer... Peu à peu, pourtant, les lignes de la vérité se dénouaient dans ses paroles. Les menaces de Colombin transparurent. Il fallait agir vite. Carlotta dit à Richard : « Partez, faites n'importe quoi, mais qu'il vive! Allez à la police, je ne sais pas, moi! — Et Quesnel? » demanda Richard. Elle baissa la tête : « Tant pis pour lui », souffla-t-elle. Grésandage interpréta cela à sa manière. « Bon, dit-il, je vais au parc Monceau... »

Avant de partir, il jeta les yeux sur la femme démente qui se balançait sur une chaise de rotin. Sur la malheureuse Jeanne retrouvée et perdue. Toute sa jeunesse. Tout l'attendrissement de sa jeunesse. Et dire qu'il était mis en face d'elle à un instant pareil où le souffle ne lui était pas même laissé d'en souffrir, d'en avoir la nostalgie! L'existence est un beau gâchis. Il laissait ensemble ces deux femmes, pour aller au secours d'un jeune homme inconnu, son rival. Il ne pensait même pas à Élise. À Élise qui l'attendait rue de Passy avec la mort dans le cœur.

## XIV

« Ça fait plaisir de vous voir sur pied, cher ami. — Je sortirai demain, j'ai fait aujourd'hui un tour de parc. Et si tout va bien, après-demain, j'irai assister à la revue de Longchamp... »

Quesnel recevait Wisner sous la véranda, devant le jardin qui semblait se perdre dans le parc Monceau. Il n'avait pas mauvaise mine, un peu amaigri, les traits tirés d'avoir souffert. Wisner, au fond, se sentait désappointé : il avait cru à une maladie plus longue et il s'était fait à lui-même un certain plaisir, en se conduisant si bien avec son vieil ami, par ses visites répétées. Au fond, il s'était alarmé pour rien.

Le calme du soir d'été tomba sur eux tandis qu'ils buvaient des citronnades glacées. Quel charme avait ce parc public où roulait un peuple décent, plein de retenue! Ici la fortune apparaissait presque le bien de tous, comme le soleil. Quiétude française, paix profonde... On oubliait ces perpétuelles alarmes de la presse et du Parlement. « Je bénis le ciel, dit Joseph Quesnel, les yeux mi-fermés, de vivre dans notre époque. Tout n'est peut-être pas encore à sa place, mais enfin, comme la sagesse des hommes domine la nature et la sauvagerie du grand nombre! Quand je pense que nous eussions pu naître en d'autres temps, tenez, dans cette Renaissance italienne,

telle que l'a vue Stendhal! Ce temps des poignards, du poison,
du gouvernement des sbires... Quelle étrange chose ça a dû
être! »

Wisner l'écoutait mal. Il avait la tête à la Bourse, et de
mauvaises nouvelles encore d'une de ses usines. Quesnel continuait : « Souvent, j'ai songé à ces hommes des anciens temps
à qui, somme toute, était dévolue la mission qui est la nôtre,
Wisner, qui est la nôtre... Et je me disais avec un assez légitime
orgueil, pensant au mésusage qu'ils ont fait de la force et
de la richesse, que nous n'avons point à craindre la comparaison devant un Dieu qui nous juge : nous ne jetons pas nos
esclaves aux murènes, nous n'envoyons personne aux fers,
nous ne dépossédons personne du fruit de ses labeurs. La
vie est devenue très douce. Il fait bon vivre. »

Il se tut, les idées coururent. Et c'est ainsi que Wisner se
trouva en venir aux Balkans : « Les dernières nouvelles sont
excellentes. Vous savez : les Bulgares sont battus sur toute
la ligne. Les Roumains avancent. Et même il ne faudrait pas
laisser aller les choses trop loin, de peur qu'il y ait une révolution à Sofia. Il faudra bien que Ferdinand mette les pouces.
Cela fait pour nos affaires de jolies perspectives. Nos mines
sont prêtes à l'exploitation... »

Quesnel ne le suivait pas dans cette voie. Il rêvait. Il l'interrompit. « Excusez-moi, Wisner... je pensais qu'aux grandes
époques, et qui nierait que ceci en est une? toujours les
hommes qui ont été les maîtres de l'industrie ont été les
protecteurs des arts. Les Médicis... Voyez-vous, je viens d'être
malade, et j'ai touché profondément aux sources de ma vie.
Bien des choses, dans les douleurs, passent, comme passent les
tentures d'une chambre. Toute ma vie, j'ai aimé la peinture, et
les poèmes, et peut-être que je vous parais ridicule... si,
si! mais au fond, dans ces moments où j'ai ressenti si vivement
le précaire de l'existence, j'ai su que je tenais plus aux choses
de l'art qu'à la fortune, qu'à l'enthousiasme des affaires...
Il faudra que je vous montre ce tableau que j'ai acheté...
— Un tableau? Vous êtes étonnant, on vous croit au tombeau,

pas du tout! Vous achetez des tableaux! — Oh! vous savez, sans être un Camondo, un Cognac ou un Roussel, j'ai ma petite collection... Cette fois, j'ai un peu outrepassé mon choix coutumier. C'est que j'ai réfléchi à des choses diverses : il y avait des peintres dont je ne voulais pas entendre parler, leurs recherches, leurs audaces m'irritaient que sais-je? Et puis, à force, on s'habitue, on découvre des beautés où on ne croyait pas qu'il y en eût... vous verrez... — Et de qui est-il, ce tableau? — Vous allez rire : mais vous savez, il ne faut pas le juger sur ses outrances, c'est un fameux dessinateur... Picasso... — Comment, le cubiste? Ah! celle-là, par exemple! Mais vous avez perdu la tête! — Vous verrez, vous verrez! C'est un tableau d'il y a huit ans, tout bleu, avec des acrobates... »

Un valet vint annoncer M. Grésandage. Wisner vit quelque chose de lumineux soudain dans le visage du convalescent. C'était que le nom de Richard signifiait un message de Carlotta. Quesnel reçut l'arrivant avec tendresse. Il semblait d'une telle bonté, ce grand homme vieilli, mais aux yeux jeunes encore, que Wisner en pesta un peu à part soi : ça le dérangeait et ça lui chatouillait l'estomac. Il écouta, un peu à l'écart, Richard essoufflé qui donnait de l'avenue Bineau des nouvelles excellentes. Richard parlait à mots couverts, mais avec la peur d'aborder le sujet de sa visite. Qui sait l'effet que cela ferait à Quesnel? Et devant Wisner, comment parler? Il mentait, il tournait autour du pot. Il dit : « Carlotta? Je l'ai trouvée fraîche comme une rose... » et cette banalité avait pris un tel accent, un tel élan dans son cœur même, que Joseph Quesnel en sourit et longuement baissa les paupières pour mieux voir l'Italienne.

Il se mit à parler de l'amour. Cela sonnait déplacé qu'à ses cadets ce vieux protestant parlât d'un sujet pareil. La hauteur, la dignité de ses phrases les tenaient en respect. Ils l'écoutaient diversement, Grésandage avec des battements de cœur, Wisner avec surprise. Le constructeur d'automobiles aurait eu facilement propension à l'ironie, car il savait de reste, et pour cause, ce que c'était que cette Carlotta. Mais il s'agissait bien d'elle pour lui! Il s'agissait de Quesnel, un homme qui a fait ses preuves dans la vie, un homme supérieur. Il y a tout de même une grande fraîcheur dans les sentiments qui ne laisse pas insensible. Wisner, le viveur, n'était pas sans en éprouver le charme singulier.

Richard avait tant de mots qui gonflaient ses lèvres. Chaque minute pouvait amener mort d'homme. Il n'osait pas parler. La sérénité de Quesnel l'effrayait, comme un lac au-dessus duquel planent des oiseaux noirs, si clair, si limpide. Allait-il jeter là-dedans une pierre? « Rentrons, dit Quesnel, je me sens tout de même fatigué. »

Non, il était impossible de parler à ce malade, à cet aveugle. Pourtant, ne fallait-il pas intervenir dans l'heure même? Qui, sinon Quesnel, aurait le pouvoir de mettre en branle sans questions, sans histoires, la police, et tout ce qui s'ensuit? Wisner! Idée lumineuse. Wisner partait, Richard dit : « Je vous accompagne... »

. . . . . . . . . . . . . . . . . . . . . . .

« Non? Ah ça mais, c'est un roman-feuilleton! »

Wisner conduisait lui-même sa Mercédès. Il s'était arrêté le long du trottoir, dans l'avenue de Friedland, quand Grésandage avait commencé à se dépatouiller dans le récit de sa journée. Il ponctuait de *Mince!* et de *Saperlipopette!* cette histoire où il se perdait. Voyons, qu'est-ce qu'elle vient faire là-dedans cette... enfin vos premières amours? Et le gosse mort, et les diamants? Oui, vous avez bien fait de me parler de ça à moi, et pas à Quesnel. On ne sait pas comment il aurait pris la chose... Alors, qu'est-ce qu'il faut faire? Moi, je m'en contrefiche qu'on lui abîme son maquereau à cette demoiselle... Celle-là, comme poule, alors! Quoi? Allons, allons, vous n'allez pas me dire à moi... Je l'ai baisée avant Quesnel, je vous prie de croire : pas désagréable, au reste...

Le coup cassa Richard en deux. Il était devenu pâle comme seul le lilas sait être pâle. Carlotta! Il aurait fallu tuer ce

Wisner, cet abominable démolisseur d'idoles. Il n'y en avait pas le temps. Richard se mordit les lèvres au sang. Wisner était utile, à cette heure. Lui seul pouvait intervenir assez vite... Grésandage expliqua : le Brésilien, le passage de l'Opéra...

Wisner écoutait. Tout d'un coup une espèce de lueur se fit en lui : le passage de l'Opéra, mais attendez donc, comment l'appelez-vous ce cercle? Le *Passage-Club!* Ah, oui? Ah, ça, c'est différent. Très mauvaise réputation. Un tripot. On devrait fermer ces endroits-là. Je le disais encore l'autre jour au ministre... Des nids d'étrangers, d'espions... Et vous voyez, des recéleurs, des assassins... Je vais téléphoner au préfet... Tout de suite. Je fais un bond au tabac, là-bas. Vous m'attendez? Pas de raison de le laisser tuer, ce garçon, même s'il n'est pas intéressant, intéressant.

Nom de Dieu! pensait Wisner en tournant la manivelle du téléphone. Celle-là est bien bonne! On l'aurait faite sur mesures, on n'aurait pas mieux réussi! Le préfet n'était pas là. Wisner à l'appareil. Tout de suite. Mon cher préfet, on me disait... Pas pour vous, cher ami, pas pour vous. La voix d'Hennion faisait résonner l'appareil. Eh bien, voilà une occasion de nettoyer un de ces cercles, une affaire de tout repos... Lequel? Le *Passage-Club*, oui, oui. Comment? Mais de toute urgence, ce soir même, un meurtre projeté! Trop long à expliquer... Toute l'histoire me vient par un M. Barbentane, qu'on essaiera d'impliquer dans une sale affaire, un chantage... oui, oui... C'est lui qu'il s'agit de protéger... Barbentane... Le fils de qui? Je ne sais pas. Si vous connaissez son père, c'est très bien. Vous voyez. Bar-ben-ta-ne... Il ne doit pas y en avoir tant que ça, des Barbentane... Un ami de Clemenceau, je n'en savais rien, mais raison de plus. Entendu... Entendu. Alors entendu, mon cher préfet. Et puis il y a un de vos inspecteurs qui a fait des gaffes, marché sur une chasse gardée. Un nommé Colombin. Il faudra lui faire comprendre. Nous nous verrons pour ça. Mes hommages à Mme Hennion.

« Le coup est paré », dit Wisner à Richard, et il mit le cap

vers Passy. « Je vous accompagne, laissez donc. » Grésandage
respirait profondément. Une descente de police, ce soir. Et
demain toute l'affaire serait débrouillée. On effraierait les
maîtres-chanteurs, c'était bien rare s'ils n'avaient pas une
petite condamnation, une petite interdiction de séjour... Cela
avait été bien sage de ne parler de rien à Quesnel. Il pourrait
poursuivre son rêve. Cette femme, c'était la lumière de sa
vieillesse. Les deux hommes se regardaient avec les yeux
brillants. Ils venaient de commettre une bonne action. « Le
coup est paré », répéta Richard. Et après réflexion : « Vous
venez de sauver la vie d'un homme. »

Mais, à cette même minute, Joris de Houten, assis dans un
fauteuil devant Joseph Quesnel, lui exposait en détail ce qu'il
savait de Carlotta et d'Edmond Barbentane et qu'il tenait
d'un de ses informateurs, l'inspecteur Colombin, de la brigade
des jeux.

## XV

La jalousie s'empare vers la même heure de plusieurs des
cœurs humains que traverse cette histoire : tandis qu'Élise
Grésandage se morfond et que tout ce qui fait son univers se
décompose dans les rideaux de la rue de Passy auxquels elle
appuie son désespoir, tant et si bien que, pour avoir douté
de Richard, elle commence à douter de Dieu même, Richard
lui-même qui revient vers elle éprouve à la lueur de sentiments
nouveaux combien sa vie a été inutile, perdue, gâchée. À
quoi bon, fonctionnaire intègre, avoir ainsi tant d'années rusé
avec soi-même, pour souffrir comme un enfant à cause d'une
femme, dont il pense à la fois qu'elle est atroce et qu'il
l'aime? Quesnel, ce jeune homme inconnu, Barbentane, et
maintenant Wisner. Le pire est la désinvolture de Wisner.

Et Quesnel reçoit de l'élégant Joris de Houten des révélations qui dépassent en douleur les coliques néphrétiques, parce qu'ici l'on ne peut plus crier, il faut se *tenir,* écouter... Dire que l'humanité rit depuis des siècles des hommes trompés, des cocus. On ne sait pas ce que pense, ce que ressent un homme qui s'est jeté sous le métro, par exemple, et qui a la poitrine écrasée, et le cœur bat encore sous l'éclatement des côtes, puis la roue prend la tête, la gueule par le travers, et cela fait crac, et floc, là où se peignait le sourire, la boîte gicle de sang, la cervelle coule... Cela ne te ferait pas rire, Molière? Et pourtant. « Dites-moi, prononça Quesnel, magnat des taxis, commanditaire des armées serbes et roumaines, êtes-vous bien sûr de ce que vous avancez? » Ainsi la douleur hésite comme un papillon noir.

Charles Leroy avait passé une journée épuisante dans l'entresol du *Passage-Club.* Homme simple, qui ambitionnait une vieillesse paisible, dans un monde où il n'y a pas de jeunesse heureuse, il avait trouvé dans la tendresse de Jeanne Cartuywels un espoir duquel il se mettait à croire qu'il avait été l'illusion de son âge mûr. Cela avait commencé par le pardon d'une faute, par le geste généreux du croupier, fermant les yeux sur une tricherie. Elle lui était tombée dans les bras tout bonnement. Pour la première fois, il avait été pour une femme l'être magnanime et fort, le protecteur, le moralisateur. Il s'en était senti grandi, il avait brusquement eu foi en lui-même, en l'avenir. Et il y avait tout : le caractère peureux, inquiet, de Jeanne, ses regrets d'un monde fermé qu'il se promettait secrètement de lui rouvrir par le mariage, l'enfant, le bâtard, sur lequel il s'attendrissait et qui passerait bientôt, quand on le tirerait de nourrice, pour son propre fils, il l'aimait déjà...

Il y avait une chose que le croupier n'avait jamais imaginée, lui qui, toute sa vie, avait été au bordel, ou à des femmes qui ne valaient pas mieux, c'était que Jeanne pût le tromper. Ça ne l'avait tout simplement pas effleuré.

Depuis deux jours, il vivait avec cette idée nouvelle. Elle grandissait dans la chaleur et l'affolement. Il commençait à savoir qu'il aimait Jeanne : il savait qu'elle lui était très attachée, il croyait avoir grande pitié d'elle. Voilà que c'était de lui-même qu'il apprenait à avoir pitié d'abord. C'est là ce que les hommes malheureux en amour appellent aimer. Où était-elle? Que faisait-elle? Et l'autre... était-ce Dieu possible? Cet effroyable roussin.

Autour du croupier, l'argent, les êtres poussiéreux, des hommes équivoques, des femmes dégradées, les cartes... tout tournait avec le temps inexorable. À l'heure du dîner, au petit restaurant de la rue Favart, M. Charles n'eut presque pas d'étonnement de ne pas rencontrer Jeanne. Il l'attendit pourtant. Elle ne venait pas. Il ne mangea point. Les serveuses lui disaient : « Alors, votre dame? ou bien « Vous feriez mieux de commencer... » Quand il fut l'heure de remonter au cercle, il prit une fine pour légitimer sa longue attente. Puis une deuxième fine, à cause du cœur qui battait si fort. « Si Madame arrive, vous lui direz... » Au-dehors, on commençait à se préparer pour la fête des rues. Il y avait des drapeaux partout.

Et le travail reprit. Ce qui était pour lui le travail. Cette chose qu'il n'avait jamais jugée, et qu'il se prenait soudain à regarder avec des yeux neufs. Les jetons, les plaques, l'argent... Est-ce qu'il y avait des gens qui ne jouaient pas? Des gens qui n'avaient pas ces visages mâchés d'angoisse, ces tics nerveux, cette fièvre? Il ferma les yeux. Il voulait revoir la campagne quand il était jeune et il vit Jeanne, Jeanne avec Colombin. Il releva précipitamment ses paupières... « Les jeux sont faits... » Des mouches de lumière verte flottaient sur les joueurs comme les taches d'une lèpre universelle.

Tout d'un coup, sans que rien se fût passé, il se rassura. Tout cela s'expliquerait, il n'y avait rien de grave. Pourquoi se faire des imaginations? Il s'était élevé une contestation à la table voisine. Charles tourna légèrement la tête. Son collègue lui clignait de l'œil. Une vieille sorcière, peinte, râlait auprès d'une sorte d'Henri IV borgne. Puis tout s'apaisa. « Les jeux sont faits... »

La jalousie avait pris une forme lente et sournoise. Comme la faim. Elle était là sans y être. Elle ne faisait pas très mal. Elle détruisait. Rue de Passy, une soirée muette. Mme Grésandage écoutait son malheur, quand dans le va-et-vient des occupations ménagères elle faisait tinter un vase. Les fleurs étouffent par un temps pareil. Il faut leur changer l'eau. Richard lisait un livre de Paul Bourget : un auteur qu'il n'aimait guère. On annonçait son nouveau roman : *Le Démon de Midi*. Un titre qui faisait parler (Richard était plutôt un lecteur de Claudel, il était abonné à la *Nouvelle Revue Française*). Quesnel s'était retiré après dîner, laissant sa fille. Il avait enfin la possibilité de mesurer son malheur. Il regarda ses vieilles mains.

Dans les rues de Paris, où ce samedi soir commençaient déjà les bals, à l'avant-veille du 14 Juillet, échappée avec son grotesque chapeau ballant, aux deux oreilles ironiques, Jeanne Cartuywels s'en revenait, comme une image de la dévastation. Des gosses rirent d'elle. Elle les regarda sans comprendre. Puis poussa un cri. Des enfants! Ils se reculèrent, effrayés. Elle ne pouvait plus voir les enfants. Elle commençait d'être hallucinée par une affiche rouge, jaune et verte qu'on voyait sur tous les murs. Réclame d'un feuilleton. Un forçat au torse nu, avec un air de l'épouvante. Et la légende de *Chéri-Bibi* : *Non, pas les mains! pas les mains!* Cette phrase, on ne sait comment, semblait se rapporter à son histoire.

Charles Leroy avait longuement caressé ce rêve d'une petite maison sur la Côte d'Azur, dont il était toujours question avec Jeanne avant de s'endormir. On aurait peut-être des hortensias en terre. C'étaient ces hortensias qui se fanaient ce soir, dans son cœur. Il n'y aurait pas de maison, d'avenir sans Jeanne. À quoi bon? Désormais, à quoi bon?

Il ne l'avait pas vue entrant. Elle se trouva près de lui soudain. Elle lui posa la main sur l'épaule. Elle était presque maîtresse d'elle-même. Elle soufflait : « Ne me fais pas de reproches, je dois te parler.... » Cette fois, il ne dit pas qu'elle le dérangeait. Il chercha des yeux quelqu'un pour le remplacer.

Il dit tout bas : « Je te rejoins dans la rotonde. » Cela prit un peu de temps avant qu'un collègue libre pût s'asseoir à sa place.

Pendant que Jeanne et Charles parlaient dans la rotonde, Pedro, voisin de la porte, écrivait à une jeune institutrice romanesque, comme s'il eût été un prince égyptien. Étranges complications des rêves, si vous connaissiez le charme de nos palmeraies, et la grande douceur des baisers au pied de la statue de Memnon que fait chanter le soleil, si l'on en croit les pages roses du *Petit Larousse illustré*.

Jeanne avait pleuré. On voyait que Jeanne avait pleuré. Ce ne pouvait être que Colombin... La brute! Il lui avait peut-être fait mal. Charles, très doucement inquiet, demanda : « Ma toute petite, on t'a fait du chagrin? » Cette douceur était trop pour sa faiblesse : Jeanne éclata en sanglots. Son ami écartait avec peine les mains crispées qui labouraient avec leurs ongles taillés le visage de la malheureuse. « Voyons, voyons... » Qu'est-ce que c'était que ce grand désespoir? Elle l'aimait donc tant, cet affreux homme? C'est alors que le mot terrible lui échappa : « Bébé est mort! » La jalousie fut soudain honteuse d'elle-même. Charles, malgré tout, ne la crut pas, et questionna : « Non? non? » C'était son propre fils qu'on lui arrachait, et il eut le remords d'un apaisement aussi : peut-être alors qu'il n'y avait rien d'autre... Pauvre Jeanne! La vie va recommencer. Qui sait? Il fallait surtout ne rien demander, ignorer, laisser mentir au besoin...

Jeanne n'était pas belle ainsi, dans la douleur, sauf ses yeux, ses yeux extravagants et noyés. La poudre ravinée des joues, les lèvres tremblantes, les hoquets d'hystérie... Elle avait cent ans. Il l'aima plus que d'amour. Il lui dit : « Je t'aime... » Ces mots-là firent tout le mal. Elle le repoussa avec horreur. Ils restèrent à distance. Il la regardait, ses yeux fous. Il demanda quelque chose des paupières. Elle fit oui avec la tête. Oui, quoi? Un coup de poignard. Il murmura : « Colombin? » Il y eut un silence, où il fit une fois de plus le geste qui agaçait tant Jeanne : il sortit sa glace de poche et vérifia sa raie, pitoyablement.

Alors, comme un vase qui déborde, avec une précipitation qui faisait claquer ses dents menues, elle dit tout pêle-mêle, qu'elle était enceinte la première fois, et Saint Christophe, et les Galeries Lafayette, l'esclavage, ces mois abominables, et Carlotta, Bébé, le bel Edmond, le Brésilien. *Non, pas les mains, pas les mains!* Il l'attachait au lit, Colombin, et il la fouettait avec des linges mouillés. Il fallait qu'elle lui... « Tais-toi! » cria Charles. Il ne voulait pas savoir. Il ne voulait pas savoir. Par la porte, il aperçut la tête hagarde et passionnée de Pedro, sorti des Pyramides, pour tomber dans un drame réel, et médusé. Pedro qui écoutait de ses oreilles mal ourlées, la bouche de côté. Maintenant, Jeanne pleurait à petits coups en balbutiant d'incompréhensibles choses sur le sang, sur des poignets tordus, et saint Christophe dans tout ça, saint Christophe pas du tout dépaysé de se rencontrer avec Chéri-Bibi.

C'est alors que la police fit son entrée au *Passage-Club*, commissaire en tête.

## XVI

Quand elle s'était trouvée seule, après le départ de Jeanne, dans l'hôtel du boulevard Bineau, l'inquiétude avait saisi Carlotta d'une façon intolérable. Dans le fond de cette inquiétude, il y avait ses deux hommes : il y avait Edmond, mais il y avait surtout Quesnel. Elle n'aurait pas dû laisser faire Grésandage. Quesnel était encore un malade. Et puis s'il la flanquait simplement dehors. Avec Edmond à la clé. Le souvenir de Colombin lui revint, nauséeux.

Quand Grésandage téléphona, de chez lui, que tout était arrangé, de ne pas s'en faire, elle se mit à poser des questions. Mais il ne voulait pas y répondre à cause d'Élise. Il avait commencé d'avoir des secrets pour Élise. Elle ne douta pas qu'il eût mis Joseph Quesnel au courant. Elle demanda comment allait son protecteur : « Comme un charme, comme un charme ! » répondit Richard.

Il ne pensait qu'à se faire dire : « Venez », mais Carlotta en avait marre de sa compagnie et se persuada qu'il fallait le laisser à sa femme. Le détail la laissait indifférente. Deux choses seulement comptaient : on ne lui tuerait pas Edmond et, d'autre part, Quesnel maintenant savait. Elle ne pensait qu'à Quesnel, vraiment. Dans les reproches, les tourments qu'elle se faisait par rapport à lui, Richard aurait tenu une place sacrilège. L'inquiétude de Carlotta se mêlait bien de considérations pratiques sur sa situation, mais elle en avait fait bon marché tout à l'heure pour qu'Edmond vécût. Le reste allait se jouer entre Joseph et elle. Elle avait donc raccroché et la soirée des Grésandages se poursuivit, sinistre et sans histoire, à la façon légendaire des peuples heureux.

Cependant, au parc Monceau, dans sa demeure calme, Quesnel allait et venait en proie à des idées contradictoires. Sans cesse, comme hypnotisé, il marchait jusqu'au téléphone. Le toucher de l'appareil l'arrêtait. Il réfléchissait. Il ne pouvait se résoudre. Il avait peur. Il s'éloignait brusquement. Reprenait sa marche. Et sa douleur.

Au poste de police qui est dans le fondement de l'Opéra, on avait jeté pêle-mêle pour vérification de domicile les gens ramassés au *Passage-Club*. Et tandis que, dans cette crypte basse et large, les agents de garde bâillaient, bavardaient et commentaient entre eux les nouvelles du soir, tout au fond, derrière une grille donnant sur un couloir puant, dans le violon sans fenêtre, les uns debout, les autres tassés sur les bancs, avec le refrain minuté de la chasse d'eau dans l'urinoir, Pedro, se farfouillant la tignasse, le baron, M. Charles et trois de ses collègues, le barman, Alexandre, une demi-douzaine de joueurs aux smokings fripés, hagards, cravate enlevée, étaient mêlés aux ivrognes ramassés dans le quartier, à de petits voleurs à la tire, à des mecs pris à faire le truc sur le boulevard, à des antimilitaristes qui avaient arraché des drapeaux aux autobus. Tout cela avait commencé par faire un raffut du diable, l'agitation des conversations, des protestations. Les agents étaient venus plusieurs fois engueuler leurs pensionnaires. De temps en temps quelqu'un pissait dans l'ardoise jaunie et nauséeuse, la chasse d'eau hachait les pensées. On voyait par la grille amener des filles criardes, se secouant, ou soumises, l'habitude, qu'on jetait là-bas, à gauche, dans une autre taule, du même genre, d'où montaient les voix aiguës des femmes, des expressions obscènes et des chansons. La chasse d'eau par sa régularité obsédante vous brisait les oreilles, la tête, le cœur.

Charles Leroy n'écoutait rien, il attendait. Au milieu des bruits venant des femmes, il avait entendu une ou deux fois des sanglots. Jeanne était là-bas avec les prostituées, des joueuses. Jeanne et l'image du gosse mort. Atroce dérision de tout cela. La chasse d'eau. Dans chaque flic qui passait, Charles retrouvait Colombin. Ah, s'il l'avait tenu, celui-là! Eh bien, qu'est-ce qu'il aurait fait, Charles? Impuissance abjecte. Les images se pressaient dans cette cervelle peu habituée à la fièvre de l'imagination. Jeanne avait été jadis dans un lieu comme celui-ci... La chasse d'eau. Et c'était de là que tout était parti, l'atroce histoire. Il se représentait Colombin torturant Jeanne, avec la complicité de ces vaches, la cuisinant, obtenant d'elle ce petit papier qui le faisait ensuite à vie le bourreau de la malheureuse... La jalousie l'avait repris, Charles, la jalousie sans frein qui ferait crier, qui jette le sang du ventre dans la gorge et les tempes. La jalousie qui est comme un hoquet. Le hoquet de la chasse d'eau. Oh, cette montre implacable du temps! Les plus braillards commençaient à en avoir les nerfs rompus. Charles, nerveux, vérifia sa raie dans son miroir de poche. Il assura son binocle. Ce que ses cheveux étaient gris, tout de même! Il s'était fait un silence relatif où ronflait un soûlard, roulé à terre.

Dans la taule des femmes, où ça cocottait ferme, Jeanne Cartuywels se balançait au milieu des curiosités vite abandonnées des habituées, avec les vieilles folles du cercle, apeurées et sanglotantes. Une grosse, bien fardée, blafarde, qui se grattait les cuisses, avait voulu gentiment lier conversation avec elle et Jeanne avait bondi, criant comme Chéri-Bibi : *Non, pas les mains, pas les mains!* On avait bien rigolé tout de même.

Joseph Quesnel se décida.

Dans le calme de son cabinet de travail, où il était resté seul, en veston d'intérieur, la fenêtre ouverte sur le parc et, toutes lumières éteintes, il décrocha le récepteur, demanda Neuilly.

La chasse d'eau.

Toutes les anxiétés de la communication se déchaînèrent le long du fil, où l'on surprend des bruits, où l'accrochage se fait mal, une voix du central téléphonique, s'est-on égaré? puis la sonnette. Ça sonne. On laisse le temps de venir à l'appareil. Ça sonne. Je vais laisser encore sonner trois fois... quatre... cinq... Serait-elle sortie? Ou elle dort si bien. Ça sonne.

La chasse d'eau.

Les domestiques étaient au cinéma. L'appareil tintait seul dans la maison déserte. Des gants, un chapeau, un voile abandonnés sur des chaises. Tout disait la fuite soudaine de Carlotta.

Au bout du fil, le vieil homme hésite longtemps à raccrocher. Il lui fallait cette voix zézayante et claire, il lui fallait dans la solitude insupportable entendre palpiter ce cœur infidèle, le vivant témoignage de son malheur. Ceci lui était refusé. Même ceci. À travers les arbres, il vint par la fenêtre une fausse brise, une manière de fraîcheur.

Dans le réduit sans fenêtre de l'Opéra, dans la puanteur, au bruit ponctué de la chasse d'eau, la jalousie prend un autre accent de violence sous le front têtu du croupier, sous les cheveux drus et bas plantés que sépare mal un petit trait pelliculeux. Et Carlotta erre par la ville. Elle n'ose pas aller à l'hôtel Royer-Collard : si elle y trouvait son amant blessé, mort? Joseph Quesnel écoute son cœur. La chasse d'eau. Mais Edmond Barbentane, qui est arrivé boulevard des Italiens pour voir emmener les gens arrêtés au cercle, d'abord un petit peu surpris, a été tout simplement se balader, puis sagement, sur les dix heures trente-cinq, il est rentré chez lui se pieuter. Il a dans la poche de l'argent prêté par Jacques Schoelzer. Le roi n'est pas son cousin.

Quand on sonna à la grande porte, la domesticité s'étonna, Mlle Quesnel s'assit dans son lit. Elle vit par la fenêtre qu'il y avait toujours de la lumière chez son père. Il n'était pas raisonnable... En bas, le concierge parlementait. Une dame, une jeune dame... Quesnel parut dans le hall. La voix de Carlotta qui n'avait pu l'atteindre par le téléphone était entrée en lui, par l'escalier, comme un couteau.

« Faites monter Madame », dit-il.

La lumière dans l'entrée s'alluma. Quesnel passa la main sur ses joues. Il était mal rasé.


# XVII


Il était près de minuit quand Charles Leroy se retrouva sur le pavé. Il avait, quittant le poste, réclamé Jeanne. Comme ils n'étaient pas mariés, on lui avait refusé les renseignements. Non, elle n'avait pas été relâchée. D'ici, du moins. Mais je vous dis qu'elle est là, je l'ai entendue, qui pleurait. Son gosse qui est mort la nuit dernière. Savons pas. Pouvons rien dire. Sommes pas responsables. Mais c'était inhumain, monstrueux. La consigne. Histoires privées. Son ami? Et puis alors? Mais vous ne comprenez pas : le petit qui est mort... dix-neuf mois. Très triste. Qu'est-ce que je peux y faire? Mais voyons... Ah, et puis, vous commencez à me courir, vous, et si vous insistez, on vous reboucle. Au dehors, les autobus passaient, ornés de drapeaux.

Elle était là, sûrement. Il l'aurait vue ressortir. Il resta derrière l'Opéra sur le trottoir d'en face, guettant. On allait la

relâcher, il allait l'attendre. On entendait au loin les flon-
flons d'un bal populaire, dont les reflets dansaient sur les
murs. Jeanne. Jeanne. Tout est pardonné. Il n'y a rien à
pardonner, mon Dieu. Mais qu'elle soit là surtout. Minuit
sonna.

Un panier à salade s'arrêta devant la porte. Charles regarda
de tous ses yeux. Il vit enfourner de ses compagnons, le
barman et M. Alexandre, plusieurs pouffiasses, la tignasse de
marchand de marrons de Pedro. Puis la voiture s'ébranla.
Il attendit. Minuit et demi. Il attendait. Il attendait. La tête
pleine d'images et la faim au ventre avec ça : il n'avait pas
dîné tout à l'heure. La nuit où montait une polka était calme
et belle, bien chaude. À une heure du matin, il y eut encore
un panier à salade. Le dernier, dit un brigadier à la question
posée. Il emmenait des inconnus. Non, on n'avait gardé personne au poste. Charles avait l'air si égaré qu'il y eut un flic
qui le prit en pitié : la femme Cartuywels, oui, il savait,
elle avait été envoyée au dépôt, directement sur l'infirmerie
spéciale, dans une crise de délire aigu.

Le croupier maintenant s'en va dans l'ombre comme un
coup de poing qui manque le but. Il court presque. Où ça?
N'importe. Il évite dans la ville en fête les bals qui lui
font mal au cœur. Boire. Il dépasse un café, il avait l'intention
de s'asseoir : on danse par ici. Il continue. On danse. Vers
la Seine. Il pourrait s'y jeter. Il y songe. Des quinquets
fantastiques s'élèvent au-dessus du Pont-Neuf. Il dépasse la
Seine. Il va voir le palais de justice où elle est, quelque part
du côté rive droite; en attendant, il tourne le coin, près de
basculer dans le Quartier Latin. Là, une idée le traverse,
comme le danseur de corde qui se renverse pour tourner.
Le voilà aux Halles. Il a faim. Il mange quelque part, près
d'un bastringue où tournent les insouciants, debout, de la
graisse et du pain sur des saucisses. Le vin rouge. Idiotement
perdu dans une foule miséreuse et débraillée par la sueur,
le travail, qui se mêle à la fête nationale et à ses petits drapeaux. Quelque chose le chasse vers les boulevards, devant

le passage fermé. Il lève les yeux : c'était là-haut, à l'entresol.
Des filles le frôlent. Il fout le camp. Vers Montmartre. À
travers les bals. Depuis quelques heures une idée prend corps.
Une adresse. Près de la place Clichy. Une maison. Il la regarde
par son pince-nez. Une maison comme les autres, dans une
rue tranquille. Il s'en arrache. Il revient. Il regarde les fenêtres
du troisième. Il s'en va en courant comme un fou. Partout on
danse. Un élastique le ramène à ce poste d'observation. C'est
là que le matin le retrouve, tandis que se défont les derniers
couples et s'en vont les derniers musiciens. Un matin d'été
pur et léger. Un homme lourd et rongé. Devant la maison
qui n'a rien de remarquable. On commence le ramassage des
poubelles. Les concierges sortirent sur le pas des portes et
battirent les paillassons. Le soleil s'éleva, apparut au-dessus
des tôles grises, dans la fuite des cheminées, chauffa. Des
gosses coururent, des cloches sonnèrent.

Il fut huit heures.

Alors M. Charles, le croupier habitué à l'exactitude, l'homme
exercé à rendre rapidement la monnaie, pénétra dans l'immeuble et demanda au jeune fils de la concierge, un permissionnaire en bras de chemise, avec une culotte de chasseur et
une grande ceinture bleue : « L'inspecteur Colombin, c'est
bien au troisième? — Non, dit l'autre, qui balançait un
grand seau d'eau sur les carreaux de l'entrée. C'est au quatrième. Au troisième au-dessus. Dans le couloir, la troisième
porte à droite »

Au troisième au-dessus, M. Charles sonna. Personne ne
répondit. Il dut carillonner à plusieurs reprises. Enfin, on
entendit grommeler. Derrière la porte, il y eut un bruit de
pieds nus. Et, à travers le battant, la voix de Colombin : « Qui
est là? »

Leroy hésita, puis dit avec un grand naturel : « C'est l'ami
Leroy. » Une chaîne sauta, la porte s'ouvrit. « Leroy? Quel bon
vent? Attendez, je me recouche. Entrez. »

Charles put juste apercevoir les cuisses velues de l'inspecteur
qui se pagnotait, le temps de traverser la petite entrée. Dans

la chambre, il mit son chapeau à la main et enleva méthodi-
quement son binocle. L'autre, recouché, bâillait à se décrocher
les mâchoires : « Vous m'avez réveillé, mon cher, je pionçais
encore... Quelle heure est-il ? » Il s'étira, les rideaux étaient
mal fermés sur la fenêtre ouverte avec les persiennes mi-
croisées. La chambre banale, avec une grosse natte rouge et
verte en paille et des meubles de chêne clair, était dans un
beau désordre, un soulier jeté ici, l'autre là, du linge sur
une chaise, les vêtements laissés par terre avec les bretelles
et un pot de chambre visible sous le lit.

« Quel bon vent ? » répéta l'inspecteur, en s'aplatissant la
tignasse. Charles Leroy, sans mot dire, arrivait tout près du
lit qui avait la tête au mur, près de la porte de l'entrée.

Brusquement l'inspecteur Colombin sentit tomber sur lui
une masse pesante et des mains l'attrapèrent au cou par-
derrière. « Nom de Dieu, Leroy ! » gueula-t-il. Il était très fort,
mais, au lit, il avait le désavantage de la position. Le corps
de l'assaillant, dont il essayait de défaire les mains sauvages
qui serraient, faisait boulet à son cou. Il asphyxiait. Il donna
un coup de reins formidable et roula du lit avec l'agresseur.

# XVIII

Avez-vous jamais tué un homme ? C'est beaucoup plus compliqué qu'on ne le croit. D'abord, ça se défend. Et puis avec
un revolver, par exemple, je n'en parle pas. Ça ne compte
pas. C'est tricher. Mais avec vos mains, avec vos bras, avec
votre corps. Ce qui en a sauvé plus d'un, c'est qu'au milieu
du travail, on fléchit dans la volonté de tuer. La volonté
de tuer, c'est ça, l'essentiel. Il y a deux moments difficiles :
commencer, puis finir.

Évidemment, ce qui aide, c'est la rogne : précisément parce
que le type se défend. Violence contre violence. Chacun

donne ici sans mesure sa force, il n'aurait que faire de l'épargner. Les objets autour, auxquels on se raccroche, qui tombent, se brisent, les objets dont la valeur s'apprécie à leur
pouvoir de meurtre... Mais surtout...

Tenez, vous vous êtes battu parfois contre d'autres hommes.
Bon. Oubliez ces expériences-là. Parce qu'il y a encore la
ruse, la science, le souffle, le répit quand on se guette.
Rappelez-vous plutôt votre enfance, à l'école ou dans la rue.
Les enfants sont plus voisins des assassins, quand ils se tabas-
sent, que les adultes.

La volonté de tuer.

Il est absolument certain que Colombin était plus fort
que son adversaire, mais Charles avait la force de sa volonté.
Les deux bêtes frénétiques se débattaient à terre avec une
étrangeté qui ne leur était pas sensible. Le croupier cherchait
avec ses jambes à immobiliser les paturons roux de l'inspecteur. Il ne sentait pas les coups dont l'autre lui martelait la
tête, il ne lâchait pas le cou serré. Les mains du policier
vainement s'attaquaient à ses poignets rigides. Leroy serrait,
serrait. On n'imagine pas ce qu'un homme peut faire de
grimaces pour en tuer un autre.

L'incroyable paquet d'hommes, ce nœud monstrueux de
nudité et de vêtements, avait des sursauts soudains qui se
replaquaient au plancher, à la natte de paille. La volonté
de tuer. Pas une parole. Les souffles courts. Un moment
l'agresseur, fatigué, mollit. L'animal qui était en dessous le
sentit et tressaillit de triomphe. Ses bras entourèrent la taille
épaisse du croupier. Mais celui-ci dans le fond noir de sa
fureur retrouva l'image confuse de Jeanne, de Jeanne liée à ce
corps dénudé qu'il sentait sous lui, contre lui, immonde et
puissant. La volonté de tuer fut la plus forte. Il tua.

Dans ses mains la gorge avec ses muscles écartés sous les
deux pouces se gonflait, opposant la résistance des cartilages,
des anneaux glissants, de toute cette complexe machine à
respirer et à hurler, dans laquelle des bruits profonds, partis
du bas-ventre, s'étranglèrent. Les visages l'un sur l'autre, l'un

contre l'autre, se révulsaient, comme si les deux hommes
en même temps entraient dans l'asphyxie. Leroy voyait, grossie,
démesurée par le voisinage, la verrue que l'inspecteur avait
dans le sourcil gauche, qui exacerbait sa haine, on n'eût pu
dire pourquoi. Colombin essaya au hasard de mordre Leroy.
Ses dents agrippèrent la lèvre inférieure de l'étrangleur, et
la dernière chose qu'il sentit distinctement fut cet abominable
baiser du meurtre, et le goût du sang du meurtrier qui lui
coulait dans la bouche. Il devenait bleu, violet, rouge à la
fois. Leroy serrait, serrait comme un fou.

Le silence retomba longuement avec les corps.

Leroy serrait toujours. Il avait senti fléchir les muscles.
Des craquements s'étaient faits dans la masse profonde. Le
policier ne bougeait plus. Leroy ne croyait pas à son triomphe.
Il serrait encore. Il tuait encore. La volonté de tuer le dominait
au delà de la tâche accomplie. Aurait-il jamais lâché, s'il n'eût
brusquement réentendu la voix de Jeanne dans sa tête, quand
elle disait dans la rotonde du cercle : *Non, pas les mains!*
*pas les mains!*

Leroy lâcha la tête qui retomba sur le plancher, cognant,
et regarda ses mains qui avaient tué. La conscience première
lui revenait. Il secoua sa victime. Le cadavre. Toutes sortes
de mots qu'on lit dans les journaux prenaient corps. Il mit
avec délicatesse sa paume sur le cœur arrêté. Sa fureur tombait.
Le mort devenait quelque chose de respectable. Il s'en écarta.

Mais soudain, il reconnut dans cet homme affalé, presque
entièrement nu, l'ignoble Colombin, le bourreau, l'amant de
Jeanne. Toute la rage lui revint, il se rejeta sur le cadavre.

Vous avez peut-être déjà, monsieur, étranglé un homme
avec vos mains : mais ensuite, l'avez-vous déchiré vous-même?
L'avez-vous martelé, mort, de vos poings? Lui avez-vous
labouré le visage de vos ongles? Arraché les oreilles avec
les dents? Enfoncé, crevé les yeux, avec les doigts? Touché
le fond osseux de l'orbite et retourné là-dedans votre pouce
pour en énucléer la sanglante matière? Savez-vous combien de
temps il faut piétiner un ventre à coups de talon, pour le

crever? C'est diablement solide. Il faut une énergie farouche
pour que la peau de ce tambour craque vraiment, et qu'on
puisse, après ça, fouiller vraiment jusqu'aux entrailles. Et le
sexe de l'homme... c'est incroyable ce que c'est bien attaché,
ce que ça tient, ce que ça s'arrache mal...

Le fils de la concierge ne vit pas s'ouvrir les persiennes
au quatrième étage. Mais il eut juste le temps de faire un
saut pour éviter la masse qui tombait en tournoyant à côté
de lui. Charles Leroy, croupier au *Passage-Club*, était mort
sur le coup. Et pas beau à voir. Il y eut quelques cris. Une
course. Les gens s'amassèrent. Des enfants aux yeux écarquillés.
Des femmes. Le permissionnaire n'en revenait pas. Il commençait bien son dimanche.

Il fallait aller chercher un agent, cacher ça, parce que ça
n'était pas à mettre sous les yeux de tout le monde. La femme
du fruitier qui est enceinte... Et puis si c'était un mauvais
présage? Moi qui voulais aller au Pré Saint-Gervais cet après-
midi pour la manifestation de la C.G.T. Je me mettrai toujours
en civil.

## XIX

Joseph Quesnel avait indiqué à Edmond un petit fauteuil
qu'il avait dessiné lui-même. Confortable. Edmond, très
inquiet, s'était assis.

Le cabinet de travail de Joseph Quesnel donnait sur le parc
Monceau. À travers les grands tulles des fenêtres, le soleil
passait par les jeunes pousses tendres des arbres, le feuillage
tacheté couleur tilleul, et il montait du parc des rires d'enfants,
le crissement du gravier. Là-bas, de fausses ruines romaines
jouaient avec l'eau, comme dans un suprême effort du paysage
impressionniste en plein Paris pour marier à Sisley Claude
Gelée, dit le Lorrain. On oubliait ainsi le passé voisin de l'in-

fâme butte Monceau, de la butte chiffonnière bâtie avec les
excréments de Paris, dont le souvenir s'effaçait à force de
grâces dans ce décor imité des promenades aristocratiques de
Londres, et qu'entourent avec indulgence les demeures des
grands banquiers du Second Empire. La pièce était faite d'un
jeu de brun et d'amarante. Les éclairages de Lalique, en cristal
dépoli, déroulaient dans les coins leurs paysages d'athlètes et
de pigeons, incompréhensibles dans le plein jour. Sur les
tapis cloués, des fourrures épaisses jetées au pied des tables,
et devant les fauteuils style Mame, enfonçaient sous les visiteurs. Chaque objet, sur les tables basses, avait un caractère
de rareté, de précieux, qui était terriblement sensible à
Edmond Barbentane. Au mur, il ne put s'empêcher de penser
que cette scène de jardin était un Bonnard. Comme boulevard
Bineau. Il avait le sentiment qu'ici sa vie se jouait.

Joseph Quesnel, derrière son large bureau d'ébène, où les
papiers jonchaient une sorte de plateau d'ivoire, passa très
lentement sa main gauche sur un front dégarni. Puis il ferma
les yeux. Quelque chose semblait en lui s'être éteint, avoir
soudain vieilli. Il souffrait sans doute et, dans cet instant,
ce rose qu'il avait dans le teint et qui lui donnait faussement
bonne mine apparut pour ce qu'il était, le feu de quelque
maladie lointaine, tapie au fond des organes, et le reflet avant-
coureur de la décomposition. Cet homme vivant, quand il
baissait ses paupières, se mettait déjà à ressembler à son
cadavre : les poches sous les yeux pendaient, mille petites
rides qu'on n'avait pas remarquées grâce à l'expression se
creusaient et la tristesse de la bouche mal dissimulée par une
moustache encore blonde, qui avait dû être souple, accablait,
sous le nez épaissi, le menton bien rasé. Les sourcils avançants
de l'homme âgé faisaient broussaille. Edmond pensa : « De
combien de larmes au bout d'une vie est ciselé le visage d'un
homme... » Mais cela ne fut qu'un instant. Les yeux se rouvri-
rent, la vie revint avec un sourire et M. Joseph Quesnel
regarda le jeune homme anxieux, qui était assis devant lui,
avec une curiosité qui dura.

« Je vous ai fait venir... » dit-il, et sa main longue et fine jouait avec un coupe-papier de cornaline. Il traînait sa phrase comme si ça n'avait pas été l'autre qui était gêné, sur le gril. Edmond s'essayait à maintenir une expression d'interrogation polie sur son visage. Quesnel pensait : « Qu'est-ce que je fais là ? Qu'est-ce que je sais de ce garçon ? Est-ce qu'il peut me comprendre ? » Edmond s'intéressait maladivement aux vêtements de son hôte. Jamais il n'avait su jusqu'ici apprécier à ce point ce que le soin peut faire d'un homme. Non pas que Joseph Quesnel fût ce qu'on appelle un élégant, mais la beauté de l'étoffe, et surtout l'extrême propreté du linge, la qualité de la cravate, tout cela saisissait en lui. Il devait avoir un excellent valet de chambre.

« Je vous ai fait venir », reprit-il, sa voix traînait. Brusquement il se décida. Il y eut dans ses yeux comme une flamme et ce fut encore un changement de décor. Le sang qui montait aux pommettes. Son timbre se fit plus grave, il renonçait aux phrases préparées d'avance, à ce qu'il s'était promis de dire. Il cessait d'être le grand homme d'affaires qui reçoit un jeune homme, il allait parler avec son cœur.

« Je n'ai pas dormi la nuit dernière. Avec cela, que je n'ai pas été très bien ces derniers temps. Vous n'êtes pas sujet aux insomnies ? Un homme qui dort bien ne sait pas ce que c'est que la vie. Je pense souvent aux gens qui ont passé des années dans les cages de fer des prisons, au moyen âge, et je me fais un peu idée de leurs souffrances parce que je sais ce que c'est qu'une insomnie... Oui, la prison, ce doit être bien cela : une insomnie qui dure... » Il secoua ses épaules : « Quelle horreur ! »

Edmond sentait croître son appréhension à ce préambule indirect. Quand il avait reçu à son hôtel le message téléphoné de Joseph Quesnel, il avait essayé de se persuader que cette invitation brusquée était on ne peut plus naturelle. Carlotta lui avait dit plusieurs fois qu'elle aimerait qu'il connût son protecteur. Il n'avait pas voulu croire à quelque histoire liée à toute l'affaire du *Passage-Club*. Toutefois, maintenant, cette idée qui s'était formée en chemin malgré lui, qu'il savait bien qu'il avait eue profondément dès la première minute et qui l'avait fait hésiter au seuil du trusteur de taxis, reprenait Edmond à la gorge. Ce n'était pas possible... Il sentait toute la fausseté de sa position. Qu'était-il venu chercher ici? Pourquoi cet absurde attrait de la mouche pour le gobe-mouches? Il s'avouait avoir voulu voir de près la richesse. La voix poursuivait :

« Je ne vous ai pas demandé de venir, monsieur Barbentane, pour vous raconter mes nuits blanches. Pourtant, si vous avez jamais, avant le jour, comme ça, ressenti une sorte d'étouffement qui réveille, si vous êtes resté alors, dans le noir, à écouter battre votre cœur, et à craindre une idée que vous saviez voisine, mais que vous aviez espéré tromper par le sommeil... peut-être y aura-t-il entre nous, magré la différence d'âge, une espèce de langage commun... Car vous ne savez pas encore ce que c'est que de vieillir, bien que cela commence très jeune. Pour moi, j'ai commencé de me sentir vieillir à trente-cinq, trente-six ans... »

Jamais, Edmond ne s'était trouvé dans une situation pareille. Il suivait le jeu roux du coupe-papier. Il faisait étouffant comme avant un orage d'été.

« Le plus affreux dans le vieillissement, ce n'est pas le résultat, ce sont les étapes. Un jour, on remarque qu'une chose dont on avait l'habitude qu'elle vous soit possible... Et puis, l'âge, c'est surtout quelque chose de douteux, de pas net. Le teint se trouble. On n'est plus sûr de quoi on a l'air quand on dort. Tout ce qui était naturel devient le fruit d'une recherche, d'un effort... Quand on y repense, cela a été si court, la vie. Vers 1890... Allons, je suis fou. Il faut que je vous parle et non pas que je rêve. Alors, voilà. »

Il s'était levé et marchait par la pièce; il était grand et assez bien découplé. La chasse avait été son sport. Quelque chose en lui rendait cela sensible, qui allait assez mal avec son embarras à en venir au but de la conversation. Plus cet embarras durait, plus l'idée qu'Edmond portait en lui se faisait précise : « Il sait. » Et alors? Se lever et décamper? Un pli amer marqua la lèvre inférieure du jeune homme : et alors qu'il sache! Bon Dieu, c'est moi qu'elle aime, et pas ce vieux.

« Oui, reprit Joseph Quesnel, Mlle Beneduce m'a parlé... »

Les cils d'Edmond battirent. Il y eut un silence où les bruits du dehors prirent une importance exagérée. Attention : cette phrase n'était pas encore suffisamment claire pour...

« Elle m'a dit ce que vous étiez pour elle. Nous avons parlé pendant des heures. Oui. Oh, ce n'est pas que j'aie jamais cru pouvoir garder Carlotta pour moi seul! Et même j'eusse désiré d'elle d'autres fois cette franchise... Enfin, ceci nous entraînerait trop loin. Pour dire seulement que le coup n'était ni imprévu, ni sans précédent. Je n'ai pas eu le ridicule de croire qu'elle était éprise de moi, vous savez. Seulement, le terrible, c'est que moi, je l'aime... »

Il n'avait pas pu ne pas dire cela. Toute sa vie, il s'était reproché de laisser ainsi échapper sa pensée. Cela lui avait ruiné des affaires, mais pour les affaires, tant pis. Tandis qu'avec ce jeune homme... qu'est-ce qu'il avait besoin de lui donner des armes? Edmond s'était mis à parler. Qu'est-ce qu'il disait? Bah! n'importe. Ils sont tous les mêmes, ces jeunes gens. Quel ramassis de lieux communs, de niaiseries ils ont dans la tête! Je vous demande un peu ce qu'il avait besoin d'expliquer? Personne ne lui contestait son droit, est-ce que Joseph Quesnel le traitait de voleur, parce qu'il avait couché avec une femme dont un autre payait les robes et le toit? Non. Alors? Bien entendu, bien entendu.

« Voyez-vous, monsieur Barbentane, vous perdez votre temps. Que je vous dise tout de suite... il n'y aura pas de drame. Je ne vous demanderai pas de ne plus voir Carlotta. À elle... enfin, tout reste comme par le passé. »

Edmond respira mieux. Il avait surtout redouté cette rupture qui aurait retiré son luxe à Carlotta. Allons, il avait eu chaud.

« Je voudrais simplement qu'il n'y ait pas entre nous de malentendu. Si j'aime Carlotta, je désire qu'elle soit heureuse. Et il paraît bien qu'elle ne peut, au moins

pour l'instant, l'être sans vous. Oh, ne prenez pas cet air! »
« Quel air ai-je pu prendre? » se demanda Edmond. Il
secoua la tête comme pour jeter une expression par terre.

« Je veux seulement vous dire que puisque vous êtes indispensable à son bonheur, vous devenez pour moi un élément
de ma vie, et voilà ce qui me force à vous connaître, à vous
parler. Voyez-vous, d'autres fois, Carlotta s'est trompée elle-
même sur ses sentiments et sur des gens. Elle n'est pas à l'abri
d'un certain entraînement qui peut bouleverser sa vie. Vous
savez peut-être d'où je l'ai tirée? »

Le silence d'Edmond s'érailla d'un : *Non,* appréhensif.

L'autre avait repris sa promenade dans la pièce. Est-ce
que ce joli garçon est un idiot? Tout bonnement. Quel droit
ai-je de lui raconter Carlotta? Ça serait pourtant plus simple
de s'en faire un ami. Tout de même, les femmes ont le
goût vulgaire. Il est absolument comme tous les gigolos.
On ne le reconnaîtrait pas dans la rue...

« Quand on ne dort pas, on se fait des idées. Je me souvenais
très mal de vous, quand nous nous sommes rencontrés avec
mon neveu Roger... Je me disais : autant celui-là qu'un autre.
À présent, je me demande... » Il s'arrêta. « Est-ce que vous
l'aimez vraiment? »

Il s'installa dans un fauteuil à la droite d'Edmond et se
pencha en avant, les bras ballants entre les cuisses écartées.

« J'ai été jeune. J'ai commencé ma vie par un grand amour.
J'étais un petit commis et je me suis épris d'une fille noble.
Je l'ai épousée et c'est pour elle que j'ai cessé d'être un homme,
que je suis devenu un homme d'affaires exclusivement. Nous
avons vécu vingt-cinq années ensemble et elle est morte il y a
deux ans. Nous avions une grande fille... J'appartiens à la
religion réformée. Notre monde accepte fort mal les liaisons
irrégulières et j'ai toute ma vie partagé cette sévérité-là...
Si je crois en Dieu, bien franchement, je me le demande.
Mais j'ai cru vingt-cinq ans à un amour qui n'existait pas... »

Il avait levé ses yeux sur les yeux d'Edmond.

« On dit que l'amour est traître et qu'il veut toujours être

unique, peut-être est-ce pour cela que maintenant, quand
je regarde les années passées, j'éprouve ce sentiment étrange
de duperie. Il a fallu Carlotta pour que je comprenne que
ce que j'avais éprouvé pour ma femme, ce n'était pas, ce ne
pouvait pas avoir été de l'amour! »

Il secoua violemment sa tête et haussa le ton.

« Non, je n'ai pas aimé ma femme! Je ne l'ai pas aimée! »

Edmond évaluait mentalement le contenu de la pièce. Il
devait y en avoir pour une somme rondelette, rien que les
meubles, et sans parler des tableaux. Il avait aperçu dans un
coin quelque chose qui aurait bien pu être un Chardin,
une nature morte. Il avait, dès les premiers moments, avec
Carlotta, senti vaguement le désir de venir ici, de découvrir
la source même de tout ce qui le charmait en elle, et qui
n'était pas elle-même, et qui ne pouvait se comparer à la
fortune des Beurdeley, quelque chose d'inépuisable et qui
avait la force pour lui d'un alcool. Il tressaillit désagréable-
ment, plusieurs phrases lui avaient échappé, quand il entendit
Joseph Quesnel dire :

« Et après tout? Pour qui était-ce plus honteux de se
trouver au bordel? Pour elle ou pour moi? »

## XX

« Tout cela, dit Joseph Quesnel, c'est la faute de la grève
des taxis. Il y a plus de dix-huit mois... Nous avions eu
réunion du consortium. Je m'étais assez échauffé dans la
discussion, je voulais prendre l'air. Sède de Liéoux n'avait
pas sa voiture, je lui prêtai la mienne et je m'en fus à
pied. J'en avais perdu l'habitude...

« Il faisait un temps surprenant pour un soir d'hiver. Des
Ternes, je n'avais pas loin à remonter chez moi, mais j'aperçus
le parc, une espèce de regret me saisit et je poursuivis ma

route vers Rome, Clichy. Un peu avant Clichy, la foire commençait avec ses quinquets d'acétylène. J'y tournai plus d'une
heure, surpris de moi-même et de ce plaisir étrange de ma
liberté... Je ne vais pas vous raconter cela par le menu.
Mais enfin j'avais eu à quelque temps de là une conversation avec Wisner, où celui-ci, qui est un fanfaron, m'avait
parlé des maisons de Montmartre et le nom de la rue Lafer-
rière m'était resté dans la tête, à cause de la forme de cette
rue, la seule que je connaisse qui fasse ainsi le demi-cercle.
Je m'y trouvai sans avoir eu conscience de m'y rendre et
tout d'un coup je me dis que je ne faisais de mal à personne,
que j'étais bien libre *et cœtera*. Enfin j'entrai dans cette maison que Wisner m'avait vantée. »

L'homme se tut et soupira. La chaleur était assez étouffante.
Edmond pensait ironiquement que tout cela était bien du
scrupule pour une virée au claque. Mais, en même temps,
il avait une rougeur aux joues et le cœur qui battait. Carlotta...
Elle avait donc passé par là. Il sut tout d'un coup qu'il l'aimait
vraiment. Joseph Quesnel reprit :

« Vous ne pouvez comprendre ce que j'ai ressenti alors.
Je n'étais plus le même homme : derrière moi s'éten-
daient des années vides et stériles. Je suis revenu le lendemain, je n'ai plus pu supporter que cette femme adorable
restât là davantage, en butte à toutes les convoitises de passage. J'ai payé ce qu'il a fallu. Elle est sortie. Elle est devenue
plus véritablement ma femme que la mère de mon enfant,
bien que le monde, dont je suis le prisonnier, ne me permette
pas de faire qu'elle soit ma femme devant lui. J'avais perdu
jusqu'au sens de cette vie passée, de cette vie gâchée, je
devins le scandale de ceux qui me respectaient jadis. En
même temps je me sentais rajeuni, et j'éprouvai avec une
cruauté terrible l'irréparable de la vieillesse. Je découvrais
tout ce qui avait fait de moi un mannequin, et non plus un
homme. Ainsi commença ce douloureux, cet atroce bonheur
d'aimer, et d'aimer trop tard, quand on n'est plus aimable
et qu'on sait pourtant qu'on n'aura pas d'autre vie où réparer

la folle sévérité d'une existence de convention. La première fois que je sus qu'elle m'avait trompé, il y avait deux mois que nous étions ensemble... Le hasard me fit trouver une lettre. Qu'est-ce que vous voulez que je vous dise? Je me répétais tout bas : cela se passera, cela se passera... et puis ça ne s'est point passé. »

Ici, Edmond se sentit touché. C'était bête, mais c'était comme si lui-même, et non pas Joseph Quesnel... L'autre le regarda un moment : « Je vois maintenant que vous l'aimez. Elle est terrible pour nous autres, vous savez. Oh, ne dites pas non, parce qu'à cette heure elle vous aime. Cela peut si facilement changer. Une simple saute de vent. Si, si. Et je vous dis cela, parce que je ne veux plus que cela change. Cette facilité, comprenez bien : c'est une fille folle et faible, avec toute sa dureté et ce caractère vainqueur. J'ai peur parfois d'elle et de moi. Je me dis que je ne résisterai plus à cela, il y a des hommes qui sont trop bas pour qu'on en supporte l'affreuse concurrence. Et si le malheur voulait que je... qu'enfin dans un égarement toujours possible, il y a des jours abominables, je la... quitte... »

Ce dernier mot tomba comme une goutte de plomb dans le silence. La voix reprit, précipitée : « Si je la quittais un jour, monsieur Barbentane, où tomberait-elle? À qui tomberait-elle? Il y a eu dans sa vie une espèce de souteneur dont elle m'a parlé. J'y songe parfois. C'est ce misérable qui l'avait menée où je l'ai trouvée. Je ne veux pas que cela recommence, je ne le veux pas. Carlotta! » Edmond frémit : il se rappelait Colombin.

Joseph Quesnel semblait au comble d'une souffrance. Ses lèvres étaient devenues si minces et si pâles, qu'on eût dit qu'il allait s'évanouir. Edmond perdit de cette assurance retrouvée. Pourquoi lui disait-il tout cela?

« Non, je ne veux pas que Carlotta retombe là où je l'ai prise. Et pour cela, il faut que ce que je ne puis faire, un autre le fasse. Il faut qu'un homme jeune sache se faire aimer d'elle et vous pouvez être cet homme, et c'est pourquoi je vous ai fait venir ici... Ne m'interrompez pas. Il faut que vous voyiez, dans ce vieil homme qui vous parle et que vous faites souffrir, non pas un ennemi, mais un allié. Il faut que vous regardiez ce vieil homme non pas avec mépris, mais avec amitié. Il faut que vous trouviez en lui le soutien sans lequel vous la perdrez, soyez-en sûr... Je sais, je sais quelles pensées basses cette complaisance de ma part peut faire naître en votre esprit. Ne vous y abandonnez pas, jeune homme... »

Il pressa un timbre posé sur le bureau. Un larbin en livrée entra. « Du porto », dit Quesnel. Et puis ce fut un grand silence, jusqu'à ce que le larbin eût versé à Edmond le vin sombre de ses mains gantées de coton blanc. Quand ils furent seuls, Joseph Quesnel soupira encore.

« Alors, voilà, monsieur Barbentane. Vous n'avez pas d'argent. Votre père n'est pas généreux. Vous faites votre médecine. Votre jeunesse passe. Comme a passé la mienne. Vous ne pouvez offrir à Carlotta le luxe dont elle a besoin. Pis. Vous ne pouvez la suivre dans ce luxe sans vous dégrader. Il y a là un principe de mort. L'amour où l'argent joue un rôle est empoisonné. Vous ne savez pas combien je hais l'argent. C'est une chose abjecte et terrible. Il faut choisir : ou Carlotta, ou la vie que vous vous prépariez. Médecin à Sérianne-le-Vieux, chef-lieu de canton... Comment hésiteriez-vous? — Je ne vous comprends pas, dit Edmond. — Je dis qu'il faut choisir de succéder à votre père ou d'abandonner une carrière longue et difficile pour être l'amant de Carlotta, l'amant de cette fille exigeante et tyrannique... et de le rester, comme je peux vous en donner les moyens. — Je ne vous comprends pas. »

Joseph Quesnel arpentait la pièce. Il vint s'asseoir devant Edmond et prit un ton paternel.

« Abandonnez, dit-il, votre médecine. Je vous trouverai dans mes affaires une situation qui vous fera l'égal de cette Carlotta riche, adulée, fantasque, auprès de laquelle je garderai ma place de barbon trompé. Nous aurons nos jours, nos heures.

Le monde n'en saura rien, car il nous stigmatiserait tous les deux, vous et moi, pour un tel accord. Le monde n'en saura rien, comme il ne sait jamais rien de ce qui est affaire du désespoir, de l'amour et de la faiblesse. Il ne comprendrait pas que, sans moi, vous ne pourriez garder Carlotta, comme je la perdrais irrémédiablement sans vous. »

Il parla longtemps encore. L'accablement de cinq heures entrait par la fenêtre. Edmond, alourdi de porto, n'écoutait plus. Il rêvassait. Quelle aventure bizarre, et c'était sans doute là sa fortune qui passait... Allait-il la laisser échapper par un stupide scrupule? Carlotta l'attendait boulevard Bineau. Ils dîneraient à la campagne, au bord de la Seine. Carlotta. Son image puissante dominait les pensées d'Edmond. Il entendait ce rire comme un tintement de verre dans une maison abandonnée, dont elle l'avait réveillé l'autre jour, endormi après l'amour. Carlotta, la force et la richesse, des épaules. Ce geste du cou qui rejette les hommes, la flatterie, l'adoration. Ces mains petites et promptes à gifler. La chevelure pesante comme un coucher de soleil. En même temps, une espèce d'orgueil le prenait : quoi, c'était là, devant lui, ce fameux Joseph Quesnel, le trusteur des taxis, le banquier célèbre, qui s'abaissait, le suppliait? Il eût voulu prendre la chose avec désinvolture. Il n'y parvenait point. Il sentait une secrète sympathie pour cet homme qui faisait ainsi litière de tout respect humain à cause d'une femme, de Carlotta. Un homme riche! Le Bonnard luisait dans l'ombre. Un grand peintre! Edmond se leva :

« Si vous le permettez, monsieur, dit-il, je vais réfléchir. »

## XXI

Le lundi 14 juillet 1913 arrivait au milieu de la curiosité générale. La revue de Longchamp promettait d'être éclatante. Des troupes coloniales avaient été concentrées à Paris. Depuis plusieurs jours, sur le boulevard Port-Royal, les gosses, à travers la porte de la caserne, allaient regarder les nègres. La presse avait chauffé l'opinion. Le gouvernement, par une claire démonstration patriotique, entendait entraîner la Chambre à voter enfin la loi militaire.

Avant l'aurore, une foule s'était mise en route vers l'ouest, croisant les gens qui allaient se coucher après une nuit à Montmartre. Les régiments, musique en tête, traversèrent la ville, réveillant les citadins. Les persiennes s'ouvraient. Des filles en chemise se penchaient. De la rue, les soldats lançaient des regards conquérants. Les officiers à cheval caracolaient. Le peuple se massait sur leur passage. On applaudissait. On sait que les Français aiment leur armée. On sait moins comment ils l'aiment. La plupart, des Parisiens de l'aube, et non pas ceux des matins au Bois, regardaient avec souci le ciel sans nuages : il allait faire une chaleur plombée à Longchamp.

Élise Grésandage n'avait pas fermé l'œil de la nuit. Quand les clairons sonnèrent sous ses fenêtres, elle se leva, jeta un fichu sur ses épaules et vint regarder. Richard se retourna pesamment sans s'éveiller. C'étaient les Annamites. Élise se rappela comme au temps de la guerre de Mandchourie les journaux étaient pleins d'articles sur le péril jaune. Ces petits hommes, comme des jouets, sur le pavé de Paris, lui firent drôlement mal à voir. Qu'est-ce qu'ils venaient faire ici, les malheureux? Puis ce fut l'artillerie, dont les pièces firent trembler la maison au passage. Élise se retourna vers Richard endormi. Elle se souvenait de ce qu'il avait dit de la guerre. S'il avait raison, Rico? Rico, méchant Rico, infidèle. Je ne veux pas qu'on me le tue. Oh, plutôt qu'il soit à cette femme, Seigneur Dieu Tout-Puissant, et qu'elle le rende heureux!

Bien que ce fût folie, Joseph Quesnel avait décidé d'assister à la revue avec Carlotta. Une folie de tous les points de vue : santé, scandale. Il y tenait pourtant, Carlotta avait un cha-

peau neuf. Il vint donc la chercher en voiture boulevard
Bineau, vers six heures et quart. Carlotta, écrasée par les émotions des jours précédents, avait dormi magnifiquement, rassurée. Et reposée, fraîche, ce matin, elle avait une beauté
d'aurore et une jeunesse que Quesnel ne lui connaissait pas. Elle
le fit attendre. Elle hésitait entre ses robes. Elle vint en combinaison le chercher pour choisir. La beige, la rose, la verte?
Dépêche-toi, aujourd'hui personne n'est sûr de pouvoir avoir
des places. Les cartes ne sont pas une garantie. C'est une fête
démocratique.

Dès l'entrée du Bois de Boulogne, c'était un cheminement
énorme de gens de toutes sortes, où dominaient des endi-
manchements à canotiers et grands chapeaux à plumes. Les
femmes en jabot sur leurs robes claires, les enfants mal réveil-
lés emmenés en bande, l'excitation martiale, tout ce que
Paris contenait de petits boutiquiers déversé sur les pelouses,
dans les fils de fer, où jouaient des mioches braillards, au
delà des remparts et par les avenues qui cernent les deux
lacs, s'en allait vers Longchamp, d'où refluait déjà vers sept
heures un peuple désappointé de s'être vu refuser l'entrée.
Des fanfares éclataient, des piétinements, encore des régiments qui passent. On se pressait sur le chemin des drapeaux
avec des cris, des hourras. Le clou de l'affaire était les tirailleurs sénégalais, leurs guêtres blanches, leurs fez rouges et
toute la buffleterie, dont les gueules noires et émerveillées,
suantes déjà, faisaient courir ce Paris jobard et patriote par-
dessous les arbres encore frais de la nuit. Les cuirassiers
remontaient les Acacias au milieu des acclamations.

À Longchamp, plein à craquer, il y avait une sorte d'émeute
à l'entrée de la Tribune A, qui était celle du Sénat et de la
Chambre, pour laquelle Quesnel avait des cartes. On ne laissait pas entrer. Il était sept heures moins le quart. Quelle
idiotie! La foule protestait. Sous la pression des arrivants,
des femmes, des enfants tombèrent. Il y eut des cris. Serrés
à étouffer entre les élégants invités du Parlement, Joseph
et Carlotta pestaient pour leur part. Le chapeau de Carlotta

faisait sensation : une petite toque mise de côté, avec une double couronne de vingt piquets de crosse noirs et blancs. Et il en est de ces plumes-là comme des orchidées, tout le monde en sait le prix. Cent francs le piquet. Ça faisait au bas mot un galure de quatre mille balles. La bousculade allait de plus belle : des agents levèrent les bras au ciel. Ce n'était pas de leur ressort. On vit des députés ceints des trois couleurs qui promenèrent des barbiches indignées vers les huissiers inexorables. Quand sept heures sonnèrent les barrages s'ouvrirent. Une poussée formidable balaya Carlotta qui tenait son chapeau et Joseph, pâle, avec des douleurs dans le ventre. Des cris d'effroi retentirent : « Attention... Brutes ! Ne poussez pas ! Une femme vient de s'évanouir ! » Le fleuve montait à l'assaut de la Tribune A, se déchirant lui-même, et ces gens du monde se battaient, s'écrasaient dans les escaliers. Derrière eux, sur le sable de l'allée, il resta des chapeaux piétinés, des ombrelles brisées. Les gradins se peuplèrent.

À huit heures, spahis, cavaliers soudanais, tirailleurs séné- galais, algériens, annamites avec leurs galettes de paille sur le foulard noir, fantassins et artilleurs de la métropole, et les Malgaches encore, les Tonkinois, les Marocains, les Gabonais, le régiment indigène du Tchad, sont rangés devant les tri- bunes : coloniaux d'abord, puis l'infanterie, puis l'artillerie et par derrière elle la cavalerie, enfin au tréfonds l'avia- tion et ses autos. Le canon tonne et, par la route de la Cascade, le cortège présidentiel apparaît dans un piaffement de chevaux tachés de blanc aux pieds bandés. Poincaré salue flanqué d'Étienne. C'est le char symbolique de la loi des Trois Ans : la grille s'ouvre et l'équipage gagne le pied des tribunes, du pavillon qui vit gifler il n'y a pas si longtemps un jour pareil, un président de la République. « Vive Poin- caré ! Vive Poincaré ! » Le président écoute ces cris avec la satisfaction profonde d'un homme qui se sait ailleurs méconnu.

Du milieu des officiels (Avez-vous vu cette personne avec Quesnel ? Son chapeau ?) Carlotta a regardé sous le soleil

accablant, aux côtés de Quesnel, évoluer ces lignes claires
et foncées, qui sont des milliers d'hommes commandés par
le général Michel, Gouverneur militaire de Paris. Des épées
luisent au clair devant la garde de quarante drapeaux cha-
marrés, au premier rang des troupes où l'on distingue encore
les officiers aux dolmans de ciel ou aux vestes marine. Des
plumets partout. Les pantalons rouges se flanquent de bandes
jaunes, bleues, noires et rouges. Il y a juste d'ombre ce
que fait dans l'herbe un homme à ses propres pieds, tandis
qu'au loin s'estompe dans une buée de chaleur le décor irré-
gulièrement dentelé des arbres du Bois, avec les sentinelles
des peupliers, le moulin et le château de Longchamp, la
piste, et des hangars lointains. La Sidi Brahim passe dans le
tourbillon d'une fantasia. Massées à l'écart, d'autres troupes
attendent leur tour, cavaliers au pied de leur bête, fantassins
près des fusils en faisceaux, qui cherchent à attraper des
libellules.

La foule noire de la pelouse, pressée, tassée, suante, surprise et cahotante, hurle et vacille sur elle-même. Elle a
ses yeux collectifs pleins du mirage d'au delà des mers. Elle
en voit de noires et de jaunes. Des femmes agitent des mouchoirs. Les Saint-Cyriens! Les Saint-Cyriens!

D'un grand geste, à la tribune, Quesnel enveloppe tout
cela et murmure à l'oreille de Carlotta : « L'âme nationale! »

Cependant Edmond qui vient de se réveiller, à peine lavé,
est descendu prendre un café. Le matin est plein des restes
de la nuit. Estrades des bals, papiers froissés et, près de la
fontaine au carrefour, le grand carrousel or et blanc de
chevaux et de chars avec ses glaces et ses cuivres, immobilisé maintenant par le souvenir de la fête. Dans les journaux du matin, un petit entrefilet retient Edmond. La nouvelle de l'assassinat de l'inspecteur Colombin par un croupier
nommé Leroy qui s'est suicidé. Le mobile du crime, bien
entendu, est que Leroy reprochait à Colombin d'avoir fait
fermer le cercle où il travaillait, la veille au soir, et de lui
avoir ainsi enlevé son gagne-pain.

Edmond soupire et sourit. Colombin mort... Il acceptera les propositions de Joseph Quesnel.

Carlotta, transportée par le spectacle, applaudit à tout rompre les Sénégalais. Quelle fière allure! La mission civilisatrice de la France est rendue sensible à chacun. « Vive Poincaré! » Si la Chambre après cela ne comprend pas son devoir... Toutes les têtes se lèvent vers le ciel, et tournent leurs mentons à l'unisson de ce gros scarabée qui vire. Un dirigeable traverse le champ de manœuvres céleste. Un dirigeable jaune, gros, poussif et plein de mystères pour ces hommes venus d'au delà des mers. Le rêve de la navigation aérienne suspend un instant la discipline terrestre.

Le temps coule dans la chaleur. Toutes les élégances sont là, vaillantes, donnant l'exemple aux soldats. Que de femmes du monde, d'actrices, de bijoux et d'ombrelles! La haute banque et le grand commerce, l'industrie en jaquette et en tube, les rentes foncières et les obligations des chemins de fer, de l'électricité, du textile *et cætera,* font ici preuve de leur patriotisme et de leur énergie. Ils se sont tous levés très tôt, ces gens-là, pleins d'entrain, une chanson aux lèvres. *Vive Poincaré!* C'est-à-dire *Vive la France!* Car on ne distingue pas, à quoi bon distinguer? Nos petits soldats sont admirables, prêts à se faire tuer. Et ces braves Africains, conquis par la grâce française! Il paraît que les midinettes en sont folles... Vraiment? Mais cela va faire du vilain! Quoi, un peu de chocolat au lait! Mon cher député, cette plaisanterie est indigne de vous... Vous avez ri, madame, et je n'ai pas d'autre ambition... Les chiens! regardez les chiens! Qu'est-ce que c'est que cette attraction-là? Ce sont les chiens sanitaires. Oh! la prochaine guerre nous réserve des surprises! Les chiens qui vont soigner des hommes... Voilà qui est beau, qui mérite d'être médité...

Comme les troupes revenaient à travers Paris, devant la gare des Invalides, le long de ce quai que surmontaient les figures d'or du pont Alexandre, les artilleurs passaient en chantant avec leurs pièces. On leur fit faire halte, le long

de l'esplanade. Le brigadier Adrien Arnaud descendit un
instant du caisson sur lequel il était assis, histoire de se dégour-
dir les jambes. Il était fatigué, mais plein d'enthousiasme.
Il pensait que l'avenir de la France est dans l'armée, et que l'armée mettra fin aux désordres, au travail des meneurs qui
menace la propriété, les talents individuels, le génie de notre
patrie. Paris, avec cette magnifique revue, avait lavé le souvenir
de la veille, cette ruée des gens sans aveu au Pré Saint-
Gervais, pour la quatrième fois de l'année! Qu'est-ce qu'ils
ont donc à aller s'entasser dans les boîtes à ordures des
fortifs, ces gens-là? C'est un vice? Adrien, lui, avait surtout
envie de pisser. Il s'entendit soudain appeler par son prénom : « Adrien! » Il se retourna.

## XXII

Un jeune homme brun, maigre, aux vêtements fripés, la
chemise sale, une barbe d'au moins dix jours et un air
d'épuisement. Adrien mit un instant à le reconnaître, tant
ce miséreux avait l'air de ne lui tendre la main que pour mendier : nom de Dieu, c'était Armand Barbentane! « Qu'est-ce
qui t'arrive? Qu'est-ce que tu fais là? » Armand s'expliqua
très vite : quitté la famille, fâché avec Edmond, pas de
travail, pas de chambre, pas bouffé depuis... La main acheva
la phrase. Adrien n'en revenait pas. Armand dans cet état-là!
Ça lui faisait quelque chose, on est tout de même des pays.
Et puis un de *Pro Patria!* Comment est-ce que tout ça s'est
goupillé? Hep, là! il tourne de l'œil... Des camarades lui
passèrent de la gnole. Adrien se fouilla. Dix francs, c'est
toujours dix francs. Ah! puis, ne fais de manières! Il
n'y avait pas de risque. Armand prit la petite pièce d'or
et la serra. « Mais tu vas retourner à Sérianne... ou bien quoi?
Où dormiras-tu? Il faut manger tous les jours! » Armand

sourit. Il ne retournerait pas à Sérianne. Il y avait deux possibilités : du travail, ou bien... Ou bien quoi? Ou bien la
Seine. Ne dis pas de bêtises. Je ne dis pas de bêtises, j'ai
faim. Bon sang de sort, Armand, est-ce que tu ne peux pas
trouver du travail? « Voilà un mois et demi que je cherche,
que je lutte. Pas de papiers, tu comprends. Maintenant, pas
de domicile. Et je ne sais rien faire. Le latin, qu'ils m'ont
appris... »

Adrien hocha la tête. Il pouvait donner une recommandation
à Armand. Oui, cela pouvait se faire. Ils lui donneraient du
travail. Un bureau d'embauche. Du travail d'usine. Enfin, il
y a des emplois faciles. Tu iras? Cette idée.

Adrien sortit de sa vareuse un stylo et une feuille de
papier qui pouvait aller. S'appuyant sur le caisson, il griffonna
la lettre, plia, mit l'adresse au dos. C'était quelque part près
de la place Pereire. Il expliqua comment y aller. Un coup
de sifflet. L'artillerie se remettait en marche. Le brigadier
serra la main d'Armand en hâte.

Armand regardait autour de lui. Pas de boulangerie dans
un bled pareil, à gauche vers la Chambre ou la Concorde, à
droite vers l'Alma. Et par-derrière les Champs-Élysées, par-
devant l'Esplanade. C'était encore de ce côté-là le plus près,
rue Saint-Dominique peut-être... Il retrouva, de faim, la force
de courir.

Il ne put se présenter à l'adresse donnée que le lendemain.
Tout était fermé le jour de la Fête nationale. C'était dans
une petite rue qui donnait sur le chemin de fer de ceinture
par un bout, sur les fortifs par l'autre, entre l'avenue des
Ternes et l'avenue de Villiers. Une sorte de boutique vert
sombre, avec des rideaux aux vitres. Tout laqué à l'intérieur.
Cela avait dû changer de commerce récemment, on avait
hâtivement fait des guichets, mis des paravents, des tables.
Des messieurs qui avaient l'air de notaires de province, et
des grands gaillards avec le chapeau sur l'oreille, conversaient,
inscrivaient sur des registres et des petits calepins des noms,
des chiffres, des adresses. « M. Debucourt? » C'était un tapir

à nez mauve, avec une calotte de soie noire, et le visage grêlé de petite vérole, une épaule plus haute que l'autre. Un mètre soixante et onze, exactement.

Il prit le mot plié, sortit un pince-nez d'un étui, l'ajusta, s'approcha de la porte pour lire, toussa comme pour s'éclaircir les yeux, et marmonna quelque chose. Il se retourna vers Armand et le dévisagea. « Approchez », dit-il. Puis plissa le nez d'un air de profond dégoût, étendit la main, et tâta le bras du jeune homme. « Mauvais, dit-il, mauvais. Pas de muscles. Un intellectuel! Vous n'avez jamais travaillé en usine? »

Les renseignements l'assombrirent. « Enfin, soupira-t-il, vous m'êtes recommandé par un jeune homme que nous estimons... qui a travaillé pour nous. On peut voir... »

Il prit une feuille de papier à en-tête : L'Entraide mutuelle. Il leva sa plume à la recherche d'une inspiration. Son regard monta sur le mur comme une mouche. Il sembla se fixer sur une vierge en plâtre. Puis retomba sur Armand. « Monsieur Percepied! » cria M. Debucourt.

M. Percepied apparut entre les feuilles d'un paravent. Il était occupé avec une femme pauvrement mise, qui tenait un enfant sur ses bras. M. Percepied était exactement un double-mètre mal replié avec des bras de singe et une tête de perroquet. « Monsieur Debucourt? — Monsieur Percepied, peut-on envoyer ce particulier-là aux usines Wisner? » Le double-mètre coulissa sur lui-même et l'œil de perroquet se fixa sur Armand : « Peuh! peuh! » dit-il.

M. Debucourt devint vert pomme : « Si vous vous en foutez! » glapit-il. M. Percepied eut un geste très vague et dit encore : « Bah, bah! » L'autre, qui devait connaître ce langage océanien, reprit sur-le-champ : « Alors, puisque ça peut aller, je l'inscris... » Percepied ne l'entendait déjà plus, il avait pris le bras d'un énorme bouledogue aux joues cramoisies qui criait : « Alors, Percepied, on dîne ensemble ce soir? »

C'est ainsi qu'Armand se trouva embauché. « Notre ami me dit, relut Debucourt, que vous avez reçu une éducation chré-

tienne et que vous avez été longtemps dans un patronage de
Sérianne... Il ne faudra pas oublier les principes qui vous ont
été inculqués... attention aux fortes têtes! N'oubliez pas que
c'est par faveur que vous avez du travail... et que si nous sui-
vions aveuglément les règles du syndicat...» Armand, à sa grande
stupeur, reçut sur-le-champ une prime de dix francs. Il aurait
huit francs par jour... Il empocha. Il serait à sept heures au
travail, le lendemain! À Levallois. Au-dehors, le beau temps
le saisit. Il flâna par ce quartier tranquille, le long des tennis,
au-dessus du chemin de fer. Il avait du travail. Il ne pouvait y
croire. La vie commençait.

Qui lui eût dit jadis l'allégresse qu'il ressentirait dans un
moment pareil? Rien au monde ne pouvait le rendre plus
heureux. Il avait couché sous un toit, mangé. Il travaillerait le
lendemain. Il se sentait fier. Enfin un homme. Il regarda des
femmes, se rappela sa barbe et entra chez un coiffeur avenue
des Ternes. Le garçon eut un drôle d'air en le voyant. Il montra
son argent et s'assit dans le fauteuil.

L'usine Wisner de Levallois donnait par une porte de fer
sur une rue sans fenêtre, avec ses longs murs, un peu au delà
de la place Collange. Il y avait de l'animation dans cette rue,
des groupes arrêtés, de la police. Vers sept heures moins le
quart, Armand s'avançait dans le matin, sifflant allègrement,
fier du petit papier dans sa poche, fier de travailler. Oh, il
avait fait un long chemin depuis les jours de Marguerite de
Provence, depuis les jupes de sa mère! Il avait rompu avec le
monde des siens, où le travail est un déshonneur, tout au moins
le vrai travail, celui des bras, celui des mains. En passant
parmi les groupes, Armand regardait les ouvriers, les ouvrières
rassemblés, avec des yeux neufs. Ceux-là, ce seraient ses compagnons, ses amis. D'avoir crevé la faim, il se sentait leur frère.
Il approchait de la porte.

Soudain quelqu'un le bouscula de l'épaule. Un grand diable,
noiraud, avec de petits yeux et une moustache de travers.
Une casquette à visière et une cotte. Armand s'excusa. Ce
n'était pourtant pas lui... Il avait même l'impression que l'autre

l'avait fait exprès. Celui-ci avait pris le jeune homme par le
bras : « Où c'est que tu vas, mon pote? » Il y avait de la
menace dans ce ton bonhomme, et la poigne était solide.
« Travailler », dit Armand, les yeux luisants, avec tout l'orgueil
de ce mot. Aussitôt il y eut un rassemblement autour de lui :
« Un jaune! Un jaune! » Ce n'étaient plus des faces amicales,
mais des gueules d'adversaires. Dix types résolus l'entouraient.
Armand chercha à se dégager, à s'expliquer : « J'ai été embauché à l'usine Wisner... » On ricanait autour. Embauché? Non,
mais des fois.

  « Alors, tu vas travailler comme ça? reprit le grand diable.
Tu ne demandes pas l'avis des copains. Tu vas travailler. Et
la grève? » Armand s'étonna : « La grève? Mais, voyons, je ne
savais pas... » On rigolait et on grondait alentour. Le cercle se
resserra. À ce moment, il se fit un remous et un agent de police
écarta les ouvriers, parlant fort : « Allons, laissez-le, ce gosse,
laissez-le passer! »

  Armand se trouvait entre le grand diable et l'agent. L'ouvrier
se retourna et commença de crier : « Camarades... laisserez-
vous comme ça les jaunes bouffer notre pain? Camarades... »
L'agent l'interrompit avec brutalité : « Laisse-le, celui-là, ou je
te coffre!... » D'autres flics approchaient. Les ouvriers reculèrent. « Allez, oust, dit l'homme de l'autorité, au boulot, le
clampin! Tu as ton papier? » Armand montra sa feuille
d'embauche. Les agents l'escortèrent jusqu'à la porte. Derrière
eux, quelqu'un lança des pierres qui se perdirent, faisant une
marque blanche au mur.

  À sept heures dix, Armand se faisait pointer à l'usine. C'est
ce même jour que, par 376 voix contre 199, la Chambre vota
l'incorporation à vingt ans.


## XXIII


  Ce que cette misérable chambre d'hôtel prise à Levallois,
rue Gide, arrivait à constituer de confort, de luxe et de quié-

tude pour Armand, avec les menus objets de toilette qu'il
avait achetés, c'est ce qu'il est assez difficile de se représenter.
Le lit de fer pouvait bien être dur, le papier mural sale et
délabré : c'était un palais extraordinaire, où se remettait en
marche toute la machine à rêver, toute la puissance imagi-
native qui avait peuplé le haut Sérianne de chevaliers et de
princesses, de demoiselles et d'écuyers. Les fleurs du papier
groupaient en petits bouquets des roses en grappes, avec un
feuillage vert tendre au-dessus, entre des raies longitudinales
formées par un lacis brun et vert sombre, et le fond avait
été crème, avant que mille intempéries, la crasse et la fantaisie
des habitants l'eussent mué en une brume de taches où l'encre,
le vin et la poussière engendraient des figures auxquelles
Armand songeur se complaisait. Le petit bonhomme à cheval
sur un nuage va rencontrer une sorte de mouton... Il y avait
la couronne de Charlemagne et une danseuse de cancan... Il
y avait des morceaux de mur écorché où l'on voyait le plâtre
blanc, et dans un coin, au crayon, quelque hôte de passage
avait dessiné un cœur percé d'une flèche, avec un nom :
*Fanny*... Et qu'est-ce que cela signifiait pour Armand? Il ne
connaissait pas de femme de ce nom-là : il en imaginait une.
Une grande Anglaise brune du temps de Walter Scott, avec
des cerises pour pendants d'oreille... Elle s'approchait
d'Armand et lui disait : « Le lord, mon père, ne veut rien
entendre. Il s'oppose à notre mariage, *darling*, mais tant pis,
je viens à toi... Je partagerai ta vie d'ouvrier, à Levallois, aux
usines Wisner... » Ici Armand éclata de rire. Il se souvint de
ce que signifiait pour lui ce prénom, Fanny : c'était celui que
portait la vache, sur laquelle François de Loménie chatouillait Thérèse Respellière il allait y avoir un an...

Au delà des rêves et des souvenirs, il y a la fatigue, et dans
le fond de la fatigue, une grande révélation : le travail, l'usine.
Il y a ces calus nouveaux dans les mains, cette rupture des
bras, cette violation de tout ce qu'Armand a jusqu'ici regardé
comme sa liberté, sa dignité. Il y a l'étrange coudoiement
d'hommes pour qui cela est la loi naturelle, et la fierté virile

et nouvelle d'Armand, de se sentir plié à la loi des autres hommes.

Pourquoi fallait-il qu'à l'orgueil d'être enfin le maître de sa vie une ombre mouvante vînt se mêler, qu'il écartait, mais qui revenait toujours comme une mèche rebelle. C'était le mercredi qu'il avait été pour la première fois à l'usine. On ne l'avait pas laissé sortir pour déjeuner à cause des grévistes. Les hommes qui travaillaient semblaient avoir très peu l'envie de communiquer avec lui. Le lendemain, le 17, ils n'avaient encore pu pénétrer dans l'usine qu'à cause de la présence de la police. Il y avait eu plusieurs incidents dans la rue. Les rentrées pourtant avaient été plus nombreuses. Les contremaîtres rigolaient. Il était évident que la grève allait tourner court. Défaite.

C'est quand il comprit cela qu'Armand sentit en lui monter une indignation soudaine. Qu'est-ce qu'il faisait là? Qu'est-ce que c'était que ce rôle qu'il jouait? Cela continuait donc comme à Sérianne? Il était encore du côté des maîtres, il travaillait pour eux, contre les ouvriers. Contre le wattman de Villeneuve, contre le terrassier tué par ceux de *Pro Patria*, contre Yvonne, contre Angélique, contre ces hommes sans nom aux visages tendus qui appelaient vers lui ou lui criaient des injures devant l'usine... Et ils étaient battus, une fois de plus, par son père, par Barrel, par Wisner, et trahis, trahis par leurs frères, honteusement de retour aux machines, trahis par lui, Armand, le fils des Rinaldi compagnons de Napoléon, empereurs des bazars au Mexique, alliés de Clemenceau le fusilleur.

Ce soir-là, quand il sortit du travail, il vint rôder autour de la Maison des Syndicats où était le comité de grève. Il n'osa pas en franchir la porte, il s'éloigna dans la rue Cavé.

Que pouvait-il faire tout de même? Allait-il retourner à la rue, à la mendicité parce qu'il ne voulait pas rester un briseur de grève? Jamais il n'aurait eu de travail, si ce n'avait été le mot d'Adrien Arnaud, et *L'Entraide mutuelle*. Fallait-il recommencer la vie du dernier mois, n'avoir plus de chambre, coucher sous les ponts, chassé par les flics? Il se sentait dans le soir une lassitude terrible. Il dormit mal, cette nuit-là, il revit en rêve l'homme que la police avait battu aux Halles, le soir de son arrivée à Paris, et des visages de son enfance, sa mère en proie à l'hystérie...

Le journal du matin lui apprit que M. Drioux, juge d'instruction, avait entendu la veille Tesson, secrétaire du syndicat des métaux à Valenciennes, inculpé d'agitation antimilitariste. C'était ce jour même, le vendredi, que devait se clore le débat sur la loi militaire... Le sort des conscrits de Sérianne dont il revoyait les figures naïves, la gaîté et la révolte, se jouait là-bas, sans qu'ils pussent dire un mot, dans ce palais à colonnes, devant lequel il avait erré le ventre creux. Et lui, pendant ce temps... Il était clair que c'était la fin de la grève : il y avait encore de nouvelles rentrées.

À six heures, Armand se jeta sur les journaux du soir. La loi de Trois Ans avait été votée par 358 voix contre 204, malgré la protestation du Parti socialiste, lue par de la Porte, et un discours courageux de Caillaux qui exprimait la pensée des radicaux, la pensée impuissante des radicaux devant la coalition qui gouvernait la France. Comme on jetait de gauche à la face de Barthou la majorité qui le soutenait et avec laquelle il venait de faire faire au pays un pas décisif dans la voie de la guerre, Barthou se défendit, disant que peu lui importait que ceux qui avaient voté la loi fussent des réactionnaires. Dans un grand geste oratoire, aux applaudissements de la droite, il déclarait : « Je n'ai voulu connaître que des Français ! »

Alors, sur les bancs socialistes, une fois de plus, se leva Jaurès, indigné. Et sa main traçant d'un grand geste la limite entre les 204 et les 358, le tribun s'écria sous les huées : « Alors la France finit là ! »

Il y a des mots qui ont l'amertume des graines. Celui-ci, Armand le mâcha longuement dans ce soir pesant de juillet qui portait déjà dans son ciel les lueurs du juillet à venir, du juillet suivant, inquiet comme un poste-frontière. *Alors la France finit là...* Où était-elle, cette France, de quel côté du

geste de feu qui scinde les rangs de la chambre, du côté des
Schneider, des Quesnel, des Schoelzer-Bachmann, des Finaly,
des Wendel, qui gagnent à tous les tableaux de l'Europe où
l'on tue, des mines sanglantes de la Lena aux Dardanelles, de
la Macédoine en feu aux Pennaroya d'Espagne, qui gagnent
sur le sang allemand et sur le sang français, sur le Maroc et
la Tripolitaine, du côté de Poincaré qui parle au nom des
industriels de la Meuse, de Millerand, homme à tout faire du
Comité des Forges, de Tardieu, dont apparaît la gueule de
requin sur l'Afrique et l'Asie Mineure? *Alors la France finit
là...* Cette parole qu'il emporte dans son cœur troublé, Armand,
pose à nouveau devant lui tout le problème, et n'oubliez pas
qu'il n'est qu'un ignorant des choses de la vie, qu'il en sait
ce qu'on a voulu lui en dire, comme à tous ses pareils, qui
n'ont d'autre responsabilité encore dans cette immense saloperie que d'être nés de ceux-ci, et non pas de ceux-là, et
qui pourraient encore choisir contre leurs pères le côté des
êtres humains... Il est un ignorant, pour qui la France a
toujours été le monopole de ceux qui la mettent en anglais
au cul de leurs marchandises : *Made in France,* le monopole
de ceux qui l'exploitent et qui font travailler les Français;
il n'a jamais songé à nier le droit de se réclamer d'elle à ceux
qui font insolemment chaque samedi soir depuis deux ans
parader par les rues des retraites militaires pour arracher les
casquettes aux Français qui restent couverts, pour faire des
Bourses de Travail des Français le symbole apparent de l'anti-
patriotisme, quand le patriotisme, lui, se réfugie à la Bourse
tout court, avec les Houten, les Lenoir, les Wisner, la pègre
internationale qui joue au *Haussmann* ou au *Passage-Club,*
qu'on reçoit à l'Élysée et à la place Beauvau, tandis qu'à
Sérianne, les Italiens sont utilisés comme un bétail pour l'intérêt de ce bon Français, Barrel, créateur de *Pro Patria. Alors
la France finit là...* Et si Jaurès a montré de ce geste ardent ce
qui était à la gauche de cette frontière de l'opprobre, si Jaurès
a voulu appeler ceci la France, et non cela, alors pour Armand,
tout à coup tout s'éclaire, et change, et lui aussi quand il va

passer le seuil de la Maison des Syndicats, que surveillent les flics patronaux, il pourra dire : *Alors la France finit là...* et il sera lui, dans la France, dans cette chose meurtrie, immense, et palpitante comme un cœur, et qu'il reprend le droit d'appeler de son nom véritable, la France, trop souvent confondue avec cette forteresse vraiment étrangère qui la domine, la forteresse des beaux quartiers où Armand a erré comme un meurt-la-faim, où règnent les usurpateurs, où le mensonge est maître, et se pare des couleurs des anciens gueux, de ceux qui prirent la Bastille, pour couvrir le jeu des Banques internationales et des parricides d'hier réinstallés dans la maison française, ceux de Coblence et ceux de Versailles, à la veille de Charleroi comme à la veille de Sedan. *Alors la France finit là...* Et Armand refait le geste de Jaurès dans le couchant, quelque part, vers la Porte Champerret, et ce geste sépare des beaux quartiers, propres, entretenus, pleins de monuments splendides et de grands rêves, ces enfers fumants de cheminées qui font la couronne de Paris et se prolongent dans la capitale par les taches noires des taudis, dans les arrondissements pauvres. Et Armand dans ces vêpres d'aujourd'hui où la France vient d'être livrée une fois de plus aux spéculateurs de la mort, où dans Levallois une petite grève de détail est domptée, Armand comprend enfin ce que c'est vraiment que la France, et ce qu'a voulu dire Jaurès, et ce que ce sera que le combat de l'avenir, pour une France forte, libre, heureuse. Il le comprend confusément, comme il sait qu'il est maintenant un homme, et qu'il a dépouillé la tutelle des ténèbres. Un enthousiasme qui est l'épanouissement de cette force en lui grandie depuis l'enfance, de cette imagination qui l'unit au peuple de la Provence et qui le marque plus que n'ont su faire la naissance et l'éducation, un enthousiasme d'homme enfin l'entraîne au delà de lui-même et lui fait négliger ce qu'il perd, et le lendemain terrible, le chômage et la faim.

Il commet ce soir-là un acte vraiment *patriotique.* Il se répète avec une âpre fierté cet adjectif qui vient de prendre pour lui un sens nouveau : il entre à la Maison des Syndicats, il demande le Comité de Grève. On lui indique les portes vitrées au fond, dans la salle des réunions. Ils sont là, sur des bancs, une quinzaine d'ouvriers, assez mornes, un soir de défaite. Armand s'avance vers eux et il leur dit : « Voilà, camarades, je ne veux plus être un jaune, je suis venu à vous... »

Les autres lèvent la tête. Qu'est-ce que c'est que celui-là? Un jaune? Comment? Il parle. Il raconte. Il dit très vite ce qu'il est. Qu'il avait faim. Pas de lit depuis un mois. La rencontre devant les Invalides, *L'Entraide Mutuelle*, l'embauchage, l'usine, il ignorait qu'il y eût la grève, mais pendant trois jours, il a été faible, et puis voilà, ce n'est pas possible, alors me voilà.

Tous se regardent. Il répète : « Me voilà. » Il y a un grand et long silence. Ils étaient abattus parce que la grève avait échoué. Et tout d'un coup, ce type... Ils se regardent et hochent la tête. Il y en a un petit, qui a l'air futé, qui s'est mis à sourire. Un autre s'est levé. Un du syndicat. Un homme maigre et large, comme une carcasse tondue de cuir, avec des cicatrices dans le visage et un doigt qui manque à la main droite. Il jette violemment sa casquette sur la table et il a les yeux brillants, sa voix est comme une vieille porte rouillée : « Camarades, dit-il, camarades... Vous voyez bien qu'il ne faut jamais désespérer! »

> *Terminé le 10 juin 1936*
> *à bord du « Félix Dzerjinski ».*

# POSTFACE

## 1936

*Ce livre, qui suit* Les Cloches de Bâle, *est le second d'un long témoignage que j'apporte, des origines de ma vie à cette heure de la lutte où je ne me sens pas distinct des millions de Français qui réclament le Pain, la Paix, la Liberté. Il prélude à d'autres que rendent problématiques ces craquements sourds dans la vieille demeure, et le bruit des revolvers qui s'arment dans la poche des factieux, et les clameurs proches de la guerre étrangère. Pourtant il me faut ici rêver à l'avenir, où des livres s'écriront pour des hommes pacifiques et maîtres de leur destin. Il me faut donner à ces livres un titre général, et ce sera en souvenir du long débat que j'ai traversé, et de cette œuvre de nuages que je laisse derrière moi,* Le Monde Réel. Les Beaux Quartiers *sont donc le tome deux du* Monde Réel.*

*Comme j'ai fait des* Cloches de Bâle, *je dédie et ce que j'écris ici et tout ce que j'écrirai, je dédie* Le Monde Réel *à Elsa Triolet, à qui je dois d'être ce que je suis, à qui je dois d'avoir trouvé, du fond de mes nuages, l'entrée du monde réel où cela vaut la peine de vivre et de mourir.*

*A.*

# TABLE

*Ce volume,*
*le deux cent soixante-sixième de la collection Soleil,*
*a été tiré à trois mille quatre cents exemplaires*
*dont cent hors commerce*
*numérotés de 1 à 3400*
*et imprimé sur bouffant alfa Calypso*
*des Papeteries Libert*
*par l'Imprimerie Firmin-Didot.*
*La reliure a été exécutée par Babouot à Paris*
*d'après la maquette de Massin.*
*Les exemplaires hors commerce sont numérotés*
*de 3301 à 3400*

EXEMPLAIRE

2157

Nº d'édit. 14834; dép. lég. : 1er trim. 1970; imprimé en France. — 3256

